S0-ARL-835

EMC

Author

Toni Theisen

With the collaboration of
Jacques Pécheur

Contributing Writers

Caroline Busse
Pasadena, CA

Nathalie E. Gaillot
Lyon, France

Lynne I. Lipkind
West Hartford, CT

Todd Losié
Detroit, MI

Diana I. Moen
St. Paul, MN

Annie-Claude Motron
Paris, France

Virginie Pied
Salt Lake City, UT

Ann Trinkaus
Middletown, CT

Pamela M. Wesely
Iowa City, IA

ST. PAUL

Editorial Director: Alejandro Vargas
Developmental Editor: Diana I. Moen
Associate Editors: Nathalie Gaillot, Patricia Teefy, Scott Homler
Assistant Editor: Kristina Merrick
Director of Production: Deanna Quinn
Cover Designer: Leslie Anderson
Text Designers: Diane Beasley Design, Leslie Anderson

Illustrators: Marty Harris; Patti Isaacs, Fraphics; Katherine Knutson
Production Specialists: Leslie Anderson Jaana Bykonich, Ryan Hamner, Julie Johnston, King, Timothy W. Larson, Jack Ross, Sara Schnldon
Copy Editor: Mayanne Wright
Proofreader: Jamie Gleich Bryant

Reviewers: Sébastien De Clerck, Ojai, CA; Nicole Fandel, Acton, MA; Linda Mercier, Elizabethtown, etchen Petrie, Medina, OH; Anne Marie Plante, Minneapolis, MN; Celeste Renza-Guren, Dallas, TX

Credits: Photo Credits, Reading Credits, Art Credits, and Realia Credits follow the Index.

ISBN 978-0-82195-852-0

875 Montreal Way
St. Paul, MN 55102
Email: educate@emcp.com
Website: www.emcschool.com

Printed in the United States of America

21 20 19 18 17 16 15 14 13   4 5 6 7 8 9 10

To the Student

Bienvenue au monde de *T'es branché?* Welcome to the world of ***T'es branché?*** As you learn French with this exciting and innovative series, you will enjoy many opportunities to explore contemporary life in the Francophone world through your textbook and supplemental materials, online research, and on-location videos filmed in France.

You are on a voyage of discovery. You will meet people from many French-speaking countries and find out what it is like to live there. You will gain knowledge of diverse cultures, traditions, history, and language that will make you travel-ready and multicultural.

From the first day of your apprenticeship at becoming a citizen of the world, you will communicate in French with your classmates, teachers, and other French-speaking teens around the world. You will become skilled at working with a partner, in a group, and at making presentations. You will realize that learning another language expands your horizons, develops your intellect, and prepares you to experience the rich and engaging world in which we live.

Why is it important to learn French? Did you know that...?

1. there are over 200 million people in the world in more than 50 countries on five continents who speak French
2. there are over 20 million French speakers nearby—win Canada, the Caribbean, South America, and even closer to home, in Louisiana, and New England
3. French is, either directly or indirectly, the means of communication of over a quarter of a billion people in Africa where it is the official language of 18 countries
4. French opens doors in Canada, the top trading partner of the United States
5. French is the Romance language most similar to English; about 30% of all English words can be traced to French, so learning French will improve your English-language skills
6. French is among the official languages of the United Nations, UNESCO, the International Monetary Fund, the International Labor Organization, the International Olympic Committee, the 31-member Council of Europe, the European Community, the International Red Cross, postal services around the world, the organization for African Unity, and the International Council of Sport Science and Physical Education (to name a few of the organizations)
7. a second language is often a college requirement and, through its connections to English, can boost your success at your studies
8. French gives you access to discoveries and prominent persons in the world of art, government, food, literature, architecture, science, medicine, technology, music, diplomacy, fashion, and cinema
9. French connects you to the history of the United States and the thousands of places whose names are derived from French

Whatever your personal reasons for learning French, have a good journey as you discover French language and culture!

Bonne chance! (*Good luck!*)

Table of Contents

Unité 1

Bonjour, tout le monde! 1

Unité 2

Les passe-temps 49

Unité 3

À l'école 105

Unité 4

Le weekend 161

Unité 5

Les gens que je connais 217

Unité 6

La rue commerçante 273

Unité 7

À la maison 337

Unité 8

À Paris 393

Unité 9

En bonne forme 457

Unité 10

Les grandes vacances 513

Le monde francophone

French Quarter, Louisiana.

Les Saintes, in the Guadeloupe archipelago.

The Swiss Alps in Spring.

The Dogon danse in Mali.

Le monde francophone

La Grand-Place in Brussels, Belgium.

Bora-Bora, in French Polynesia.

The Bonsecours ice rink in Montréal, Québec.

A mosque in Algiers, Algeria.

Map of France

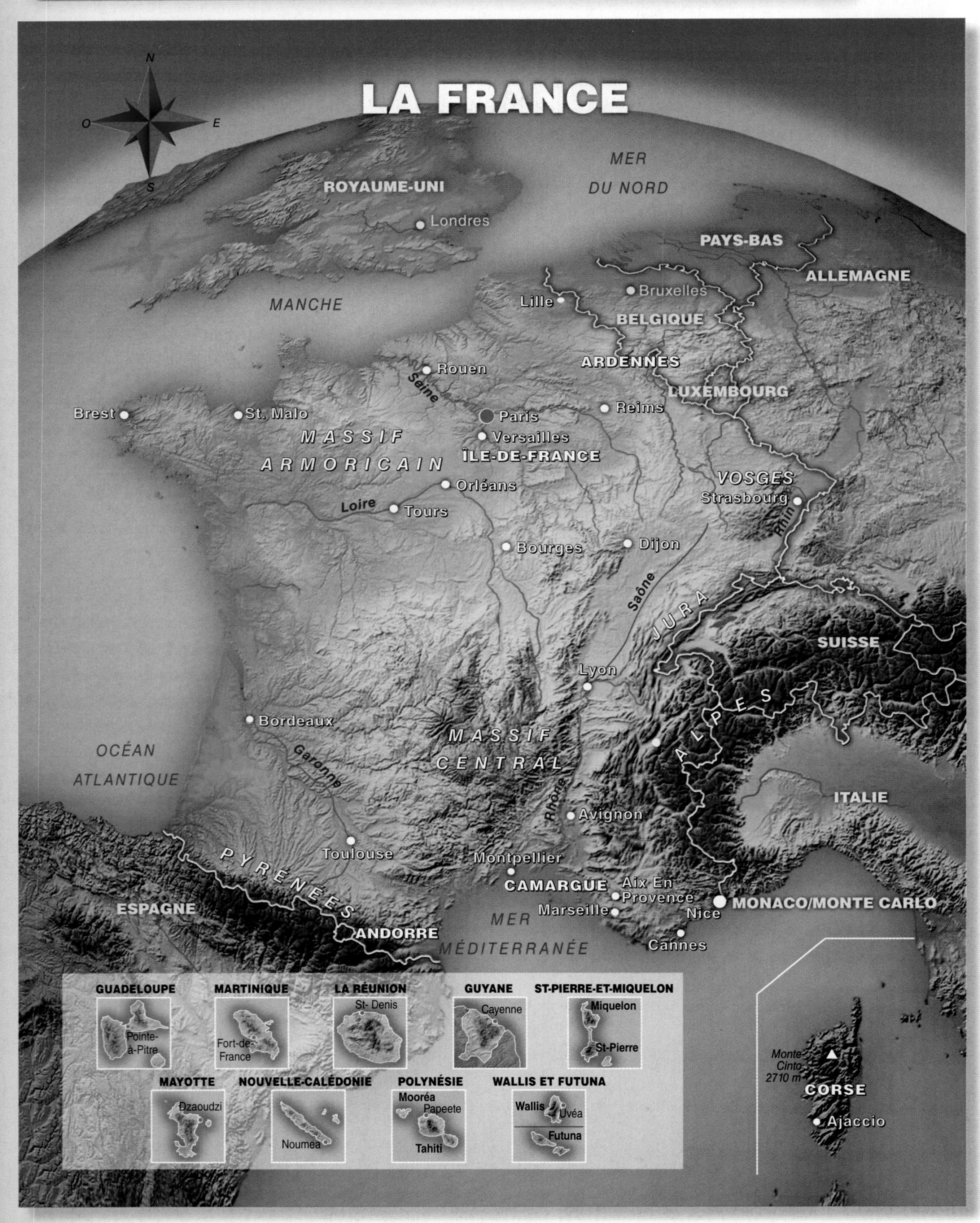

LA FRANCE
N
O
E
S
ROYAUME-UNI
Londres
MER
DU NORD
PAYS-BAS
ALLEMAGNE
MANCHE
Lille
Bruxelles
BELGIQUE
ARDENNES
LUXEMBOURG
Rouen
Seine
Brest
St. Malo
Paris
Reims
MASSIF
ARMORICAIN
Versailles
ÎLE-DE-FRANCE
Orléans
VOSGES
Strasbourg
Rhin
Loire
Tours
Bourges
Dijon
Saône
JURA
SUISSE
Lyon
ALPES
Bordeaux
OCÉAN
ATLANTIQUE
Garonne
MASSIF
CENTRAL
Rhône
ITALIE
Avignon
Toulouse
PYRÉNÉES
Montpellier
CAMARGUE
Aix En
Provence
Marseille
Nice
MONACO/MONTE CARLO
ESPAGNE
ANDORRE
MER
MÉDITERRANÉE
Cannes
GUADELOUPE
Pointe-à-Pitre
MARTINIQUE
Fort-de-France
LA RÉUNION
St- Denis
GUYANE
Cayenne
ST-PIERRE-ET-MIQUELON
Miquelon
St-Pierre
MAYOTTE
Dzaoudzi
NOUVELLE-CALÉDONIE
Noumea
POLYNÉSIE
Mooréa
Papeete
Tahiti
WALLIS ET FUTUNA
Wallis
Uvéa
Futuna
Monte
Cinto
2710 m
CORSE
Ajaccio

Francophone World Map

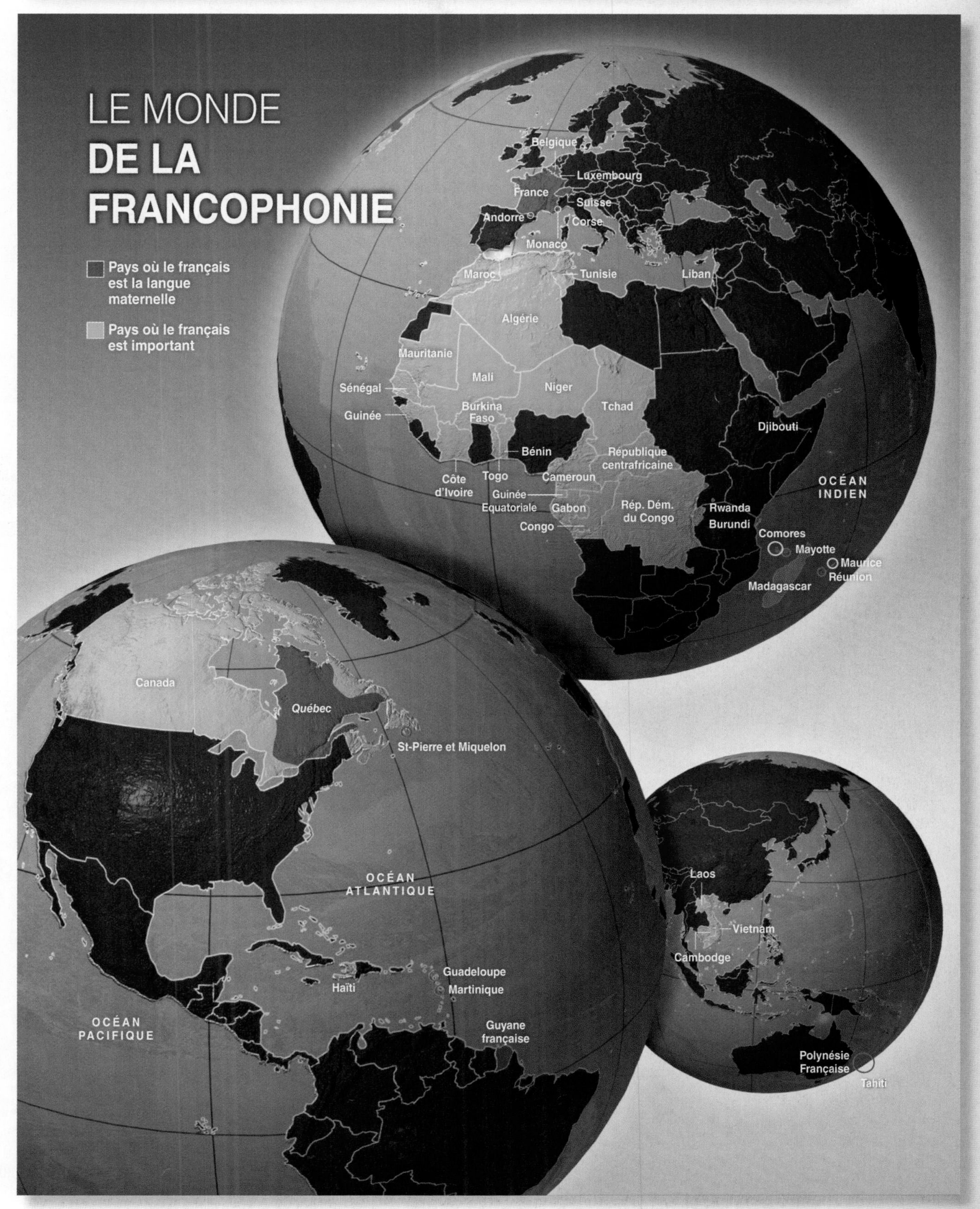

LE MONDE
DE LA
FRANCOPHONIE
Pays où le français est la langue maternelle
Pays où le français est important
Belgique
Luxembourg
France
Suisse
Andorre
Corse
Monaco
Maroc
Tunisie
Liban
Algérie
Mauritanie
Mali
Niger
Sénégal
Guinée
Burkina Faso
Tchad
Djibouti
Bénin
République centrafricaine
Côte d'Ivoire
Togo
Cameroun
Guinée Equatoriale
Gabon
Rép. Dém. du Congo
Congo
Rwanda
Burundi
OCÉAN INDIEN
Comores
Mayotte
Maurice
Réunion
Madagascar
Canada
Québec
St-Pierre et Miquelon
OCÉAN ATLANTIQUE
Guadeloupe
Martinique
Haïti
OCÉAN PACIFIQUE
Guyane française
Laos
Vietnam
Cambodge
Polynésie Française
Tahiti

Map of Paris

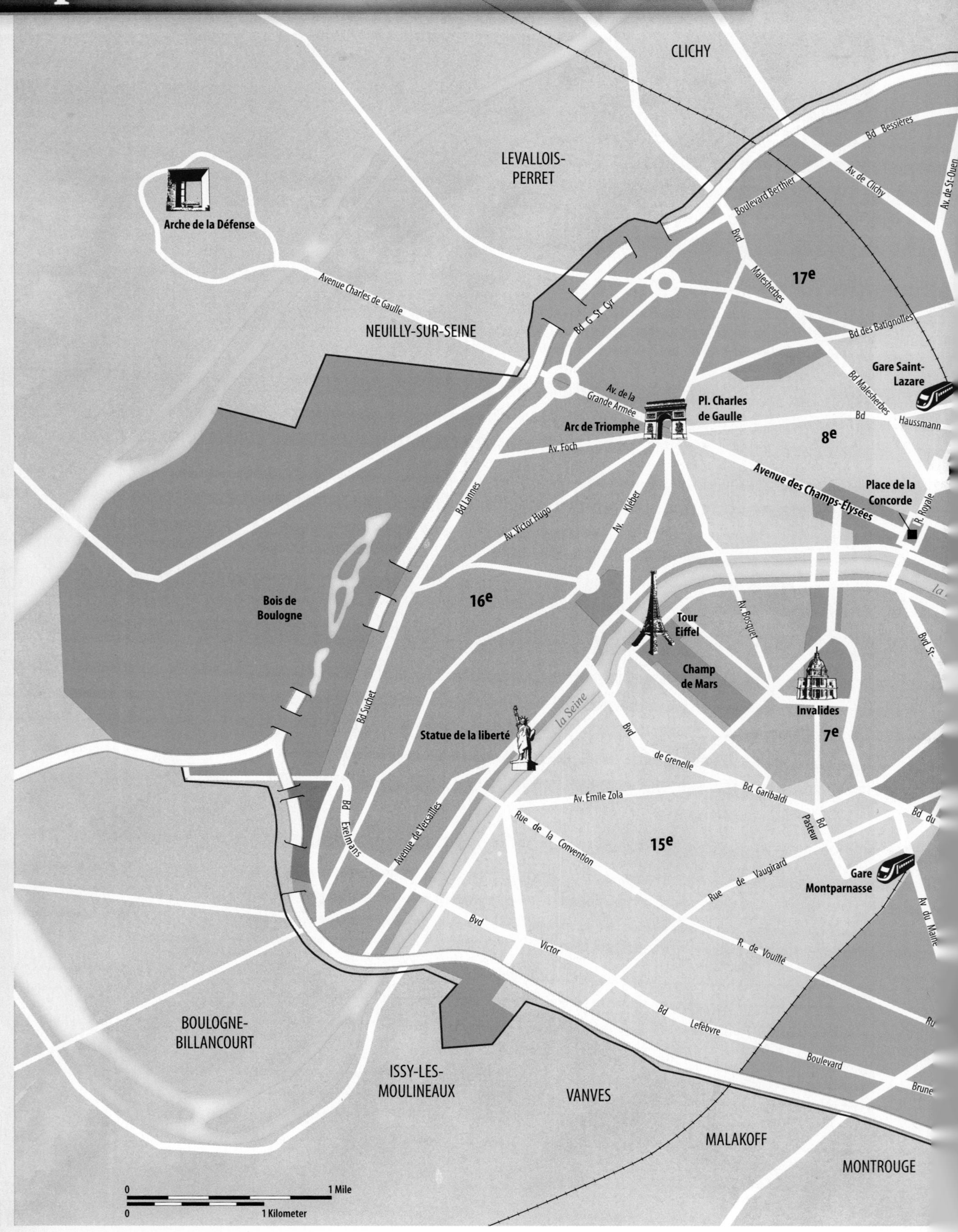
CLICHY
LEVALLOIS-
PERRET
Arche de la Défense
Avenue Charles de Gaulle
NEUILLY-SUR-SEINE
Bd G. St. Cyr
Boulevard Berthier
Bd Bessières
Av. de Clichy
Av. de St-Ouen
Bvd
Malesherbes
17e
Bd des Batignolles
Gare Saint-
Lazare
Bd Malesherbes
Av. de la
Grande Armée
Pl. Charles
de Gaulle
Arc de Triomphe
Bd
Haussmann
8e
Av. Foch
Avenue des Champs-Elysées
Place de la
Concorde
R. Royale
Bd Lannes
Av. Victor Hugo
Av. Kléber
Bois de
Boulogne
16e
Av. Bosquet
Tour
Eiffel
Champ
de Mars
Invalides
7e
Bd Suchet
la Seine
Statue de la liberté
Bvd
de Grenelle
Bd. Garibaldi
Av. Émile Zola
Bd
Pasteur
Bd
Exelmans
Avenue de Versailles
Rue de la Convention
15e
Rue de Vaugirard
Gare
Montparnasse
Av du Maine
Bvd
Victor
R. de Vouillé
Bd
Lefèbvre
Boulevard
Brune
BOULOGNE-
BILLANCOURT
ISSY-LES-
MOULINEAUX
VANVES
MALAKOFF
MONTROUGE
0
1 Mile
0
1 Kilometer

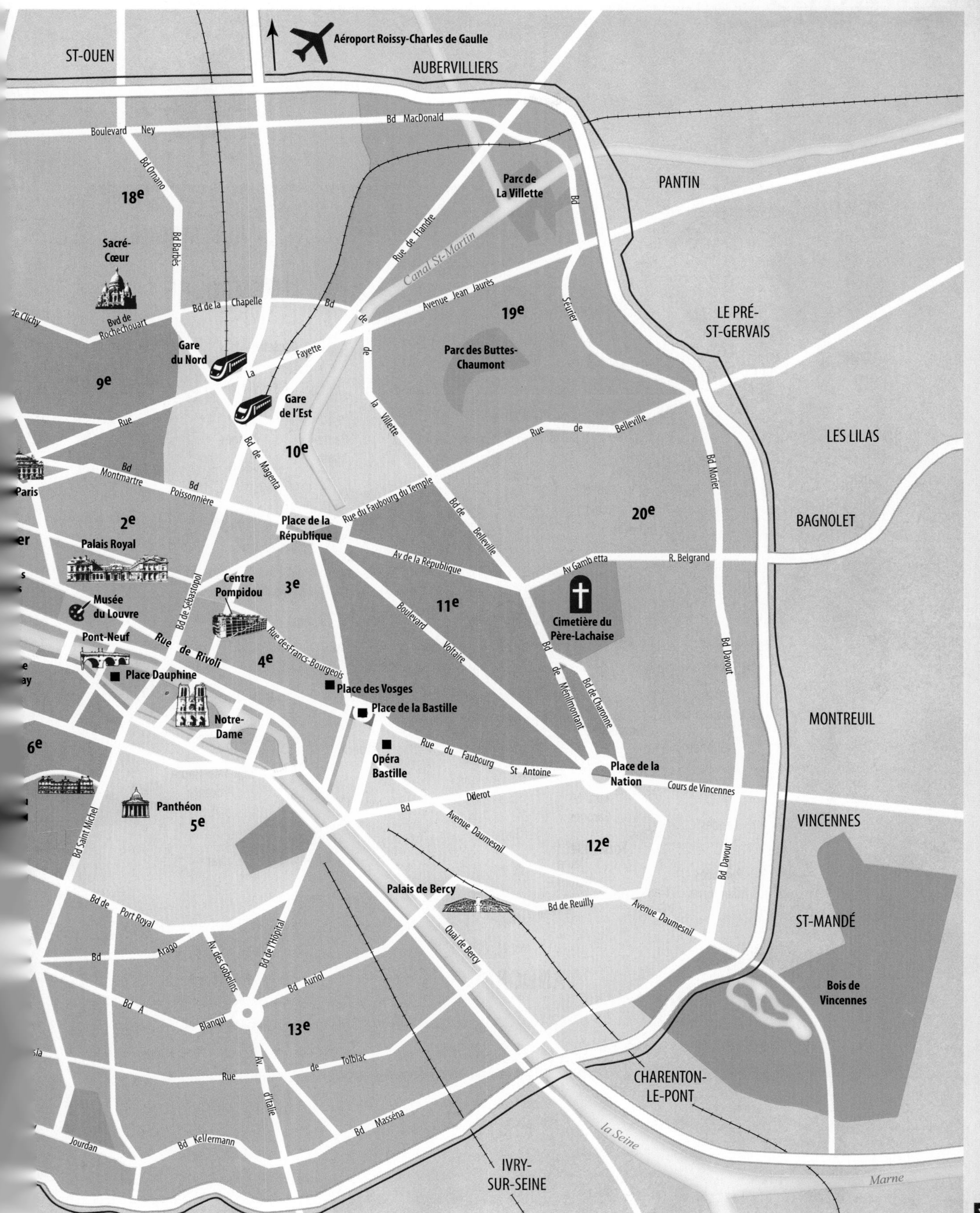

Aéroport Roissy-Charles de Gaulle
ST-OUEN
AUBERVILLIERS
Bd MacDonald
Boulevard Ney
Bd Ornano
18e
Parc de La Villette
PANTIN
Bd Barbès
Sacré-Cœur
Rue de Flandre
Canal St-Martin
Bd de la Chapelle
Bvd de Rochechouart
Avenue Jean Jaurès
19e
Bd Sérurier
LE PRÉ-ST-GERVAIS
Gare du Nord
La Fayette
Parc des Buttes-Chaumont
9e
Gare de l'Est
Rue
Bd de la Villette
Rue de Belleville
LES LILAS
Bd Montmartre
Bd de Magenta
10e
Bd Poissonnière
Paris
Rue du Faubourg du Temple
Bd de Belleville
Bd Mortier
20e
BAGNOLET
2e
Place de la République
Palais Royal
Av de la République
Av Gambetta
R. Belgrand
Centre Pompidou
3e
Musée du Louvre
Bd de Sébastopol
Boulevard Voltaire
11e
Cimetière du Père-Lachaise
Pont-Neuf
Rue de Rivoli
Rue des Francs-Bourgeois
4e
Bd Davout
Place Dauphine
Place des Vosges
Bd de Ménilmontant
Bd de Charonne
Place de la Bastille
MONTREUIL
Notre-Dame
6e
Rue du Faubourg St Antoine
Opéra Bastille
Place de la Nation
Cours de Vincennes
Bd Diderot
Panthéon
5e
VINCENNES
Avenue Daumesnil
Bd Saint Michel
12e
Bd Davout
Palais de Bercy
Bd de Reuilly
Avenue Daumesnil
ST-MANDÉ
Bd de Port Royal
Arago
Av. des Gobelins
Bd de l'Hôpital
Quai de Bercy
Bd
Bd Auriol
Bois de Vincennes
Bd A Blanqui
13e
Rue de Tolbiac
CHARENTON-LE-PONT
Av. d'Italie
Bd Masséna
Jourdan
Bd Kellermann
la Seine
IVRY-SUR-SEINE
Marne

Administrative Map of France

Unité

1 Bonjour, tout le monde!

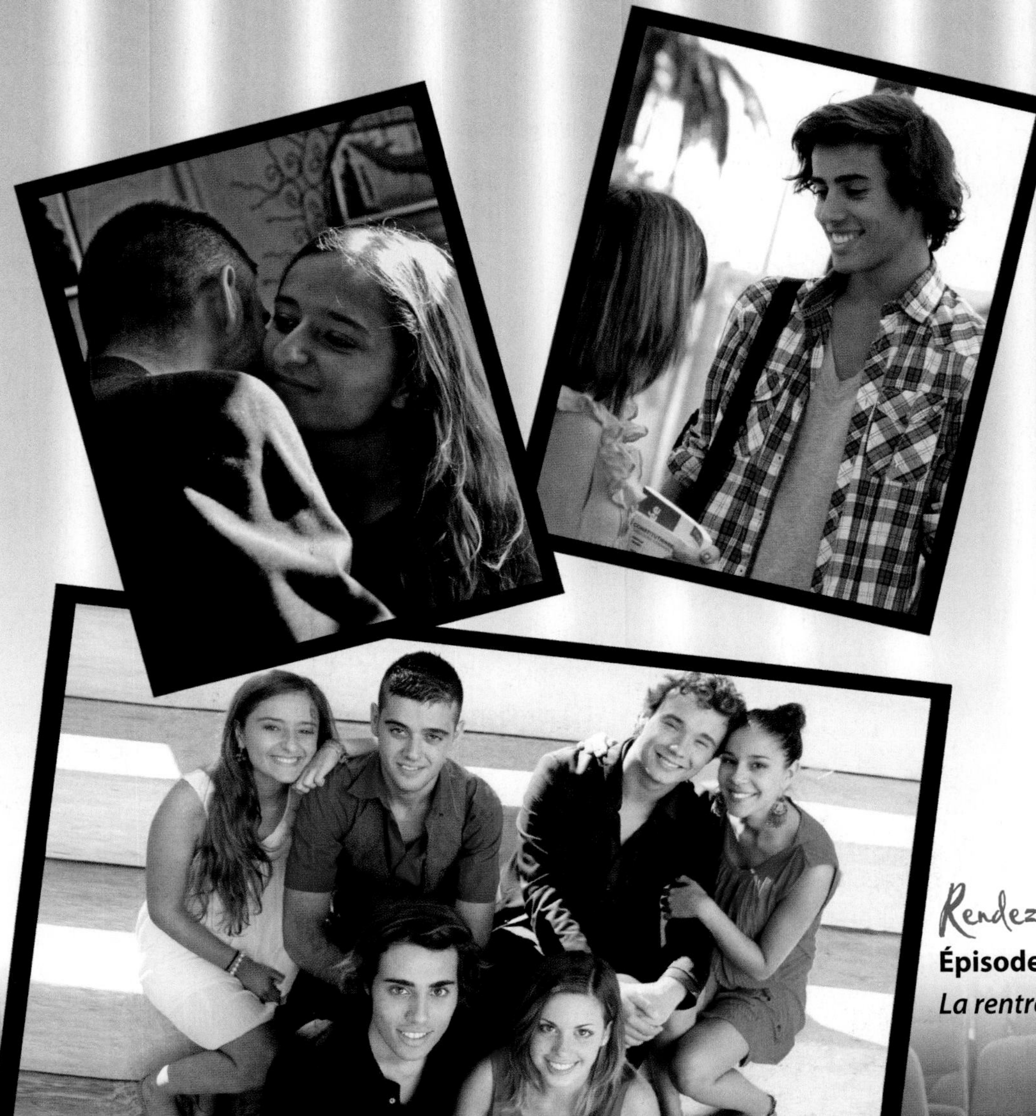

Rendez-vous à Nice!

Épisode 1:

La rentrée

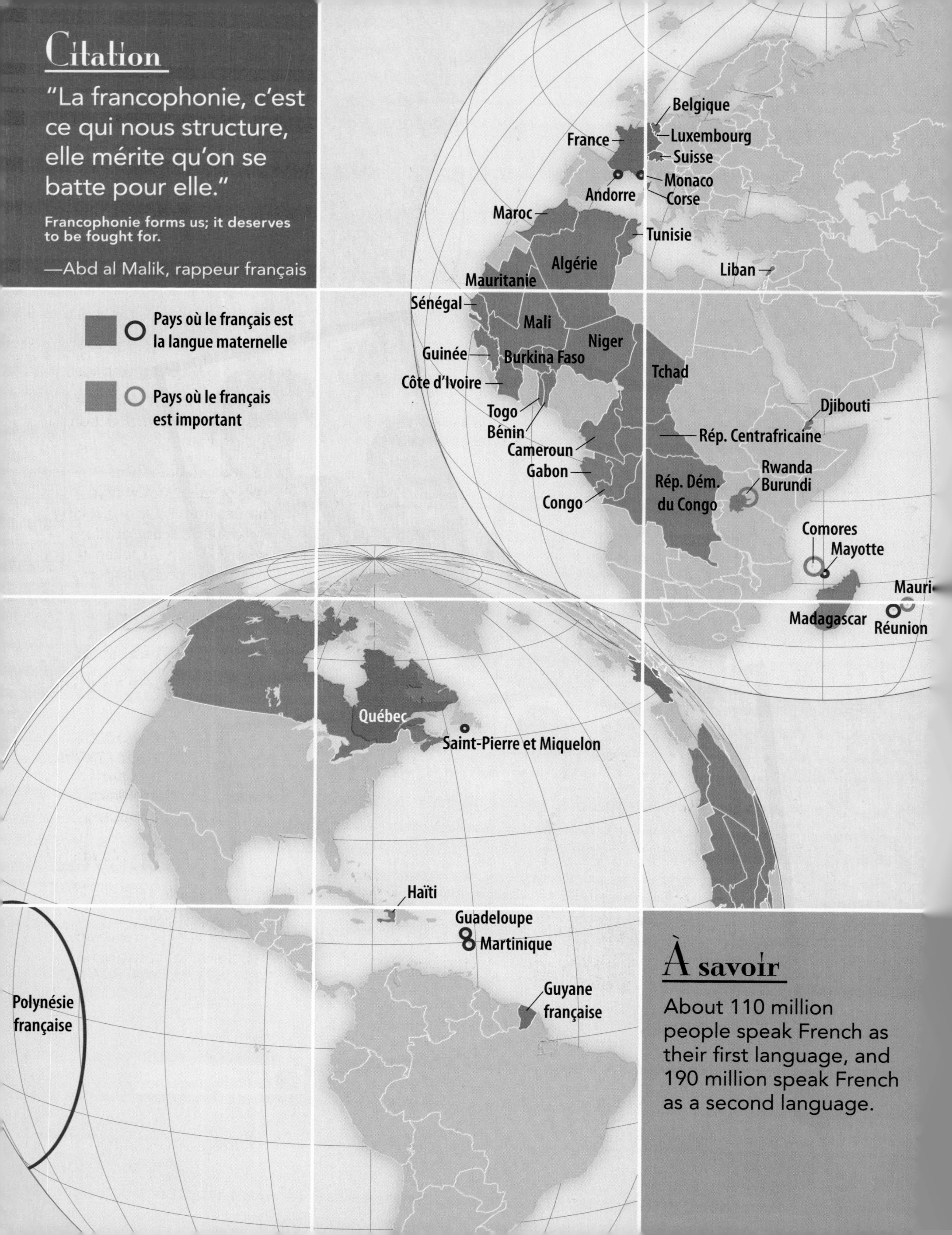
Citation
"La francophonie, c'est ce qui nous structure, elle mérite qu'on se batte pour elle."
Francophonie forms us; it deserves to be fought for.
—Abd al Malik, rappeur français
Pays où le français est la langue maternelle
Pays où le français est important
Belgique
France
Luxembourg
Suisse
Monaco
Andorre
Corse
Maroc
Tunisie
Algérie
Liban
Mauritanie
Sénégal
Mali
Niger
Guinée
Burkina Faso
Tchad
Côte d'Ivoire
Djibouti
Togo
Bénin
Rép. Centrafricaine
Cameroun
Gabon
Rwanda
Burundi
Rép. Dém. du Congo
Congo
Comores
Mayotte
Madagascar
Réunion
Québec
Saint-Pierre et Miquelon
Haïti
Guadeloupe
Martinique
Guyane française
Polynésie française
À savoir
About 110 million people speak French as their first language, and 190 million speak French as a second language.

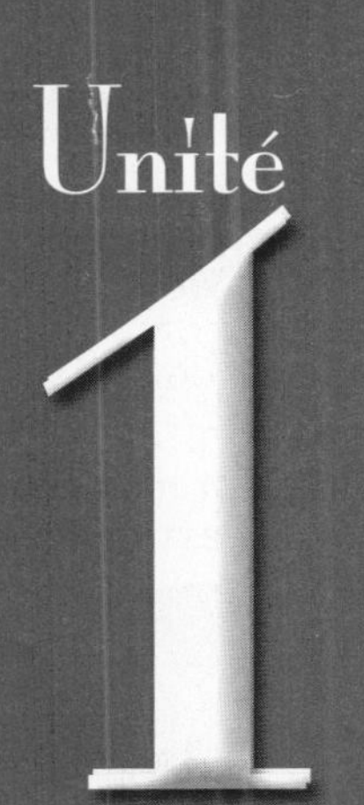

Unité 1 Bonjour, tout le monde!

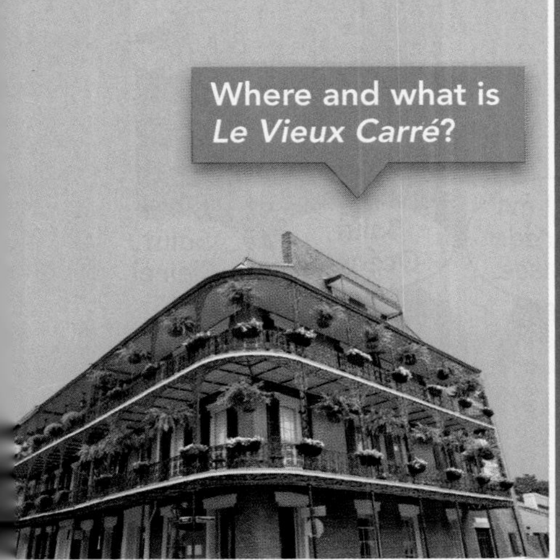
Where and what is
Le Vieux Carré?

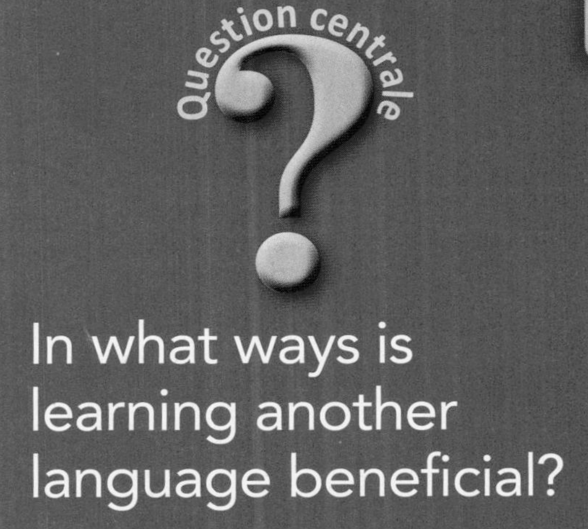
Question centrale

In what ways is learning another language beneficial?

Go online
EMCLanguages.net

Who is the girl to the left of Jean-Charles?

A. his girlfriend
B. his ex-girlfriend
C. a friend of his and Charlotte's

Contrat de l'élève

Leçon A **I will be able to:**

- introduce myself and others, respond to an introduction, tell my name.
- use French greetings, recognize common first names from French-speaking countries, discuss locations where French is spoken in North America and who makes up the French-speaking population.

Leçon B **I will be able to:**

- ask how things are going and tell how I am.
- use expressions for saying good-bye, discuss **la rentrée** in France, and places in Europe and North Africa where French is spoken.

Leçon C **I will be able to:**

- invite someone and accept or refuse an invitation.
- discuss teens in France and where French is spoken in sub-Saharan Africa and the Caribbean.

Go online
EMCLanguages.net

Leçon A

Vocabulaire actif

Bonjour!

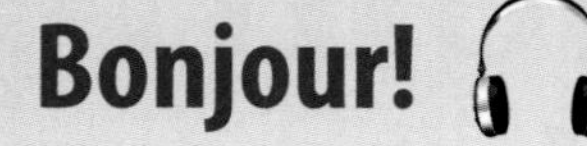

Bonjour, Mademoiselle!
Bonjour, Monsieur et Madame Lucas!

C'est ma copine. Elle est canadienne.

C'est mon copain. Il est algérien.

français

française

algérien

algérienne

C'est mon camarade de classe.
C'est ma camarade de classe.

Salut, Océane!
Salut, Claire!

Allô, oui?

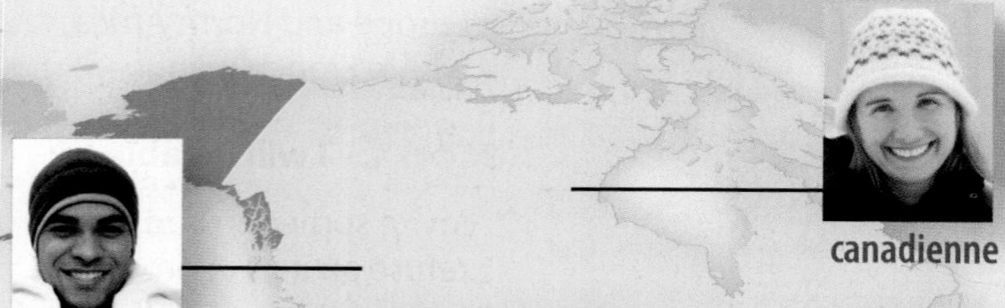

canadienne

canadien

américain

américaine

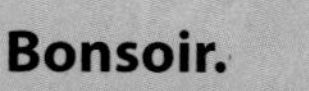

Et si je voulais dire...?

Bonsoir.	*Good evening.*
Voici....	*Here is....*
Voilà....	*There is....*
Mon nom de famille est....	*My last name is....*
Comment?	*What? (Please repeat.)*

Pour la conversation 

How do I introduce myself?

> **Je m'appelle** Sophie.

My name is Sophie.

> **Je suis** Bruno.

I am Bruno.

How do I respond to an introduction?

> **Bonjour!/Salut!**

Hello!/Hi!

> **Enchanté(e).**

Delighted. (formal)

How do I introduce someone else?

> **Je te/vous présente** Jean-Luc.

I'd like to introduce you to Jean-Luc.

> **C'est** mon camarade de classe.

This is my classmate.

How do I ask someone's name?

> **Tu t'appelles comment?**

What's your name?

Les prénoms de filles

Aïcha*	Gabrielle	Nathalie
Alima**	Hamza*	Nayah**
Ambre	Héloïse	Nicole
Amélie	Inès	Noémie
Anaïs	Isabelle	Océane
Awa**	Juliette	Rahina**
Catherine	Justine	Romane
Charlotte	Laurence	Rosalie
Chloé	Lilou	Rose
Clara	Malika*	Sabrina
Coralie	Marianne	Sandrine
Élodie	Marie-Alix	Saniyya*
Émilie	Maude	Sarah
Emma	Mégane	Sophie
Evenye**	Méline	Stéphanie
Fatima*	Michèle	Valérie
Florence	Myriam*	Virginie

Les prénoms de garçons

Abdoulaye**	Jérémy	Nicolas
Alexandre	Justin	Noah
Alexis	Karim*	Olivier
Amidou**	Kemajou**	Paul
Amir*	Khaled*	Philippe
Antoine	Koffi**	Raoul
Augustin	Lamine**	Raphaël
Cédric	Louis	René
Clément	Lucas	Romain
David	Marc-Antoine	Salim*
Émile	Mathéo	Samuel
Étienne	Mathieu	Sébastien
Félix	Mathis	Simon
Gabriel	Mehdi*	Thomas
Guillaume	Michel	Timéo
Hugo	Moussa**	Vincent
Jean-Luc	Nasser*	Xavier

*prénoms d'origine arabe
**prénoms d'origine africaine

1 Les présentations

Listen to the following short introductions and decide if the person who is being introduced is male or female. Write **M** for male or **F** for female.

2 Bonjour ou salut?

Say hello to the people pictured here. If they have a title, be sure to include it in your greeting.

1. Monsieur Rousset

2. Mademoiselle Serre

3. Martine

4. Bruno

5. Madame Tortevoie

6. Mademoiselle Vellard

3 Je te présente....

Interpersonal Communication

Introduce each of the following people to your mother. Your partner will play the role of your mother. Follow the model. Throughout the text, the highlighted words are to let you know the part of the sentence you are replacing.

MODÈLE A: **Je te présente Mademoiselle Gaillot.**
B: **Enchantée!**

1. Monsieur Duharnais

2. Marie-France

3. Madame Stein

4. Mademoiselle Sang

5. Jacques

6. Angèle

Communiquez!

4 Un nouveau copain

Interpersonal Communication

Jean-Paul is introducing his new neighbor, Théo, to his friend Françoise. With two classmates, play the roles of the teens.

5 Les salutations

Tell what you would say in each situation.

1. Miss Hadad, your neighbor, says hello.
2. Your classmate, Sylvie, wants to meet your mother.
3. You answer the phone.
4. Your parents want to know if your best friend, Karim, is Algerian.
5. You have just been introduced to a new male student, Amadou.
6. Someone asks your name.
7. Your neighbors, M. and Mme Meunier, greet you.
8. Your teacher, Mme Dubois, wants to meet your girlfriend.

Communiquez!

6 À l'auberge de jeunesse

Interpersonal Communication

Two teens are checking in at the reception desk of a youth hostel in Quebec. With a partner, take turns playing the roles of the receptionist and each teen. Follow the model.

MODÈLE A: **Tu t'appelles comment?**
B: **Je m'appelle Salim, Salim Belkassim.**
A: **Français?**
B: **Algérien.**

1. Sarah O'Connor
2. Bruno Dupont

Rencontres culturelles

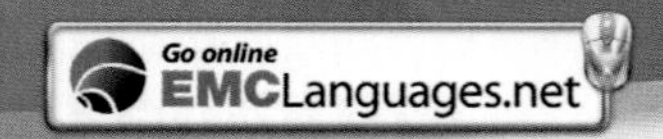

Salut!

Some teens in France are talking at the end of summer.

Camille: Salut, Maxime!
Maxime: Ah! Salut, Camille.
Camille: Je te présente Julien.
Maxime: Salut, Julien. Et moi, je te présente Yasmine.
Camille: Bonjour!
Julien: C'est ta copine?
Maxime: Oui, c'est ma copine.
Julien: Elle est française?
Maxime: Non, elle est algérienne.

Maxime's mother is talking on the phone in their apartment.

Mme Brochant: Allô, oui?
Yasmine: Bonjour, Madame! C'est Yasmine.
Mme Brochant: Ah! Bonjour, Yasmine!
Yasmine: Maxime est là?
Mme Brochant: Oui, oui. Maxime! C'est ta copine!

7 Salut!

Répondez aux questions.
(Answer the questions.)

1. How does Camille greet Maxime? How does Yasmine greet Mme Brochant? Why are these greetings different?
2. To whom does Camille introduce her friend?
3. Who is Maxime's girlfriend? What is her nationality?
4. What word would Maxime use for a friend if he were introducing a boy?
5. Who is talking on the phone?
6. Do they know each other? How can you tell?
7. Is Maxime at home? How do you know?

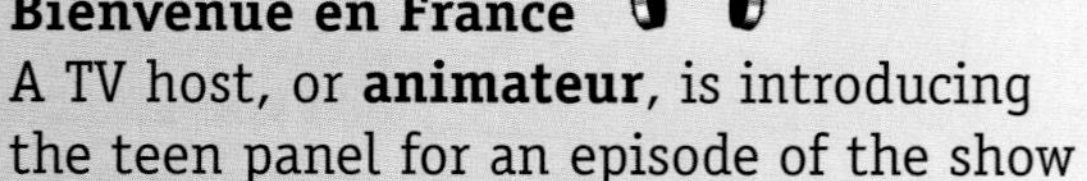

Extension **Bienvenue en France**

A TV host, or **animateur**, is introducing the teen panel for an episode of the show **"Bienvenue en France."**

Animateur: Je vous présente mes invités: Tom, il est américain.
Tom: Non, je suis canadien.
Animateur: Et voici Luc. Luc, tu es....
Luc: Moi, je suis belge.
Animateur: Yasmine, elle, elle est française.
Yasmine: Ah! Non! Je suis algérienne!
Animateur: Et toi Carlos? Tu es espagnol?
Carlos: Oui, je suis espagnol.
Animateur: Et voici Maria, l'Italienne.
Maria: Ah! Non! Je suis portugaise!

Extension Is the **animateur** better at remembering names or nationalities?

Points de départ

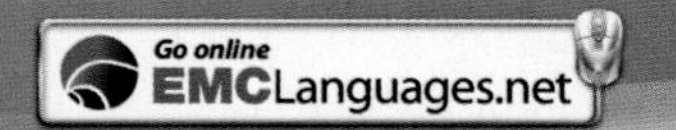

Question centrale

In what ways is learning another language beneficial?

Saluts

People in France generally shake hands when they greet a person they don't know or a colleague at work. Their handshake consists of one up-and-down movement. They will also use the title (**M.**), (**Mme**), or (**Mlle**). When greeting a family member or friend, people usually kiss each other on the cheek. Depending on the region, they will give two, three, or even four kisses! These kisses are called **la bise**.

Les prénoms les plus populaires

Many popular girls' names in France today end in the sound "ah" or "ee"—Clara, Emma, Léa, Amélie, and Lucie. Some common names, like Inès, come from other European cultures. Traditional names, such as Manon and Agnès, have also recently come back into fashion.

Popular boys' names today often end in the letter **o**—Léo, Théo, Hugo. Many also come from other European cultures. Two such names are Enzo (Italian) and Killian (Irish). Thomas, Mathias, and Lucas round out the list of today's top names. Although names of European origin remain the most popular, many French children have names from North or West Africa or Asia, such as Khaled, Youssopha, and Thi Loan.

What Francophone name would you choose?

Search words: prénoms populaires

COMPARAISONS

From the 18th century until 1993, there were strict regulations for naming a baby in France, limiting parents to traditional names. Today, however, the influence of other cultures can be seen in the names chosen for children. What are some popular names for boys and girls in the United States that come from other cultures?

La Francophonie

Francophones d'ailleurs en France

Five million foreign visitors and immigrants live in France out of a total of 66 million inhabitants. Many of them come from countries in North and sub-Saharan Africa that were once French colonies. When these people from places like Algeria, Morocco, Tunisia, Senegal, the Ivory Coast, Cameroon, Mali, and Madagascar arrived in France, they brought their cultural traditions with them. All over France, you can find restaurants serving ethnic cuisines, such as couscous from North Africa, and clothes made from the brightly colored fabrics of West Africa. The population of modern France can be called a mosaic of cultural diversity.

Search words: immigration in france

Couscous, a dish from North Africa, is served in many restaurants in France.

✲ *Francophones en Amérique du Nord*

Did you know that French is widely spoken in parts of Canada and the United States? In fact, French is one of Canada's official languages, along with English. The province of Quebec has the largest Francophone community in Canada with around 80% of its population speaking French. The state of Louisiana also has French speakers, many of whom are descendents of the Acadians, who were forced to leave Canada in the 18th century. Many of them eventually settled in Louisiana where they became known as Cajuns. Their culture has greatly influenced Louisiana's language, food, and music. Other French-speaking groups in the United States include immigrants from Haiti who live largely in Miami and New York City and the descendants of Quebeckers who left home to work in the textile mills of Maine, New Hampshire, and Massachusetts.

Search words: cajun louisiana

Mon dico Cajun

Jambalaya: *a spicy rice dish with meat or seafood*
Zydeco: *Cajun music with African-American influences*
Mardi Gras: *a public celebration on the last day before Lent*
Le Vieux Carré: *the French Quarter in New Orleans (literally, the "old" quarter)*
Fais do do: *a dancing party whose name comes from an expression meaning "Go to sleep"*

Beausoleil, a musical group specializing in Cajun music, is based in Lafayette, Louisiana.

---

8 Questions culturelles

Répondez aux questions.

1. How do the French greet a family member or friend?
2. How does the French handshake differ from the American handshake?
3. Are Léa, Léo, Enzo, and Manon names for boys or for girls?
4. How many foreign visitors and immigrants live in France?
5. What is the name of a North African dish often served in France?
6. What percentage of the population living in Quebec speaks French?
7. Which American states have French-speaking communities?

Founded in 1608, after St. Augustine, Florida, and before New York, Quebec city is among North America's oldest cities.

Perspectives

Do online research to find out information about immigration issues in France. Print an article or blog entry and bring it to class. Discuss how French attitudes about immigration compare to those in the United States.

Du côté des médias

Most French citizens have a French national identity card, or **carte d'identité française**, although it is not mandatory to carry it. Not only do they use it to identify themselves, they can also use it instead of a passport for travel in some countries, such as those belonging to the European Union.

9 Carte d'identité française

Make a grid like the one that follows on a separate sheet of paper. Fill in the column in the middle with information from the **carte d'identité française.** Fill in the column on the right with your personal information, as if you were making your own **carte d'identité.**

Nom de famille/*Last name:*		
Prénoms/*First names:*		
Sexe/*Gender:*		
Date de naissance/*Birthdate:*		
Ville/*City*:		
Département/*Department:*		

Regardez l'annuaire (phonebook).

CASSARIN, S. 58 r Poissoniers 18^{e}	01.46.06.72.02
CHARPENTIER, Camille 56 quai Jemmapes 10^{e}	01.42.06.57.14
CHEVALIER, Jean-Paul 9 bd St. Denis 3^{e}	01.42.72.65.11
CHEYRE, Hervé 184 r Entrepreneurs 15^{e}	01.45.78.21.29
CLEMENTE, Michel 11 r Belleville 19^{e}	01.42.31.17.65
COUTURIER, Anne-Marie 22 r Champ de Mars 7^{e}	01.45.51.42.34
DAULAUS, Chloé 15 r Moines 17^{e}	01.42.28.22.83
DE GIRY, Fabienne 45 r Linné 5^{e}	01.46.34.57.12
DUBOIS, T. 1 r Charles Delescluze 11^{e}	01.48.05.20.43
DUCOTE, Vincent 165 r Tobiac 13^{e}	01.45.80.16.87
DUMONT, Alain 35 bd Davout 20^{e}	01.43.48.60.37
DUVAL, Christiane 10 av Parmentier 11^{e}	01.43.67.36.47

10 L'annuaire de Paris

Répondez aux questions. Pour les questions 9 et 10, consultez un dictionnaire français-anglais. (Answer the questions. For questions 9 and 10, consult a French-English dictionary.)

1. Which female names are similar to names in English?
2. Which male names are similar to names in English?
3. What do you think is the masculine name related to "Fabienne"?
4. What could be the first name of T. Dubois if it's a man?
5. What could be the first name of S. Cassarin if it's a woman?
6. Is Michel Clémente a man or a woman?
7. Which man has a compound first name?
8. Which woman has a compound first name?
9. Which last names indicate an area the person's ancestors came from?
10. Which last names indicate a profession an ancestor had?

À vous la parole

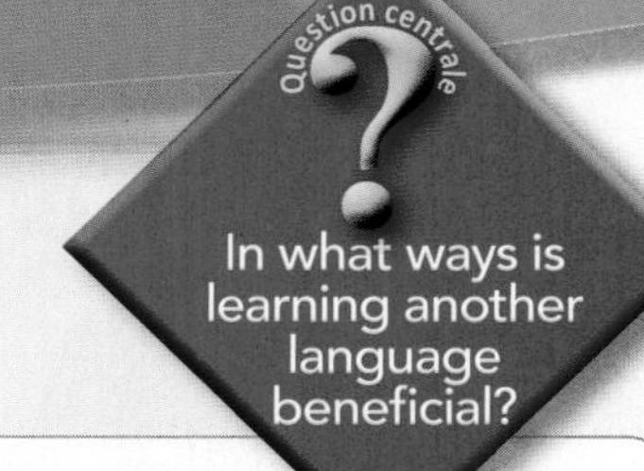

Communiquez!

11 Bulletin d'adhésion

Interpretive Communication

The **Association Québec-France** is an organization dedicated to developing relationships between the people of Quebec and the people of France. Read the brochure. What two programs are being advertised?

Your teacher will give you a form for joining this organization. Fill it out and return it to him or her.

Un réseau unique de citoyens engagés
dans la promotion de la relation
franco-québécoise
ASSOCIATION
Québec-France

VENDANGES
jeunes de 18 à 35 ans

Partez de 6 à 15 jours dans les vignobles et vivez cette expérience particulière de récolte du raisin et de découverte des régions de France!

(septembre et octobre)

VOYAGE DÉCOUVERTE
adultes 35 ans et plus

Ce programme est destiné aux adultes et permet aux participants de découvrir la France par l'accueil et la coopération des régionales de l'Association France-Québec.

(à tous les deux ans)

*Les conditions de participation aux programmes sont détaillées sur

www.quebecfrance.qc.ca

Communiquez!

12 Je suis bénévole!

Interpersonal Communication

You have volunteered to work on an international service project. Today you will meet two other team members from francophone locations around the world via live streaming on the Internet. Roleplay the following dialogue with two classmates. Switch roles to play all three parts.

- Greet team member A and introduce yourself. Then ask team member A's name.
- Team member A greets you and states his or her name. Then team member A introduces team member B.
- Greet team member B and respond to the introduction.
- Team member B responds.

Je m'appelle
Jérémy.

Communiquez!

13 Les prénoms

Presentational Communication

Choose a francophone name from the list of names in this lesson, from somewhere else in the textbook, or from the Internet. Research the meaning of the name online, using the key words below. Then create a large nametag with your name and a symbol of its meaning. Finally, introduce yourself to others in your group and explain the meaning of your name.

Yasmine

Search words: signification des prénoms

Prononciation

A L'alphabet français

Repeat the phrases that come after the pronunciation of the letters. Think about rules of pronunciation as you say these easily recognizable words that are pronounced differently in French.

a = a	"a" comme Adam	n = enne	"n" comme novembre
b = bé	"b" comme Barbara	o = o	"o" comme orange
c = cé	"c" comme cinq	p = pé	"p" comme passeport
d = dé	"d" comme dollar	q = ku	"q" comme quatre
e = e	"e" comme Eugène	r = erre	"r" comme restaurant
f = effe	"f" comme famille	s = esse	"s" comme sport
g = gé	"g" comme girafe	t = té	"t" comme télévision
h = hache	"h" comme hamburger	u = u	"u" comme ultra
i = I	"i" comme immense	v = vé	"v" comme violet
j = ji	"j" comme jean	w = double vé	"w" comme Washington
k = ka	"k" comme ketchup	x = iks	"x" comme Xavier
l = elle	"l" comme latin	y = i grec	"y" comme Yasmine
m = emme	"m" comme moderne	z = zède	"z" comme zéro

B Les accents

Repeat each accented letter and word.

é = e accent aigu	bébé
è = e accent grave	première
ë = e tréma	Raphaël
ô = o accent circonflexe	hôtel
ç = c cédille	Ça va?

C Les prénoms de filles

Repeat the girls' names you hear that end in an unpronounced "e."

Amélie
Mégane
Nathalie
Stéphanie
Marianne
Virginie

D Les sons nasaux

Repeat the words with nasal vowels, then the words with non-nasal vowels.

Nasal vowels:	Justin / copain / américain / canadien
Non-nasal vowels:	Justine / copine / américaine / canadienne

E Oui ou non?

*Write **oui** if the end of the name you hear is nasal or **non** if the end of the name is not nasal.*

Leçon B

Vocabulaire actif

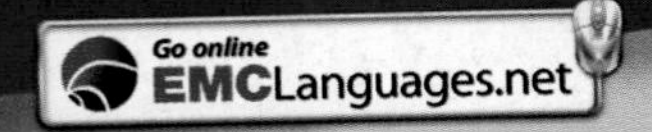
Go online
EMCLanguages.net

Ça va?

Très bien.
Pas mal.
Comme ci, comme ça.
Pas très bien.
Ça va mal.

Au revoir!
À bientôt!

À demain!
Salut!

Et si je voulais dire...?

Ça roule?	*What's up? How are you?*
Oui, j'ai la pêche.	*Yes, I'm full of energy.*
Ça va fort.	*I'm doing great.*
Plus ou moins.	*More or less.*
Bonne journée!	*Have a good day!*

Pour la conversation 

How do I ask how someone is?

> **Ça va?**
> *How's it going? [informal]*

> **Comment allez-vous?**
> *How are you? [formal]*

How do I express how I am doing?

> **Très bien, et toi/vous?**
> *Very well, and you?*

1 Bonjour ou au revoir 

Imagine you are on the streets of Paris listening to greetings and good-byes. Write **H** if the speaker says hello or **G** if the speaker says good-bye.

2 Formel ou informel?

On a separate sheet of paper, draw a graphic organizer like the one below. Write each word or expression in the appropriate part of the diagram to indicate whether it is usually formal, informal, or neutral (neither formal nor informal).

À bientôt!
Il est français?
Comme ci, comme ça.
Et toi?
Salut!
Madame
Je te présente....
Comment allez-vous?
Monsieur
Au revoir!
Je vous présente....
Très bien.
Mademoiselle
Et vous?
Je m'appelle....
Ça va mal.

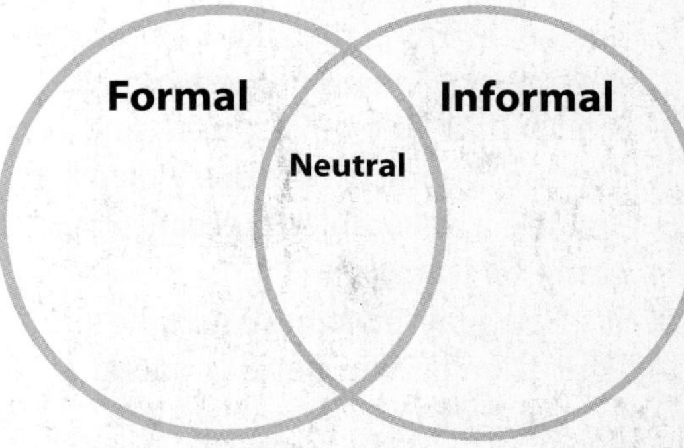

3 Phrases brouillées

Unscramble the words and punctuation marks below to write logical sentences.

1. va? / Bonjour, / Ça / Céline!
2. toi? / Pas / et / très / bien,
3. bien? / Yasmine! / Ça / Salut, / va
4. ci / ça. / Comme / Au / comme / revoir!

Communiquez!

4 Ça va?

Interpersonal Communication

Ask how things are going for your partner, who will respond based on the expression. Then repeat the activity. One of you plays the role of a student and the other the role of your teacher.

1.

2.

3.

5 Ça va très bien? Non!

Respond to each situation using **Pas mal; Comme ci, comme ça; Pas très bien;** or **Ça va mal.**

1. Someone you really like has "defriended" you on your social network.
2. You got an A- on your math quiz.
3. It's the last day of vacation, and tomorrow you have to go back to school.
4. You are having an ordinary day with no good surprises and no bad disappointments.
5. You are a devoted basketball player, but your team lost the game, and you are not going to state.
6. It's Saturday morning and before you can meet your friends, you have to spend an hour cleaning up the garage.
7. You have a coupon for a free sandwich at a fast-food restaurant.
8. At the amusement park, you have to stand in line for an hour for the rollercoaster, but the wait was almost worth it.
9. You are developing a sore throat.

Ça va mal!

Rencontres culturelles

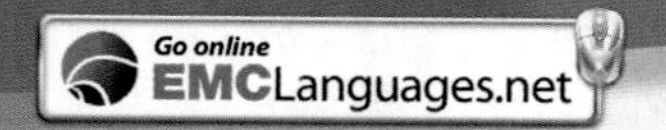

Ça va?

On a day in September, two boys meet in the courtyard at school.

Maxime: Salut, Tom!
Tom: Salut, Maxime!
Maxime: Ça va?
Tom: Très bien, et toi?
Maxime: Pas mal.
Tom: Et avec ta copine Yasmine, ça va?
Maxime: Très bien... top!

(*A teacher, or professeur, approaches.*)

Prof: Ça va, Maxime?
Maxime: Bien, bien! Et vous, Monsieur, comment allez-vous?
Prof: Pas trop mal, pas trop mal.

(*The teacher leaves.*)

Tom: Eh bien, à bientôt.
Maxime: C'est ça... on s'appelle.

6 Ça va?

Répondez aux questions.

1. How does Maxime ask Tom how things are going? How does Maxime ask his teacher how things are going?
2. Maxime says the English word "top." How does he feel things are going with his girlfriend?
3. Are things going best for Maxime, Tom, or the teacher?
4. What do you think Maxime means when he says **on s'appelle**? In what other expression have you heard the French word **appelle**?

Extension Devant l'ascenseur

Two women run into each other in front of the elevator of their apartment building.

Mme Perrin: Bonjour, vous allez bien?
Mme Rivoire: Oui, très bien, et vous?
Mme Perrin: Ça va comme ci, comme ça.
Mme Rivoire: Votre mari va bien?
Mme Perrin: Pas mal....
Mme Rivoire: Bon eh bien, bonne journée.
Mme Perrin: Bonne journée, au revoir.
Mme Rivoire: Oui. Merci. Sans doute à demain.

Extension How can you tell the women aren't close friends?

Points de départ

Go online
EMCLanguages.net

Question centrale
In what ways is learning another language beneficial?

C'est la rentrée!

At the beginning of September, French students go back to school. In the weeks leading up to **la rentrée**, students go shopping for a new book bag or backpack, new clothes, and school supplies. On the first day back, they find out who is in their class and who their teachers will be. In France, students usually stay with the same group of classmates for most of their courses. Between classes and before and after school, students often gather in the courtyard (**la cour**) to see old friends and make new ones.

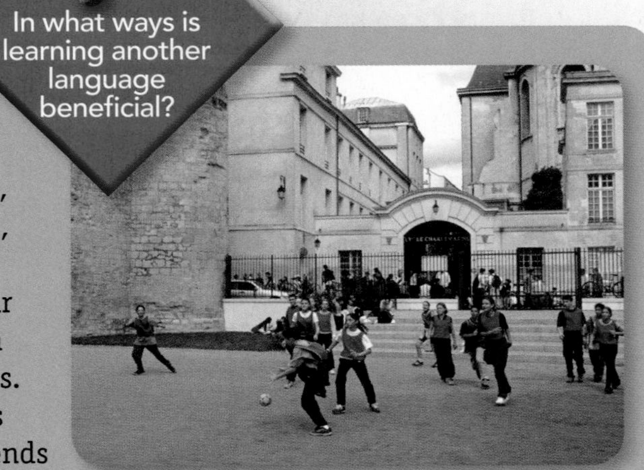

Many French teens love to play soccer.

Comment dit-on *au revoir?*

Teens often use **Salut** to mean **Au revoir.** Other options are **Bye** and **Ciao**, from Italian. Do you know which European languages use **Adiós**, **Arrivederci**, and **Auf Wiedersehen** to say good-bye?

COMPARAISONS

In what ways are schools in France different from those in the United States? Would you like to see these changes made to American schools?

La Francophonie

En Europe

In Europe, there are 75 million French speakers. They live in France, Switzerland, Belgium, and Luxembourg, as well as the principalities of Monaco and Andorra. France has just one official language, French. Switzerland has four official languages: French, German, Italian, and Romansch. Belgium and Luxembourg each have three. Belgians speak Flemish, French, and German. The people of Luxembourg speak French, German, or Luxembourgish. Only French is spoken in Monaco while both French and Spanish are spoken in Andorra.

Belgium's capital, **Bruxelles** (*Brussels*), is the seat of the European Parliament.

✲ En Afrique du Nord

In Algeria, Morocco, and Tunisia, all former colonies of France, French remains the preferred language in many political, intellectual, commercial, and artistic circles. While Arabic is the official language in these countries, some consider French the **langue d'ouverture**, a language that can lead to opportunities for multiculturalism (promotion of multiple cultures) and success. A new generation of creative writers, musicians, and filmmakers from these countries enrich cultural relations by bringing together French and ethnic traditions in their art.

Marrakech is a destination favored by many French tourists.

---

7 Questions culturelles

Répondez aux questions.

1. When do French teens go back to school?
2. What do French students use to carry their schoolwork and books?
3. What are three ways to say good-bye other than **Au revoir**?
4. Approximately how many people speak French in Europe?
5. In which European countries do people speak French?
6. Which Francophone countries in Europe have more than one official language?
7. Monaco and Andorra are not countries. What are they?
8. Which groups of people tend to speak French in North Africa?
9. In which areas of artistic expression have French-speaking North Africans made an important contribution?

À discuter

In what ways can a **langue d'ouverture** lead to "multiculturalism and success"? What do multiculturalism and success mean to you?

Today, Monaco is most famous for its sporting and cultural events, its beautiful resorts, and its lavish lifestyle.

Du côté des médias

You learned that many French students buy book bags, or **cartables**, to put their school belongings in. Look at a couple that are on the market.

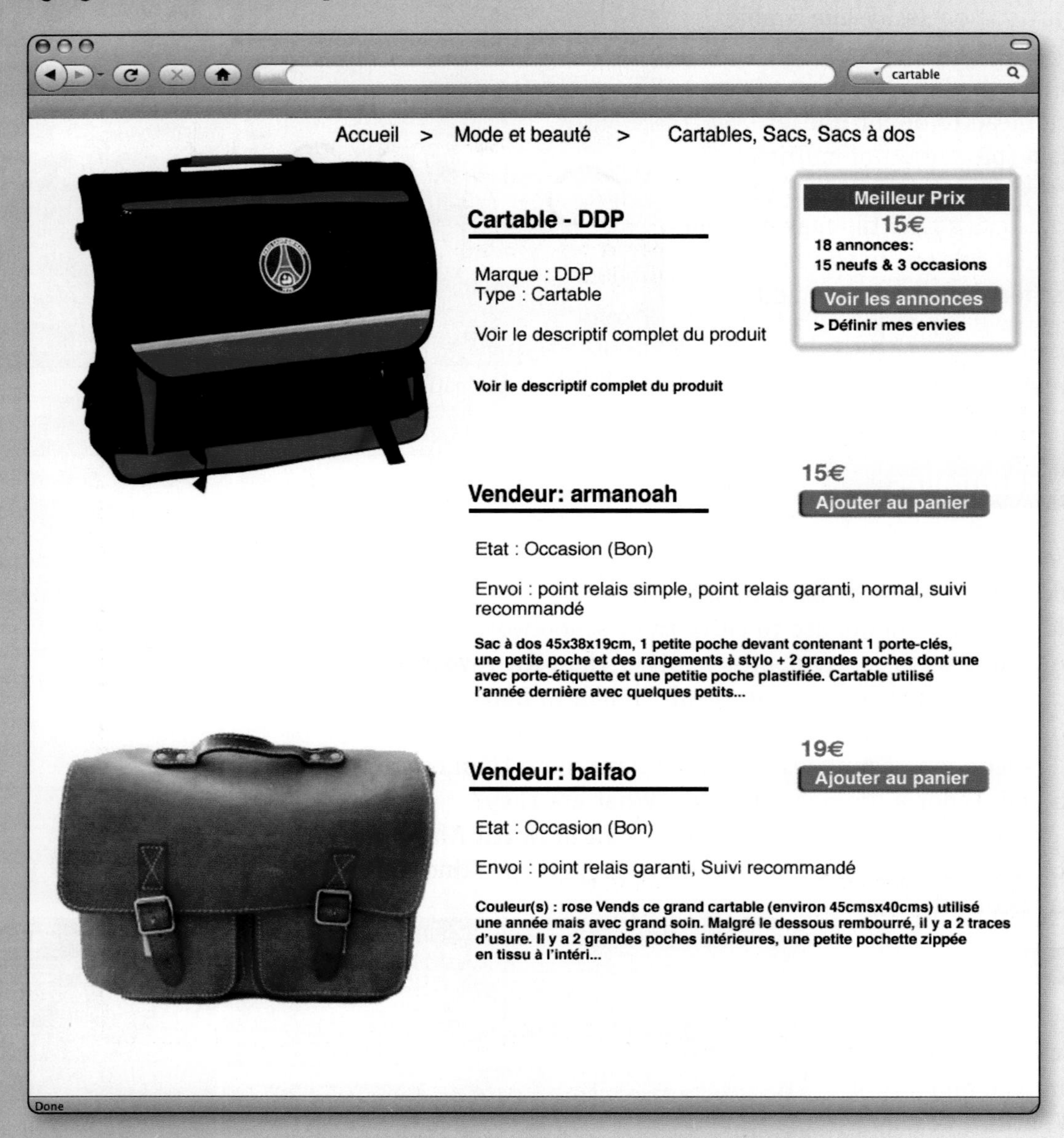

cartable
Accueil > Mode et beauté > Cartables, Sacs, Sacs à dos
Cartable - DDP
Marque : DDP
Type : Cartable
Voir le descriptif complet du produit
Voir le descriptif complet du produit
Meilleur Prix
15€
18 annonces:
15 neufs & 3 occasions
Voir les annonces
> Définir mes envies
Vendeur: armanoah
15€
Ajouter au panier
Etat : Occasion (Bon)
Envoi : point relais simple, point relais garanti, normal, suivi recommandé
Sac à dos 45x38x19cm, 1 petite poche devant contenant 1 porte-clés, une petite poche et des rangements à stylo + 2 grandes poches dont une avec porte-étiquette et une petitie poche plastifiée. Cartable utilisé l'année dernière avec quelques petits...
Vendeur: baifao
19€
Ajouter au panier
Etat : Occasion (Bon)
Envoi : point relais garanti, Suivi recommandé
Couleur(s) : rose Vends ce grand cartable (environ 45cmsx40cms) utilisé une année mais avec grand soin. Malgré le dessous rembourré, il y a 2 traces d'usure. Il y a 2 grandes poches intérieures, une petite pochette zippée en tissu à l'intéri...
Done

8 Les cartables

Answer the questions about **cartables**.

1. What is a brand name of **cartables** advertised above?
2. What kind of a **cartable** do you like? Enter **fournitures scolaires** into the search field of your favorite French search engine. Then choose your favorite **cartable** and print a copy of it to give your teacher.

Vocabulaire utile

élèves: *students*
primaire: *elementary school*
collège: *middle school*
lycée: *high school*
6ème: *sixth grade*
5ème: *seventh grade*
4ème: *eighth grade*

Regardez le calendrier.

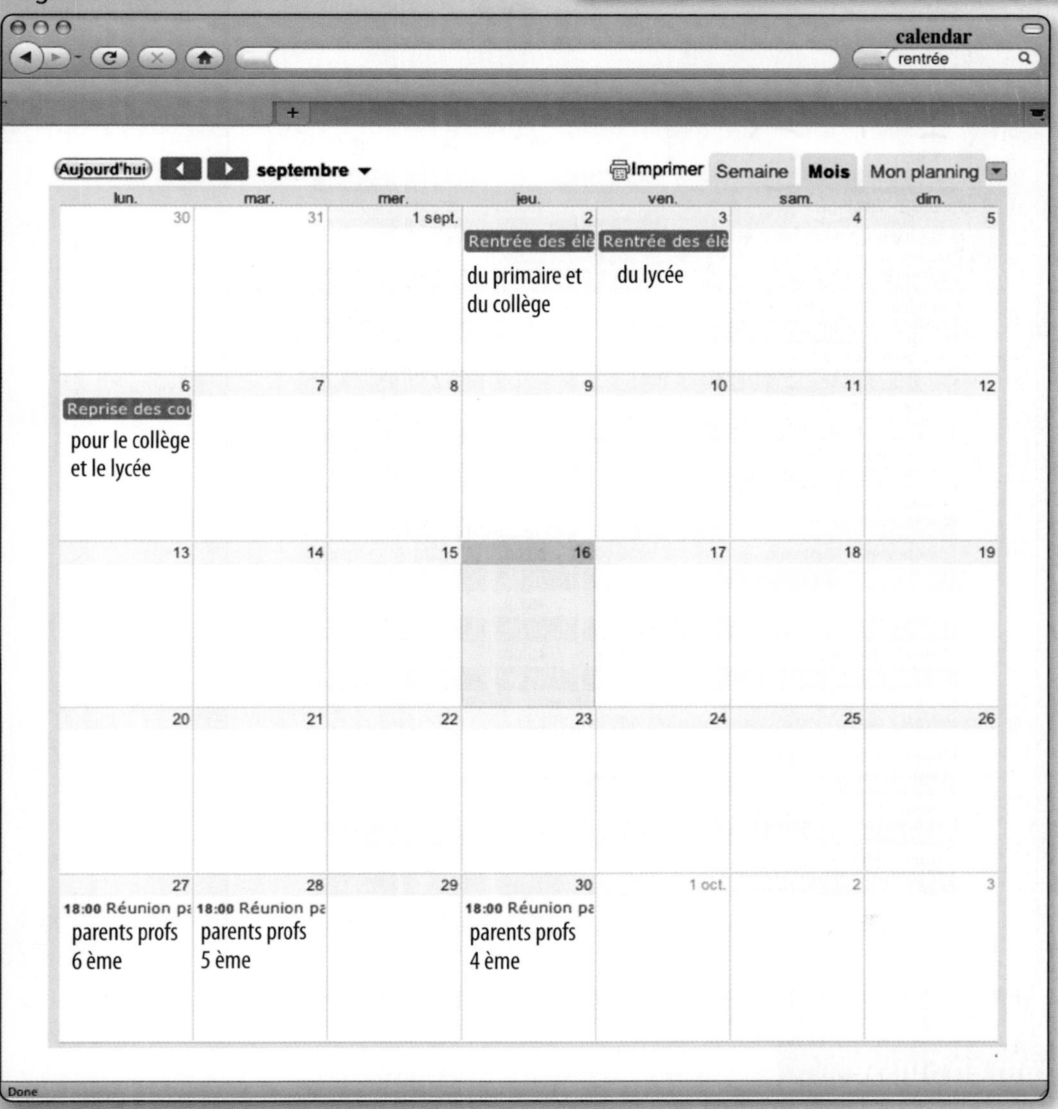

9 Un calendrier scolaire

Répondez aux questions.

1. What is the date of **la rentrée** for high school students?
2. What is the date of **la rentrée** for elementary and middle school students?
3. What is the date of the first day of classes for middle school students?
4. When is the teacher-parent meeting for eighth graders?
5. When is the teacher-parent meeting for seventh graders?
6. When is the teacher-parent meeting for sixth graders?

Regardez les prix des billets pour les trains suisses.

Prix en CHF
Preise in CHF
Prices in CHF

Individuels / *Einzelreisende*	2. Cl / Kl		1. Cl / Kl	
	→	⇄	→	⇄
Luzern - Sarnen	8.20	16.40	13.60	27.20
Luzern - Meiringen	21.60	43.20	35.80	71.60
Luzern - Brienz	26.00	52.00	43.00	86.00
Luzern - Interlaken Ost	30.00	60.00	50.00	100.00
Luzern - Montreux	69.00	138.00	114.00	228.00
Interlaken Ost - Brienz	7.60	15.20	12.60	25.20
Interlaken Ost - Meiringen	11.80	23.60	19.60	39.20
Interlaken Ost - Spiez	10.20	20.40	17.00	34.00
Interlaken Ost - Zweisimmen	25.00	50.00	42.00	84.00
Interlaken Ost - Gstaad	32.00	64.00	53.00	106.00
Interlaken Ost - Montreux	48.00	96.00	80.00	160.00
Zweisimmen - Spiez	18.20	36.40	30.20	60.40
Zweisimmen - Lenk	8.20	16.40	13.60	27.20
Zweisimmen - Gstaad	10.20	20.40	17.00	34.00
Zweisimmen - Château-d'Oex	16.80	33.60	27.80	55.60
Zweisimmen - Montreux	30.00	60.00	50.00	100.00
Lenk - Gstaad	16.80	33.60	27.80	55.60
Lenk - Château-d'Oex	23.00	46.00	38.00	76.00
Lenk - Montreux	35.00	70.00	58.00	116.00
Gstaad – Montreux	24.00	48.00	40.00	80.00
Château-d'Oex - Montreux	18.20	36.40	30.20	60.40

Réduction / Ermässigung 50% : Abt ½, Swiss Card
Valable / Gültig / Valid: Swiss Pass, GA/AG, Eurail Pass

Reservation: Recommandée! Empfohlen! Recommended!

Luzern - Interlaken Ost	5.00	10.00	5.00	10.00
Interlaken Ost – Montreux	12.00	24.00	12.00	24.00
Gstaad - Montreux	7.00	14.00	7.00	14.00
Luzern – Montreux	17.00	34.00	17.00	34.00
VIP Zweisimmen - Montreux			15.00	30.00

Prix sous réserve de modifications / *Preisänderungen vorbehalten* / Prices subject to changes

Question centrale

In what ways is learning another language beneficial?

10 Le train en Suisse

Répondez aux questions.

1. Look at the heading for the bottom table. What languages come after "Reservation"?
2. Is the table of Swiss train trip fares in euros or Swiss francs?
3. How much is a one-way trip from Luzern to Sarnen?
4. How much is a round-trip fare from Interlaken Ost to Montreux?
5. What is the cheapest one-way trip?
6. What is the most expensive one-way trip?
7. What is the cheapest round-trip fare?
8. What is the most expensive round-trip fare?
9. What is a Eurail Pass (in red)? Do online research.

À vous la parole

Communiquez!

11 Une autre visite

Interpersonal Communication

Today you will connect again via live streaming with one of your partners on the international service project you began in **Leçon A**. With a partner, role-play the following conversation:

Say hello.

Say hello and ask how things are going.

Respond. Add "And you?"

Tell how you are.

Say you'll see your partner soon.

Say good-bye.

12 La rentrée

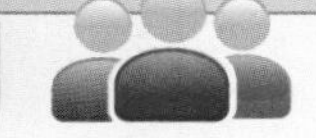

Interpretive Communication

Search online for images and text related to **la rentrée** in France. Use the material you find to create an interesting collage. You might include photos, drawings, and text related to:

- School websites
- Lunch menus in a school's **cantine**
- School supplies
- Back-to-school clothing sales
- Tips for doing well in school
- Tips for staying healthy during the school year

Create a bibliography citing the source for each image or text used. Describe your collage and what you learned about **la rentrée** to a small group of classmates.

cartable

Accueil > Mobilier > Informatique > Cartouches d'encre

Trousse - 2 compartiments-Couleurs Assorties

1,99 €

Disponible en magasin

» Soyez le premier à commenter ce produit

Envoyer à un ami

Imprimer

Ajouter à ma liste

Stratégie communicative

Register in Speaking and Writing

Should I speak or write formally or informally? This is the question you should ask yourself before addressing a French-speaking person. Register, or the degree of formality of the language you use, is an important aspect of communication. Use formal language with teachers and other adults you don't know well. Formal words and expressions you might use are **Bonjour**, **Comment allez-vous?**, **Et vous?** and **Je vous présente....** Informal words and expressions you might use include **Salut**, **Ça va?**, **Et toi?** and **Je te présente....**

13 Bonjour ou Salut?

Greet the following people, using **Bonjour!** or **Salut!** In formal conversations, be sure to include one of these titles: **Monsieur**, **Madame**, or **Mademoiselle**.

1. the mail carrier, M. Duval
2. your dog Max
3. your grandfather
4. your teacher, Mme Thorigny
5. the dentist, Mlle Gaillot
6. your cousin
7. the librarian, Mme Reverchon

14 Dialogues

Interpersonal Communication

With a partner, play the roles below. Use **Ça va?** or **Comment allez-vous?** and **Et toi?** or **Et vous?** Follow the models. Responses to questions may vary.

MODÈLES a teen speaks to his neighbor, a man in his 40s

A: **Comment allez-vous, Monsieur?**
B: **Pas trop mal. Et toi?**
A: **Très bien.**

a sister speaks to her brother who just got home from college

A: **Ça va, Noah?**
B: **Comme ci, comme ça. Et toi?**
A: **Bien.**

1. a student speaks to his or her teacher, Mme Ozier
2. an office employee speaks to her boss, M. Picard
3. a girl speaks to her cousin
4. a storekeeper speaks to a customer, Mlle Vallois
5. a classmate speaks to a classmate
6. a man at the bus stop speaks to the bus driver, M. Tripier
7. a teen speaks to another teen at a party

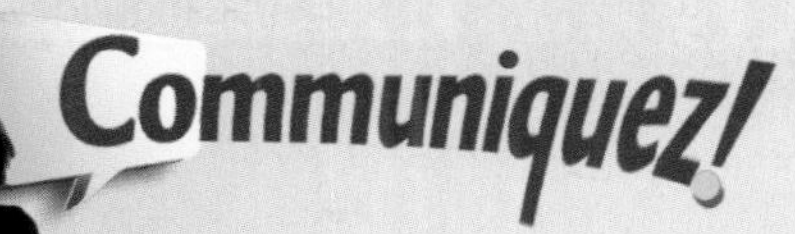

15 Je te/vous présente....

Interpersonal Communication

Take turns introducing the following people. The first name is the person being introduced. The second name is the person he or she is being introduced to.

MODÈLES Michèle/Corinne
A: **Je te présente Michèle.**
B: **Salut, Michèle!**
C: **Salut, Corinne!**

M. Muller/Mlle Bonnet
A: **Je vous présente M. Muller.**
B: **Bonjour, M. Muller!**
C: **Bonjour, Mlle Bonnet!**

1. Martine/Théo
2. Mme Martinez/M. Mathieu
3. Maxime/Claude
4. Mlle Petit/Mme Gauthier
5. Abdoulaye/Karim
6. M. Chevalier/Mlle Nicolas
7. Henri/Simone

16 Écrivez!

Write a dialogue that includes the lines that follow. Remember to use the appropriate register for each character.

- Two people greet each other.
- Person A asks Person B how things are going.
- Person B responds and asks, "And you?"
- Person A responds, then introduces Person C to Person B.
- Person B greets Person C.

Leçon C

Vocabulaire actif

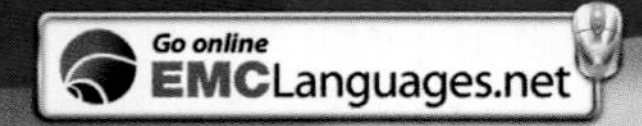

On va...?

à la teuf (fête)

au café

au centre commercial

au cinéma

à la maison

Et si je voulais dire...?

Tu viens?	*Are you coming?*
Bonne idée!	*Good idea!*
Pourquoi pas?	*Why not?*
Ça ne me dit rien.	*I'm not interested.*
À plus tard.	*See you later.*

Pour la conversation 

How do I extend an invitation?

> **On va** au café?

How about going to the café?

> **Tu voudrais aller...?**

Would you like to go...?

How do I accept an invitation?

> **D'accord.**

OK.

> **Oui, je veux bien.**

Yes, I'd like that.

How do I refuse an invitation?

> **Pas possible. Je dois** faire mes devoirs.

It's not possible. I must do my homework.

> **Je ne peux pas. J'aide** ma mère.

I can't. I'm helping my mother.

1 On accepte, oui ou non? 

You will hear a series of short conversations. Write **oui** if the second speaker accepts the invitation or **non** if he or she declines.

2 Les gens que je connais 

Imagine you are Stéphanie and identify the people you know. Follow the model.

MODÈLE **C'est mon professeur.**

1. 

2. 

3. 

4. 

5. 

6. 

3 Connectez-vous!

Luc signed on to his social networking site and discovered that the messages between Anne and him were scrambled. Help Luc make sense of the messages by rewriting them in the correct order.

Mon réseau social Accueil Profil Compte

Luc Bolduc

Mur	Infos	Photos
Exprimez-vous...		

Nouvelle
Messages
Événements
Amis

Luc Bolduc Aujourd'hui j'aide ma mère Ça va pas très bien!

samedi le 10 septembre

Partager

J'aime

1. Tu voudrais aller au café algérien bientôt?
samedi le 10 septembre

2. Ça va Luc?
samedi le 10 septembre

3. Oui, je veux bien. À bientôt.
samedi le 10 septembre

4. Demain? Je ne peux pas. Je dois aider mon père!
samedi le 10 septembre

5. Pas très bien! J'aide ma mère. On va à la teuf de Christine demain?
samedi le 10 septembre

Communiquez!

4 Je t'invite!

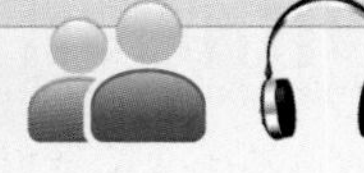

Interpersonal Communication

With a partner, take turns inviting each other to the places in the photos below. When your partner invites you to do something, accept or decline the invitation.

MODÈLE A: **On va au centre commercial?**
B: **Pas possible. Je dois aider mon père.**

1. 

2. 

3. 

4. 

Rencontres culturelles

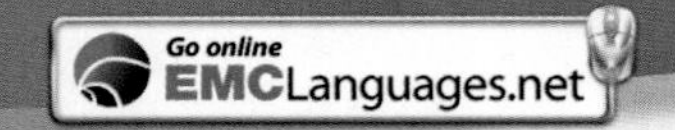

Une invitation   

Yasmine calls Julien on her cell phone. Julien is at home in his bedroom.

Julien: Salut! C'est Yasmine?
Yasmine: Oui. Tu vas bien? Dis, Julien, on va au ciné avec Maxime. Tu voudrais venir?
Julien: Ah non, pas possible... on a un contrôle de maths.
Yasmine: Oui, je vois... ta mère est stricte....
Julien: Oh! Avec ton père ce n'est pas mieux.
Yasmine: Bon. Salut. À demain.

5 Une invitation

Complétez les phrases. (Complete the sentences.)

1. Yasmine téléphone à....
2. Yasmine va avec Maxime au....
3. Julien a un... de maths.
4. La... de Julien est stricte.
5. Le père de... est strict.

Extension **On va au ciné?** 

A couple of young people are sitting outside on the terrace of a café.

Paule: Ciné?
Étienne: D'accord!
Paule: Oui, je veux bien.
Étienne: Ah non, pas possible, je dois faire des courses.
Paule: Eh bien alors, on va à l'UGC Cité Ciné des Halles et tu fais tes courses au centre commercial.
Étienne: Bon, alors tu viens?
Paule: Je viens!

Extension What is the advantage of going to the movies at the UGC theater?

Paule et Étienne sont au café.

Points de départ

Question centrale
In what ways is learning another language beneficial?

Les ados

Young people in France tend to be very individualistic, and they also have a certain degree of financial independence; 71% of teens between ages 15 and 17 receive roughly 29 euros in allowance each month. Teens spend a lot of time on the Internet writing and receiving e-mails and surfing the Web. Many teens also write their own blogs. Other favorite activities include listening to music, going to the movies, and talking to friends. Eight out of ten teens from ages 15 to 19 have their own cell phone, **un portable**.

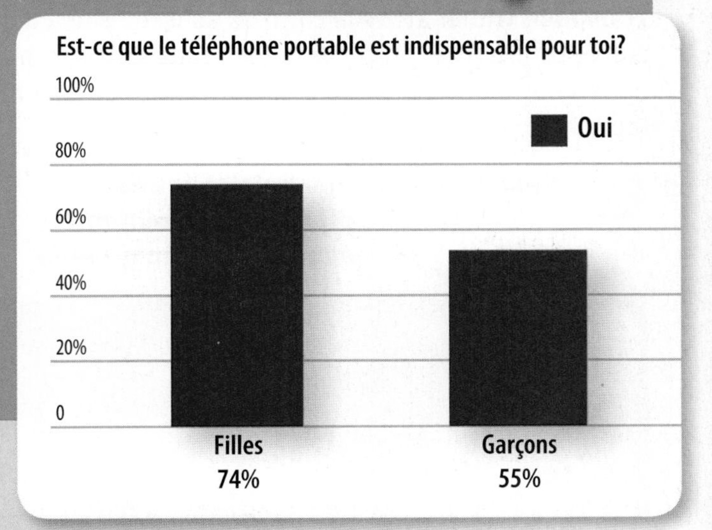

Search words: **convertisseur de devises** to find out the value of 29 euros

Youssou N'Dour often performs in his native Africa.

La Francophonie

L'Afrique subsaharienne

The people of sub-Saharan Africa speak many different languages. Some languages are limited to a small area in one country, while others are spoken by people in several different countries. Wolof, Peul, Bambara, and Malinke are just four of the languages spoken in the region. During the colonial period in Africa, the French language helped unify people of different languages and cultures living within the same country. French became the language of law, government, and education. Today French continues to be spoken in Senegal, the Ivory Coast, Cameroon, Burkina Faso, Gabon, Mali, Niger, Togo, and the Democratic Republic of the Congo. Many sub-Saharan artists have also blended their local traditions with the French language, producing films, works of art, and music for an international audience, for example, the songs of musician Youssou N'Dour from Senegal.

Search words: **vidéo youssou n'dour**

✲ *Les Antilles et la Guyane française*

La Martinique and **la Guadeloupe** are French overseas departments in the Caribbean. Although French is the official language, many people also speak Creole. Renowned writers from these islands whose works are in both languages include Aimé Césaire, Jean Métellus, and Léon Gontran-Damas. The islands are also known for their beautiful beaches which attract thousands of tourists each year. Nearby in South America is the overseas department of **la Guyane française** which attracts tourists as well, particularly those who enjoy ecotourism—responsible travel to pristine, protected areas that strive to maintain an environment relatively untouched by human intervention. However, French Guiana may be best known as home to Europe's satellite launching site.

Search words: martinique tourisme
guadeloupe tourisme
écotourisme en guyane

Martinique is a Caribbean island and a department of France.

Poet Aimé Césaire (1913–2008) from Martinique co-founded a movement called **la Négritude**. This philosophy rejected French cultural assimilation and sought to promote Africa and its culture, which was not valued by French colonial regimes.

COMPARAISONS

Where do you and your family and friends go on vacation? How do these places compare with Martinique, Guadeloupe, and French Guiana?

6 Questions culturelles

Répondez aux questions.

1. What do French teens like to do most on the Internet?
2. What is the French word for a cell phone?
3. What are the names of four African languages?
4. In what arenas is French used in French-speaking African countries?
5. Who is Youssou N'Dour?
6. What are three of France's overseas departments in the Americas?
7. What body of water surrounds Martinique and Guadeloupe?
8. What languages do people speak in Martinique and Guadeloupe?
9. What is ecotourism?
10. Which overseas department is known for its ecotourism?
11. What is **la Guyane française** perhaps best known for?

The Ariane rocket is launched from the French National Space Center, or CNES, in Guiana.

À discuter

Where could you use your French language skills in the western hemisphere? What would be your first choice for a vacation or study destination?

Du côté des médias

7 Un texto/SMS

Rewrite the following sentences in the order of Méline's text message.

T'es où?	*Where are you?*
Salut.	*Hi.*
Bisous	*Kisses*
Tu fais quoi?	*What are you doing?*

Lisez les informations pour les voyageurs.

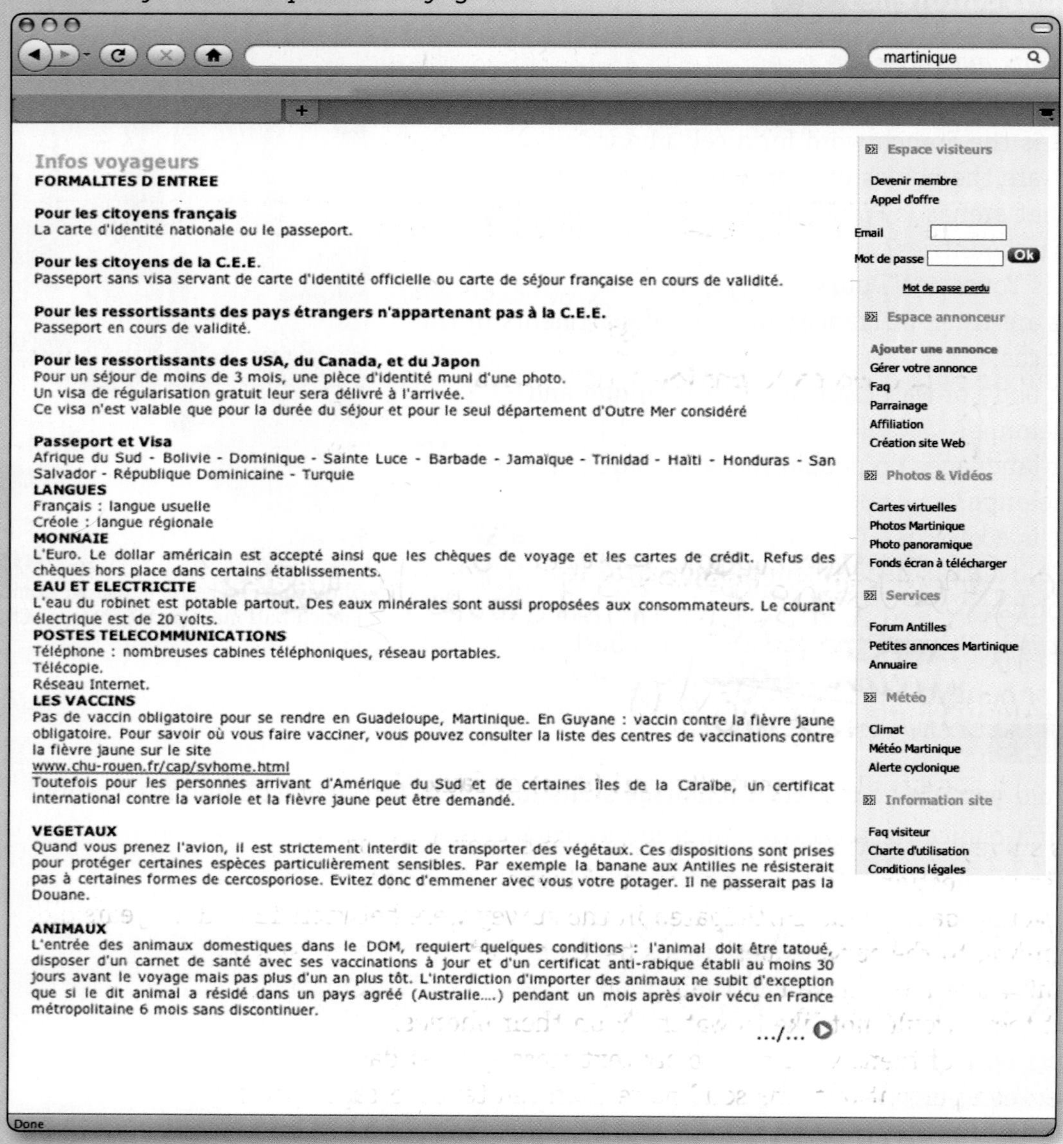

martinique

Infos voyageurs
FORMALITES D ENTREE

Pour les citoyens français
La carte d'identité nationale ou le passeport.

Pour les citoyens de la C.E.E.
Passeport sans visa servant de carte d'identité officielle ou carte de séjour française en cours de validité.

Pour les ressortissants des pays étrangers n'appartenant pas à la C.E.E.
Passeport en cours de validité.

Pour les ressortissants des USA, du Canada, et du Japon
Pour un séjour de moins de 3 mois, une pièce d'identité muni d'une photo.
Un visa de régularisation gratuit leur sera délivré à l'arrivée.
Ce visa n'est valable que pour la durée du séjour et pour le seul département d'Outre Mer considéré

Passeport et Visa
Afrique du Sud - Bolivie - Dominique - Sainte Luce - Barbade - Jamaïque - Trinidad - Haïti - Honduras - San Salvador - République Dominicaine - Turquie
LANGUES
Français : langue usuelle
Créole : langue régionale
MONNAIE
L'Euro. Le dollar américain est accepté ainsi que les chèques de voyage et les cartes de crédit. Refus des chèques hors place dans certains établissements.
EAU ET ELECTRICITE
L'eau du robinet est potable partout. Des eaux minérales sont aussi proposées aux consommateurs. Le courant électrique est de 20 volts.
POSTES TELECOMMUNICATIONS
Téléphone : nombreuses cabines téléphoniques, réseau portables.
Télécopie.
Réseau Internet.
LES VACCINS
Pas de vaccin obligatoire pour se rendre en Guadeloupe, Martinique. En Guyane : vaccin contre la fièvre jaune obligatoire. Pour savoir où vous faire vacciner, vous pouvez consulter la liste des centres de vaccinations contre la fièvre jaune sur le site
www.chu-rouen.fr/cap/svhome.html
Toutefois pour les personnes arrivant d'Amérique du Sud et de certaines îles de la Caraïbe, un certificat international contre la variole et la fièvre jaune peut être demandé.

VEGETAUX
Quand vous prenez l'avion, il est strictement interdit de transporter des végétaux. Ces dispositions sont prises pour protéger certaines espèces particulièrement sensibles. Par exemple la banane aux Antilles ne résisterait pas à certaines formes de cercosporiose. Evitez donc d'emmener avec vous votre potager. Il ne passerait pas la Douane.

ANIMAUX
L'entrée des animaux domestiques dans le DOM, requiert quelques conditions : l'animal doit être tatoué, disposer d'un carnet de santé avec ses vaccinations à jour et d'un certificat anti-rabique établi au moins 30 jours avant le voyage mais pas plus d'un an plus tôt. L'interdiction d'importer des animaux ne subit d'exception que si le dit animal a résidé dans un pays agréé (Australie....) pendant un mois après avoir vécu en France métropolitaine 6 mois sans discontinuer.

.../...

Espace visiteurs
Devenir membre
Appel d'offre
Email
Mot de passe
OK
Mot de passe perdu

Espace annonceur
Ajouter une annonce
Gérer votre annonce
Faq
Parrainage
Affiliation
Création site Web

Photos & Vidéos
Cartes virtuelles
Photos Martinique
Photo panoramique
Fonds écran à télécharger

Services
Forum Antilles
Petites annonces Martinique
Annuaire

Météo
Climat
Météo Martinique
Alerte cyclonique

Information site
Faq visiteur
Charte d'utilisation
Conditions légales

Done

8 Un voyage à la Martinique

Répondez aux questions.

1. If French citizens don't have a passport, what proof of identity can they use instead?
2. If you're from Haiti or Turkey, what do you need to bring besides a passport?
3. What two languages are spoken in Martinique?
4. What currency is used in Martinique?
5. Are you required to get vaccines before coming to Martinique?

Les ados, les jeunes, et le téléphone portable	
Es-tu déjà fait voler ton téléphone portable? (903 Votes)	
oui (189)	20.9%
non (679)	75.2%
plusieurs fois (35)	3.9%
Si tu pouvais, regarderais-tu la télé sur ton téléphone portable? (896 Votes)	
oui	68.7%
non (280)	31.3%
Combien de sms envoies-tu par jour? (849 Votes)	
de 0 à 3 (267)	31.4%
de 4 à 6 (264)	31.1%
de 7 à 10 (144)	17.0%
plus de 10 (174)	20.5%
Sondage réalisé par ADOSURF auprès de 12 à 25 ans	

9 Une enquête sur les portables

Identify each statement as essentially **vrai** (*true*) or **faux** (*false*).

1. This survey is about French young people and their laptops.
2. For each question, a different amount of teens responded.
3. The young people who participated in the survey were between 12 and 18 years old.
4. According to the survey, most teens have not had their phone stolen.
5. About 4% of teens have had their phone stolen more than once.
6. Most teens would not like to watch TV on their phones.
7. About 30% of teens send four to six text messages per day.
8. Seventeen percent of teens send more than ten text messages per day.

La culture sur place

Encounters with French Culture

Introduction

When you learn about other cultures and languages, you also often learn that people may see things differently from the way you view them or do things differently from what you expect. You don't have to change who you are and become **français(e)** or **algérien(ne)** or **canadien(ne)** to communicate with Francophone people. However, you might find it interesting, enlightening, and even inspiring to learn how to engage and interact with people from another culture. In this section, you're invited to go "on location" and navigate through French-speaking cultures.

10 Comment agir?

Imagine you are experiencing each situation that follows and describe how you would react. Be sure to select a course of action with which you are comfortable. If you have trouble thinking of a reaction, look at the suggestions in the boxes. Other responses may be possible.

1. You are on a train ride in France. You'd like to ask the older woman sitting next to you if she minds if you open the window, but you're not sure what to say to get her attention. What do you do? Why?

   You might tap her on the shoulder, wave at her, or say **"Madame? Je peux...?"** *and gesture toward the window.*

2. You meet a French woman for the first time. You see her kiss your American friend twice on the cheek before she turns to greet you. What do you do? Why?

   You might offer your hand, you might kiss her on both cheeks, or you might stop and ask what to do.

3. You're saying good-bye to a new friend on your first day in France. He says **"Salut!"** as he waves and turns away. What do you do? Why?

   You might say **"Salut!"** *also,* **"Au revoir!"**, **"Bye!"** *or* **"Ciao!"**, *or you might just laugh.*

4. You receive a text message from a French-speaking friend: **"slt. T ou?"** How do you respond? Why?

   You might respond using French abbreviations, or you might reply: **"Je suis à la teuf/au ciné/au centre commercial/à la maison."**

Taking Inventory

As you can see in the preceding situations, there may be more than one way to handle a situation in another culture. Look at the continuum below. Where do you fall in terms of your comfort level with the differences between your own culture(s) and francophone cultures? If you feel that you must always follow the customs of your own culture(s), you would fall to the left. If you feel that you might adopt many of the customs from the francophone world, you would fall to the right. Next, decide where on the continuum you would like to be when you finish this course. Discuss your ratings with a group of your classmates.

1	2	3	4	5	6	7	8	9	10

I am very comfortable in some U.S. cultures.

I would be somewhat comfortable in francophone cultures.

I would be very comfortable in francophone cultures.

À vous la parole

Communiquez!

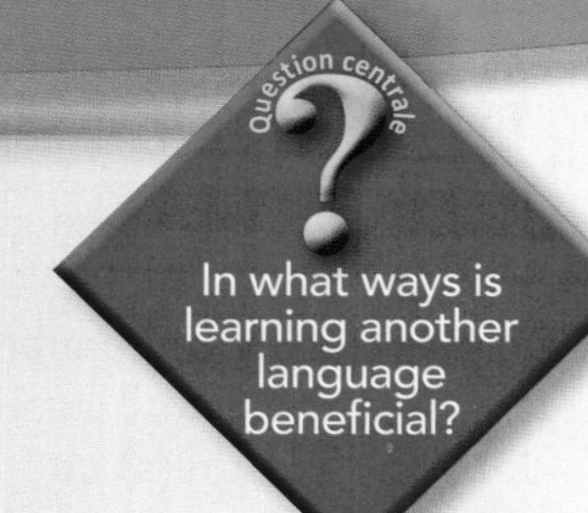
Question centrale
In what ways is learning another language beneficial?

11 Les textos ou sms

Interpretive/Presentational Communication

Now that you know some text messaging abbreviations in French, look for more of them online by using the key words below. Create a message for a classmate by changing some of the standard French words you know to SMS text. You may choose to send your message via phone or e-mail. If you don't have access to these technologies, just write your message on an index card and deliver it by hand. If your classmate has trouble deciphering your message, help him or her by saying your message aloud.

10:10A
SMS
10:10am
tu ve alle o 6ne
2m1? Biz Caro
Options
Retour

Search words: textos français
dico sms
langage sms

Communiquez!

12 Word Clouds

Ça roule? **D'accord!** **langue d'ouverture** **la teuf** **algérien** **Mardi Gras** **texto** **Kemajou**

Presentational Communication

In this lesson you learned the names of some places and people, how to invite someone, how to accept or reject an invitation, some French-speaking destinations, and some SMS abbreviations. Choose some of your favorite new French and English words from this and previous lessons and make a word cloud. If you don't have access to word cloud applications online, write or design your words on a piece of paper with colored markers. Share your word cloud with your classmates. Tell them your five favorite words and why they are your favorites.

Search words: wordle, wordsift, abc ya word cloud
to find Word Cloud applications

Lecture thématique

Belle du Seigneur

Rencontre avec l'auteur

Albert Cohen (1895–1981) was a novelist and diplomat. Born in Greece, he settled in Switzerland where he studied law. Jewish himself, Cohen worked to create a safe haven for Jews during and after World War II. He is best known for his novel, ***Belle du Seigneur***, which tells the story of the destructive romantic relationship between a woman named Ariane and a man named Solal. ***Belle du Seigneur*** won important literary prizes and is considered a masterpiece. As you read, try to answer the following question: What are the characters feeling?

Pré-lecture

Think of a time you questioned a friend over and over again. Write a brief description of the situation and identify the emotions you felt.

Stratégie de lecture

Answering the five "W" questions

The five "W" questions are Who, What, Where, When, and Why. If you can answer these questions about a reading, then you are on your way to finding the deeper meaning of the selection. Fill in a chart like the one below as you read the excerpt from ***Belle du Seigneur***.

Question words and questions	Answers
1. **Who** are the two characters in this scene?	
2. **What** does Solal want to know?	
3. **Where** are the characters?	Agay, French Riviera
4. **When** does the story take place?	1930s
5. **Why** does Solal want to know this third person's name?	

Outils de lecture

Deciphering Words

When you see a word you do not know in a reading, ask yourself if there is a similar word, or cognate from English, or look at the words around it to help you decipher the meaning. If neither one of these strategies works, then look under the reading at the glossed words. Definitions here will be given in English, and in later units, some of them will be in French.

Solal:	Dis* son nom, son nom, vite*!
Ariane:	Dietsch.
Solal:	Quelle* nationalité?
Ariane:	Allemand.
Solal:	...Son prénom?
Ariane:	Serge.

Pendant la lecture
1. Is the first speaker a man or a woman?

Pendant la lecture
2. What details does Solal want to know?

Dis *Say;* **vite** *fast;* **quelle** *what*

Post-lecture

What does Solal feel that makes him question Ariane? With a group of classmates, brainstorm a list of other works of fiction (books, TV shows, plays, movies) that center on this emotion.

Le monde visuel

French artist Jean Béraud (1849–1935) was influenced by Impressionist artists, who wanted to create an impression of a moment using techniques from broad brush strokes and swaths of color to mute, understated tones. Béraud liked to paint life in the Parisian salons, or drawing rooms, of the late 19th century. What is the setting of this painting, and in what ways is it impressionistic? How does the painting help you to interpret the reading selection?

The Private Conversation, 1904. Jean Béraud. J. Kugel Collection, Paris, France.

13 Activités d'expansion

Faites les activités suivantes. (Do the following activities.)

1. Imagine that *Belle du Seigneur* is being translated into English for the first time. Your job is to write the study guide for the chapter titled *Aveu* ("Confession"). Use the information in your chart to write a paragraph in English about the background of this selection.
2. The names of the characters have meaning. Do online research to find out their meaning.

Search words: signification des prénoms

3. The five "W" questions are useful when reading other types of publications besides literature. Work with a partner to make a list of them.

4. With a partner, play the roles of Solal and Ariane, but imagine that the nationality and first names of the person being discussed change.

MODÈLE

Solal:	**Dis son nom, son nom, vite!**
Ariane:	**Harndani.**
Solal:	**Quelle nationalité?**
Ariane:	**Algérien.**
Solal:	**...Son prénom?**
Ariane:	**Salim.**

1. Robert Charbonneau/Canada
2. Justin Reed/USA
3. Karim Bendjadid/Algérie
4. Thierry Lucas/France

Les copains d'abord: Dans le métro

T'es branché?

Projets finaux

A Connexions par internet: La technologie

How accurate are online translators?

Follow the steps below to experiment with an online French translator. Locate one by using your favorite French search engine, such as www.google.fr, and the key words below.

1. Type a short paragraph in English about where you went and what you did last weekend. Insert some details and slang into your text.
2. Find an online translator and paste your paragraph in the field titled **de l'anglais au français**.
3. Next, take the translated text (in French) and put it in the translator again. This time put the text in the field titled **du français à l'anglais**.

Now answer the following questions to evaluate your experiment. How accurate were the results? Give a percentage. How do you think your teacher could tell if you were to use an online translator? Discuss with a partner why your teacher might ask you not to use online translators and what you discovered about learning a second language from doing this activity.

Search words: traducteur

B Communautés en ligne

La France aux États-Unis

Many countries have an embassy in Washington, D.C. Let's visit the French Embassy there to learn about France's presence in the United States and about the relationship between the two countries. Use the key words below to access the embassy's website. Then follow the directions below to explore the site.

The French Embassy in Washington, D.C., facilitates exchanges and communication between France and the United States.

1. Explore the site in English to see what kind of information is provided.
2. Make a chart with two columns. Label the left side "France's Embassy in Washington." Label the right side **Ambassade de France à Washington**.
3. In the left column, write ten things you learned about French-American relations.
4. In the right column, write ten facts you learned, for example, the name of the ambassador, the locations of the French consulates in the United States, services provided to French citizens, events, etc.

Search words: ambassade de france à washington

C Passez à l'action!

Pourquoi j'apprends le français

You would like to encourage more people to learn French, so you are going to create a marketing tool to promote the French language and francophone culture. Look at some of the reasons to learn French below and study some possible products. Choose one from the list or come up with your own.

Fashion: Make a movie of a French fashion show.
Cuisine: Make a cookbook with French, French-Canadian, Swiss, Belgian, Caribbean, Cajun, or African recipes.
Vocabulary development: Create a blog about words with French origins.
Sports: Make a collage of sports played in the francophone world.
Study abroad: Make a brochure about colleges with study abroad programs in French-speaking locations, listing contact information.
Business: Make a graphic with the logos of famous French companies.
Geography: Create a map showing every country where French is spoken. Include a legend with each country's capital.
Travel: Make a poster with images of the top ten francophone locations you want to visit.

Possible formats you might use include: posters, flyers, brochures, PowerPoint™ presentations, movies, blogs, or word clouds.

Tip: To create a fact-based and effective project, research your topic online to get ideas and information.

D Faisons le point!

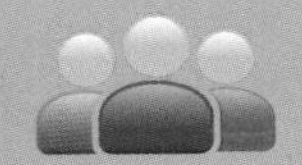

Question centrale
In what ways is learning another language beneficial?

Working with a group of classmates, make a graphic organizer like the one below. Based on what you have learned in this unit, complete the graphic organizer with "I can" statements. Note that the first example has been done for you.

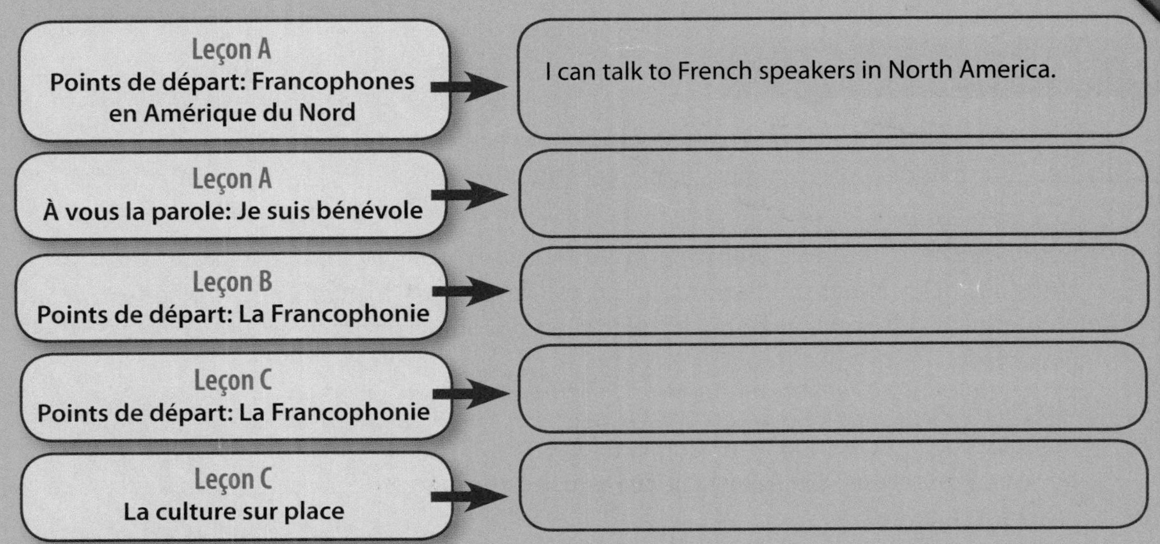

Leçon A
Points de départ: Francophones en Amérique du Nord
I can talk to French speakers in North America.
Leçon A
À vous la parole: Je suis bénévole
Leçon B
Points de départ: La Francophonie
Leçon C
Points de départ: La Francophonie
Leçon C
La culture sur place

Évaluation

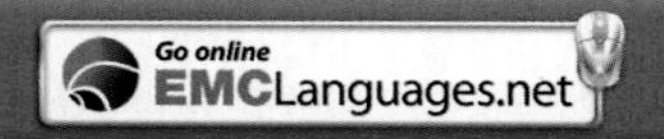

A Évaluation de compréhension auditive

Listen to the dialogue, then read the statements below. Write **V** if the statement is **vrai** (*true*) and **F** if it is **faux** (*false*).

1. Maude introduces her cousin Robert to Aïcha.
2. Robert is from Canada.
3. Things aren't going well for Aïcha.
4. Maude invites Aïcha to a party.
5. Maude has homework to do.
6. The speakers will see each other the next day.

B Évaluation orale

With a partner, roleplay a conversation between two classmates talking to each other on the phone after school.

Answer the phone.	Identify yourself.
Say hello and ask your classmate how things are going.	Answer and ask how your classmate is.
Say how things are going. Invite your classmate to go somewhere.	Say you can't go and give a reason.
Say that you'll call each other soon.	Say good-bye.
Say good-bye.	

C Évaluation culturelle

You will be asked to make some comparisons between francophone cultures and American culture. You may need to complete some additional research about American culture.

1. **Les immigrés**
   Compare the immigrant and foreign populations in France with those in the United States. Many immigrants in France come from former French colonies. What countries do they come from? Where do recent immigrants from the United States come from?
2. **Les adieux**
   Compare the expressions French teens use to say good-bye to expressions preferred by American teens. Do American teens use expressions from other languages like French teens do?

3. **L'Europe et l'Amérique du Nord francophones**
   Compare the presence of French in Europe with the presence of French in North America. In which places is French an official language on each continent?
4. **Les langues dominantes**
   Compare the language of law, government, and education in sub-Saharan Africa to the language of international business. What advantages are there to having a dominant language in these areas?

French teens attend a concert by Cheb Bilal, an Algerian singer whose songs are in French and Arabic.

5. **Les ados**
   Ask ten classmates what their favorite three activities are. How do your classmates' interests compare with those of French teens?

D Évaluation écrite

You would like to practice French after school today and invite a classmate to join you. E-mail your classmate or pass an index card back and forth to ask how your classmate is and extend the invitation. Your classmate should respond appropriately. To make sure the messages are clear, do not use any SMS abbreviations.

E Évaluation visuelle

Part 1: Working in groups of four, each person selects an identity and makes a name tag based on the characters in the illustration. Introduce yourselves to each other, ask how things are going, and say good-bye. Be sure to address each other appropriately, using informal or formal language. Exchange name tags and repeat the activity until everyone has played each of the roles.

Part 2: Working in groups of four, each person assumes one of the identities. One person in the group knows everyone and introduces the others. Switch roles and repeat the scene until everyone has had a chance to make the introductions.

F Évaluation compréhensive

Create a storyboard with four frames. Write labels for each frame, showing how a student greets a fellow student and asks him or her to go somewhere. Finally, work with a partner to share your dialogue with a small group of classmates.

Vocabulaire de l'Unité 1

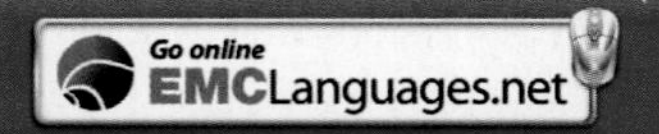

à to *C*
a: on a we have *C*
ah Oh! *A*
aider to help *C*; **j'aide** I'm helping *C*
algérien(ne) Algerian *A*
aller to go *C*; **On va...?** Shall we go...? *C*; **Tu vas bien?** Are things going well? *C*
allô hello *[on telephone]* *A*
américain(e) American *A*
au to (the) *C*; **Au revoir!** Good-bye! *B*
avec with *B*
bien well *B*
bientôt: À bientôt! See you soon! *B*
bon(ne) good *C*
bonjour hello *A*
c'est this is, that is *A*; **C'est ça.** That's right. *B*
ça: Ça va? How's it going? *B*; **Ça va mal**. Things are going badly. *B*
un(e) **camarade: camarade de classe** classmate *A*
canadien(ne) Canadian *A*
ce it *C*
comme: comme ci, comme ça so-so *B*
comment how, what *A*; **Comment allez-vous?** [*form.*] How are you? *B*
un **contrôle** test *C*
un **copain, une copine** (boy/girl) friend *A*
d'accord OK *C*
de of, from *A*
demain tomorrow *B*; **À demain!** See you tomorrow! *B*
les **devoirs (m.)** homework *C*
dis Say... *C*
dois: Je dois... I must... *C*
eh: eh bien well *B*
elle she *A*
enchanté(e) delighted *A*
est: elle est she is *A*; **il est** he is *A*
et and *A*
faire to do, to make *C*; **faire mes devoirs** to do my homework *C*
la **fête** party *C*
une **fille** girl *A*
français(e) French *A*
un **garçon** boy *A*
il he *A*
j' I *C*
je I *A*
là there *A*
la the *C*
le the *A*
m'appelle: je m'appelle my name is *A*
ma my *A*
madame (Mme) ma'am (Mrs., Ms.) *A*
mademoiselle (Mlle) miss (Ms.) *A*
mal badly *B*
les **maths (f.)** math *C*
la **mère** mother *C*
mes my *C*
mieux better *C*
moi me *A*
mon my *A*
le **monde** everyone, world *A*
monsieur (M.) sir (Mr.) *A*
ne (n')... pas not *C*
non no *A*
oh Oh! *C*
on they, we, one *B*
oui yes *A*
pas not *B*; **pas mal** not bad *B*; **pas très bien** not very well *B*
le **père** father *C*
peux: Je ne peux pas. I can't. *C*
possible possible *C*
un **prénom** first name *A*
présente: je te/vous présente.... I'd like to introduce you to.... *A*
le/la **prof** teacher *B*
s'appelle: On s'appelle. We'll call each other. *B*
salut hi *A*; bye *B*
strict(e) strict *C*
suis: je suis I am *A*
t'appelles: Tu t'appelles comment? What's your name? *A*
ta your *A*
te you, to you *A*
toi you *B*
ton your *C*
top awesome *B*
tout all *A*
très very *B*; **Très bien et toi/vous?** Very well, and you? *B*
trop too *B*
tu you *A*
un a, an *C*
va: on va they go, we go, one goes *C*
vas: tu vas you go *C*
venir to come *C*
veux: Je veux bien. I'd like that. *C*
vois: je vois I see *C*
voudrais: tu voudrais you would like *C*
vous you *A*

Places... see p. 28

Unité

2 Les passe-temps

Rendez-vous à Nice!

Épisode 2:

Football ou études?

Citation

"C'est en essayant encore et encore que le singe apprend à bondir."

It's in trying again and again that the monkey learns to leap.

—Proverbe africain

À savoir

There are over 2,000 athletic organizations dedicated to soccer in France, a country about the size of Texas.

Unité

2 Les passe-temps

Question centrale
What do activities and pastimes reveal about a culture?
Go online EMCLanguages.net
What is Patrick's mom about to tell him?
A. He needs to improve his grades in English.
B. His grandfather passed away.
C. They are moving away.
Where is mancala played?

Contrat de l'élève

Leçon A I will be able to:

- ask what someone likes to do and say what I like to do.
- talk about **Pari Roller**, the birth of the modern Olympics, Paris, the Tour de France, and ice hockey in Canada.
- use subject pronouns, tell when to use **tu** or **vous**, form sentences using regular **–er** verbs, and recognize infinitives.

Leçon B I will be able to:

- say how much I like to do something.
- talk about Lyon and the game mancala.
- use adverbs and know where to place them in a sentence.

Leçon C I will be able to:

- ask about and state preferences, and agree and disagree.
- talk about Rachid Taha and World Music, Corneille, and **la Fête de la musique**.
- Identify masculine and feminine nouns, use definite articles, the verb **préférer**, and **ne (n')... pas** to make sentences negative.

Leçon A

Vocabulaire actif

Qu'est-ce que tu aimes faire?

J'aime....

Je n'aime pas....

faire du roller

faire du shopping

aller au cinéma

sortir avec mes amis

jouer au foot

faire du footing

faire du vélo

jouer au basket

Il fait beau.

Il fait mauvais.

Les Jeux Olympiques d'été:

nager

plonger

faire de la gym

Les Jeux Olympiques d'hiver:

jouer au hockey sur glace

faire du patinage (artistique)

faire du ski (alpin)

Tu manges...?

des frites (f.)

des pâtes (f.)

de la pizza

une salade

Les jours de la semaine

lundi
mardi
mercredi
jeudi
vendredi
samedi
dimanche

Calendrier
OCTOBRE
lundi mardi mercredi jeudi vendredi samedi dimanche
1 2
3 4 5 6 7 8 9
10 11 12 13 14 15 16
17 18 19 20 21 22 23
24 25 26 27 28 29 30

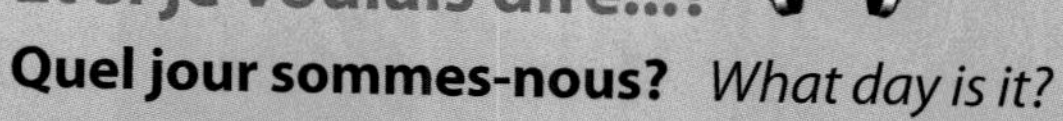

Et si je voulais dire...?

Quel jour sommes-nous?	*What day is it?*
Nous sommes....	*It is... (+ day of the week).*
Quel temps fait-il?	*What's the weather like?*
faire de la musculation	*to lift weights*
faire du parcours	*to do a fitness circuit or parcourse*
faire du snowboard	*to go snowboarding*
danser	*to dance*
kiffer	*to love [slang]*
travailler	*to work*

Pour la conversation

How do I ask what someone likes to do?

> **Qu'est-ce que tu aimes/vous aimez faire?**
> *What do you like to do?*

> **Tu aimes** manger des hamburgers?
> *Do you like eating hamburgers?*

How do I say what I like to do?

> **J'aime** sortir.
> *I like to go out.*

How do I say I don't like to do something?

> **Je n'aime pas** faire du ski.
> *I don't like to ski.*

1 Les projets de la semaine

Some students are talking about their week. In English write the day of the week each activity will take place.

Communiquez!

2 Les agendas de Karim et Suzanne

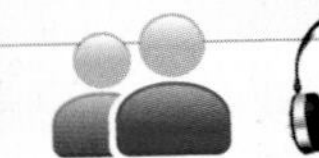

Interpersonal Communication

Karim invites Suzanne to do different activities this week, but she can only do outdoor activities when it's nice out and indoor activities when the weather's bad. With a partner, play the roles of Karim and Suzanne using the information below. Follow the model.

MODÈLE

Karim: **Tu voudrais faire du shopping lundi?**
Suzanne: **Je ne peux pas. Il fait beau lundi. Tu voudrais faire du vélo?**
Karim: **D'accord.**

3 Un e-mail d'une copine

Complétez le e-mail à Jessica de Québec.

À: Jessica@yahoo.ca
Cc:
Sujet: Je me présente

Salut, Jessica!

Je m' __1__ Michèle. Je __2__ canadienne. Ça __3__? Moi, ça va très bien! Qu'est-ce que tu __4__ faire? Moi, j'aime __5__ du shopping avec ma mère. J' __6__ aller au cinéma avec mes copains. J'aime __7__ du vélo et j'aime __8__ au foot. Qu'est-ce que tu aimes __9__? J'aime les pâtes! Et __10__?

À bientôt,

Michèle

4 Le calendrier

Dites quel jour vient après.
(Say what day comes after.)

MODÈLE mercredi
C'est jeudi.

1. vendredi
2. lundi
3. mercredi
4. dimanche
5. mardi
6. jeudi
7. samedi

5 Tu aimes....

Interpersonal Communication

With a partner, take turns asking and telling what you like to do. If you have similar interests, invite your partner to do something.

MODÈLES faire du roller/manger des pâtes
A: **Tu aimes faire du roller?**
B: **Non, je n'aime pas faire du roller. Tu aimes manger des pâtes?**
A: **Oui, j'aime manger des pâtes.**
(B: **Tu veux aller au café jeudi?**
A: **Oui, je veux bien.**)

1. jouer au basket/faire du shopping
2. aller au ciné/manger des hamburgers et des frites
3. nager/sortir
4. faire du vélo/faire du ski alpin
5. aller au centre commercial/jouer au hockey sur glace
6. faire du roller/manger des pâtes

6 Questions personnelles

Interpersonal Communication

Répondez aux questions.

1. Qu'est-ce que tu aimes faire?
2. Tu aimes faire du roller?
3. Tu aimes aller au cinéma?
4. Tu aimes jouer au basket?
5. Tu aimes manger des salades?
6. Tu aimes manger de la pizza?

Rencontres culturelles

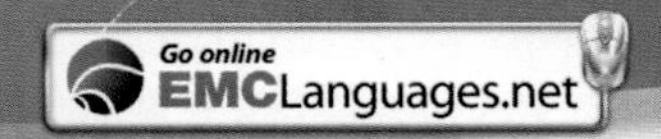

Qu'est-ce que vous aimez faire?

A journalist intern interviews Camille and Julien about young people's pastimes.

Journaliste: Qu'est-ce que vous aimez faire après les cours?

Julien: Moi, j'aime faire du sport. Je joue au foot et au basket, je fais du vélo.

Camille: Moi, j'aime faire du shopping, sortir avec mes amis....

Journaliste: Tu n'aimes pas faire de sport?

Camille: Si, j'aime faire du roller le vendredi soir quand il fait beau.

Journaliste: Tu fais Pari Roller?

Camille: Oui, c'est génial!

7 Qu'est-ce que vous aimez faire?

Draw a grid with two columns. In one, write **Julien** and in the other write **Camille.** Write the activities each teen likes to do in the appropriate column. For example, you would write **faire du roller** in the diagram for Camille. Finally, describe to a partner what Julien or Camille likes to do.

Extension **Sports d'été et sports d'hiver** 

Two teens discuss a low-cost vacation site they found online.

Amadou: Sports d'été ou sports d'hiver?

Coralie: Sports d'hiver!

Amadou: Alors là, on peut faire du hockey, du ski, du patinage....

Coralie: Ah bon... et les sports d'été, on fait quoi?

Amadou: Ben, il faut aimer nager, plonger, faire de la gym....

Coralie: Ah bon....

Amadou: Alors?

Coralie: Alors, rien!

Extension What type of climate do you think the vacation location has?

Points de départ

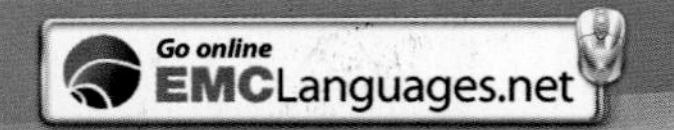

Question centrale

What do activities and pastimes reveal about a culture?

Pari Roller

It's Friday, 9:30 P.M. Fifteen thousand skaters take off from the foot of the Montparnasse tower to complete an unofficial marathon—30 kilometers in all—through Paris streets. This event, organized by Pari Roller, has been taking place since 1994. How many miles is 30 km?

Search words: **la tour montparnasse**
pari roller
convertisseur kilomètres

COMPARAISONS

What large group sporting events take place in the United States? Do they occur as frequently as Pari Roller?

Les Jeux Olympiques

Pierre de Coubertin founded the first modern Olympic Games in 1892. They took place in Athens, Greece, where 241 athletes, representing 14 nations, participated. In today's games, approximately 10,500 athletes participate, representing 200 delegations. Coubertin also designed the Olympic flag with its five rings and created the motto of the Games: **plus vite, plus haut, plus fort** (faster, higher, stronger). The original flag made its debut in 1920. The flame, symbol of the link between the modern and ancient Games, was added in 1928. In addition to the official flag and motto, the Olympics have three official languages: French, English, and the language of the host country.

Search words: **jeux olympiques**

Paris

Yasmine, Maxime, Camille, and Julien all live in Paris, the capital of France. Called **la Ville lumière,** or "City of Light," Paris has 2.3 million inhabitants and 20 **arrondissements.** The Seine River divides the city in two parts: the Right Bank to the north and the Left Bank to the south. Paris is the world's top travel destination, thanks to architectural treasures (**la tour Eiffel**, **le Centre Pompidou**, and **la Grande Arche de la Défense**), world-class museums (**le musée du Louvre** and **le musée d'Orsay**), and monuments (**Notre-Dame** and **l'arc de triomphe**). Paris also has many famous wide avenues (**les Champs-Élysées**), charming squares (**la Place des Vosges**), and beautiful gardens (**les Tuileries** and **les jardins du Luxembourg**). Tourists also come to Paris for its fashion, luxury products, café life, excellent restaurants, and intellectual scene. Many famous writers and artists from all over the world have made their home in Paris over the years.

The **Centre Pompidou** exposes functional, color-coded pipes: blue for air, green for water, red for elevators, yellow for electricity, gray for corridors, and white for the building itself.

Search words: pages de paris
tour eiffel site officiel

Paris is the birthplace of several artistic movements, including cubism in the early 20th century. Cubist art, attributed to Pablo Picasso and Georges Braques, is characterized by the use of geometric forms and the fragmentation of features arranged in an abstract manner.

Search words: pablo picasso
georges braques

La Francophonie: Sports

Le Tour de France

Created in 1903, **le Tour de France** takes place each year in July. Stretching over three weeks and more than 1,800 miles, the course travels through France and its neighboring countries. Past winners of **le Tour** include Belgian rider Eddy Merckx, French champion Bernard Hinault, and Spanish cyclist Miguel Indurain. All these athletes have worn **le maillot jaune**, the champion's yellow jersey, several times. There is also a Tour de France for women athletes.

Search words: tour de france site officiel
tour de france féminin

Le hockey sur glace au Canada

Ice hockey is one of Canada's national pastimes. The country has six professional teams, the **Montréal Canadiens** being the oldest and biggest winner in the National Hockey League (NHL). Many Canadian players begin the sport as children, then play in the Junior Hockey leagues between the ages of 16 and 20 before moving on to the pros. It's not surprising that after ice hockey became an Olympic sport in 1920, the Canadians took home six of the seven first gold medals.

Search words: canadiens de montréal

The Canadian National Hockey team scores a point against the Americans at the Vancouver Olympics.

8 Questions culturelles

Répondez aux questions.

1. What kind of event does Pari Roller sponsor?
2. What Olympic milestones occurred in 1892, 1920, and 1928?
3. What are the official languages of the **Jeux Olympiques**?
4. What is the name of the river that runs through Paris? How does it divide the city?
5. What attracts so many tourists to Paris?
6. What is **le Tour de France**?
7. What is the name of the professional hockey team from Montreal?

The main pyramid in the courtyard of the Louvre, Paris' largest and oldest art museum, serves as the primary entrance for tourists and artists.

Perspectives

You have probably heard stories about athletes taking prohibited drugs to enhance their performance. Do online research about **le doping** and **le Tour de France.** In what ways is the French reaction to **le doping** in **le Tour de France** similar to or different from the American one?

Du côté des médias

L'histoire des Jeux Olympiques

Date	Événement
1896	Athènes, premiers jeux modernes; rénovation des Jeux par Pierre de Coubertin
1900	Paris à l'occasion de l'Exposition universelle
1904	Saint-Louis, Missouri, premiers jeux aux USA
1924	Création des Jeux d'hiver à Chamonix
1936	Jeux de Berlin et l'injure faite à Jesse Owens
1956	Melbourne: premiers jeux dans l'Hémisphère Sud
1968	Mexico et le geste sur le podium des athlètes afro-américains; c'est la deuxième fois que la France accueille les Jeux d'hiver (Grenoble)
1972	Munich et l'attentat contre l'équipe d'Israël
1976	Montréal
1980, 1984:	Moscou et Los Angeles: les Jeux de la fin de la "Guerre froide" avec le boycott réciproque
1992	Les Jeux d'hiver ont lieu à Albertville, en France
1996	Atlanta: le réveil du "Vieux Sud"
2000	Sydney, le tournant du Siècle
2004	Athènes: le retour aux origines
2008	Beijing: la démonstration de la puissance chinoise
2016	Rio de Janeiro: premiers jeux en Amérique du Sud

9 Vrai ou faux?

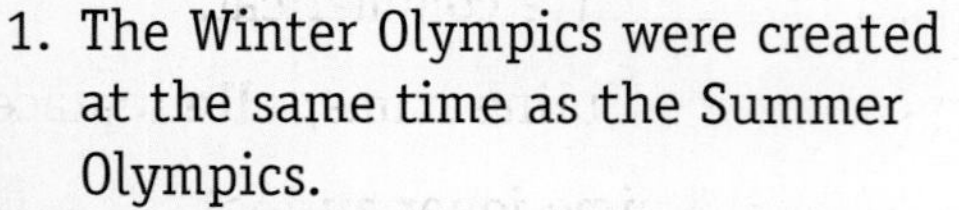

Read the Olympics timeline on the left. Decide if each statement is **vrai** (**V**) or **faux** (**F**). Correct any false statements.

1. The Winter Olympics were created at the same time as the Summer Olympics.
2. The first Winter Olympics took place in Montreal.
3. A terrorist attack occurred at the 1972 Olympics.
4. The United States went to Moscow to participate in the Olympics at the end of the Cold War.
5. The **Jeux d'hiver** were held in France three times.
6. Buenos Aires is the site of the first Olympics in South America.

Structure de la langue

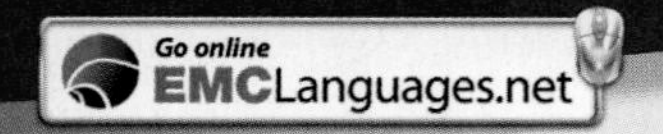

Subject Pronouns

To talk to or about people, you can use subject pronouns to replace their names. Subject pronouns are either singular (referring to one person) or plural (referring to more than one person). Here are the subject pronouns in French.

Singular		Plural	
je	*I*	**nous**	*we*
tu	*you (sing. informal)*	**vous**	*you (pl. or sing. formal)*
il **elle** **on**	*he* *she* *one/they/we*	**ils** **elles** }	*they*

Tu aimes aller au cinéma? — *Do you like to go to the movies?*
Oui, **j'**aime aller au cinéma. — *Yes, I like to go to the movies.*

Note that **je** becomes **j'** when the next word begins with a vowel sound.

The pronoun **on** is singular even though it often refers to more than one person.

On va au centre commerical. — *We are going to the mall.*

Il replaces a masculine name; **elle** replaces a feminine name.

Julien? **Il** aime jouer au foot. — *Julien? He likes to play soccer.*
Et Camille? **Elle** aime jouer au basket. — *And Camille? She likes to play basketball.*

Elles refers to two or more females. **Ils** refers to two or more males or to a combination of males and females.

Cédric et Sophie? **Ils** aiment faire du shopping! — *Cédric and Sophie? They love to go shopping!*

10 Identifiez le sujet!

Write the letter of the French subject pronoun that could replace each name or set of names.

A. il
B. elle
C. ils
D. elles

11 Aux Jeux Olympiques d'été

You are watching the opening ceremony at the Summer Olympics and listening to a group of French people who are talking about what they want to see at the Games. Identify the subject pronoun in the sentences you overhear.

1. Toi, tu veux voir la gymnastique.
2. Martine et Théo, ils désirent voir les nageurs.
3. Moi, je veux voir les plongeurs.
4. Élisabeth, elle désire voir la gymnastique.
5. Chloé et Marie-Ange, elles désirent voir les plongeurs.
6. Amadou et moi, nous désirons voir les nageurs.
7. Éric et toi, vous désirez voir la gymnastique.

12 Choisissez le sujet!

Choose the appropriate subject pronoun from the list to describe each person or group of people.

je il elle nous ils elles

MODÈLE

je

1.

2.

3.

4.

5.

tu vs. *vous*

The subject pronouns **tu** and **vous** both mean "you," but are used in different ways. When you talk to one person,

use **tu** (the familiar form) with:

- a friend
- a person your own age
- a close relative
- a child
- a pet

use **vous** (the formal form) with:

- an acquaintance
- a person older than you
- a distant relative
- an adult you don't know
- a person of authority, such as a teacher or doctor

When talking to more than one person, always use **vous**.

Anne, Lucie, Amir, comment allez-vous? *Anne, Lucie, Amir, how are you?*

COMPARAISONS

How is the plural form of "you" expressed in English?

Kirsten and Lance, are **you** ready for the quiz?
You guys get 15 minutes to study.
You all must take the test now.

13 Tu ou vous?

Say if you would follow each exchange below with a sentence that uses **tu** or **vous**.

1. Salut, ça va?
2. Bonjour, les amis!
3. Au revoir, Madame!
4. À demain, Monsieur Duval!
5. Ah, Snoopy!
6. Anne et Michèle, on va à la maison?
7. Salim, on va à la fête?

COMPARAISONS: In English you can get the plural idea of "you" across by using names, "you guys," or by adding "all" to your sentence. In the southern United States, some people might say "Y'all must take the test now."

Infinitives

A verb expresses action or a state of being. The basic form of a verb is called the infinitive. This form is found in the end vocabulary of this textbook and in French dictionaries. Many French infinitives end in **–er**, such as **présenter**, **aider**, **nager**, **aimer**, **manger**, **jouer**, and **plonger**.

Paul aime jouer au foot.

14 Je vois les infinitifs!

Write a list of the **–er** infinitives that appear in this partial list of vocabulary for French speakers attending the **Jeux Olympiques d'hiver.**

Alpine Skiing/Ski alpin

tactics	technique
absorb the bumps (to)	absorber les bosses
active lightening	allègement actif
aerodynamic	aérodynamique
airborne (to be)	être dans les airs
anticipation	anticipation
back grip	appui talon
breaking-stop	arrêt braquage
carving	conduite coupée
counter-turn	contre-virage
cross (to)	couper en traversée
cross the gate (to)	passer la porte
directional effect	effet directionnel
downhill ski	ski aval

Lexique anglais/français des sports olympiques (INSEP 2001)

15 Qu'est-ce que tu aimes faire?

Say that you do two outdoor activities when it is nice out, and two indoor activities when the weather's bad.

1. Quand il fait beau, j'aime....
2. Quand il fait mauvais, j'aime....
3. Quand il fait beau, j'aime....
4. Quand il fait mauvais, j'aime....

Quand il fait beau, j'aime faire du ski avec mon amie.

Present Tense of Regular Verbs Ending in *–er*

Regular verbs follow a predictable pattern. Regular **–er** verbs, such as **jouer**, have six forms in the present tense. To form the present tense of a regular **–er** verb, drop the **–er** ending from its infinitive to find the stem.

Now add the endings (**-e, -es, -e, -ons, -ez, -ent**) to the stem of the verb depending on the corresponding subject pronouns.

Subject Pronouns	+Stem	+Ending
je	**jou**	**e**
tu	**jou**	**es**
il/elle/on	**jou**	**e**
nous	**jou**	**ons**
vous	**jou**	**ez**
ils/elles	**jou**	**ent**

Pronunciation Tip

Notice the shading in the conjugation of **jouer**. Despite the five different endings for the subject pronouns **je**, **tu**, **il/elle/on**, and **ils/elles**, all forms of the verb in dark yellow are pronounced identically. Only the **vous** and **nous** forms are pronounced differently.

Vous **jouez** au foot demain? *Are you playing soccer tomorrow?*
Oui, je **joue** au foot. *Yes, I'm playing soccer.*

Remember that **je** becomes **j'** when the next word begins with a vowel sound: **J'aime jouer au hockey.**

Each present tense verb form in French consists of only one word, but has more than one meaning.

André **nage**. { *André swims.* / *André is swimming.* }

André **nage**? *Does André swim?*

If an infinitive ends in **–ger**, the ending for the **nous** form is **–eons**.

Nous **nageons**. *We are swimming.*
Nous **mangeons** une pizza. *We are eating a pizza.*

COMPARAISONS

How many different ways can you say this sentence in English? What are they?

Luc joue au basket.

COMPARAISONS: Luc plays basketball. Luc is playing basketball. Luc does play basketball.

16 Au parc 

Anne calls to find out who is playing basketball and who is playing soccer at the park on Saturday. Answer her questions saying that the person asked about is playing the other sport.

MODÈLE Vous jouez au foot?
Non, nous jouons au basket.

1. Julien joue au basket?
2. Marie-Alix et Delphine jouent au foot?
3. Marcel joue au basket?
4. Tu joues au foot?
5. Khaled et Amadou jouent au basket?
6. Madeleine joue au foot?
7. Vous jouez au foot?

Jean-Luc joue au basket.

17 Le weekend 

Dites ce que (what) *tout le monde fait.*

MODÈLE nous
Nous mangeons une salade.

1. Juliette

2. tu

3. vous

4. Marc et moi, nous

5. Félix et Alexis

6. Mlle Vellard

7. Rosalie et Saniyya

18 Au club 

Dites ce qu'on fait au club (fitness center).

1. Florence et Alima
2. je
3. Émile
4. David et Hugo
5. Noémie

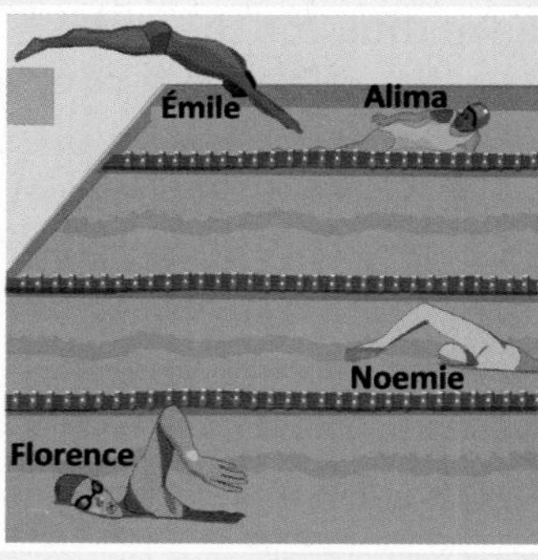

À vous la parole

Question centrale
What do activities and pastimes reveal about a culture?

Communiquez!

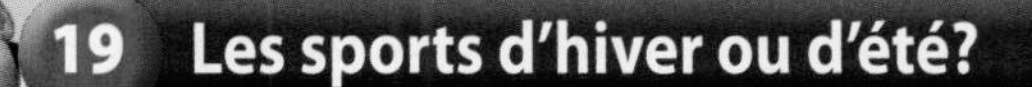

19 Les sports d'hiver ou d'été?

Interpersonal/Presentational Communication

Poll ten to twelve of your classmates to find out if they like winter or summer sports. Record their responses in the chart like the one below that your teacher gives you.

MODÈLE

	les sports d'hiver	les sports d'été
Élodie		✔

Léo: **Tu aimes les sports d'hiver?**
Élodie: **Non, je n'aime pas les sports d'hiver.**
Léo: **Les sports d'été?**
Élodie: **Oui, j'aime les sports d'été.**

Tally the numbers in your chart. How many people like winter sports, summer sports, sports in both seasons, or don't like sports at all? Report your findings to your group.

MODÈLE **Simone, Marc, et Coralie aiment les sports d'hiver. Nathalie, Jean-Pierre, Martine, Élodie, et Thierry aiment les sports d'été. David aime les sports d'hiver et d'été. Bruno n'aime pas les sports.**

Communiquez!

20 Pari Roller

Presentational Communication

Imagine you recently participated in the **Pari Roller** skating event in Paris. Create a photo album of eight famous Paris monuments you photographed during your skate. Make sure to label all the pictures with the names of and information about the monuments. Also include in your album five other photos you took, such as a Parisian café, store, or metro station.

The Eiffel Tower was built for the 1889 World's Fair by Gustave Eiffel.

Prononciation

Rhythm

• In French, nearly equal emphasis is placed on each syllable.

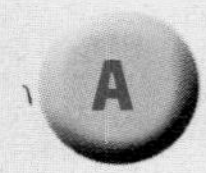

A Prononciation des syllabes

Repeat these words, pronouncing each syllable with equal stress.

1. (Two syllables)	lundi	jeudi	samedi	dimanche
2. (Three syllables)	mercredi	vendredi	le weekend	Il fait beau.

B Comptons les syllabes!

Number your paper from 1 to 5. The first time you listen, repeat the sentence. The second time, write the number of syllables you hear.

MODÈLE **D'accord.** (2)

Pronouncing Definite Articles

• The articles for "the" in French—**le, la, les**—each have a different vowel sound, but all three should be stressed like any other word.

C "Le," "la," et "les"

Repeat each group of words. Pay close attention to how to pronounce the definite articles ***le, la,*** *and* ***les.***

1. le guide - la guide - les guides
2. le touriste - la touriste - les touristes
3. le photographe - la photographe - les photographes

D La Prononciation de "le," "la," et "les"

Number your paper from 1 to 5. Write ***le, la,*** *or* ***les*** *to identify the definite article you hear in each sentence.*

MODÈLE

You hear:	You write:
Elle visite les États-Unis.	**les**

Leçon B

Vocabulaire actif

Tu aimes un peu, bien, ou beaucoup?

Qu'est-ce que tu aimes faire à la maison?

Et si je voulais dire...?

un magazine	*magazine*
un e-Zine	*online magazine*
un roman	*novel*
un SMS	*text message*
zapper	*to flip through channels*
un coup de fil	*phone call*

Pour la conversation

How do I find out how much someone likes to do something?

> **Tu aimes beaucoup** lire?
> *Do you like to read a lot?*

How do I say how much I enjoy doing things?

> **J'aime un peu** lire.
> *I like to read a little.*

> **J'aime bien** envoyer des textos.
> *I really like to send text messages.*

> **J'aime beaucoup** faire du sport.
> *I like to play sports a lot.*

1 C'est quelle activité?

Clément is asking his classmates about activities they enjoy. Choose the image that matches the activity you hear.

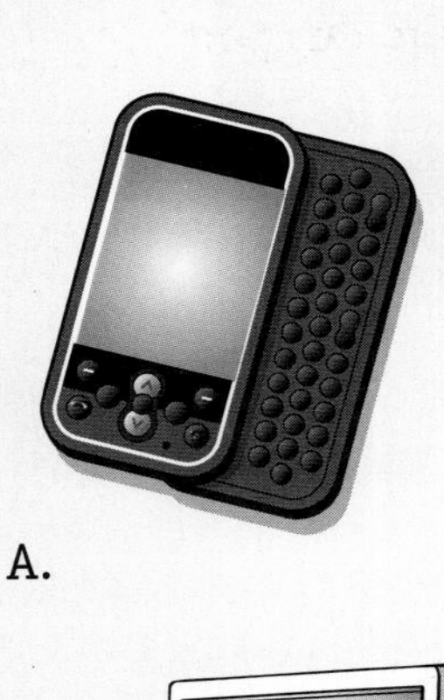

A.

B.

C.

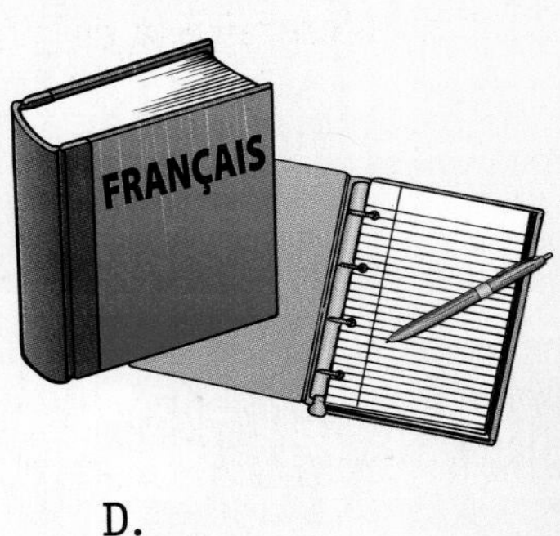

D.

E.

F.

G.

2 Qu'est-ce qu'ils aiment faire?

Match each image with the correct description. (♥ = un peu; ♥ ♥ = bien; ♥ ♥ ♥ = beaucoup)

A. 

B. 

C. 

D. 

E. 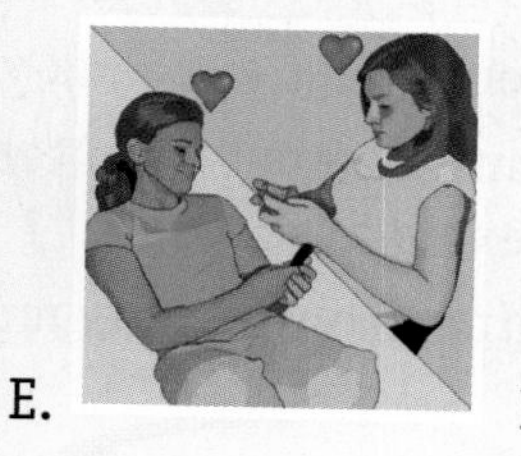

F. 

G. 

H. 

1. Il aime beaucoup téléphoner.
2. Ils aiment un peu surfer sur Internet.
3. Elle aime beaucoup écouter de la musique.
4. Il aime bien faire la cuisine.
5. Elle aime bien regarder la télé.
6. Elle aime un peu jouer aux jeux vidéo.
7. Elles aiment bien envoyer des textos.
8. Ils aiment beaucoup faire du sport

Communiquez!

3 Questions personnelles

Interpersonal Communication

With a partner, take turns asking and answering the questions.

1. Tu surfes sur Internet?
2. Tu aimes un peu écouter de la musique?
3. Tu aimes bien envoyer des textos?
4. Tu aimes beaucoup faire du sport?
5. Qu'est-ce que tu aimes lire?
6. Tu aimes regarder la télé?

Rencontres culturelles

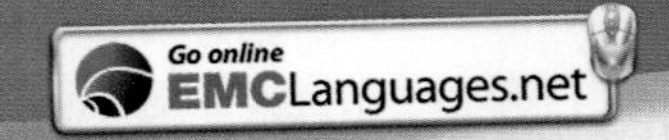

Une enquête

Yasmine is reporting to her friends about **une enquête** she conducted for class in Lyon where her cousin lives.

Yasmine: C'est une enquête sur les activités préférées pendant le weekend. La question: Qu'est-ce que vous aimez faire?

Rose, "J 'aime beaucoup dormir. C'est génial!"

Moussa, "Moi, j'aime beaucoup jouer aux jeux vidéo."

Xavier, "Moi, j'aime surfer sur Internet, écouter mon lecteur MP3, envoyer des textos à mes amis."

Isabelle, "Moi, j'aime bien lire, écouter de la musique, étudier."

Fatima, "J'aime bien faire la cuisine, regarder la télévision."

4 Une enquête

Decide if each statement is **vrai** (**V**) or **faux** (**F**). Correct any false statements.

1. Moussa aime un peu jouer aux jeux vidéo.
2. Xavier aime envoyer des textos.
3. Rose aime un peu dormir.
4. Isabelle aime bien écouter de la musique.
5. Fatima aime beaucoup faire la cuisine.
6. Xavier aime surfer sur Internet.
7. Fatima aime bien regarder la télévision.
8. Isabelle aime beaucoup lire.

Extension **Agenda électronique de Samuel**

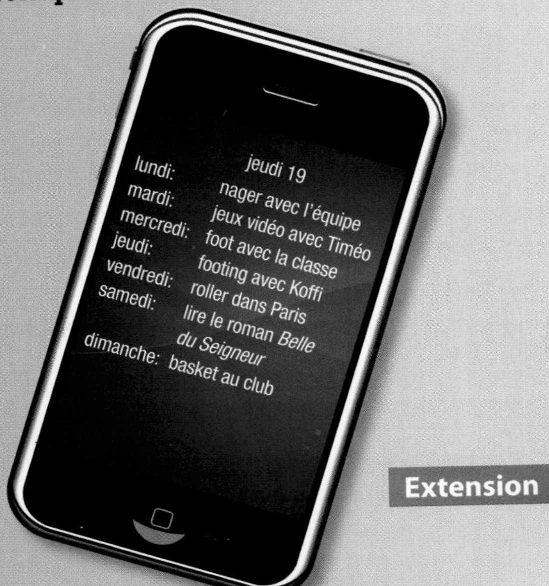

jeudi 19
lundi: nager avec l'équipe
mardi: jeux vidéo avec Timéo
mercredi: foot avec la classe
jeudi: footing avec Koffi
vendredi: roller dans Paris
samedi: lire le roman *Belle du Seigneur*
dimanche: basket au club

Extension Has Samuel scheduled more indoor or outdoor activities?

Points de départ

Question centrale
What do activities and pastimes reveal about a culture?

Lyon

Lyon sits at the intersection where the **Rhône** and **Saône** rivers meet. With 1.6 million inhabitants, it is the third largest city in France. As an important crossroads for trade and a former capital in the Roman Empire, Lyon has had a rich past. You can still see traces of it in **Vieux Lyon** ("Old Lyon"), a neighborhood with Gothic and Renaissance houses, and the city's Roman theater. Today, Lyon is an important center for the chemical, mechanical, textile, and high tech industries. One high tech company, Infogrammes Entertainment, has produced several video games that have become international hits, including "Mission Impossible." Lyon also produces some of France's finest cuisine and has many well-known restaurants.

Search words: site officiel lyon

The focal point of Lyon, **la Place Bellecour** is also France's biggest pedestrian square.

Guignol

The puppet character Guignol was created at the beginning of the 19th century in Lyon. Guignol gave a voice to the city's workers. He expressed their concerns and spoke out against social injustice. Today an entire theatrical tradition takes its name from the Guignol character, and performances continue to comment on politics and society. Guignol doesn't perform alone; other characters include Gnafron, Guignol's friend; Madelon, his wife; and a policeman who often falls victim to Guignol's tricks.

Search words: théâtre du guignol à lyon

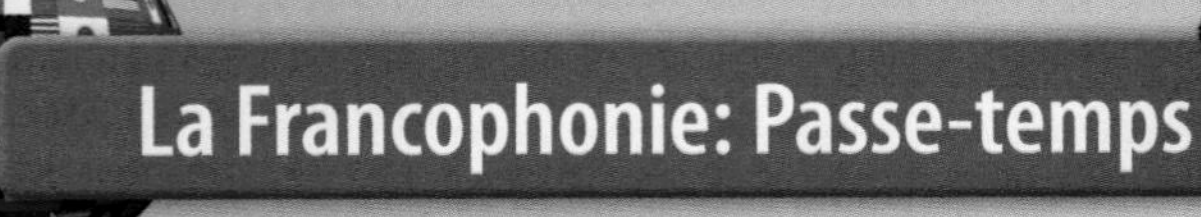

La Francophonie: Passe-temps

Mancala en Afrique

Mancala is a collection of traditional games that have been played in Africa for many hundreds of years. Players use strategies to "count and capture" stones, grains, or shells placed in small dishes or holes, or sometimes dug into the earth. Its closest equivalent in the West are the games of checkers and chess.

Search word: mancala

5 Questions culturelles

Répondez aux questions.

1. How large is the city of Lyon?
2. What historical buildings might you visit in Lyon?
3. What kinds of businesses support Lyon's economy?
4. Apart from its history and industry, for what else is Lyon famous?
5. What is Guignol Theater?
6. Where do people play mancala?
7. Which Western games are similar to mancala?

The Guignol puppet show dates back to 1808 and is still performed in Lyon theaters today.

Du côté des médias

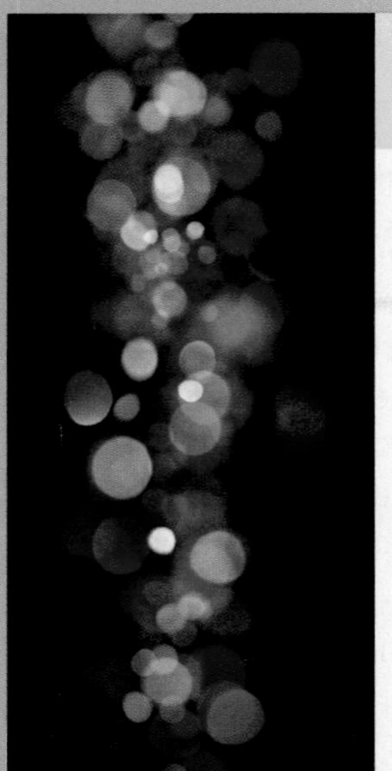

Accueil

www.fetedeslumieres.lyon.fr

Réservations: 04.72.77.69.69

Tous les ans, le 8 décembre, Lyon se transforme en une ville de lumière. Les bâtiments publics sont décorés de lumières, les gens placent des luminions sur les fenêtres, et les visiteurs et les habitants marchent dans les rues avec des lumières. **La Fête des Lumières** dure quatre jours et attire quatre millions de visiteurs. Beaucoup de personnes vont voir le spectacle extraordinaire des lumières créés par certains des meilleurs créateurs de lumière du monde.

Search words: fête des lumières lyon

6 La Fête des Lumières

Répondez aux questions.

1. When is the festival?
2. Where does the festival take place?
3. What do people do during the festival?
4. What number can you call within France to reserve a hotel room?
5. Where can you find information online?

À discuter

How do the two games of chess and checkers compare to mancala?

Structure de la langue

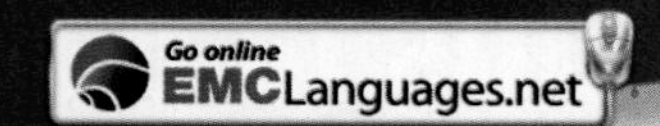

Position of Adverbs

Adverbs describe verbs, adjectives, and other adverbs. Adverbs tell how, how much, where, why, or when. Note that French adverbs usually come right after the verbs they describe.

Caro aime beaucoup faire du sport.

beaucoup	J'aime **beaucoup** surfer sur Internet.	*I like surfing the Internet a lot.*
bien	J'aime **bien** envoyer des textos	*I really like sending text messages.*
un peu	J'aime **un peu** faire la cuisine.	*I like cooking a little.*

7 La correspondante de Tanya

Read the e-mail Tanya's pen pal, Rahina, sent her. Tell how much Rahina likes each activity she mentions in her e-mail, based on the number of hearts.

À: TANYA
Cc:
Sujet: ce que j'aime

Chère Tanya,

J'aime ♥ lire. J'aime ♥♥♥ surfer sur Internet. J'aime ♥♥ étudier. J'aime ♥♥♥ envoyer des textos. J'aime ♥ faire la cuisine.

Bisous,
Rahina

8 On aime un peu, bien, ou beaucoup?

Fill out a chart like the one below. Listen to each sentence twice. Then write the activity each teenager likes to do under the heading that indicates the degree to which they like doing that activity. Listen first to the model.

	♥	♥♥	♥♥♥
Modèle: Fatima			**téléphoner**
1. Lucas			
2. Coralie			

COMPARAISONS

Where are adverbs usually placed in English?

I like doing homework a little.
I really like eating.
I like playing soccer a lot.

COMPARAISONS: In English adverbs can be placed at the end of the sentence or before the verb.

À vous la parole

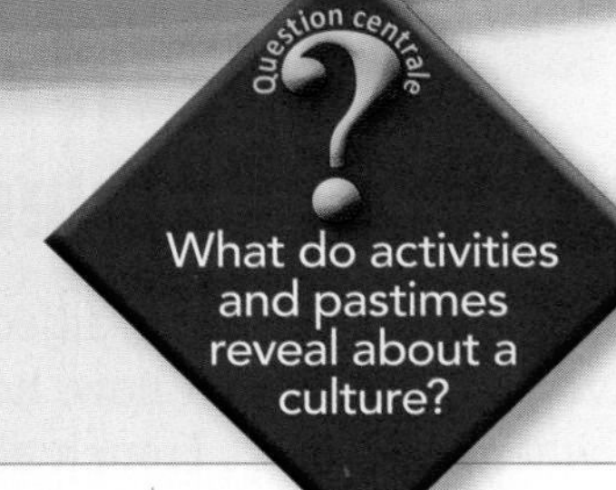
Question centrale
What do activities and pastimes reveal about a culture?

Communiquez!

9 Au téléphone

Interpersonal/Presentational Communication

Using the form your teacher gives you, write five activities you like to do the most from the list below, making sure your partner cannot see your list. With your backs turned, one of you phones the other. Ask your partner if he or she likes certain activities on the list. When you have discovered your partner's five favorite activities, tell your small group what your partner likes to do.

lire
jouer au hockey
téléphoner
faire du vélo
faire du shopping
sortir avec des amis
manger de la pizza
jouer au basket
jouer aux jeux vidéo
surfer sur Internet
écouter un lecteur MP3
dormir
faire la cuisine
faire du roller
aller au cinéma
envoyer des textos

Communiquez!

10 Un rendez-vous

Interpersonal Communication

You and a friend are looking at your agendas to decide when to get together this week. In your conversation:

- greet each other.
- ask each other how things are going.
- ask each other what you like to do.
- say how much you like each activity.
- decide on what day you can do an activity together.
- say you'll see each other soon.

On joue au basket demain?

Stratégie communicative

Cognates

Words that have similar spellings and meanings in two languages are called cognates. For example, the words **activité** and "activity" are cognates. Look at the list of French and English cognates below. Do you see any patterns?

africain ⟷ African
économie ⟷ economy
possibilité ⟷ possibility
italien ⟷ Italian
université ⟷ university
politique ⟷ politics

11 Dans la presse

Read the following headlines from the Internet and match them with the appropriate section of the magazine they came from.

A. Politique
B Sports
C Économie
D. Musique

1. **Concerts de jazz à Marseille en automne**
2. Élection présidentielle américaine en novembre
3. **Match de tennis à 10h00 à Wimbledon**
4. L'INFLATION DU DOLLAR CANADIEN

12 La vie de Carlos

Use your knowledge of cognates to read the following paragraph about Carlos. Then answer the questions.

Je m'appelle Carlos. Je suis brésilien. Au Brésil j'habite dans un appartement avec ma famille. Je suis étudiant à l'université de Nice. J'étudie la psychologie en France depuis septembre. J'adore le sport. Je suis un fan de football américain et de hockey. J'adore la cuisine japonaise et, oui, les sushis, c'est délicieux! J'adore la nature, les promenades en forêt et au bord de la côte. L'environnement, c'est important pour moi.

1. What is Carlos' nationality?
2. Where does he live and with whom?
3. What does he study and where?
4. What does he like to do?
5. What type of food does he like to eat?

Vocabulaire actif

Qu'est-ce que tu préfères?

les sports (m.)

le basketball | le foot | le footing | le roller

les passe-temps (m.)

le cinéma | le shopping

Les nombres de 0 à 20

0	zéro	11	onze
1	un	12	douze
2	deux	13	treize
3	trois	14	quatorze
4	quatre	15	quinze
5	cinq	16	seize
6	six	17	dix-sept
7	sept	18	dix-huit
8	huit	19	dix-neuf
9	neuf	20	vingt
10	dix		

la musique

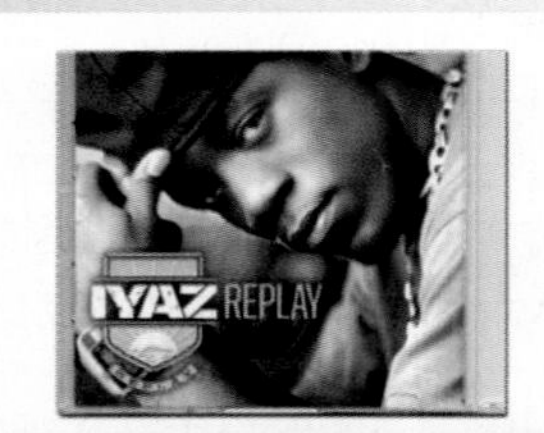

le hip-hop

le rock

la musique alternative

la world

Et si je voulais dire...?

le football américain	*American football*
le baseball	*baseball*
le tennis	*tennis*
le volley (volleyball)	*volleyball*
faire les courses	*to go grocery shopping*
le reggae	*reggae*
la techno	*techno*
la zik	*music [slang]*
télécharger de la musique	*to download music*

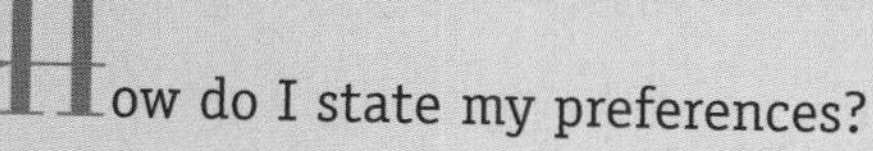

Pour la conversation

J'aime regarder le basket.
Pas moi, je n'aime pas regarder le basket.

How do I state my preferences?

> **Moi, je préfère** lire les blogues.
> *Me, I like to read blogs.*

How can I find out what someone prefers?

> **Tu préfères** la world **ou** le hip-hop?
> *Do you prefer world music or hip-hop?*

How do I agree?

> **Moi aussi.**
> *Me too.*

How do I disagree?

> **Pas moi. Je n'aime pas....**
> *Not me. I don't like....*

How do I ask for a phone number?

> **Quel est le numéro de téléphone de** Yasmine?
> *What is Yasmine's phone number?*

1 Les numéros de téléphone

Florence wants to invite her classmates to a party. She asks Thomas for their phone numbers. Write each phone number you hear.

Communiquez!

2 Qu'est-ce que tu préfères?

Interpersonal Communication

Demandez (Ask) *ce que votre partenaire préfère.*

MODÈLE le roller/le foot
A: **Tu préfères le roller ou le foot?**
B: **Moi, je préfère le foot.**

1. la world/le hip-hop
2. les hamburgers/les frites
3. la pizza/les pâtes
4. le cinéma/le shopping
5. le footing/le basket
6. le foot/le roller

Nous préférons le roller.

3 Quel est son numéro de téléphone?

Interpersonal Communication

With a partner, take turns asking for and giving the phone numbers below. Follow the model.

MODÈLE Chloé: 01.20.18.09.16
A: **Quel est le numéro de téléphone de Chloé?**
B: **C'est le zéro un, vingt, dix-huit, zéro neuf, seize.**

1. Héloïse: 01.12.17.15.19
2. Augustin: 04.07.14.18.13
3. Kemajou: 05.03.11.16.06
4. Amélie: 02.09.20.10.02
5. Khaled: 03.05.14.18.12
6. Nayah: 01.08.13.11.04
7. Valérie: 04.15.08.16.19
8. Jean-Luc: 03.02.20.12.03
9. Mathéo: 02.06.17.13.07
10. Xavier: 04.09.10.18.14
11. Romane: 01.05.11.01.16

Communiquez!

4 Tu préfères...?

Interpersonal/Presentational Communication

Create four columns on a sheet of paper with these headings: **sports**, **activités**, **musique**, **lecture**. Write each item from the list on the right in the correct column. Then ask which items your partner prefers and circle his or her preferences. Report your partner's preferences to your group.

le basket	le shopping
le cinéma	la world
le hip-hop	le foot
les blogues	le rock
la musique alternative	le footing
le ski	les textos

MODÈLE A: **Tu préfères le basket ou le foot?**
B: **Je préfère le basket.**

(Student A circles **basket** and tells his or her group:)

Myriam préfère le basket, le shopping, le hip-hop, et les textos.

5 Questions personnelles

Interpersonal Communication

Répondez aux questions.

1. Tu aimes beaucoup le foot?
2. Tu préfères le footing ou le basket?
3. Tu aimes bien écouter de la musique?
4. Tu aimes beaucoup la musique alternative?
5. Tu préfères lire les blogues ou les textos?
6. Tu préfères le cinéma ou le shopping?

Rencontres culturelles

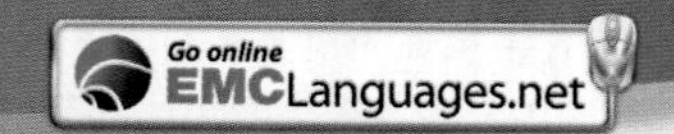

Un concert R'n'B

Maxime phones Julien, who suggests they do something together the following evening.

Maxime: Tu vas bien?
Julien: Oui, ça va. Qu'est-ce que tu fais?
Maxime: J'écoute le nouveau CD de Rachid Taha. Je ne fais pas mes devoirs.
Julien: On va au concert?
Maxime: Quand?
Julien: Demain.
Maxime: Oui, je peux. Quel concert?
Julien: Tu préfères Taha ou Corneille?
Maxime: Corneille, un concert R'n'B.
Julien: Bon, d'accord. On invite les filles?
Maxime: Pourquoi pas?
Julien: Quel est le numéro de téléphone de Yasmine?
Maxime: C'est le 01.20.18.09....

6 Un concert R'n'B

Say whether Julien or Maxime makes each of the following statements.

1. Je ne fais pas mes devoirs.
2. On va au concert?
3. Oui, je peux.
4. (Je préfère) Corneille, un concert R'n'B.
5. On invite les filles?
6. Quel est le numéro de téléphone de Yasmine?

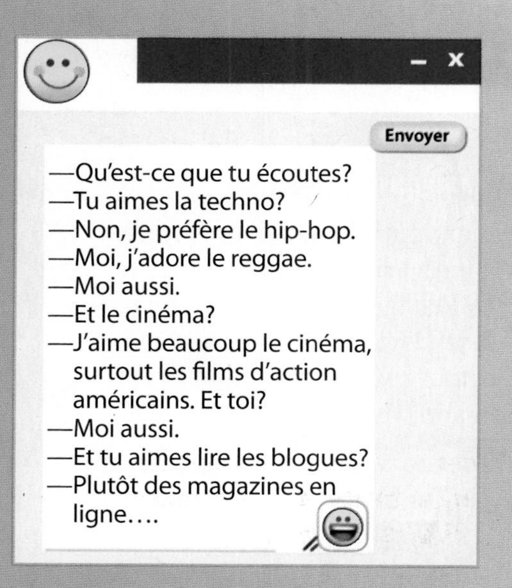

Envoyer
—Qu'est-ce que tu écoutes?
—Tu aimes la techno?
—Non, je préfère le hip-hop.
—Moi, j'adore le reggae.
—Moi aussi.
—Et le cinéma?
—J'aime beaucoup le cinéma, surtout les films d'action américains. Et toi?
—Moi aussi.
—Et tu aimes lire les blogues?
—Plutôt des magazines en ligne....

Extension **Chat sur ordinateur**

Extension What do the two teens have in common?

Points de départ

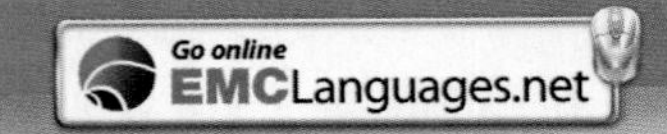

What do activities and pastimes reveal about a culture?

Comment compter sur les doigts

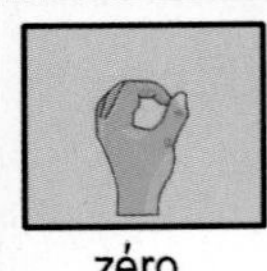
zéro

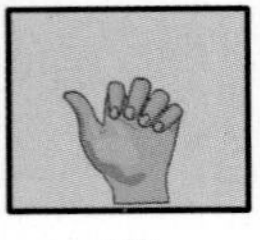
un

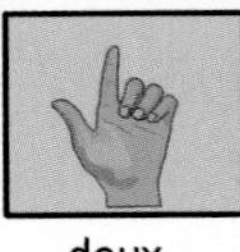
deux

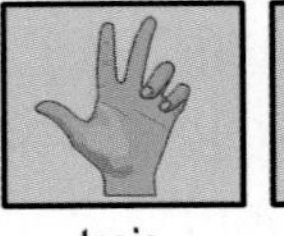
trois

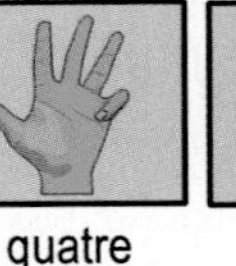
quatre

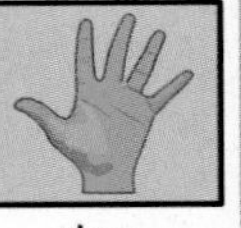
cinq

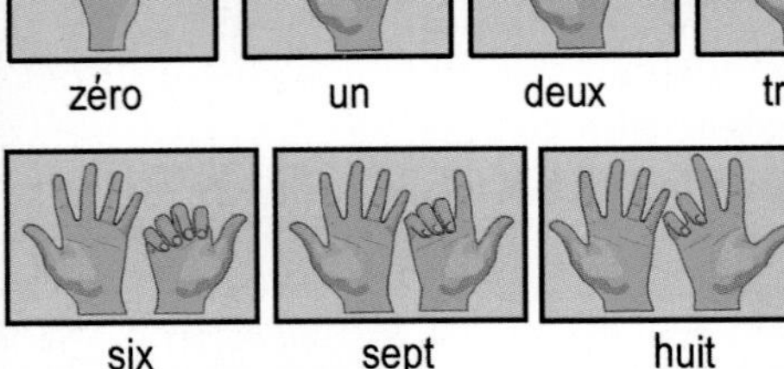
six sept

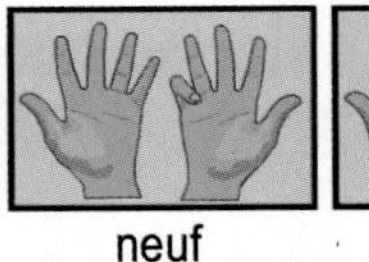
huit

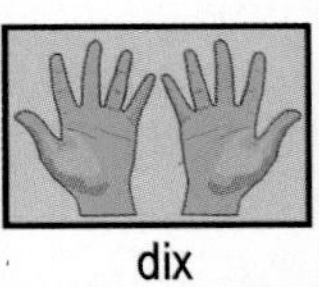
neuf

dix

How were you taught to count on your fingers?

Rachid Taha et la World

World Music incorporates diverse styles of music from Africa, eastern Europe, Asia, Central and South America, and the Caribbean, as well as non-mainstream Western folk music. The genre took root in the 1980s and remains strong today, as seen in the popularity of Rachid Taha's recordings. Taha, who was born in Algeria but grew up in Lyon, is the king of rock in Arabic. He started out with a group he formed called **Carte de séjour** that gained national attention in France with its remake of the song "***Douce France***." Today Rachid Taha performs alone, singing songs about tolerance, acceptance, and inclusion.

Rachid Taha performs at the Festival Nancy Jazz Pulsations in France.

Search words: vidéo rachid taha rock the casbah

COMPARAISONS

Can you think of a singer who performs songs in English about tolerance, acceptance, or inclusion?

Corneille

Corneille Nyungura is an R&B singer-songwriter who has made albums in both French and English. Born in Germany, he spent most of his childhood in Rwanda, but now lives in Montreal, Canada. Audiences first discovered his unique sound, influenced by American artists Prince, Stevie Wonder, and Marvin Gaye, at the **Francofolies** festival in La Rochelle, France. The song he performed there, "***Parce qu'on vient de loin***" ("Because we come from far away"), became an instant hit. Today Corneille uses his fame to promote humanitarian causes, including participating in the Africa Live concert in 2005 to combat malaria and working with the Red Cross to help children victimized by war like him.

Search words: vidéo parce qu'on vient de loin

Fête de la musique

Since 1982 it has been a tradition that on June 21 music invades the streets, squares, and cafés in all the cities and towns in France. Professionals and amateurs alike share their art for free. It's important to hear **Faites de la musique** ("Make music") as much as **Fête de la musique.** Each year there is a different theme such as women's music or music in French. Today **la Fête de la musique** is celebrated in 110 countries around the world and in over 340 cities. In France there are 18,000 concerts that assemble five million musicians who draw almost ten million spectators!

Search words: fête de la musique

La Francophonie: Instruments

La kora

The kora is a stringed harp-lute instrument popular in West Africa. It is often played by griots, or hereditary storytellers. The player uses the thumb and index finger of both hands to pluck the strings. Today the kora has become a popular instrument in pop, world, and jazz music.

7 Questions culturelles

Répondez aux questions.

1. What is world music?
2. Where was Rachid Taha born?
3. What themes do Rachid Taha's songs address?
4. What kind of music does Corneille sing?
5. Which American singers influenced Corneille's music?
6. What kind of humanitarian work does Corneille do?
7. What happens on June 21 in France?
8. What is a kora?
9. Where do people play the kora?

À discuter

How do one's musical preferences reflect one's worldview?

Du côté des médias

Read the chart below. Then answer questions in Activity 8.

Le Hit Parade: meilleures ventes de singles en France

1	Rain'B Fever Feat Magic System et Khaled — *Même pas fatigué*
2	Alizée — *Psychédélices*
3	Corneille — *Parce qu'on vient de loin*
4	Helmut Fritz — *Ça m'énerve*
5	Bisso Na Bisso — *Show ce soir*
6	King Kuduro — *Il faut danser!!!*
7	Bébé Lilly — *Les jeux vidéo*
8	Agnès — *Réalise moi/Release me*
9	Christophe Maé — *Mon p'tit gars*
10	Kidtonik — *Jusqu'au bout*

8 Le Hit Parade francophone de l'année

Find video clips on the Internet of performers of this year's hit parade singing their songs. Tell your group which five videos you liked the best, what the music genre was, and why you liked each video.

Search words: hit parade france nrj play list chante france radio

La culture sur place

Les sports que nous regardons

Introduction

People's pastimes can reveal a lot about who they are. Many people spend their free time watching sports and are fans of local or regional sports teams. People's favorite sport, however, may vary from region to region or country to country. In this section, you will talk about your favorite spectator sports and learn about some of the sports commonly watched in France.

9 Les sports américains

Write your personal sports profile and present it to your group. Tell what sports you like to watch, the team or players you admire, why you like (or do not like) watching sports, and what sports you do not like to watch.

MODÈLE **J'aime regarder le baseball. J'admire les Twins. Le baseball, c'est passionnant. Je n'aime pas regarder le hockey.**

Vocabulaire utile

au stade – in the stadium
à l'école – at school
avec mes amis – with my friends
avec ma famille – with my family
ennuyeux – boring
passionnant – exciting
J'admire.... – I admire....

10 Un sondage sportif

Make a list of seven different sports Americans watch. Poll ten people you know to find out if they like each sport or not. Write a summary of your results. If seven out of ten students say yes, write: **70% des copains regardent le baseball.**

Look at the table below to find out which sports the people in France like to watch. Also look at the percentage of people who watch these sports.

Est-ce que vous suivez* l'actualité sportive*?

Nom du sport	Pourcentages du public français
Le foot	30%
Le rugby	29%
Le tennis	27%
La Formule 1	25%
Le patinage	21%
Les sports de combat	20%
L'athlétisme	20%

* **suivez** *follow;* **l'actualité sportive** *sports in the news*

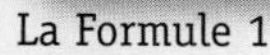
La Formule 1

L'athlétisme

11 Les résultats

Discuss these questions with your group: How do viewing habits in France compare with those of the people you polled? Did any of the sports included on the list surprise you? Which sports did you expect to be included, but were not? Do you think people in other French-speaking countries share the same sports viewing habits?

12 Comparaisons

Your teacher will give you a copy of the following diagram. Write the sports watched in France in the circle labeled "French Culture." Write the sports from your poll in the circle labeled "My Culture(s)." The sports enjoyed by people in both countries should fall in the section where the circles intersect. Put a star by the sports that have the highest percentage of viewers. Discuss with your group what might explain the similarities and differences between sports viewing habits in the United States and France.

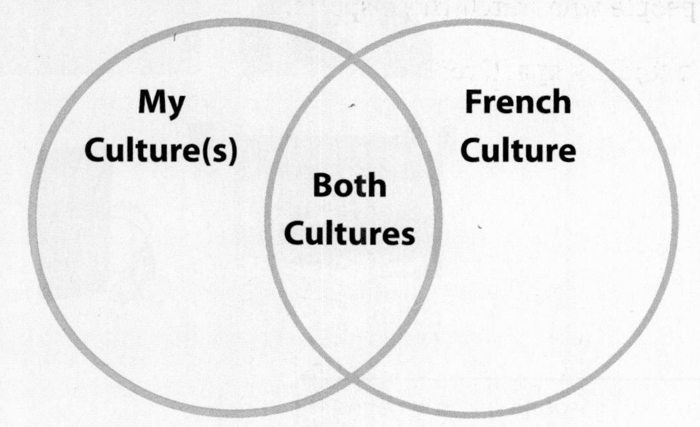

Structure de la langue

Gender of Nouns and Definite Articles

La télé ou le jeu vidéo?

A noun is a person, place, or thing. Every French noun is masculine or feminine. When you learn a new noun, you need to remember if it is masculine or feminine. Here are the singular definite articles.

Definite articles		
masculine	**feminine**	**English equivalent**
le weekend **l'**ami	**la** télé **l'**enquête	the

COMPARAISONS

Are definite articles always needed in English?

I like pizza.
I eat spaghetti too.

13 Un e-mail de France

French teenagers have written an e-mail to your class. Listen to each sentence twice. If you hear a masculine noun, write **M.** If you hear a feminine noun, write **F.**

14 Le, la, ou l'?

Donnez la nationalité de chaque chose ou personne. (Give the nationality of each item.)

MODÈLE française
La musique est française.

1.

2.

3.

4.

5.

6.

7.

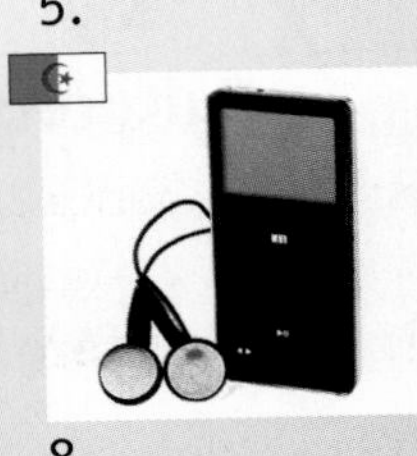

8.

9.

COMPARAISONS: No, definite articles are often omitted in English, but an article is almost always needed in a French sentence.

15 Le MC Michel Druant

Read the paragraph about a young MC. Then determine how many definite articles are in the paragraph.

Michel aime le hip-hop. Il est MC à la discothèque, ou la boîte, de son oncle. Il aime beaucoup la musique américaine, surtout la chanson "Millie Fell off the Fire Escape" par Slug du groupe Atmosphere.

Communiquez!

16 Tu aimes ou pas?

Interpersonal Communication

Ask your partner six questions about what he or she likes. Record the answers. Then report to a third person the things your partner likes and does not like.

MODÈLE hip-hop
A: **Tu aimes le hip-hop?**
B: **Oui, j'aime le hip-hop./Non, je n'aime pas le hip-hop.**

Tu aimes...	oui	non
le hip-hop?	✔	
le foot?		
les pâtes?		

The Verb *préférer*

Nous préférons les sports d'hiver.

Préférer is like a regular **–er** verb because it shares the same endings. But notice the pattern of its accent marks:

préférer	
je préf**è**re	nous préf**é**rons
tu préf**è**res	vous préf**é**rez
il/elle/on préf**è**re	ils/elles préf**è**rent

Pronunciation Tip

The dark yellow shaded section shows you how the pattern changes from the infinitive; these forms all sound alike.

Like the verb **aimer**, the verb **préférer** can be followed by:

- a noun (with a definite article)
  Je préfère **la** musique alternative. *I prefer alternative music.*
- an infinitive
  Mes amis préfèrent **écouter** le hip-hop. *My friends prefer to listen to hip-hop.*

17 Les grandes vacances

Dites ce qu'on préfère faire pendant les grandes vacances (during summer vacation).

MODÈLE Élodie/nager
Élodie préfère nager.

1. Guillaume/écouter de la musique
2. Joséphine et moi, nous/aller au café
3. Gabrielle/téléphoner
4. Charlotte et Abdoulaye/lire les blogues
5. vous/aller au concert
6. Alexandre et Antoine/faire du roller
7. Et toi, qu'est-ce que tu préfères faire?

Tu préfères sortir avec des amis?

18 Qu'est-ce que tu préfères?

Interpersonal Communication

With a partner, take turns asking and telling each other which of the following things you prefer.

MODÈLE musique alternative/rock
A: **Tu préfères la musique alternative ou le rock?**
B: **Je préfère le rock.**

1. cinéma/shopping
2. basket/roller
3. world/hip-hop
4. foot/footing
5. pizza/salade
6. hiver/été
7. musique/sport
8. télé/cinéma

Negation with *ne (n')... pas*

French uses two words to make a verb negative: **ne** (or **n'**) and **pas**.

ne + present-tense verb + **pas**

Tu **ne** vas **pas** bien? *You aren't doing well?*

Note: Ne becomes **n'** before a vowel sound: On **n'**aime **pas** étudier! *We don't like studying!*

Je n'aime pas jouer au foot.

COMPARAISONS

How are sentences made negative in English?

I'm not cooking tonight.
I don't like to cook.

19 Qu'est-ce qu'on fait?

Anne guesses incorrectly what everyone is doing. Answer her questions based on the images.

MODÈLE

Olivier téléphone?
Non, il ne téléphone pas.
Il joue aux jeux vidéo.

1. Laurence et Nayah mangent?

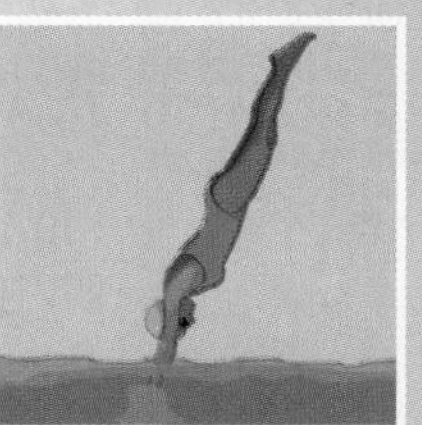

2. Justine nage?

3. Clément et Paul jouent au basket?

4. David joue aux jeux vidéo?

5. Rose surfe sur Internet?

6. Marianne et Malika regardent la télé?

COMPARAISONS: To make a sentence negative in English, place "not" or "do not" (don't) before the verb.

20 Le Cordon Bleu

Your French teacher has a friend at the local chapter of **Le Cordon Bleu**, a prestigious cooking school. The school wants to invite the students in her class who like cooking a lot. In order to determine who will attend the cooking class, your teacher took a survey to find out how students feel about cooking. Say who **Le Cordon Bleu** is inviting and not inviting, based on the results of the survey.

MODÈLES Isabelle
Le Cordon Bleu invite Isabelle.

Cédric
Le Cordon Bleu n'invite pas Cédric.

1. Justine
2. Moussa
3. Mathis
4. Lamine
5. Abdoulaye
6. Saniyya
7. Raphaël

Est-ce que tu aimes faire la cuisine?

	un peu	bien	beaucoup
Abdoulaye	✔		
Saniyya			✔
Justine		✔	
Cédric		✔	
Lamine			✔
Moussa	✔		
Isabelle			✔
Raphaël		✔	
Mathis	✔		

21 Il fait beau?

Dites qu'on aime étudier quand il fait mauvais et qu'on n'aime pas étudier quand il fait beau.

MODÈLES

Vincent et Noah
Vincent et Noah n'aiment pas étudier.

Isabelle
Isabelle aime étudier.

1. vous

2. je

3. Monique

4. Fatima et Leïla

5. tu

6. Nasser

Communiquez!

22 Qu'est-ce que tu fais?

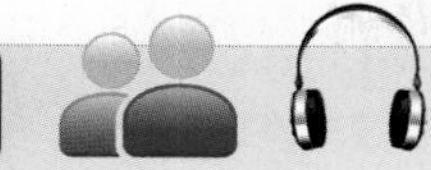

Interpersonal Communication

With a partner, take turns asking each other if you participate in these activities.

MODÈLE A: **Tu joues au foot?**
B: **Non, je ne joue pas au foot.**
Tu joues au foot?
A: **Oui, je joue au foot.**

1. écouter la musique alternative
2. étudier la musique
3. inviter le prof au café
4. jouer aux jeux vidéo
5. jouer au hockey sur glace
6. plonger
7. surfer sur Internet
8. écouter la world

Tu écoutes la musique alternative?

À vous la parole

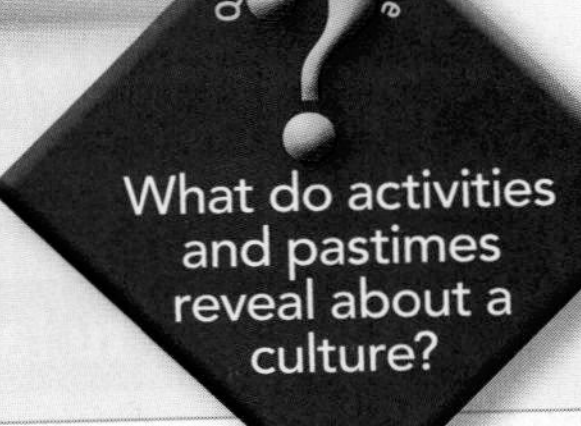

Question centrale
What do activities and pastimes reveal about a culture?

Communiquez!

23 Et toi?

Interpersonal Communication

For each category name an item that you like. Ask if your partner agrees. Follow the model.

MODÈLE A: **J'aime le basket. Et toi?**
B: **Moi aussi.**
ou
B: **Pas moi. Je préfère le foot.**

1. sport
2. passe-temps
3. genre de musique
4. musicien(ne)

J'aime Rachid Taha. Et toi?
Pas moi. Je préfère Corneille.

Communiquez!

24 Message téléphonique

Presentational/Interpretive Communication

Your teacher will give you a phone message form like the one on the right. Complete the form with a phone message for the classmate assigned you by your teacher. Then post your message on the bulletin board for your classmate to retrieve and read.

Message téléphonique

Jour: ____________________

Pour: ____________________

De: ____________________

Numéro de téléphone: __________

Message: ________________

____

____

____

Communiquez!

25 Ma musique préférée

Presentational Communication

Prepare a playlist of your favorite songs in one genre. Then tell your small group what genre of music you like a lot, show them your playlist on a sheet of paper, and say which song is your favorite. Sign your playlist in case your teacher wants to post them in the classroom.

MODÈLE **J'aime beaucoup la musique alternative. C'est mon playlist.... Je préfère la chanson "Can't Stop Feeling" de Franz Ferdinand.**

26 La musique francophone

Presentational Communication

There are many different styles of francophone music. Research five of the artists from the following list. Find out what type of music they play and the names of some of their songs. If possible, also listen to recordings by the artists online. Then create a playlist of ten songs you recommend to your classmates.

Youssou N'Dour—Sénégal
Orchestra Baobab—Sénégal
MC Solaar—Sénégal
Baaba Maal—Sénégal
Zachary Richard—la Louisiane
Beausoleil—la Louisiane
Yannick Noah—France
Paris Combo—France
Emmanuel Moire—France
Souad Massi—Algérie
Faudel—France, d'origine algérienne
Amel Bent—France, d'origine algérienne
Kassav—les Caraïbes (*Caribbean*)
Angélique Kidjo—Bénin
Mes Aïeux—Québec
Garou—Québec
Cœur de pirate—Québec
Les Cowboys Fringants—Québec
Corneille—Québec, d'origine rwandaise
Amadou and Mariam—Mali

Yannick Noah

27 La Fête de la musique

Presentational Communication

Your French club has decided to organize a **Fête de la musique**. As a member of the committee, you must choose a francophone singer or group and create a poster advertising the event. Your poster should include:

- who is hosting the event, for example: **La classe de Mme Briand présente....**
- a picture of the singer or the group
- a map showing the singer's or group's country of origin
- a list (or partial list) of the singer's or group's albums (**une discographie**)
- a phrase describing the singer's or group's style or genre
- the date, time, and location of the event

Search words: chante france radio

Lecture thématique

Penser/Classer

Rencontre avec l'auteur

Georges Perec (1936–1982) was the son of Polish immigrants who settled in Paris in the 1920s. A novelist, essayist, and poet, his work addresses the events of everyday life, memories, and human puzzles. In this excerpt from *Penser/Classer* (1985), published after the author's death, he examines how people categorize their lives. As you read, you will discover that one of the narrator's pastimes is travel. This leads him to wonder where he would actually like to live. But can he make up his mind?

Pré-lecture

Make a list, for example, a shopping list, a list of the best songs, a list of your favorite TV programs, and share it with your partner.

Stratégie de lecture

Paraphrasing

When you paraphrase a text, you put its ideas in your own words. Paraphrasing will help you understand the author's main ideas. To help you understand the main ideas of this excerpt from *Penser/Classer*, fill in the chart your teacher gives you. As you read, write the names of the places mentioned in the selection, its location, and the line in which the narrator states how he feels about living there.

Place	Location	Sometimes wants to live there	Sometimes doesn't want to live there	Doesn't want to live there a long time or forever
1. France	Europe		line 1	

Outils de lecture

Repetition

Paying attention to what is repeated in a selection will help you understand the language of the reading and help you figure out its theme. The selection you are about to read repeats these phrases: *J'aime bien vivre*, and *Je n'aimerais pas vivre*. It is a good idea to understand what they mean before you begin a careful reading.

[1] J'aime bien vivre* en France et parfois* non

[2] J'aime bien vivre dans le Grand Nord
mais pas très longtemps*

[3] Je n'aimerais pas* vivre à Issoudun mais parfois si*

[4] J'aurais bien aimé aller sur la lune* mais c'est un peu tard*

[5] Je n'aimerais pas vivre au "Negresco"* mais parfois si

[6] Je n'aimerais pas vivre en Orient mais parfois si

[7] J'aime bien vivre à Paris mais parfois non

[8] Je n'aimerais pas vivre au Québec mais parfois si

[9] J'aimerais bien vivre à Xanadu* mais même,
pas pour toujours.*

Pendant la lecture
1. What is the narrator doing? Is he perhaps thinking, dreaming, trying to make a decision?

Pendant la lecture
2. Is the narrator decisive? Justify your response.

Pendant la lecture
3. Has he traveled to countries outside of France?

---

vivre *to live*; **parfois** *sometimes*; **longtemps** *for a long time*; **Je n'aimerais pas** Je ne voudrais pas; **si** oui; **J'aurais bien aimé aller sur la lune** *I would have liked to have gone to the moon*; **tard** *late*; **le Negresco** un hôtel sur la Riviera; **Xanadu** *an imaginary exotic place*; **toujours** *always*

Post-lecture

By the end of the selection, does the narrator make up his mind where he wants to live?

Saint Germain-Des-Près, c. 1998.
Béatrice Boisségur. Collection privée.

Le monde visuel

Béatrice Boisségur (1956–) is a contemporary painter whose vision includes this portrait of a Paris street in essentially dull, muted colors and limited coloration. How does she break with the monotone coloration and convey a whimsical, celebratory feeling in her painting?

28 Activités d'expansion

Complete the following activities.

1. Write a short paragraph that paraphrases the selection. Tell where the narrator wants to live sometimes, doesn't want to live sometimes, and where he doesn't want to live for a long time or at all.
2. Complete the phrases below with places you would like and not like to live.

   Je voudrais vivre (*live*):
   Parfois (*Sometimes*) oui:
   Parfois non:
   Pas très longtemps:
   Pas pour toujours:

   Finally, have a poetry slam in class and perform your work.

Projets finaux

A Connexions par Internet: Littérature

"Le chandail de hockey"

How can a hockey jersey be such a powerful symbol for national identity?

As you know, hockey is a very popular sport in Canada. "Le Chandail de Hockey" by Roch Carrier is a very famous children's story from Quebec about a hockey jersey and a little boy. Research the story and answer the following questions.

Question centrale

What do activities and pastimes reveal about a culture?

Search words: le chandail de hockey roch carrier

Part A

1. Where does the story take place? (Locate the village on a map.)
2. Why is hockey popular in this small town?
3. The story begins with people listening to the hockey game on the radio. Imagine this scene. Who is there? What time of day is it? What is everyone doing? What emotions are expressed? What is the name of the famous hockey player and what is his jersey number?
4. What happened to the boy's jersey?
5. What did the mother do?
6. What did you learn about the English/French situation in Canada from the catalogue shopping incident?
7. How did the boy react to his new hockey jersey? Why?
8. What continued to happen?
9. How does the last scene show the boy's feelings towards his culture?
10. How is the hockey jersey a metaphor for cultural and linguistic identity?
11. Is there a team you identify with? How would you feel if your team jersey was ruined?

Part B

Create a visual story with four to six frames and label them to show your understanding of the important events of the story. For example, one of your frames might show the Toronto jersey with the caption **Il n'aime pas le chandail de Toronto**. Tell the important events as you see them to your small group.

B Communautés en ligne

L'importance du football en France

Le football, or soccer, is one of the most popular sports in the world. Many countries have several professional teams or clubs. Find out about France's passion for this sport by visiting the **Féderation Française de Football** (French Football Federation) and **Fédération Internationale de Football Association** (FIFA) Web sites. The second organization sponsors the World Cup. As you explore, answer these questions:

1. Who is on the national team of France that competes in the **Coupe du Monde** (*World Cup*)?
2. What are the French team's colors?
3. What is France's team logo?
4. What is the French mascot?
5. What is the team's nickname? Why do you think the team uses this name?
6. Who are the current popular players and where do they come from?
7. What are some of the most popular soccer clubs in France?
8. What is the closest soccer organization in your area?

Search words: féderation française de football, fédération internationale de football association

One of the most popular French soccer players, Thierry Henry plays for the French International team.

C Passez à l'action!

Why is French an official language of the Olympics?

In this unit, you learned about Pierre de Coubertin and the creation of the modern Olympic Games. Coubertin believed that an athletic competition among different nations would promote understanding across cultures and lessen the danger of war. In this same spirit, you would like to make your community more aware of the role francophone culture has played in the world. Create a presentation that illustrates Pierre de Courbertin's role in founding the modern Olympic games and explains why French is an official language of the Olympics. Then make your presentation available to your city or school library.

Possible formats you might use include: poster, Web page, PowerPoint™ slide show, video, or podcast.

Tip: Use French words, especially cognates, to spice up your presentation.

Canadian Governor General Michaëlle Jean gives a bilingual speech in English and French at the Vancouver Olympic games Opening Ceremony.

D Faisons le point!

Your teacher will give you a chart like the one below. Fill it in to show what you've learned about the French language and francophone cultures in this unit.

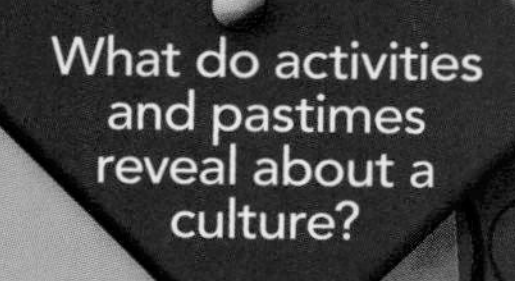
Question centrale
What do activities and pastimes reveal about a culture?

Je comprends	Je ne comprends pas encore	Mes connexions

What did I do well to learn and use the content of this unit?	What should I do in the next unit to better learn and use the content?
How can I effectively communicate to others what I have learned?	What was the most important concept I learned in this unit?

Évaluation

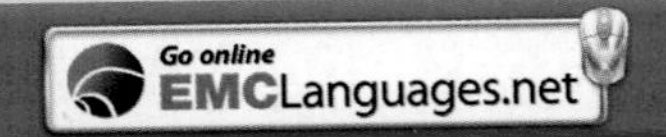

A Évaluation de compréhension auditive

Listen to the phone conversation and decide if the statements you hear are **vrai** (**V**) or **faux** (**F**).

B Évaluation orale

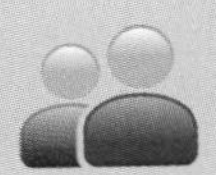

The radio show **La Zik** interviews young people about music and their other interests. With a partner, play the roles of Erica, an American guest on the show, and the interviewer. The interviewer asks Erica:

- her name.
- what she likes to do.
- if she likes music a little.
- if she prefers alternative music or hip-hop.
- if she prefers rock or world music.
- if she listens to Corneille and Taha.
- if she likes to go to concerts.

Erica responds to each question.

C Évaluation culturelle

You will be asked to make some comparisons between francophone cultures and American culture. You may need to complete some additional research about American culture.

La Seine separates the **rive droite** and **rive gauche** (Right and Left banks) of Paris.

Pari Roller

1. Compare Pari Roller with sporting events that take place in your region. When do they occur? How many participants are there? What are the venues? How long have the sporting events been taking place?

Deux capitales

2. Compare Paris with the U.S. capital. You may want to make a chart with one column of characteristics, for example, population, monuments, museums; one column for Paris; and one column for Washington, D.C.

Les mouvements d'art

3. Compare the cubist movement in Paris to the modern art movement in New York. When did these movements occur? Who were the principal artists? Why did these art movements develop in these cities?

La musique

4. France participates in **la Fête de la musique**. What music celebrations occur annually in your region? Compare the event in France with the events in your area. How are they similar? How are they different?

D Évaluation écrite

You will be arriving in Lyon in August to be an exchange student at a school there. Answer the questions below to help you write a letter to the principal so he can place you with the best possible host family. Make sure you begin your letter with **Bonjour Monsieur le Directeur** and end with **Merci**, followed by your signature.

1. Qu'est-ce que vous aimez manger?
2. Vous préférez le sport ou les jeux vidéos?
3. Vous aimez bien la musique?
4. Qu'est-ce que vous aimez faire le weekend?
5. Vous aimez surfer sur Internet et envoyer des textos?
7. Vous préférez lire ou regarder la télé?
8. Qu'est-ce que vous aimez faire quand il fait beau?
9. Qu'est-ce que vous aimez faire quand il fait mauvais?

E Évaluation visuelle

Write a paragraph telling what each person in the picture likes to do in the park on Saturday.

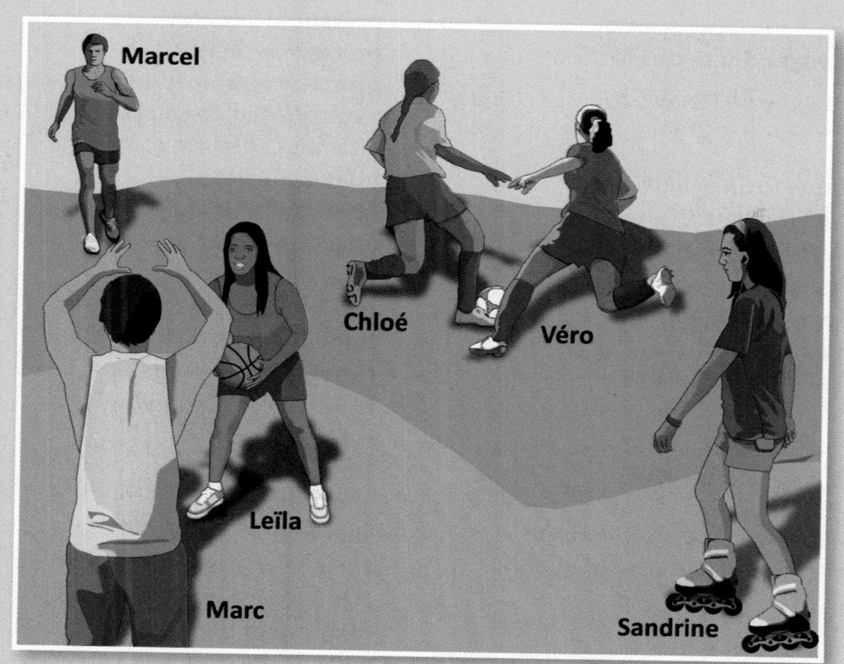

F Évaluation compréhensive

Create a storyboard with four to six frames. Write labels for each frame, telling how some teens enjoy music. For example, they might listen to **Le Hit Parade** on their MP3 player, dance in a club, or go to a concert. Finally, "show and tell" your story to a small group of classmates.

Vocabulaire de l'Unité 2

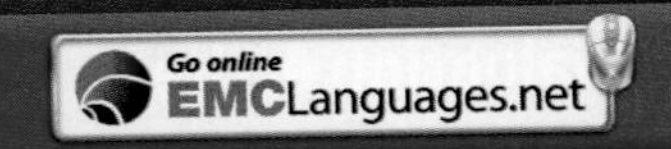

à at *B*
une **activité** activity *B*
aimer to like, to love *A*
un(e) **ami(e)** friend *A*
après after *A*
aussi also, too *C*
beaucoup a lot, very much *B*
bien really *B*
un **blogue** blog *C*
un **calendrier** calendar *A*
un **CD** CD *C*
le **cinéma** movies *A*
un **concert** concert *C*; **un concert R'n'B** R&B concert *C*
un **cours** course, class *C*
de of, any *A*; **de la** some *A*
des some *A*
dormir to sleep *B*
écouter to listen (to) *B*; **écouter de la musique** to listen to music *B*; **écouter mon lecteur MP3** to listen to my MP3 player *B*
elles they (f.) *A*
une **enquête** survey *B*
envoyer to send *B*; **envoyer des textos** to send text messages *B*
l' **été (m.)** summer *A*
étudier to study *B*
faire: de la gymnastique to do gymnastics *A*; **faire du footing** to go running *A*; **faire du patinage artistique** to (figure) skate *A*; **faire du roller** to inline skate *A*; **faire du shopping** to go shopping *A*; **faire du ski (alpin)** to (downhill) ski *A*; **faire du sport** to play sports *A*; **faire du vélo** to bike *A*; **faire la cuisine** to cook *B*
fais: Je fais du vélo. I bike. *A*; **Je ne fais pas…** I'm not doing… *C*; **tu fais** you do, make *A*;
fait: Il fait beau. It's beautiful out. *A*; **Il fait mauvais.** The weather's bad. *A*
génial(e) great, terrific, fantastic *A*
un **hamburger** hamburger *A*
le **hip-hop** hip-hop *C*
l' **hiver (m.)** winter *A*
ils they (m.) *A*
l' **Internet (m.)** Internet *B*
inviter to invite *C*
les **jeux-vidéo (m.)** video games *B*
jouer to play *A*; **jouer au basket(ball)** to play basketball *A*; **jouer au foot(ball)** to play soccer *A*; **jouer au hockey** to play hockey *A*; **jouer aux jeux vidéo** to play video games *A*

le **jour** day *A*
l' the *C*
un **lecteur MP3** MP3 player *B*
les the *A*
lire to read *B*
manger to eat *A*
la **musique** music *B*; **musique alternative** alternative music *C*
nager to swim *A*
n'est-ce pas? Isn't it so? *A*
un **nombre** number *C*
nous we *A*
nouveau new *C*
un **numéro** number *C*; **un numéro de téléphone** phone number *C*
octobre October *A*
ou or *C*
un **passe-temps** pastime *A*
pendant during *B*
(un) **peu** (a) little *B*
plonger to dive *A*
pourquoi why *C*
préféré(e) favorite *B*
préférer to prefer *C*
qu'est-ce que what *A*; **Qu'est-ce que tu aimes faire?** What do you like to do? *A*; **Qu'est-ce que tu fais?** What are you doing? *C*
quand when *A*
quel, quelle what, which *C*
la **question** question *B*
regarder to watch *B*
le **rock** rock (music) *C*
une **semaine** week *A*
le **shopping** shopping *C*
si yes *[on the contrary]* *A*
un **soir** evening *A*
sortir to go out *A*
un **sport** sport *A*
sur on *B*
surfer: surfer sur Internet to surf the Web *B*
la **télé (télévision)** TV, television *B*
téléphoner to phone (someone), to make a call *B*
un **texto** text message *B*
vas: Tu vas bien? Are things going well? *C*
le **weekend** weekend *B*
la **world** world music *C*

Days of the week… see p. 53
Food… see p. 53
Numbers 1–20… see p. 78

Unité 2 Bilan cumulatif

Listening

I. You will hear a short conversation. Select the reply that would come next. You will hear the conversation twice.

1. A. Je n'aime pas jouer au basket.
   B. J'aime beaucoup mon père.
   C. Je dois étudier quand il fait mauvais.
   D. Je préfère lire.

II. Listen to the conversation. Select the best completion to each statement that follows.

2. Natasha et Alexis....
   A. aiment faire du roller
   B. préfèrent surfer sur Internet
   C. aiment lire les blogues
   D. aiment beaucoup le sport

3. On regarde....
   A. Pari Roller
   B. les Jeux Olympiques d'été
   C. les Jeux Olympiques d'hiver
   D. la gym

Reading

III. Read the paragraph about pastimes in France. Then select the best completion to each statement.

Qu'est-ce que les Français aiment faire? C'est simple! Leurs passe-temps préférés sont similaires aux passe-temps des Américains. Certains aiment faire du shopping, regarder des comédies ou des films d'action avec leurs copains. Ils sont fans de la musique, surtout de la world et de la pop américaine. Ils adorent aussi être au téléphone de longs moments avec leurs copains et donner rendez-vous aux copains au café après un ciné ou un concert. D'autres préfèrent regarder le sport à la télé avec un bon copain ou aller au café. Écouter le hip-hop et danser à la musique latine et américaine est aussi très populaire chez les Français. Les ados français aident aussi leurs parents le weekend. Ils aiment faire la cuisine et organiser des dîners en famille le dimanche.

1. Les passe-temps des Français sont....
   A. différents des passe-temps des Américains
   B. similaires aux passe-temps des Américains
   C. le hockey sur glace et le basketball
   D. la musique classique et latine

2. Les ados français préfèrent....
   A. des films d'action ou des comédies
   B. regarder le sport à la télé
   C. faire du vélo et sortir avec des copains
   D. jouer au hockey et faire du ski alpin

3. Le dimanche on aime....
   A. aller au café
   B. écouter la pop américaine
   C. manger en famille
   D. danser

Writing

IV. Complete the paragraph with appropriate words or expressions.

Salut! Ça __1__? __2__ tu aimes faire? Tu __3__ faire du __4__? Quand il __5__ beau, j'aime __6__ du vélo. Quand il __7__, je n'aime __8__ sortir! J' __9__ bien écouter de la __10__. Tu __11__ le hip-hop ou la musique __12__? On va au __13__ demain soir?

V. Complete the paragraph with the correct form of the verbs.

Qu'est-ce qu'on fait ce weekend? Élodie __14__ ce weekend! Rachid et Philippe __15__ sur Internet. Je __16__ à ma copine samedi pour aller au café. Les amis __17__ aller au cinéma. Laurence et moi, nous __18__ de la musique alternative dimanche. Et vous? Vous __19__ au football? J' __20__ le football!

14. (étudier)
15. (surfer)
16. (téléphoner)
17. (préférer)
18. (écouter)
19. (jouer)
20. (aimer beaucoup)

Composition

VI. Write a postcard to your future host family in Quebec. Begin your postcard with **Chère famille Bouchard**, then:

- introduce yourself.
- say what activities you like to do and to what degree.
- say what sports you like to play.
- ask what the Bouchards like to do.
- say what you like to eat.

At the end of your postcard, say you'll see the family soon and sign your name.

Speaking 

VII. Bruno is a new exchange student from Lyon. Based on the pictures, tell him in French which sports teens like to play at Lake City High, and to what degree. Then ask him a couple questions about which sports he prefers.

Unité

3 À l'école

Rendez-vous à Nice!

Épisode 3:

À la cantine et au parc

Citation

"Le but de l'éducation, c'est d'apprendre à rencontrer le monde."

The goal of education is to learn how to encounter the world.

—Albert Jacquard, philosophe et généticien

À savoir

A student who is 13 or 14 years old is in middle school, or **collège**, in France.

Unité 3

À l'école

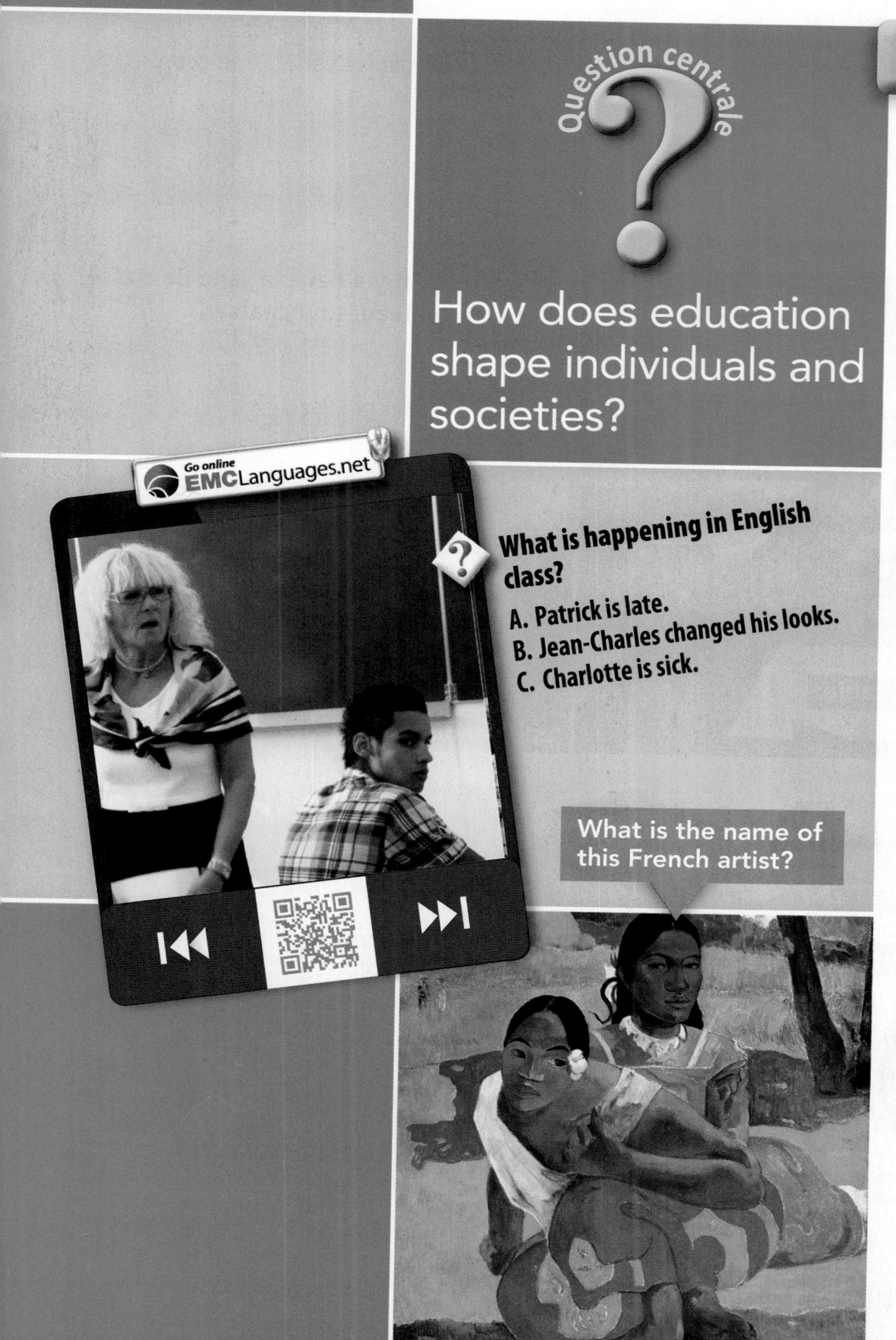

Question centrale
How does education shape individuals and societies?
Go online
EMCLanguages.net
What is happening in English class?
A. Patrick is late.
B. Jean-Charles changed his looks.
C. Charlotte is sick.
What is the name of this French artist?

Contrat de l'élève

Leçon A I will be able to:

- say what I and others need, and give prices.
- talk about Carrefour, French school supplies, the euro, and e-learning in France.
- use indefinite articles, the plural forms of nouns and articles, the irregular verb **avoir**, and the expression **avoir besoin de (d')**.

Leçon B I will be able to:

- describe my teachers and classes and ask for descriptions.
- talk about French school schedules, courses, and exams; the naming of francophone schools; and French Polynesia.
- tell time and use **être**.

Leçon C I will be able to:

- ask "where," "when," "with whom," and "why" questions and set a time and place to meet someone.
- talk about lunches in French school cafeterias and use borrowed words from French.
- use the verb **aller**, the preposition **à** with definite articles, and form questions using **est-ce que**.

Leçon A

Vocabulaire actif

La salle de classe 

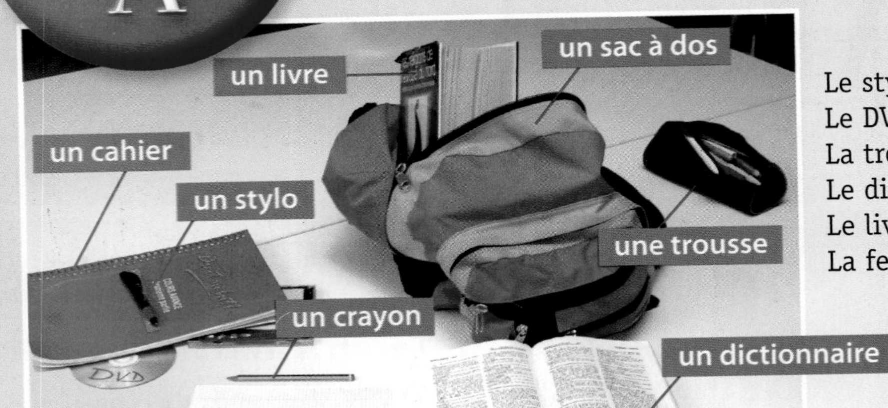

Le stylo est **sur** le cahier.
Le DVD est **sous** le cahier.
La trousse est **derrière** le sac à dos.
Le dictionnaire est **devant** le sac à dos.
Le livre est **dans** le sac à dos.
La feuille de papier est **avec** le crayon.

Qu'est-ce qu'il y a dans la salle de classe?
Il y a un tableau, une chaise....

une pendule

une affiche

un DVD

un lecteur de DVD

un taille-crayon

un CD/cédérom

une stéréo

une fenêtre

un ordinateur portable

un élève

une élève

un prof

une prof

20 VINGT	21 vingt et un	22 vingt-deux...	29 vingt-neuf
30 TRENTE	31 trente et un	32 trente-deux...	39 trente-neuf
40 QUARANTE	41 quarante et un	42 quarante-deux...	49 quarante-neuf
50 CINQUANTE	51 cinquante et un	52 cinquante-deux...	59 cinquante-neuf
60 SOIXANTE	61 soixante et un	62 soixante-deux...	69 soixante-neuf
70 SOIXANTE-DIX	71 soixante et onze	72 soixante-douze...	79 soixante-dix-neuf
80 QUATRE-VINGTS	81 quatre-vingt-un	82 quatre-vingt-deux...	89 quatre-vingt-neuf
90 QUATRE-VINGT-DIX	91 quatre-vingt-onze	92 quatre-vingt-douze...	99 quatre-vingt-dix-neuf
100 CENT			

Pour la conversation 

How do I say what I need?

› **J'ai besoin d'**une trousse.

I need a pencil case.

How do I ask what someone else needs?

› **Tu as besoin d'**un cahier?

Do you need a notebook?

How do I ask what something costs?

› La trousse, **elle coûte combien?**

The pencil case, how much does it cost?

› Le cahier, **il coûte combien?**

The notebook, how much does it cost?

How do I state what something costs?

› **Il coûte** 2,59 euros.

It costs 2,59 euros.

Et si je voulais dire...? 

le classeur	*binder*
la gomme	*eraser*
la règle	*ruler*
le stylo à bille	*ballpoint pen*
le feutre	*marker*

1 Qu'est-ce que c'est?

Identifiez!

1.

2.

3.

4.

5.

6.

7.

le 6 septembre

8.

2 Les prix 

Some students are buying school supplies and items for their bedroom at the store. Number your paper from 1–8. Then match the correct price to the picture of each item you hear.

A. 79,89 € B. 2,30 € C. 5,75 € D. 4,49 € E. 1,29 €
F. 56,30 € G. 30,50 € H. 3,99 €

1.

2. 

3. 

4. 

5.

6. 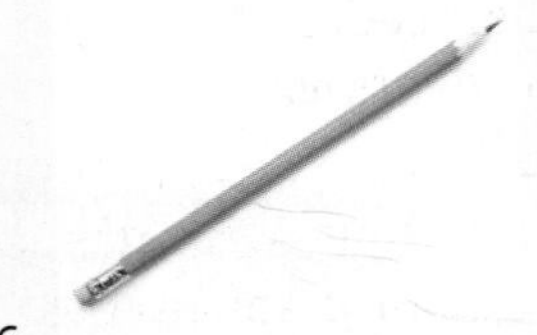

7. 

8. 

3 Dans la salle de classe

Dites où sont les fournitures scolaires de Fabien et Marianne. (Say where Fabien's and Marianne's school supplies are.)

MODÈLE le crayon de Fabien
Le crayon de Fabien est sur le dictionnaire.

1. le livre de maths de Marianne
2. le sac à dos de Fabien
3. la trousse de Marianne
4. le livre d'anglais de Fabien
5. la feuille de papier de Marianne
6. le livre de français de Fabien

Marianne **Fabien**

Rencontres culturelles

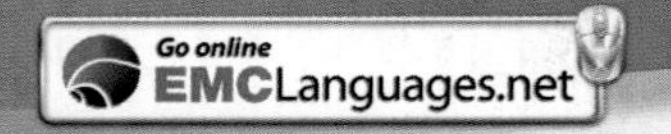

On fait du shopping!

Yasmine and Camille are at the Carrefour superstore in the school supplies section.

Yasmine: Bon... j'ai des stylos, un taille-crayon, et des cahiers pour écrire mes notes.
Camille: Tu as besoin d'un dictionnaire?
Yasmine: Oui! Il est où?
Camille: Là... devant toi, avec les cédéroms.
Yasmine: Il coûte combien?

(*Camille grabs it.*)

Camille: 28,50 euros.
Yasmine: Et en cédérom?
Camille: 44,90 euros!
Yasmine: C'est cher! Mais je prends le cédérom... pour mon ordinateur, c'est beaucoup mieux.
Camille: Et maintenant les trousses....
Yasmine: J'aime bien la bleue là. Total vintage! J'achète!

4 On fait du shopping!

Répondez aux questions.

1. Camille achète des stylos?
2. Yasmine achète des cahiers?
3. Yasmine a besoin d'un dictionnaire?
4. Le cédérom, il coûte combien?
5. Yasmine achète quelle trousse?

Extension À la caisse

A customer at Carrefour is checking out.

Caissière: Quarante-trois euros soixante... vous payez avec une carte de crédit?
Awa: Non, en espèces.... Voilà 50....
Caissière: Voilà six euros, 40 centimes. Votre ticket. Merci et au revoir.

Extension How much change does Awa get back?

Points de départ

Question centrale

How does education shape individuals and societies?

Carrefour

Carrefour is a French superstore, or **hypermarché**, that literally means "intersection." It sells everything from groceries and clothing to televisions and other electronics. You can find Carrefour stores throughout Europe, South America, and Asia.

Search words: carrefour france

COMPARAISONS

Do you have any superstores in your area like Carrefour? Is the store an international, national, or regional company?

Les manuels et les fournitures scolaires

Students in France buy most of their school supplies before classes begin in the fall. These include **une trousse**, a case to carry pens, pencils, and other small objects like erasers. Those students who can't afford to buy all their supplies receive government assistance to cover these expenses. Students attending **un collège**, or middle school, receive their textbooks free of charge. High school, or **lycée**, students also receive their textbooks for free or obtain vouchers to purchase the books themselves. The books students need are on a list provided by the school.

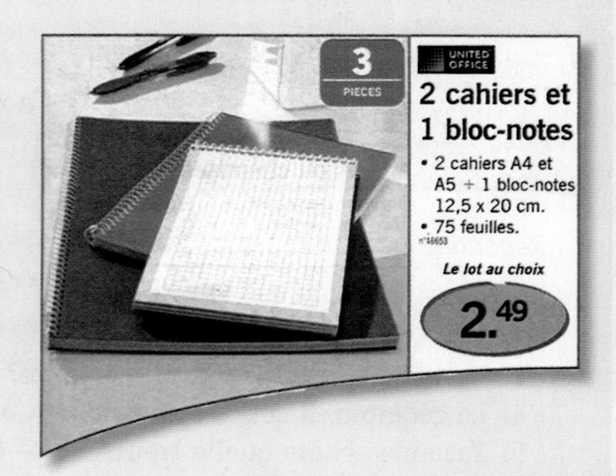

3
PIECES
UNITED OFFICE
2 cahiers et 1 bloc-notes
• 2 cahiers A4 et A5 + 1 bloc-notes 12,5 x 20 cm.
• 75 feuilles.
Le lot au choix
2.49

Search words: fournitures scolaires

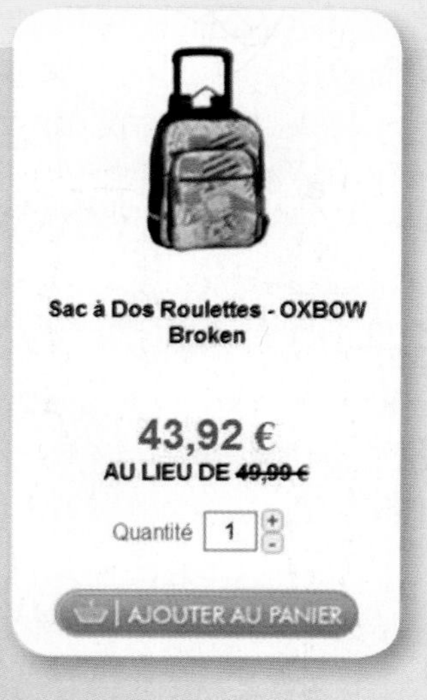

Sac à Dos Roulettes - OXBOW Broken
43,92 €
AU LIEU DE 49,99 €
Quantité 1
AJOUTER AU PANIER

L'euro et l'eurozone

The front of the euro bills features doors and windows, which symbolize the free alliance between member countries of the Eurozone.

The symbol for the euro is €. It is the currency used by those European Union countries joined together to create a single common market called the "eurozone." Created in 1999, the euro entered into circulation in France in 2002, replacing the French franc. Euro bills come in seven different denominations: €5, €10, €20, €50, €100, €200, and €500. They are identical, no matter which eurozone country prints them. The coins, however, have one side with a design unique to the country that minted them. The other side is the same in all countries. Coins come in values of 1 (**cent**, **centime**), 2, 5, 10, 20, and 50 cents as well as €1 and €2.

Search words: euro
billets et pièces en euro

COMPARAISONS

Find prices for an MP3 player, laptop computer, and backpack in France. Then use a currency converter to find out how much they cost in dollars. Are these items more or less expensive in the United States?

La formation en ligne

Just as in the United States, many French universities and businesses offer online education and training. Twenty-four percent of all workers in France have now taken an online course or received online training. Schools offer distance learning, different types of e-learning, and other educational opportunities via today's modern technology. In fact, France recently dedicated an entire year to e-learning and online education in its schools.

Some French schools offer e-learning classes as early as 1st grade.

COMPARAISONS

What commitment has your school made to e-learning? What are the advantages of online learning? What are the disadvantages?

5 Questions culturelles

Répondez aux questions.

1. What is Carrefour?
2. Who pays for student textbooks in France?
3. What is **une trousse**?
4. What is the symbol for the euro?
5. What is the eurozone?
6. In what year was the euro introduced in France?
7. What denominations does the euro bill come in?
8. How common is online learning in France?

The tail side of this 20-cent coin depicts Marianne, a symbol of the French Republic.

À discuter

Which way do you learn best, with a teacher in a traditional classroom or online? Provide advantages and disadvantages for both educational approaches.

Du côté des médias

Lisez les publicités.

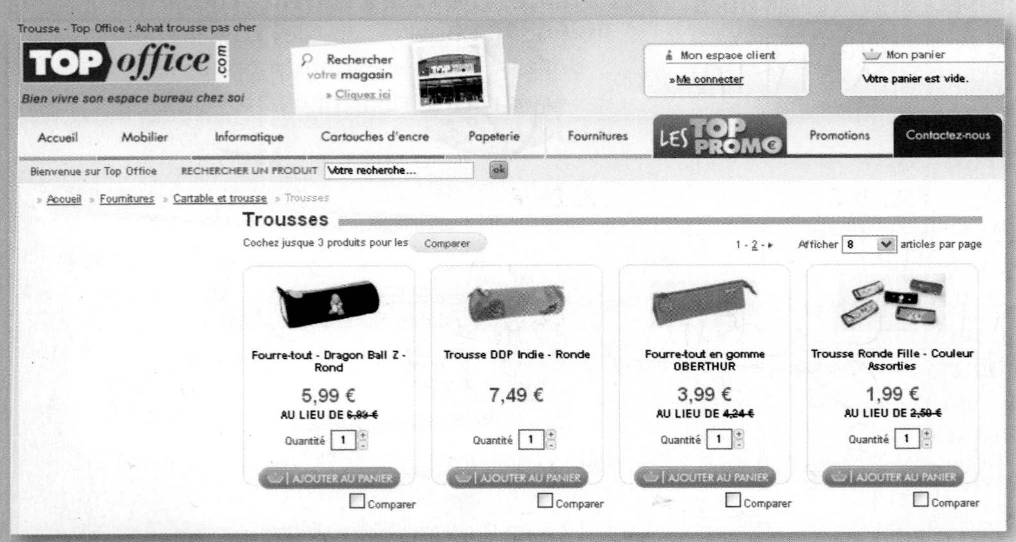

6 Les trousses

Répondez aux questions.

1. Which brand of **trousse** is the most expensive? The least expensive?
2. What currency are the prices in?
3. What shapes do the **trousses** come in?
4. What is a synonym for **une trousse**?
5. How do you say "Add to my basket"?

Structure de la langue

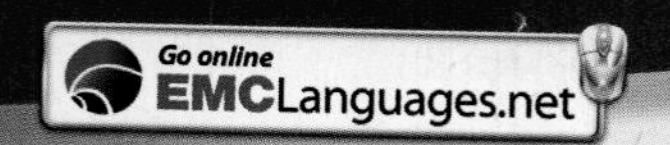

Indefinite Articles

You learned that definite articles precede a noun and that **le** and **la** indicate whether the noun is masculine or feminine. **Un** and **une** ("a," "an," or "one") are indefinite articles. They also indicate the gender of a noun. **Un** is used for masculine nouns and **une** is used for feminine nouns.

Il y a **un** stylo et **une** trousse sur la table.
There is a pen and there is a pencil case on the table.

7 Véro surfe sur Internet

Véro is looking online for inexpensive school supplies and items for her bedroom. Say how much each item costs.

MODÈLE pendule 24 €

Une pendule coûte vingt-quatre euros.

1. 8 €

2. 27 €

3. 15 €

4. 19 €

5. 88 €

6. 12 €

7. 22 €

COMPARAISONS

Do indefinite articles in English change according to the gender of the noun?

- We need a boy to play the lead in the school play.
- We need a girl on our team.

COMPARAISONS: Indefinite articles do not change according to the gender of the noun in English.

8 Exercice anti-incendie

Say what Mme Canvel's students left on their desks during a fire drill.

MODÈLE **Il y a un cahier et une feuille de papier.**

1.

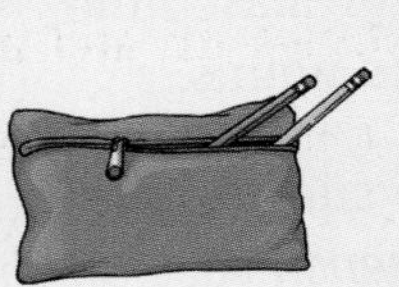

2.

3.

4.

5.

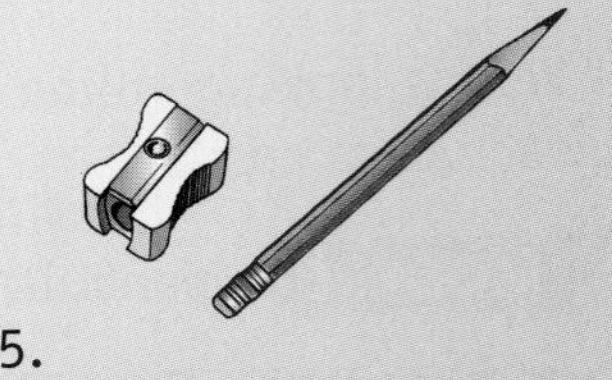

9 Ma liste de shopping

The image shows school items you have left over from last year. The list contains items you need this year. Compare the two and say what you need.

MODÈLE (You already have four notebooks, but you require five, so you need to buy one.)
You say: **J'ai besoin d'un cahier.**

Véro aime le stylo?

Plurals of Articles and Nouns

You add an **s** to make most nouns plural.

J'aime beaucoup les **concerts**. *I like concerts a lot.*

The plural form of the definite articles **le**, **la**, and **l'** is **les** (*the*).

J'aime **les** sacs à dos vintage. *I like vintage backpacks.*

The plural form of the indefinite articles **un** and **une** is **des** (*some*).

J'achète **des** crayons. *I'm buying some pencils.*

COMPARAISONS

Does the article change in English when the noun is plural?

- I'm watching the soccer game.
- I going to see the World Cup soccer games.

Communiquez!

10 Mes préférences

Interpersonal Communication

With a partner, take turns asking and answering questions about what you prefer.

MODÈLE concerts R'n'B/concerts rock
A: **Tu préfères les concerts R'n'B ou les concerts rock?**
B: **Moi, je préfère les concerts rock. Et toi, tu préfères...?**

1. CDs français/CDs américains
2. sports/passe-temps
3. salades/pâtes
4. hamburgers/frites
5. trousses françaises/trousses américaines
6. DVDs américains/DVDs canadiens
7. affiches de cinéma/affiches de rock

Tu préfères les hamburgers ou les frites?
Je préfère les hamburgers.

COMPARAISONS: There are no plural articles in English; speakers place "the" in front of both singular and plural nouns.

11 Des soldes

Dites ce que vous achetez dans les soldes. (Say what you are buying on sale.)

MODÈLE **J'achète des dictionnaires.**

1.
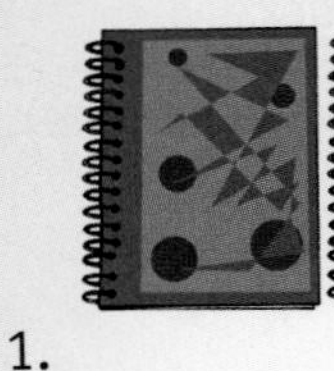
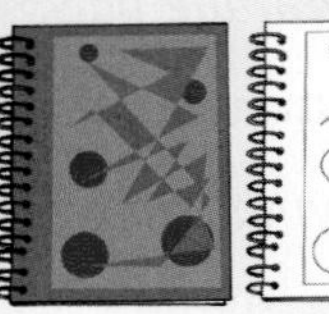

2.

3.

4.
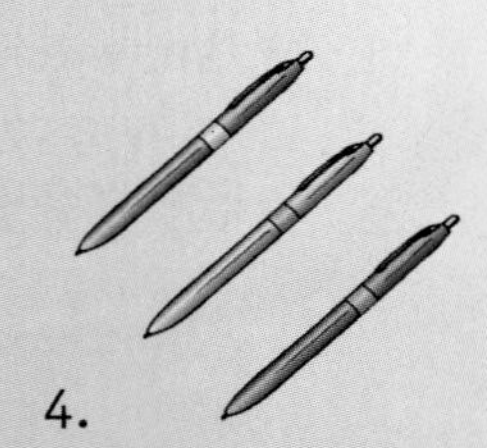

5.

6.

12 Dans ma salle de classe

Dites ce qu'il y a dans votre salle de classe. (Say what there is in your classroom.)

MODÈLES carte de France
Il y a une carte de France.

fenêtres
Il y a des fenêtres.

1. porte
2. cartes
3. dictionnaire
4. livres
5. CD
6. DVD
7. pendule
8. bureau
9. ordinateurs

Present Tense of the Irregular Verb *avoir*

The verb **avoir** (*to have*) is irregular, which means its forms don't follow a regular pattern based on the stem.

Tu as un taille-crayon?

avoir			
j'	**ai**	nous	**avons**
tu	**as**	vous	**avez**
il/elle/on	**a**	ils/elles	**ont**

13 Qu'est-ce qu'on a?

Select the correct answer for each question you hear.

A. Oui, et elle a un crayon.
B. Oui, ils ont un cédérom.
C. Non, j'ai un livre de français.
D. Oui, tu as trois cahiers dans ton sac à dos.
E. Non, nous avons des stylos.

COMPARAISONS

Is the verb "to have" irregular in English too?

- I have a pencil case.
- You have a pen.
- Ben has a sheet of paper.
- Joy has a pencil.
- We have a math book.
- They have a dictionary.

14 Les fournitures scolaires

Dites ce que chaque (each) *personne a.*

MODÈLE la prof
La prof a un ordinateur portable et deux feuilles de papier.

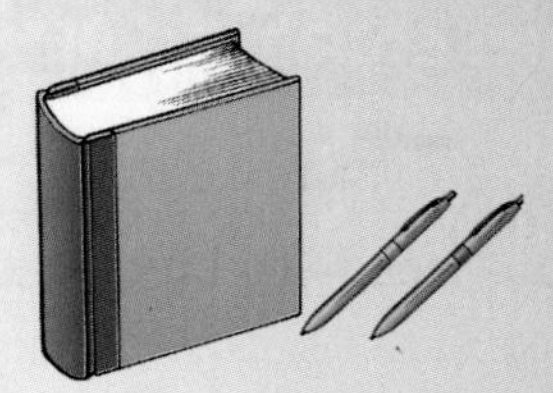

1. je

2. Marielle

3. tu

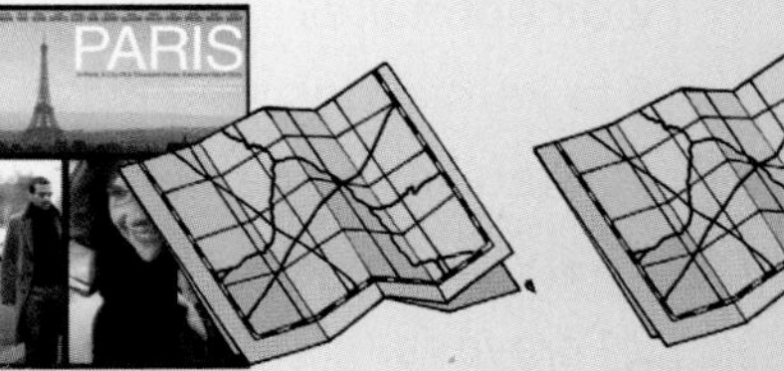
PARIS

4. Abdoul

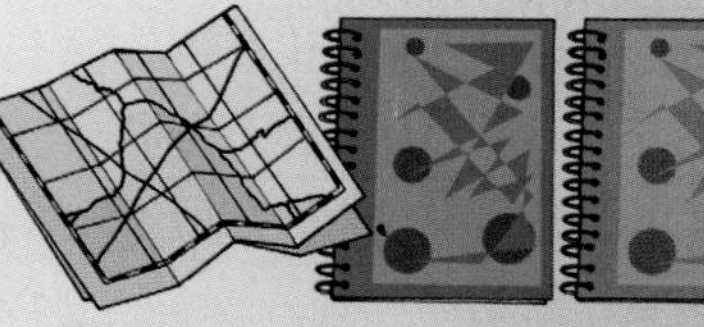

5. Yasmine

COMPARAISONS: The verb "to have" is irregular in English also.

15 Qu'est-ce qu'il y a dans ton sac à dos?

Interpersonal Communication

Draw a backpack with school supplies in it. Make sure you draw more than one of each item; for example, draw three pens, two notebooks, etc. Working with a partner and without revealing your drawings, take turns asking each other if you have a specific number of an item. For each item you guess correctly, give yourself a point. The person with the most points at the end of the activity is the winner.

MODÈLE A: **Tu as quatre cahiers?**
B: **Oui, j'ai quatre cahiers./Non, j'ai deux cahiers.**

An *avoir* Expression

To say that you need something or that you need to do something, use the expression **avoir besoin de** (*to need*). Remember that **de** becomes **d'** before a word beginning with a vowel sound.

Tu **as besoin d'**étudier?	*Do you need to study?*
Oui, **j'ai besoin de** faire mes devoirs.	*Yes, I need to do my homework.*

Didier a besoin de dormir.

16 Des fournitures scolaires pour Haïti

Students in M. Tremblay's class signed up to send school supplies to Haiti after the earthquake. Say what everyone needs to buy, according to the list.

Noms	Fournitures scolaires
Modèle Brigitte	2 dictionnaires
1. Bruno et Hugo	6 taille-crayons
2. je	100 feuilles de papier
3. Brigitte et Salim	36 stylos
4. Maxime	24 crayons
5. Saniyya et Martine	2 dictionnaires
6. Alexandre	3 trousses

MODÈLE **Brigitte a besoin d'acheter deux dictionnaires.**

À vous la parole

Question centrale

How does education shape individuals and societies?

Communiquez!

17 J'ai besoin de....

Interpersonal Communication

You and a friend run into each other while buying school supplies. In your conversation:

- greet each other.
- ask each other how things are going.
- tell each other three items you need.
- discuss how much each item costs.
- say good-bye.

Le livre de maths, il coûte combien?
Il coûte 15 euros.
ouvert DE 10h
23 h

Communiquez!

18 Je fais ma liste!

Presentational Communication

Make of list of ten items you need for school. Find a French online store like Top Office that sells school supplies, or **fournitures scolaires**. Write down prices for the items you find. You may want to add to or modify your list based on what you find online. Describe your online purchases to your partner, following the model. Next, convert the prices to dollars with an online currency converter. Compare the prices with those of an online store in the United States. Present your findings to your partner. (Be sure to list the online sites you used.)

MODÈLE **J'ai besoin d'un cahier.**
À Top Office il coûte 2,60 euros.

Search words: fournitures scolaires en ligne, convertisseur monnaie

Prononciation

Pronouncing Letters at the End of a Word

- In general, letters at the end of a word are not pronounced.

A **Consonnes non prononcées**

Repeat these examples of words in which the last consonant is not pronounced.

1. le français – le concert – devant – le cours
2. Elle a un accent mexicain. – Elle a un accent canadien. – Elle a un accent coréen.

B **Mots qui terminent en -r**

The letter **r** is one of a small number of exceptions. It is pronounced at the end of a word, but not in the case of **-er** verbs. Repeat the following phrases that end in **r**.

1. Oui, du roller.
2. J'ai un ordinateur.
3. C'est cher.

Liaison

- When a final consonant sound that is not normally pronounced is carried over to a word starting with a vowel, this is called **liaison**. One example is the letter **t**.

C **Pratiquons la liaison!**

Repeat the following examples of liaison.

1. C'est‿intéressant.
2. C'est‿important.
3. Il est‿énergique.

Pronouncing Numbers

- When **un**, **deux**, **trois**, **huit**, **six**, **dix**, **vingt**, and **cent** are followed by a consonant, the last consonant of the number is not pronounced.

D **Les nombres**

Repeat the following phrases that incorporate numbers.

1. Un dessin.
2. Six romans.
3. Huit chansons.
4. Dix cahiers.
5. Vingt papiers.
6. Cent livres.

The Vowels /y/ and /u/

- The vowel **/y/** is the same sound as in **tu**. The vowel **/u/** is the same sound as in **vous**.

E **Écoutez!**

Write ***/y/*** *if you hear a vowel as in* ***tu*** *and* ***/u/*** *if you hear a vowel as in* ***vous***.

Leçon B

Vocabulaire actif

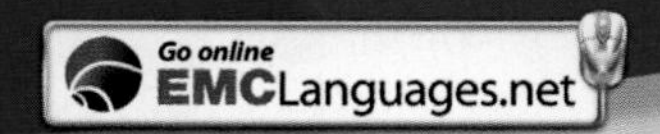

Les matières

les sciences (f.): la biologie

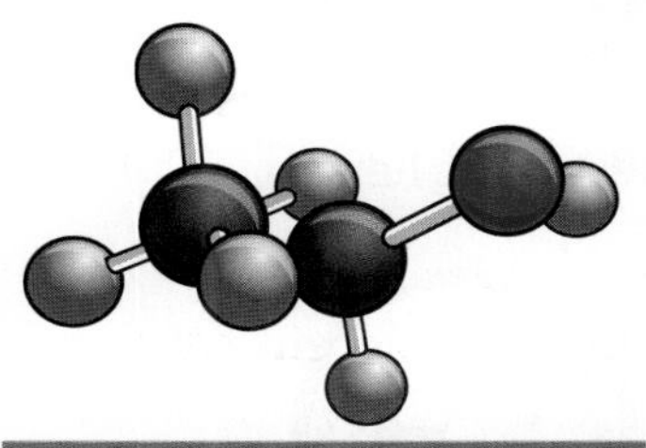
la physique

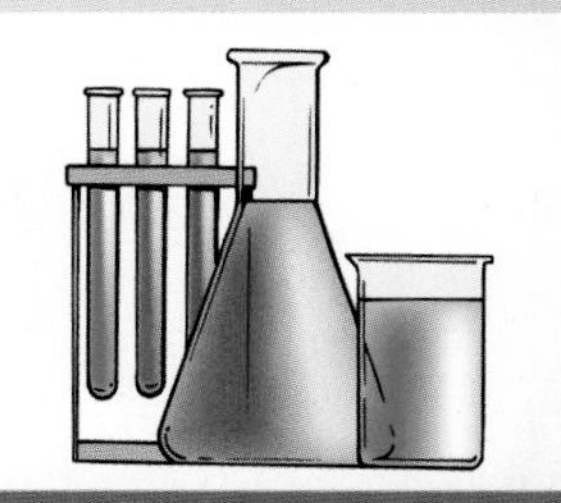
la chimie

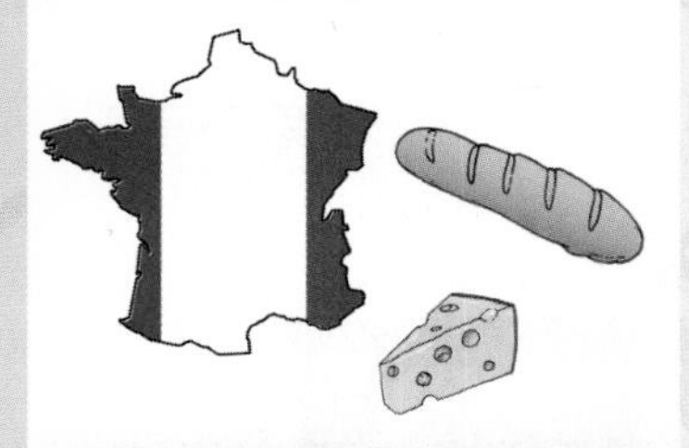
les langues (f.): le français

l'anglais (m.)

l'espagnol (m.)

l'allemand (m.)

les maths (f.)

les arts plastiques (m.)

la musique

l'éducation physique et sportive (l'EPS) (f.)

l'informatique (f.)

l'histoire (f.)

facile

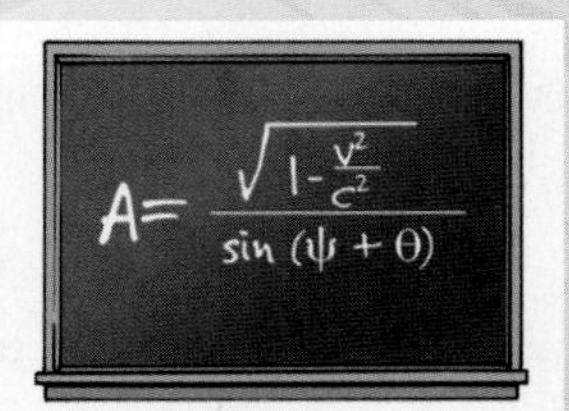

difficile

drôle

énergique

intéressant(e)

intelligent(e)

Quelle heure est-il? 

Il est une heure.

Il est neuf heures.

Il est midi.

Il est minuit.

Il est trois heures et quart.

Il est six heures et demie.

Il est cinq heures moins le quart.

Pour la conversation 

How do I describe my classes?

> **Mon cours de** maths **est difficile.**
> *My math class is difficult.*

How do I ask for a description of someone?

> **Elle est comment** ta prof d'informatique?
> *What is your computer teacher like?*

How do I describe my teacher?

> **Elle est** intéressante.
> *She is interesting.*

Et si je voulais dire...? 

l'algèbre (f.)	*algebra*
la géométrie	*geometry*
la littérature	*literature*
la menuiserie	*woodshop*
la mécanique	*autoshop*
le chinois	*Chinese*
Je suis nul(le) en....	*I'm not good at....*
Je suis doué(e) en....	*I'm good at....*

1 L'emploi du temps d'Hélène

Create a class schedule for Hélène based on the description below that tells when she has each class.

Hélène a maths lundi à huit heures, jeudi à onze heures, vendredi à deux heures, et samedi à huit heures. Elle a français lundi à neuf heures et à dix heures, mercredi à huit heures, jeudi à trois heures, et vendredi à onze heures. Elle a espagnol lundi à onze heures, jeudi à deux heures, et samedi à dix heures. Elle a anglais lundi à deux heures, mercredi à neuf heures, et jeudi à neuf heures. Elle a arts plastiques lundi à trois heures et quatre heures. Elle a histoire-géo mardi à huit heures et à neuf heures et jeudi à une heure. Elle a physique mardi à onze heures, à une heure, et à deux heures. Elle a EPS mardi à trois heures et à quatre heures, et vendredi à huit heures. Elle a informatique mercredi à dix heures, vendredi à quatre heures, et samedi à neuf heures. Elle a musique mercredi à onze heures. Elle a biologie vendredi à neuf heures et à trois heures. Hélène mange à quelle heure?

L'emploi du temps d' Hélène

heures	LUNDI	MARDI	MERCREDI	JEUDI	VENDREDI	SAMEDI
8h à 9h						
9h à 10h						
10h à 11h						
11h à 12h						
12h à 13h						
13h à 14h						
14h à 15h						
15h à 16h						
16h à 17h						

2 Les emplois du temps

Listen to Rosalie and Mathis talk about their schedules. Write in French each class or activity in the order it is mentioned.

3 L'agenda de Djamal

Dites ce que Djamal fait (*is doing*). Complétez chaque phrase avec l'heure correcte d'après son agenda (*according to his day planner*).

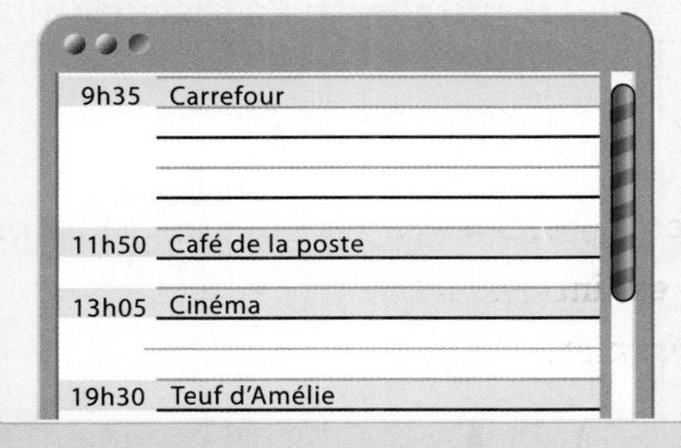

9h35 Carrefour
11h50 Café de la poste
13h05 Cinéma
19h30 Teuf d'Amélie

1. Djamal achète des cahiers....
2. Il mange un hamburger et des frites....
3. Il est au cinéma....
4. Il est à la teuf d'Amélie....

A. à sept heures et demie
B. à midi moins dix
C. à une heure cinq
D. à dix heures moins vingt-cinq

Les cours et les profs

Maxime and Yasmine meet in the courtyard at their school, **le lycée Georges Brassens**.

Maxime: Qu'est-ce que tu fais à 10h00?
Yasmine: J'ai deux heures de biologie, un cours qui est difficile.
Maxime: Deux heures! Elle est comment la prof?
Yasmine: Stricte mais... énergique. Et toi, tu fais quoi?
Maxime: J'ai histoire avec M. Mataoa.
Yasmine: Oh! Le prof tahitien? Il est très drôle et très intéressant.
Maxime: On va au centre commercial après?
Yasmine: Non, je ne peux pas parce que j'ai mon cours d'anglais à 1h30.
Maxime: Mais on n'a pas cours le mercredi après-midi!

4 Les cours et les profs

Répondez aux questions.

1. Yasmine a un cours de maths ou de sciences à 10h00?
2. Comment est le cours de Yasmine?
3. La prof de biologie est comment?
4. Le prof d'histoire est canadien ou tahitien?
5. Yasmine a besoin d'aller (*to go*) au cours d'anglais mercredi?

Extension Dans la salle d'informatique

David and Amidou, two French students, are in the computer lab chatting with their American key pal, Kate, online.

David: Ici c'est la nouvelle salle informatique de notre collège. On a 20 ordinateurs, trois télés avec des lecteurs de DVD, un vidéoprojecteur pour le cinéclub, et on peut aussi écouter des CD.
Kate: Et derrière toi, c'est quoi le poster?
Amidou: C'est une affiche, de la publicité pour le tourisme tahitien. En fait, c'est un tableau de Gauguin.
Kate: Tahiti? Pourquoi Tahiti?
Amidou: Tahiti et d'autres îles de la Polynésie sont des îles françaises.... En plus, on a une prof tahitienne ici, Madame Temaru, la prof d'informatique.

Extension For what two reasons is there a poster of Tahiti in the computer lab?

Points de départ

Question centrale

How does education shape individuals and societies?

L'heure officielle

The 24-hour time system (**l'heure officielle**) is used in French-speaking countries to give schedules for movies, transportation, classes, sporting events, and TV programs. One advantage to this system is not having to say A.M. or P.M. or "in the morning," "in the afternoon," or "in the evening" (**du matin, de l'après-midi, du soir**). To use **l'heure officielle**, continue counting to 24 for every hour after 12 noon. For example, 1:30 P.M. becomes 13h30. The expressions **et quart**, **et demie**, and **moins le quart** are not used in official time.

DEPART

Trains au départ

Zeit / Time / Heure	Nach / Destination / Destination
11h13	LONDON SAINT PANCRAS
11h55	BRUXELLES-MIDI LIEGE AACHEN
12h55	BRUXELLES LIEGE AACHEN KOLN
12h55	BRUXELLES BERCHEM ROTTERDAM
12h58	LILLE FLANDRES
13h01	CALAIS FRETHUN LONDON SAINT
14h22	ORRY-LA-VILLE CHANTILLY-GOUV
14h55	BRUXELLES-MIDI
15h13	ASHFORD LONDON SAINT PANCRAS
15h55	BRUXELLES LIEGE AACHEN KOLN
15h55	BRUXELLES BERCHEM ROTTERDAM
15h58	LILLE FLANDRES

The train to Lille departs at 3:58 p.m.

Mercredi après-midi

French teenagers usually don't have school on Wednesday afternoon, but they sometimes attend classes on Saturday morning. School cafeterias usually offer lunch on Wednesday but not on Saturday.

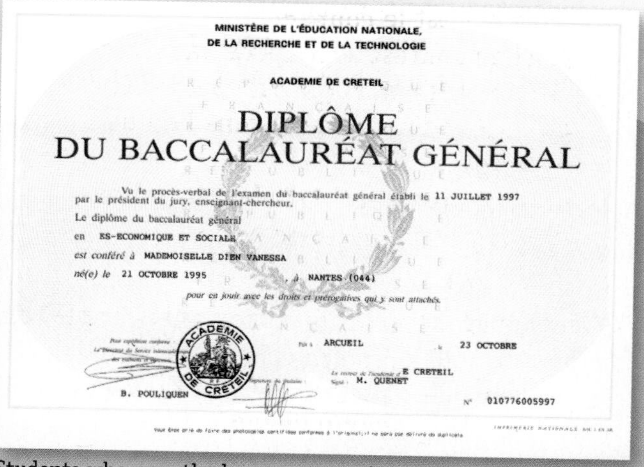

MINISTÈRE DE L'ÉDUCATION NATIONALE,
DE LA RECHERCHE ET DE LA TECHNOLOGIE

ACADEMIE DE CRETEIL

DIPLÔME
DU BACCALAURÉAT GÉNÉRAL

Vu le procès-verbal de l'examen du baccalauréat général établi le 11 JUILLET 1997 par le président du jury, enseignant-chercheur.

Le diplôme du baccalauréat général

en ES-ECONOMIQUE ET SOCIALE

est conféré à MADEMOISELLE DIEN VANESSA

né(e) le 21 OCTOBRE 1995 , à NANTES (044)

pour en jouir avec les droits et prérogatives qui y sont attachés.

ARCUEIL, le 23 OCTOBRE

Le recteur de l'académie de CRETEIL
Signé : M. QUENET

B. POULIQUEN

N° 010776005997

Students who pass the bac exams receive their diploma in July.

Les cours et les examens

School attendance at **un collège** (middle school) or **un lycée** (high school) takes up 950 hours each year in an average French teen's life. In France, school attendance is mandatory until students earn a diploma at the end of middle school. Students in middle school mostly take the same general courses. When they move on to high school, they choose a specialization, such as literature, science, economics, or technical studies.

Students spend three years at the **lycée**. In their second year, they begin preparing for **le bac**, an exit exam they must pass in order to receive a diploma. About 80% of students pass the exam the first time around. If students fail **le bac**, they will need to repeat their last year of high school and retake the exam. Only those students who pass will be allowed to attend a state university, which, like their previous schooling, is also free.

La Francophonie

✲ *La Polynésie française*

French Polynesia is an overseas French territory made up of five groups of islands, numbering about 120 islands in all. Papeete, the largest city and located on the island of Tahiti, is the capital. French is the official language, but many inhabitants also speak native Polynesian languages. French Polynesia's economy is based largely on tourism and the exportation of pearls.

Search words: **visiter tahiti**
tahiti pratique

Mon dico polynésien

Gauguin: A 19th-century French artist who painted Tahitian landscapes and people.
Pirogues: Dug-out canoes used for racing and traditional ceremonies.
Tatouage: Body decorations traditionally applied as a rite of passage in adolescence.
Marae: Large stone structures traditionally used to worship ancient Polynesian gods and celebrate war.
Ahimaa: Ancient earthen ovens still in use today.
D'autres mots polynésiens: *kai* (manger); *farani* (français); *va'a* (pirogue)

The long shaped **toere** drums are traditional Tahitian instruments.

Le paréo is a garment worn by men and women in French Polynesia. Lightweight and made of one large piece of brightly colored and decorated fabric, it is perfect for the tropical climate. Many people around the world have adopted the **paréo** as a beach cover-up.

COMPARAISONS

What do you know about Hawaii? Make a list of five to six things you know, then do online research to find out if those things are true about Tahiti too since they are relatively close geographically.

Je vais au Lycée Gauguin

Many French schools are named after people who have played an important role in French culture. Schools take their names from people in the arts like Claude Monet and Jacques Brel, in the sciences like Marie Curie and Louis Pasteur, or from literary greats, such as Victor Hugo and Émile Zola. Schools may also bear the name of historical figures like King Henri IV and former French president François Mitterrand. This tradition is practiced throughout the francophone world, where schools often receive the names of local heroes. **Le Lycée Gauguin** in Papeete, Tahiti and **le Lycée Schœlcher** in Fort-de-France, Martinique are two examples.

Search words: **lycée paul gauguin à papeete**
lycée henri iv paris

For Paul Gauguin, the natural beauty of Tahitian women with their bright apparel contrasted with the artifice of Western Europe.

5 Questions culturelles

Répondez aux questions.

1. On which day do French students not have class in the afternoon?
2. School attendance is mandatory in France until when?
3. What is **le bac** and why is it important?
4. What is French Polynesia?
5. Who was Paul Gauguin?
6. What is a **pareo**?
7. Where do many French schools get their names?

French students who wish to attend the university like the Université de Nice must receive at least 10 out of 20 on their **bac** exam.

Perspectives

France spends 6.8% of its Gross National Product (GDP), or 6.8% of all the money the country earns in a year, on education. This averages out to over 7,000 euros per student. What do these numbers tell you about French values toward education?

COMPARAISONS

Is your high school named after someone famous? What did this person do to become famous? In what ways do the names of schools in your area differ from the names chosen in the Francophone world?

6 Air Tahiti Nui

Répondez aux questions.

1. What is the name of this airline company?
2. The airline flies to Tahiti from which cities?
3. In which countries are these cities located?
4. Which city is the closest to Tahiti? The farthest away?
5. How do you say "Welcome" in French Polynesia? In other French-speaking countries?
6. Tahiti is in between which two continents?

Du côté des médias

Regardez l'image et trouvez Tahiti.

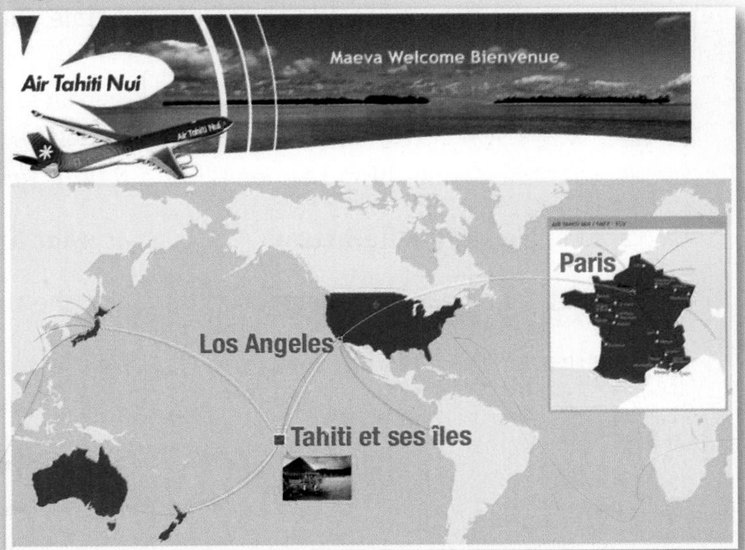

Structure de la langue

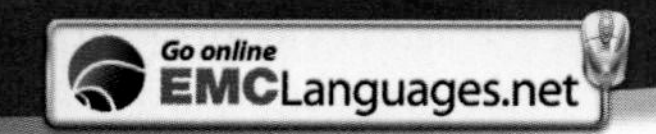

Telling Time

To ask what time it is in French, say **Quelle heure est-il?** Always use the word **heure(s)** in your answer, for example **Il est deux heures.** The abbreviation for **heure(s)** is **h: 2h00** = 2:00. To say that it's noon or midnight, use **Il est midi** or **Il est minuit.**

To say that it's quarter after the hour, add **et quart** or **quinze.**

Il est cinq heures **et quart.** Il est dix-sept heures **quinze** (17h15).	*It's 5:15.*

To say that it's half past the hour, add **et demi(e)** or **trente.**

Il est minuit **et demi.**	*It's 12:30.*
Il est six heures **et demie.** Il est dix-huit heures **trente** (18h30).	*It's 6:30.*

To say it's quarter to the hour, add **moins le quart** before the next hour or **quarante-cinq** after the hour using the official time.

Il est **trois heures moins le quart.** Il est **quatorze heures quarante-cinq** (14h45).	*It's 2:45.*

To say how many minutes after the hour but before the half hour, add the number of minutes.

Il est cinq heures **vingt.** Il est dix-sept heures **vingt** (17h20).	*It's 5:20.*

To say how many minutes before the next hour, say the next hour, and add **moins** and the number of minutes before the next hour, or use the official time and say the number of minutes after the hour.

Il est **quatre heures moins dix.** Il est **quinze heures cinquante** (15h50).	*It's 3:50.*

To ask at what time something happens, use **à quelle heure.**

On va au cinéma **à quelle heure**? — *At what time are we going to the movies?*

To say at what time something happens, use **à** and the time.

On va au cinéma **à 8h15** du soir. — *We are going to the movies at 8:15 P.M.*

7 L'heure

Listen to each statement. Write **oui** if the time you hear matches the clock. Write **non** if it does not match.

1. 
2. 
3. 4. 
5. 
6. 
7. 
8. 
9. 
10. 

8 Quelle heure est-il?

Répondez à la question.

1. 
2. 
3. 
4. 
5. 
6. 
7. 

Communiquez!

9 On étudie ensemble?

Interpersonal Communication

You and your partner want to find a time to study together for the upcoming social studies test. Write down your class schedule and the time each class begins. Then ask each other questions until you find a time you can study together.

MODÈLE

A: **Tu as cours à 7h30?**
B: **Oui, j'ai anglais à 7h30.**
A: **Tu as cours à 2h50?**
B: **Non, je n'ai pas cours. Je peux étudier.**

Present Tense of the Irregular Verb *être*

The verb **être** (*to be*) is irregular.

Les fans sont français?

être			
je	**suis**	nous	**sommes**
tu	**es**	vous	**êtes**
il/elle/on	**est**	ils/elles	**sont**

Use **être**:

- with adjectives

Vous **êtes** américains? — *Are you American?*
Non, nous **sommes** canadiens. — *No, we're Canadian.*

- *to say the city you are from*

Je **suis** de Chicago. — *I'm from Chicago.*

10 Des Français

Say what French city people are from.

1. Émilie et Richard/Paris
2. tu/Lyon
3. Hamza/Marseille
4. Abdoulaye et Amadou/Nice
5. vous/Bordeaux
6. Laurence et Rahina/Lille

11 À la maison ou pas?

Dites si l'on est à la maison ou pas.

MODÈLES Elle surfe sur Internet.
Elle est à la maison.

Tu fais du vélo.
Tu n'es pas à la maison.

1. Tu fais la cuisine.
2. Karim et Étienne jouent au foot.
3. Je regarde la télé.
4. Vous nagez.
5. Joëlle écoute de la musique sur l'ordinateur.
6. Malika et moi, nous regardons la télé.

COMPARAISONS

Is the verb "to be" irregular in English too?

- I am happy.
- You are sad.
- Julia is angry.
- We are content.
- Bill and Pete are energetic.

COMPARAISONS: The verb "to be" is irregular in English also.

Agreement and Position of Regular Adjectives

Adjectives are words that describe nouns or pronouns. They agree with the noun or pronoun in gender (masculine or feminine) and in number (singular or plural).

1. To make most adjectives feminine, an **e** is added to the masculine form.

masculine adjective + e = feminine adjective

Mon cours est intéressant.	La chimie est intéressant**e**.

Adjectives ending in a consonant often double the consonant and add an **e** for the feminine form.

Il est canadien.	Elle est canadie**nne**.

If the adjective already ends in **e**, there is no change in the feminine form.

M. Lucas est **drôle**.	Mlle Nero est **drôle**.

2. To make most adjectives plural, an **s** is added to the singular form.

singular adjective + s = plural adjective

J'ai un devoir difficile.	J'ai des devoirs difficile**s**.
La fille est française.	Les filles sont française**s**.

If the adjective already ends in **s**, there is no change in the plural form.

Étienne est **français**.	Jacques et Louis-Do sont **français**.

3. Adjectives usually come after the nouns they describe.

   La prof **américaine** est Mme Jones.
   Tu aimes les sciences **physiques**?

Marine est intelligente.

COMPARAISONS

Where are adjectives usually placed in English sentences?

- She wore a red dress.
- It was an expensive purchase.

COMPARAISONS: In English, adjectives are usually placed before the noun.

12 Facile, difficile, ou intéressant?

Dites que les cours suivants sont faciles ou difficiles et intéressants. Notez que les adjectifs vont être masculins ou féminins.

MODÈLE **La chimie est difficile et intéressante.**

1.

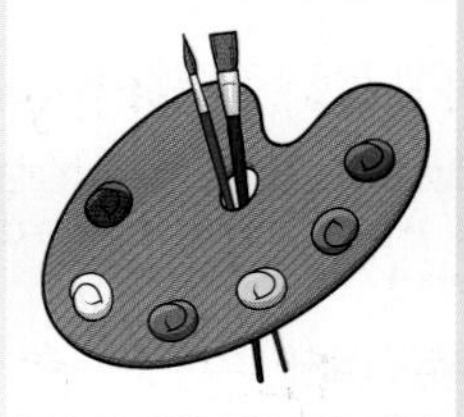

2.

3.

4.

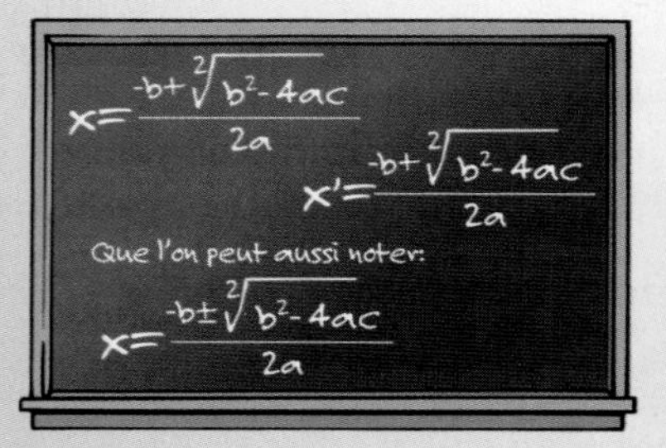

5.

6.

Salut, je m'appelle....

Hallo, ich heiße....

¡Hola! me llamo....

7.

13 Il est midi.

Décrivez (Describe) *les objets des élèves dans cette salle de classe.*

MODÈLE stylos (4)/canadien
Il y a quatre stylos canadiens.

1. trousse (1)/algérien
2. dictionnaire (1)/français
3. affiches (2)/canadien
4. sacs à dos (5)/américain
5. feuilles de papier (4)/français
6. carte (1)/américain
7. CDs (3)/algérien

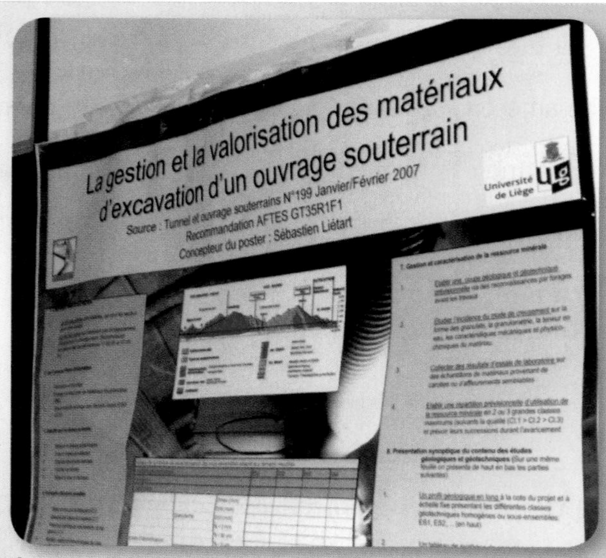

Il y a une affiche française dans la classe.

À vous la parole

Question centrale

How does education shape individuals and societies?

14 L'emploi du temps

Interpersonal Communication

Compare your class schedule with your partner's class schedule. In your conversation:

- greet each other.
- ask each other how things are going.
- tell each other the classes you are taking.
- compare the times and days of the week your classes meet.
- ask your partner what two of his or her teachers are like.
- say you'll see each other soon.

15 Mon profil en ligne

Interpretive Communication

Read Karine's profile on her social networking site. Answer the questions that follow in complete sentences.

Mon réseau social **Accueil** **Profil**

Karine Duplessis

Mur **Infos** **Photos**

Exprimez-vous...

Partager

Goûts et intérêts

Âge	J'ai seize ans (et demi).
Personnalité	Je suis intelligente, énergique, et drôle. J'aide ma mère et mon père avec leur magasin électronique.
Musique	J'aime bien le hip-hop et la musique alternative. Je n'aime pas le rock et la musique classique!
Matières	J'aime bien les sciences. J'étudie la biologie et la chimie parce que c'est intéressant!

1. Karine a 14 ans?
2. Elle est intelligente?
3. Elle est sérieuse (*serious*)?
4. Elle aime écouter de la musique?
5. Elle aime étudier les langues?

Stratégie communicative

Combining Sentences

Read the combined sentences below. What do you think each connecting word means? What two ideas are being combined?

J'ai une amie **qui** est française.
Nous mangeons ensemble au café **quand** il fait mauvais.
C'est un café **où** il est difficile de parler anglais.

16 Mon voyage à Paris

Combine each set of Jenny's sentences about her trip to Paris, using **qui** (*who*), **quand** (*when*), or **où** (*where*).

1. Le français est une langue. C'est facile.
2. Paris est une ville. Elle est chère.
3. J'ai des cours. Ils sont intéressants.
4. Au cinéma, j'aime les films français. Ils sont intelligents.
5. On va à la médiathèque. Les élèves étudient à la médiathèque.
6. J'aime les magasins. Les Français achètent des affiches et des T-shirts dans les magasins.
7. On va au parc. Il fait beau.

Paris est une ville qui est chère.

17 Une très bonne amie

Complete the portrait below of a friend by finishing the sentences with a word or expression from the box.

à la cantine	biologie	il fait beau
algérienne	est intéressante	
jouer au foot	on mange ensemble	

1. J'ai une copine qui est....
2. Elle est dans ma classe de... qui....
3. Elle aime... quand....
4. On va... où....

18 Un portrait

Now write a description of yourself, someone you know, or an imaginary person that combines sentences using **qui**, **quand**, and **où**.

Leçon C

Vocabulaire actif

Les endroits

Je vais....

à la cantine

au bureau du proviseur

au labo

à la médiathèque

à la salle d'informatique

à la piscine

au magasin

en ville

chez moi

Et si je voulais dire...?

à la bibliothèque	*at the library*
au centre aquatique	*at the aquatic park*
au parc	*at the parc*
au stade	*at the staduim*
à la Maison des Jeunes	*at the community center*
à la discothèque	*at the club*
en boîte	*at the nightclub*

Pour la conversation

How can I find out where someone is going next?

> **Où est-ce que tu vas après** le déjeuner?
>
> *Where are you going after lunch?*

How can I find out when someone is going somewhere?

> **Quand est-ce qu'**on y va?
>
> *When are we going there?*

How can I ask why someone can't do something?

> **Pourquoi est-ce que tu ne peux pas?**
>
> *Why can't you (do it)?*

How can I establish a place and time to meet someone?

> **On se retrouve** à la piscine **à** 4h00.
>
> *We'll meet at the pool at 4:00.*

1 Angèle bouge!

Angèle is always on the move. Complete each sentence with a location from the box to say where she does the following activities.

à la piscine   à la salle d'informatique   à la maison
au magasin   au labo   à la cantine   à la médiathèque

1. Angèle va... pour (*for*) le cours de chimie.
2. Elle aime étudier....
3. Elle surfe sur Internet....
4. Elle mange des pâtes....
5. Elle achète des cahiers....
6. Elle nage....
7. Elle aime faire les devoirs....

Angèle nage à la piscine.

2 Mercredi après-midi

Number your paper 1–6. Listen to Maxime interview his classmates about their activities on Wednesday afternoon. Identify each location.

A. 

B. 

C. 

D. 

E. 

F. 

3 La journée scolaire de Christiane

Lisez (Read) *le paragraphe, puis* (then) *répondez aux questions.*

Christiane va au labo à 9h15. Elle va à la médiathèque à 11h20. Elle va à la cantine à midi. Elle va à la salle d'informatique à 13h30. Elle va à la salle de musique à 14h35. Elle va à la piscine à 16h00. Elle va à la maison à 18h55.

1. Christiane mange à quelle heure?
2. Elle a besoin d'un ordinateur à quelle heure?
3. Elle a chimie à quelle heure?
4. Elle étudie à quelle heure?
5. Elle nage à quelle heure?
6. Elle regarde la télé à quelle heure?

Communiquez!

4 On fixe un rendez-vous!

Interpersonal Communication

With a partner, take turns finding a time to do four activities from the list below.

jouer aux jeux vidéo   surfer sur Internet   étudier
manger de la pizza   jouer au basket
nager   jouer au foot   écouter de la musique

MODÈLE

A: **Tu voudrais écouter de la musique?**
B: **Oui. Quand est-ce qu'on écoute de la musique?**
A: **Mercredi à 3h30.**
B: **D'accord.**

Quand est-ce qu'on va au cinéma?

5 Questions personnelles

Répondez aux questions.

1. Tu manges à la cantine à quelle heure?
2. Où est-ce que tu vas après le déjeuner?
3. Tu étudies à la médiathèque?
4. Où est-ce que tes amis se retrouvent vendredi soir?
5. Tu es en ville samedi?

Rencontres culturelles

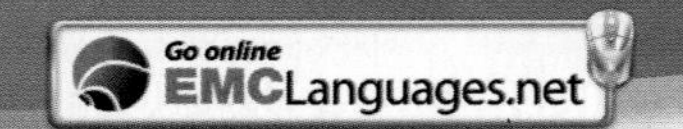

Après le déjeuner

Julien, Maxime, Yasmine, and Camille are talking about what to do after having lunch together in **la cantine.**

Julien: Où est-ce qu'on va après ce "délicieux" déjeuner?
Maxime: On va à la piscine?
Yasmine: Oui, mais quand est-ce qu'on y va?
Maxime: Maintenant... à 2h00.
Yasmine: Alors, je ne peux pas!
Julien: Et pourquoi est-ce que tu ne peux pas?
Yasmine: J'ai besoin d'aller au labo... voir la prof de biologie.
Julien: Camille, tu vas à la piscine?
Camille: Est-ce qu'on peut y aller à 4h00? Moi, je dois aller au bureau du proviseur, puis chez moi....
Maxime: Et moi j'ai besoin de... je n'ai rien à faire!
Julien: Alors, nous, on va en ville et on se retrouve à la piscine à 4h00.

6 Après le déjeuner

Complétez les phrases.

1. Maxime désire aller à....
2. À 2h00 Yasmine va au... voir la prof de....
3. Camille désire aller à la piscine à....
4. Camille a besoin d'aller au....
5. On se retrouve à la piscine à....

Extension **On se retrouve dans la médiathèque**

Two students are talking in the **médiathèque**.

Gabrielle: Où est-ce qu'il est, Justin?
Cédric: En salle de dessin.... Mais pourquoi est-ce qu'Inès n'est pas là? On a rendez-vous ici à la médiathèque à 3h00....
Gabrielle: Pour travailler?
Cédric: Oui, on fait une recherche sur la Polynésie. On doit faire un exposé.

Extension Who is supposed to meet and what do they plan to do?

Points de départ

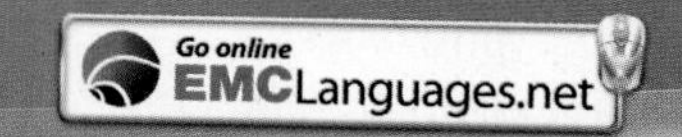

Question centrale

How does education shape individuals and societies?

À la cantine

Students in France often eat lunch in the school cafeteria, or **cantine**, but many also leave campus. Even students in **collège** can go off campus for lunch with their parents' permission. **Lycée** students don't need parental permission.

Meals served in the cantine consist of traditional French dishes, such as **pâté en croûte** (meat in pastry crust) or **quiche** (cheese and egg pie) for the first course, and **escalope de poulet à la strogonoff** (chicken Stroganoff) or **bœuf bourguignon** (beef stew) for the main dish. However, a movement now exists in France to teach students more about healthy eating with some schools making a commitment to serve only organic products.

Bread accompanies all meals in French school cafeterias.

Les chefs à l'école

In **les lycées hôteliers**, students train to work in the hotel-restaurant industry. Those who plan to become chefs learn to prepare gourmet dishes which are then served in the **cantine** to the student body. In addition to hands-on training, future chefs also have the opportunity to learn from master cooks with their own restaurants.

COMPARAISONS

What kind of food choices do students make at your school? What choices are the healthiest? Is your school committed to teaching students healthy eating habits?

La Francophonie

L'éducation au Mali

As in other parts of the francophone world, the Malian educational system inherited some principles from the French colonial system. Since its independence in 1960, Mali has initiated several educational reforms to educate its people. School is now compulsory from grades one through nine. However, for many, staying in school is a challenge due to economic circumstances. While 49% of the school-aged population attends primary school, only 13% go on to secondary school. There are several types of schools in Mali, ranging from public institutions; to schools that combine religious and secular instruction; to **écoles coraniques** where students learn to read, write, and recite passages from the Koran, the sacred book of millions of Muslims around the world.

Les mots d'origine française

Géraldine mange un croissant.

In the year 1066, a region in the northwestern part of France called Normandy conquered England. Consequently, about one third of all words in the English language have French origins. This means that students who want to learn French probably already know around 15,000 words! French terms are used to talk about government, law, art, literature, fashion, and cuisine. When you order a quiche, chicken fricassee, a croissant, or crepes, or cook with consommé or a bouquet garni, you are using words that have been borrowed from French. Do any of these other French words look familiar—a la carte, collage, ballet, café, chauffeur, fiancé, mousse? Can you think of more examples?

Search words: **french words in english**
borrowed words from french

7 Questions culturelles

Répondez aux questions.

1. Where do French students go to eat lunch?
2. What kind of food is served in French schools?
3. What is a **lycée hôtelier**?
4. How is the cafeteria food at a **lycée hôtelier** different from the food served in other French high schools?
5. What is **une école coranique**?
6. After what historic event did French words begin to appear in the English language?
7. What are three fields that use a lot of French terms?
8. What are four French words used in English?

Gratin dauphinois, a potato dish, is often served in French cantines.

À discuter

In what ways can schools help teach students healthy eating habits?

Du côté des médias

Lisez (Read) *le menu.*

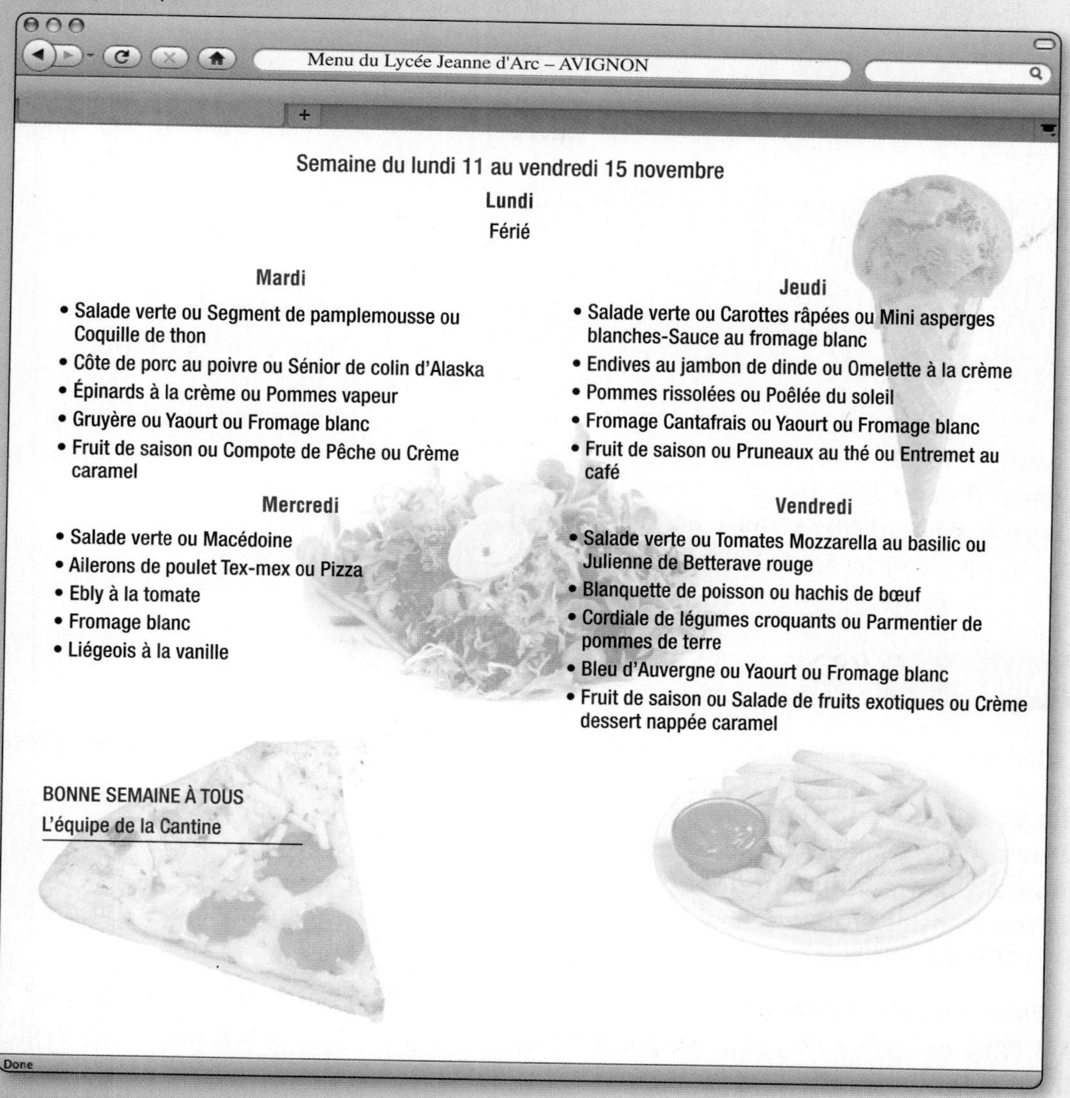
Menu du Lycée Jeanne d'Arc – AVIGNON

Semaine du lundi 11 au vendredi 15 novembre

Lundi

Férié

Mardi

- Salade verte ou Segment de pamplemousse ou Coquille de thon
- Côte de porc au poivre ou Sénior de colin d'Alaska
- Épinards à la crème ou Pommes vapeur
- Gruyère ou Yaourt ou Fromage blanc
- Fruit de saison ou Compote de Pêche ou Crème caramel

Mercredi

- Salade verte ou Macédoine
- Ailerons de poulet Tex-mex ou Pizza
- Ebly à la tomate
- Fromage blanc
- Liégeois à la vanille

Jeudi

- Salade verte ou Carottes râpées ou Mini asperges blanches-Sauce au fromage blanc
- Endives au jambon de dinde ou Omelette à la crème
- Pommes rissolées ou Poêlée du soleil
- Fromage Cantafrais ou Yaourt ou Fromage blanc
- Fruit de saison ou Pruneaux au thé ou Entremet au café

Vendredi

- Salade verte ou Tomates Mozzarella au basilic ou Julienne de Betterave rouge
- Blanquette de poisson ou hachis de bœuf
- Cordiale de légumes croquants ou Parmentier de pommes de terre
- Bleu d'Auvergne ou Yaourt ou Fromage blanc
- Fruit de saison ou Salade de fruits exotiques ou Crème dessert nappée caramel

BONNE SEMAINE À TOUS

L'équipe de la Cantine

Done

8 Le menu du Lycée Jeanne d'Arc

Répondez aux questions suivantes.

1. Why do you think there is no menu on Monday?
2. On what days is salad served?
3. On what day are carrots or asparagus possible choices other than salad?
4. On what day can students have pork for their main course?
5. How many choices do students get for the main course?
6. On what days is yogurt served?
7. What American influences do you see on the menu?
8. Are there any other foods on the menu you recognize?
9. How do these menus from a French cafeteria compare to your school menus?

La culture sur place

L'école en France et aux États–Unis

Introduction

You have learned a number of interesting facts about what it's like to go to school in France. Did any of these facts surprise you? Or, are French schools like you expected them to be? How does the French school experience compare with your own experience in the United States?

Read the list on the right that refers to French school traditions. What do you remember about each one? Review the **Points de départ** readings in Units 1 and 3 if you need help recalling information.

L'école en France

1. **la cour**
2. **la trousse**
3. **l'éducation en ligne**
4. **le bac**
5. **le mercredi après-midi**
6. **la cantine et la cuisine française**

9 Que sais-je?

Write what you remember about each tradition in the list above, then answer these questions:

- Do you have a tradition similar to this in your own school? If so, what is it? If not, have you ever heard of such a tradition before?
- How is this tradition different from your own school experiences?
- If you transferred to a school in France, would you easily adapt to this tradition or would it be difficult?

Share your thoughts about each tradition with a partner. On what points do you agree? On what points do you disagree? Can you persuade your partner to come around to your way of thinking, or do you simply have different values?

Taking Inventory

As we saw in **Unité 1**, your comfort level may vary when coming into contact with different aspects of cultures other than your own. Something that may affect your comfort level is how deeply a cultural behavior or product impacts your life. Your reaction may be quite different in situations where you can remain an observer than where the culture directly affects your experience.

10 Ma liste

Take a look again at the traditions listed above. If you were to move to France, which one would have the greatest impact on your life? Which one would have the least impact? Rewrite the list, ordering each tradition according to the affect it would have on you. Begin with the tradition that would affect you the most. Discuss your list with some classmates. Do you share the same views?

Present Tense of the Irregular Verb *aller*

Les ados vont à la discothèque.

The verb **aller** (*to go*) is an irregular verb. It's the only **–er** verb that is irregular.

aller			
je	**vais**	nous	**allons**
tu	**vas**	vous	**allez**
il/elle/on	**va**	ils/elles	**vont**

Comment **vas**-tu? *How are you?*

The verb **aller** has more than one meaning. It can be used:

1. to talk about going somewhere

   On **va** à l'école. *We're going to school.*

2. to talk about how things are going in general

   Ça **va**? *How are things going?*

   Comment **allez**-vous? *How are you?*

   Je **vais** très bien. *I'm very well.*

L'élève qui étudie la chimie va au labo.

11 Les notes

French students are graded on a point system, with 20 points being the top score. A score of 18 is considered excellent, 12-13 good, and anything under 10 is not passing. Say how the following students would respond to the question **Ça va?** based on their grade in math class. Possible answers are **Ça va très bien**, **Ça va bien**, and **Ça va mal**.

1. Fatima/19
2. Amélie/9
3. Timéo/12
4. Mehdi/8
5. Awa/7
6. Mathieu/18

12 Samedi

Dites où tout le monde va samedi et à quelle heure.

MODÈLE Nayah
Samedi Nayah va en ville à trois heures moins vingt-cinq.

1. Philippe

2. les filles

3. nous

4. tu

5. vous

6. je

13 On voyage en France!

Say that everyone is going from one city in France to another, following the indicated route on the map.

MODÈLE M. et Mme Carlson/Rennes
M. et Mme Carlson vont de Rennes à Brest.

1. Mlle Smith/Limoges
2. tu/Lyon
3. Shannon et Nicole/Dijon
4. je/Lille
5. Mark et toi, vous/Nice
6. Dan et Matt/Bordeaux
7. Ma mère et moi, nous/Paris

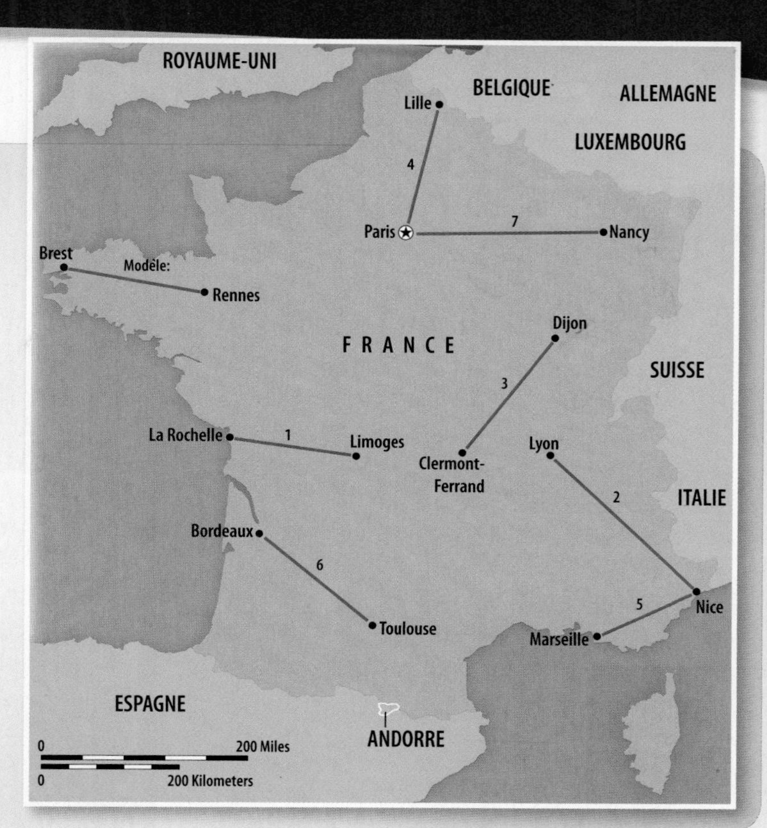

À + Definite Articles

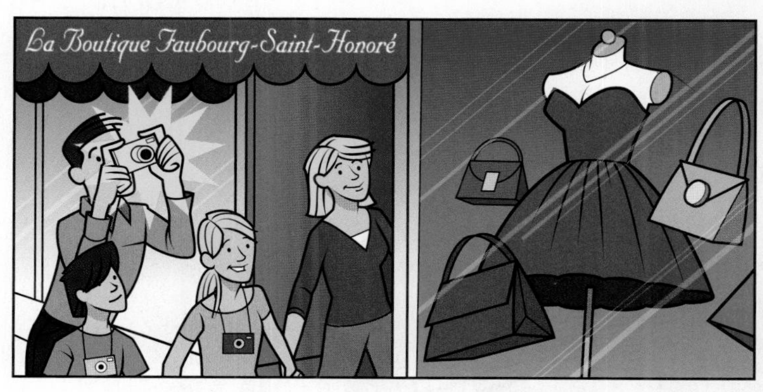

Les touristes vont au magasin de luxe.

The preposition **à** (*to, at, in*) does not change before the definite articles **la** and **l'**.

Nous allons **à la** piscine.	*We're going to the pool.*
Tu étudies **à la** médiathèque?	*You're studying in the media center?*

Before the definite articles **le** and **les,** however, **à** changes form:

à + le = au	*to (the), at (the), in (the)*
à + les = aux	*to (the), at (the), in (the)*

Paul mange un hamburger **au** café.	*Paul is eating a hamburger at the cafe.*
Vous allez **aux** magasins?	*Are you going to the stores?*

14 Ils sont où?

Dites où tout le monde est.

piscine café école labo
magasins médiathèque

1. J'étudie la chimie.
2. Vous étudiez.
3. Nous mangeons une pizza.
4. Ariane écoute la prof.
5. Tu fais du shopping.
6. Kemajou et Romain nagent.

Tu fais du shopping au magasin.

15 La journée scolaire de Karim

Dites où Karim va pendant sa journée scolaire.

1. 

2. 

3. 

4. 

5. 

6. 

7. 

Forming Questions with *est-ce que*

Avec qui est-ce que Renée va au cinéma?

To ask a question that can be answered by "yes" or "no":

1. Raise your voice at the end of a sentence.

   Camille a un cours de musique? — *Camille has a music class?*

2. Use the expression **est-ce que** before the subject of the sentence. **Est-ce que** has no meaning by itself; it serves only to change a statement into a question. Before a word beginning with a vowel sound, **est-ce que** becomes **est-ce qu'**.

   Est-ce que Khaled est français? — *Is Khaled French?*
   Est-ce qu'il aime jouer au foot? — *Does he like playing soccer?*

To form a question that asks for information, use a specific question word followed by **est-ce que**, a subject, and a verb.

Où est-ce que tu vas?	*Where are you going?*
Pourquoi est-ce que tu vas au magasin?	*Why are you going to the store?*
Quand est-ce que tu vas au magasin?	*When are you going to the store?*
Avec qui est-ce que tu vas?	*With whom are you going?*

16 Trouvez les questions!

A group of Tahitian teenagers is answering their friends' questions. Select the correct response to each question.

A. J'ai besoin d'une trousse.
B. On se retrouve à la médiathèque.
C. Nadine.
D. Elle est intéressante.
E. Je dois faire mes devoirs.
F. Il coûte 2,53 €.
G. Le mercredi à deux heures et demie.

COMPARAISONS

Look at the English translations of the questions asking for information. What rule do you follow for forming this type of question in English?

COMPARAISONS: To form questions using question words in English, put the question word at the beginning of the sentence before the inverted subject pronoun and verb.

17 Des questions!

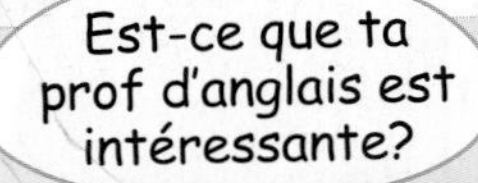

Est-ce que ta prof d'anglais est intéressante?

Oui, elle est intéressante.

Interpersonal Communication

Formez des questions avec ***est-ce que*** *et posez-les* (ask them) *à votre partenaire.*

1. Le français est intéressant.
2. Elle est américaine.
3. C'est un cours difficile.
4. Tu as une trousse.
5. Tu as un sac à dos.
6. Ton CD est total vintage.
7. L'école est géniale.

18 Mon portable

What question did you ask for each of these responses on your cell phone? State each question.

1. On se retrouve au café à 5h30.
2. Non, les cours sont difficiles.
3. Non, nous avons besoin d'aller au labo à 14h45.
4. Je vais à la cantine à 12h00.
5. Oui, j'ai un dico français-anglais.
6. Je vais au centre commercial avec Valérie.
7. Je vais à la piscine dimanche.
8. Je vais au magasin parce que j'ai besoin d'un cahier.

À vous la parole

Question centrale

How does education shape individuals and societies?

19 Robert Doisneau et la salle de classe d'hier

Presentational Communication

Use the key words **Robert Doisneau** and **école** to search the Internet for some of this famous photographer's images of children in French classrooms more than 50 years ago. Draw a Venn diagram and label the two circles **l'École d'aujourd'hui** and **l'École d'hier**. In the **l'École d'aujourd'hui** circle, list objects found in today's schools that you didn't see in Doisneau's photographs. In the **l'École d'hier** circle, list objects in the photographs that you wouldn't see in today's schools. List objects that would be found in both schools in the section where the circles intersect. Discuss your Venn diagram with that of your partner.

MODÈLE **Dans l'école d'hier il n'y a pas d'ordinateurs.**

Communiquez!

20 Le menu à la cantine

Presentational Communication

It is International Week at your school. Research foods from French-speaking countries to create a francophone menu for your school cafeteria. You might look for information on school websites in French-speaking countries, consult French restaurant menus online, or find recipes from different francophone countries. When creating your menu, make sure it is healthy and contains a variety of foods. List dishes according to courses (first course, main course, and dessert) and include some photos to show your classmates what they will be eating.

Bœuf bourguignon is a beef dish from Bourgogne, in the north of France.

21 Mon vocabulaire est abondant!

Presentational Communication

Do online research to find French words that are used regularly in English. List 30 of them, some that you already know and some that are new to you. Categorize each word according to the field in which it is used: politics, fashion, art, cuisine, etc. Then create a word cloud by hand or using an online program. Explain your word cloud to your partner or group.

Search words: french words in english
borrowed words

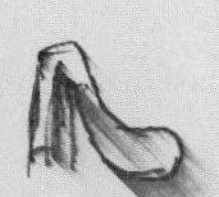

Lecture thématique

Le Petit Nicolas

Rencontre avec l'auteur

René Goscinny (1926–1977) is a French author, best known for his work on the comic books *Astérix* and *Lucky Luke*. In 1959, he published *Le Petit Nicolas*, a series of humorous children's stories about a little boy growing up in the 1950s. The stories interpret events from a child's viewpoint and poke fun at adult perceptions. The excerpt you are about to read takes place in an elementary school classroom. What is funny about the new student's name?

Pré-lecture

Tell a true or imaginary story about someone who joined a class as a new student.

Stratégie de lecture

Point of view

Point of view is the vantage point from which a story is told. It reflects the perspective of the person telling the story. In the first-person point of view, one of the characters tells the story and uses the pronoun "I." The reader only knows what the character knows or observes. In the third-person point of view, the narrator tells the story from outside the action and knows everything and uses "he" or "she." As you read, think about how the point of view shapes the story and how the story would be different told from someone else's point of view. As you read, fill in a chart like the one below, answering each question.

Questions	Réponses
1. Is the narrator a character in the story?	
2. Does the narrator comment on events in the story, or just tell what happens?	
3. Does the narrator tell the story from a first-person point of view, using words like **je**, **me**, **moi**, **nous**?	
4. Who is telling the story?	

Outils de lecture

Context clues

To understand words in context, take into account the words around the word whose meaning you are trying to figure out. In this reading, the teacher says, "**Dis ton nom à tes petits camarades**" to the new student. What would be one of the first things a teacher would do with a new student? Take these context clues into account: **Dis** means "says" and you know the meaning of **camarade (de classe)**. What does the teacher want the new student to say to his new classmates?

Nous avons un nouveau en classe. (...)

"Mes enfants," a dit* la maîtresse, "je vous présente un nouveau petit camarade. Il est étranger* et ses parents l'ont mis* dans cette école pour qu'il apprenne* à parler français." (...)

"Dis ton nom à tes petits camarades."

Le nouveau n'a pas compris*. (...) Comme le nouveau ne disait rien,* la maîtresse nous a dit qu'il s'appelait Georges MacIntosh.

"*Yes*," a dit le nouveau, Dgeorges.

"Pardon, mademoiselle," a demandé* Maixent, "il s'appelle Georges ou Dgeorges?"

La maîtresse nous a expliqué qu'il s'appelait Georges mais que dans sa langue, ça se prononçait Dgeorges.

"Bon," a dit Maixent, "on l'appellera Jojo."

"Non," a dit Joachim, "il faut prononcer Djodjo."

"Tais-toi* Djoachim," a dit Maixent et la maîtresse les a mis tous les deux au piquet.*

Pendant la lecture
1. What happened in class?

Pendant la lecture
2. Where is Georges from?

Pendant la lecture
3. What is funny to the French students about the new student's name?

Pendant la lecture
4. Why did the teacher punish Maixent and Joachim?

*__a dit__ *said*; **étranger** pas français; **l'ont mis** *put him*; **pour qu'il apprenne** *so that he can learn*; **n'a pas compris** *didn't understand*; **ne disait rien** *said nothing*; **a demandé** *asked*; **Tais-toi** *Shut up*; **les a mis tous les deux au piquet** *put both of them in the corner facing the wall*

Information scolaire, 1956. Robert Doisneau.

Post-lecture

Is the teacher's punishment of Maixent and Joachim fair? In what ways has classroom discipline changed since the 1950s?

Le monde visuel

French photographer Robert Doisneau (1912–1994) is known for his post-World War II black and white photos of Paris and its residents. A focal point in a work of art is the point the artist draws you to, for example, the lines of the walls draw your eyes to the bold cross in the window. Who is the main focal point in the photo? What is the boy's position in the photo? What is he concentrating on?

22 Activités d'expansion

1. Use the responses from your chart to write a paragraph describing the point of view Goscinny uses in this selection from *Le Petit Nicolas*.
2. Rewrite the classroom scene above from the teacher's or George's point of view, using the third-person or first-person point of view.
3. Write a scene for a play based on the selection. Include parts for a narrator, the teacher, Georges, Maixent, and Joachim. Perform your scene for the class.

Les copains d'abord: Conflit d'intérêt

T'es branché?

Projets finaux

A Connexions par Internet: Study Skills and Tools

How Can I Improve My French by Using Resources on the Internet?

To become more proficient in another language, you need to constantly practice and interact with people who speak the language. The Internet offers many opportunities to do just that. The following activity will help you design a personal action plan for practicing French. Here are some steps to follow to write a comprehensive plan:

1. Outline a personal goal for using Internet sites and activities to increase your language proficiency.
2. Practice listening to French. Listening to native speakers from different parts of the francophone world will help you increase your comprehension. Research five sites and/or activities that will help you practice listening to French. Write a brief description of each site.
3. Practice reading French. Reading different types of texts to get information and guessing the meaning of unknown words by using context clues are excellent language learning strategies. Research five sites where you can read different types of text in French. Write a brief description of each site.
4. Practice speaking French. There are many ways you can practice your speaking skills. You might make your own French podcast or join one of the many communities that connect students around the world. Research five sites and/or organizations where you can practice speaking and connecting with other French speakers. Write a brief description of each site.
5. Practice French grammar. Grammar provides the framework for a language, and it allows you to communicate accurately. French grammar will help you with basic survival and communicating in the language. Research five sites where you can practice and/or learn French grammar. Write a brief description of each site.
6. Learn French through the media and by exposing yourself to culture. French music, videos, e-zines, electronic books, movies, and many more types of media are available to you. Research five media or cultural sites and write a brief description of each one.

What has this activity taught you about learning French? Write a short paragraph about your experience.

B Communautés en ligne

Une vidéo de notre école

Your school has joined an international collaboration project called **Notre école**, or "Our School." Work with a group of four to five students to create a video showing what your school looks like and what it's like to study there. To produce your video, you will need to:

1. Film the outside of your school, the entrance, and several sites around the building(s). Show how students arrive at school and where they wait for classes to begin.
2. Film the inside of the school. Show some of the classrooms, the cafeteria, the gym, and the auditorium or theater.
3. Film the inside of a classroom. Show how the walls are decorated and what students have on their desks.
4. Write a script in French that describes everything you film and record it to accompany the images. You may want to rehearse filming so you can write the script ahead of time and record it as you film. Or, you may wish to do a voice-over.

Note: Be careful to film only students whose parents have provided permission for them to be in this movie. Also, never give out any personal information about a student. This includes the student's name, phone number, or e-mail address.

C'est où les autobus scolaires arrivent.

C'est la classe de maths.

C Passez à l'action!

Les élèves maliens sont dans la salle de classe.

Dons pour les écoles d'Afrique

Schools in many poor areas of French-speaking Africa often lack the necessary funds to provide all children with a quality education. Your French class has decided to help one of these schools in Mali, West Africa, by sending school supplies. To complete this project:

1. Create a country profile of Mali. Include the size of the population, its literacy rate, birth rate, per capita income, life expectancy, and facts about the geography of the country.
2. Find images of Mali's cities, people, food, buildings, famous sites, geography, etc.
3. Find the name of a school in Mali.
4. Share your research with others to better understand the country's and particular school's needs.
5. Consult with your teacher to find out how to send packages to Africa.
6. Make a list of people and organizations you might contact to help you carry out your project.
7. Make a list of the school supplies you would like to collect and the quantities of each one.
8. Decide how many of each item you need.
9. Plan an event to raise money for the supplies or for individuals to donate them.
10. Make arrangements to mail the supplies to the school in Mali.

D Faisons le point!

Question centrale

How does education shape individuals and societies?

Fill in a diagram like the one that follows to demonstrate your understanding of how education shapes individuals and societies. An example has been done for you.

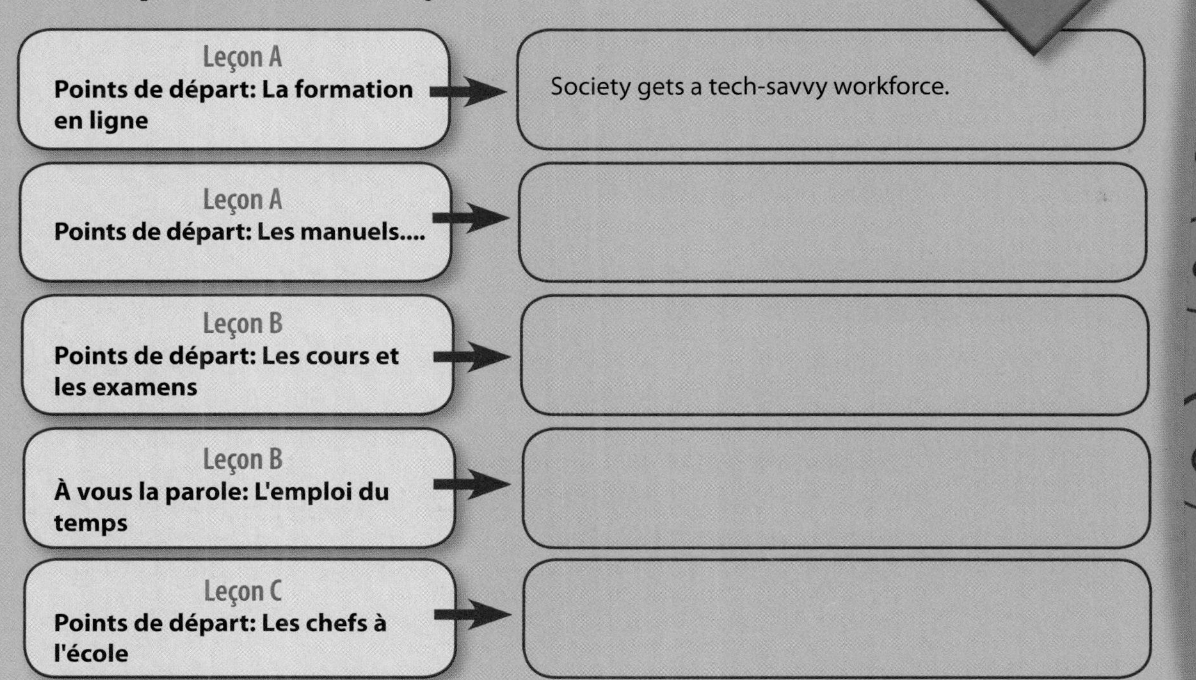

Leçon A
Points de départ: La formation en ligne
Society gets a tech-savvy workforce.
Leçon A
Points de départ: Les manuels....
Leçon B
Points de départ: Les cours et les examens
Leçon B
À vous la parole: L'emploi du temps
Leçon C
Points de départ: Les chefs à l'école

Évaluation

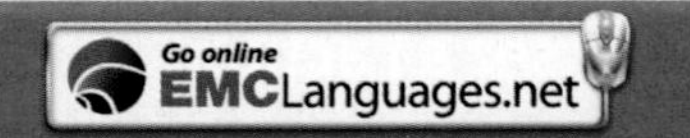

A Évaluation de compréhension auditive

Listen to the conversation between Félix and his mother. Choose the appropriate answer to the questions.

1. Qu'est-ce que Félix demande à sa mère?
   A. D'aller à la piscine.
   B. De jouer au foot avec son ami Karim.
   C. D'aller à Carrefour.

2. À quelle heure est-ce qu'il veut aller au magasin?
   A. À 4h30.
   B. À 5h30.
   C. À 6h30.

3. De quoi est-ce que Félix a besoin?
   A. De crayons, de stylos, de cahiers, d'un dictionnaire, et d'un cédérom.
   B. De crayons, de stylos, d'un cahier, de feuilles de papiers, et d'un cédérom.
   C. De crayons, de stylos, d'un cahier, de feuilles de papiers, et d'un ordinateur.

4. Pourquoi est-ce que Félix a besoin d'un cédérom?
   A. Pour le cours d'allemand.
   B. Pour le cours d'anglais.
   C. Pour le cours de français.

5. Combien coûte le cédérom?
   A. 49 €
   B. 59 €
   C. 69 €

6. Qu'est-ce que la mère de Félix décide de faire?
   A. Téléphoner au proviseur.
   B. Acheter le cédérom.
   C. Téléphoner au prof d'anglais.

B Évaluation orale

Students at your school just received class schedules for next fall. Work with a partner to compare your Monday schedules.

MODÈLE A: **Qu'est-ce que tu as à huit heures?**
B: **Moi, j'ai biologie à huit heures. Et toi, qu'est-ce que tu as à neuf heures moins cinq?**

C Évaluation culturelle

You will be asked to make some comparisons between francophone cultures and American culture. You may need to complete some additional research about American culture.

1. **Les cours**
   Compare the classes and schedules in French and American secondary schools. Do American and French students study the same subjects? Do their classes meet on the same days? Do their classes last the same amount of time?
2. **Les examens**
   Compare standardized testing in your school with standardized testing in French schools. Which educational system is more rigorous?
3. **Les noms des écoles**
   Compare the name of your school with the names of schools in France and other French-speaking countries. What field or discipline did the person your school is named after contribute to? What fields or disciplines are reflected in the names of francophone schools?
4. **Les dépenses**
   Compare the amount spent per pupil in France with the amount spent per pupil in your state. Which better funds the education of its children?
5. **Les cantines**
   Compare French and American cafeteria food. What conclusions can you draw about the type of food that is offered? Are there healthy choices on both American and French cafeteria menus?
6. **Les devises**
   Compare the coins and bills of French and American currency.

D Évaluation écrite

Your French teacher asks you to write a memo to new students to give them a better idea of what school will be like. Let them know what school supplies they need to buy, what classes the students have, how the teachers are, and where students go for lunch.

E Évaluation visuelle

Describe the French classroom. Tell what items appear in the room and where they are located in relation to each other, and what the teacher needs on her desk.

F Évaluation compréhensive

Create a storyboard with six frames. Write captions for each frame, telling about your or an imaginary character's day at school. Finally, share your story with a small group of classmates.

Vocabulaire de l'Unité 3

acheter to buy *A*
une **affiche** poster *A*
l' **allemand (m.)** German (language) *B*
alors so, then *C*
l' **anglais (m.)** English (language) *B*
l' **après-midi (m.)** afternoon *B*
les **arts plastiques (m.)** visual arts *B*
aux to (the) *C*
avoir to have *A*; **avoir besoin de** to need *A*
la **biologie** biology *B*
la **bleue** the blue one *C*
le **bureau** desk *A*; office *C*
un **cahier** notebook *A*
la **cantine** cafeteria *C*
ce (m.) this *C*
un **cédérom** CD *A*
cher, chère expensive *A*
chez: chez moi at home *C*
la **chimie** chemistry *B*
combien how much *A*; **Il coûte combien?** How much does it cost? *A*
coûter to cost *A*
dans in *A*
le **déjeuner** lunch *C*
délicieux, délicieuse delicious *C*
demi(e) half *B*; **et demi(e)** half past *B*; **Il est six heures et demie.** It is six thirty. *B*
derrière behind *A*
devant in front of *A*
difficile difficult *B*
drôle funny *B*
l' **école (f.)** school *A*
écrire to write *A*
l' **éducation physique et sportive (EPS) (f.)** gym class *B*
en in *A*; **en ville** downtown *C*
un **endroit** place *C*
énergique energetic *B*
l' **espagnol (m.)** Spanish (language) *B*
est-ce que (phrase introducing a question) *C*
être to be *B*
euh um *A*
un **euro** euro *A*
facile easy *B*
une **feuille de papier** sheet of paper *A*
le **français** French (language) *B*
la **France** France *A*

l' **heure (f.)** hour, time, o'clock *B*; **Quelle heure est-il?** What time is it? *B*
l' **histoire (f.)** history *B*
il y a there is/are *A*
l' **informatique (f.)** computer science *B*
intelligent(e) intelligent *B*
intéressant(e) interesting *B*
le **labo** lab *C*
la **langue** language *B*
le **magasin** store *C*
maintenant now *A*
mais but *A*
la **matière** class subject *B*
le **matin** morning *B*
midi noon *B*; **Il est midi.** It is noon. *B*
minuit midnight *B*; **Il est minuit.** It is midnight. *B*
les **notes (f.)** grades *A*
la **nuit** night *B*
où where *A*
parce que because *B*
peut can *C*
la **physique** physics *B*
la **piscine** swimming pool *C*
pour for *A*
prends: je prends (see **prendre**) I'll take *A*
un **proviseur** principal *C*
puis then *C*
un **quart** quarter *B*; **et quart** a quarter past *B*; **moins le quart** a quarter to *B*
qui who, that *B*
quoi what *B*
retrouve: on se retrouve.... we'll meet.... *C*
rien: ne (n')... rien nothing *C*
un **sac à dos** backpack *A*
une **salle** room *A*; **une salle de classe** classroom *A*
les **sciences (f.)** science *B*
sous under *A*
tahitien(ne) Tahitian *B*
total: Total vintage! It has a totally vintage look! *A*
une **trousse** pencil case *A*
une **ville** city *C*; **en ville** downtown *C*
voir to see *C*
y: On y va? Are we going there? *C*

Classroom... see p. 108
Numbers 20–100... see p. 109
Places in school... see p. 137

Unité

4 Le weekend ensemble

Rendez-vous à Nice!

Épisode 4:

Cours de salsa!

Go online EMCLanguages.net

Citation

"L'amitié n'exige rien en échange, que de l'entretien."

Friendship doesn't require anything in exchange, except for being nurtured.

Georges Brassens—auteur, compositeur, chanteur français

À savoir

The city of Paris has approximately 10,000 cafés.

Unité 4

Le weekend ensemble

Question centrale
What activities do friends in other countries do together?
Go online
EMCLanguages.net
Why is Chadia's mom upset?
A. Her daughter wants to move out.
B. Her daughter wants to quit school.
C. Her daughter wants to date someone.
Which famous writers frequented this Parisian café?
LES DEUX MAGOTS

Contrat de l'élève

Leçon A **I will be able to:**

- make plans, setting the time and place to do something.
- talk about soccer in France and a famous French soccer player.
- talk about the future using **aller** + infinitive and form questions using inversion and **n'est-ce pas**.

Leçon B **I will be able to:**

- order food and drinks in a café and ask for the bill.
- talk about **le fast-food** and famous cafés in France.
- use the verb **prendre** and the expressions **avoir faim/soif**.

Leçon C **I will be able to:**

- make and respond to predictions.
- talk about the history of cinema in France and some popular comedies.
- use all forms of **quel** and **voir**.

Leçon A

Vocabulaire actif

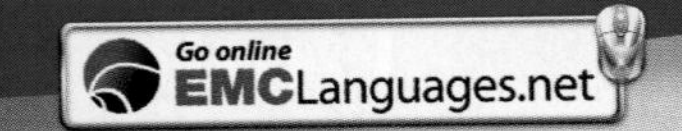

Le football

Franck Ribéry joue au foot pour l'équipe Bayern Munich.

Bayern Munich joue **contre** Lyon au stade.

Ribéry **marque un but**!

Est-ce que Bayern Munich va **gagner** ou **perdre**?

une bouche de métro

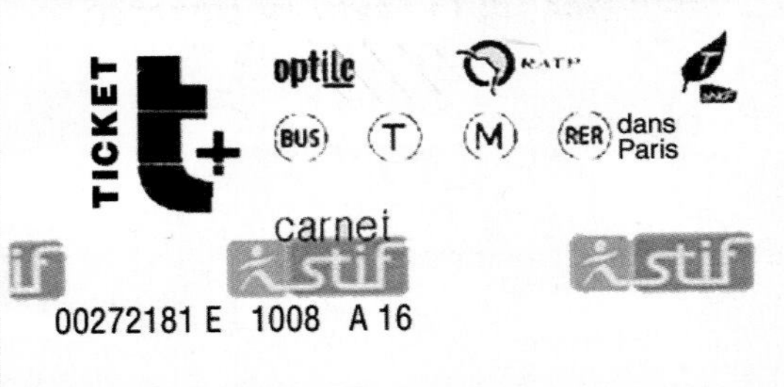

un ticket de métro

Pour la conversation

How do I give a reason?

› Je vais soutenir Marseille **parce qu'ils sont les meilleurs.**

I'm going to support Marseille because they're the best.

How do I set a time and place to meet someone?

› **Rendez-vous à** 3h00 **devant** la bouche du métro.

Let's meet at 3:00 in front of the subway entrance.

How do I suggest a different time?

› **Disons** 3h15.

Let's say 3:15.

Et si je voulais dire...?

un abonnement	*season tickets*
un club	*soccer association*
des gants (m.)	*gloves*
un siège	*seat*
un supporter	*fan*
un survêtement	*track suit*
le vestiaire	*locker room*

1 Un fan se prépare pour le match.

Malick has all his clothing and equipment laid out in preparation for getting dressed for today's game. Tell where the first item is in relation to the second.

MODÈLE ballon de foot/écharpe
Le ballon de foot est sur l'écharpe.

1. tickets/casquette
2. chaussettes/chaussures
3. écharpe/ballon
4. blouson/chaise
5. maillot/écharpe

2 Un fan de foot

Lisez le paragraphe. Ensuite, identifiez la personne décrite (described).

Amadou est un supporter de l'équipe de Marseille. Il est au stade avec sa copine Béatrice. Il a le blason de l'équipe sur sa casquette et son maillot. Il aime beaucoup regarder les matchs de football. Pas Béatrice. Pour elle, le foot n'est pas intéressant. Mais Amadou est content! Pourquoi? Un footballeur marque un but, et l'équipe de Marseille gagne!

1. Cette personne aime beaucoup l'équipe de Marseille.
2. Cette personne n'aime pas le foot.
3. Cette personne est contente que l'équipe de Marseille gagne.
4. Cette personne a une casquette et un maillot avec le blason de l'équipe de Marseille.
5. Cette personne regarde le match au stade.

3 Mélanie fait du shopping.

Mélanie is shopping at a sporting goods store. Write the name of the person she is shopping for and what she is buying in English.

4 Des vêtements pour le match de football

Alex et Philippe vont au match de football. Qu'est-ce qu'Alex va acheter pour s'habiller comme (to dress like) *Philippe?*

MODÈLE **Alex va acheter des chaussures à la boutique du PSG.**

Communiquez!

5 Où? Quoi? Pourquoi?

Interpersonal Communication

À tour de rôle, demandez où va votre partenaire et pourquoi. Utilisez les éléments donnés dans chaque colonne pour créer vos conversations. (With a partner, take turns asking each other where you are going and why. Use information from each column in your conversations.)

Où?	Pourquoi?
au café	pour soutenir le club
en ville	j'aime nager
à la piscine	c'est un bon café
à Carrefour	mon cours est difficile
au stade	c'est génial
à la médiathèque	je dois faire mes devoirs
au bureau du proviseur	j'aime faire du shopping

MODÈLE

A: **Où est-ce que tu vas?**
B: **Je vais au café.**
A: **Pourquoi est-ce que tu vas au café?**
B: **Parce que c'est un bon café!**

Communiquez!

6 Questions personnelles

Interpersonal Communication

Répondez aux questions.

1. Est-ce que tu aimes bien le football?
2. Est-ce que tu vas au stade pour regarder des matchs?
3. Qui achète les tickets?
4. Tu portes une écharpe quand tu regardes un match au stade?
5. Est-ce que tu as le maillot d'une équipe américaine?

Rencontres culturelles

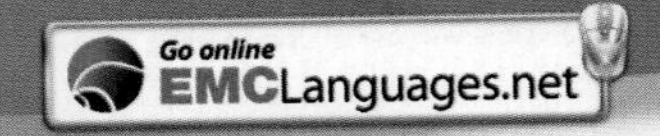

On va au match de foot!

Maxime and Julien are shopping online.

Julien: Le maillot là, il coûte combien?
Maxime: Il est en solde... 38 euros.
Julien: C'est un peu cher, n'est-ce pas? Donc, j'achète un blason pour mon blouson.
Maxime: Allons-nous au stade voir le match de PSG contre Marseille?
Julien: Parce que tu veux voir perdre le PSG!
Maxime: Je vais soutenir l'équipe de Marseille parce qu'ils sont les meilleurs!
Julien: Bon, rendez-vous à 3h00? Je vais t'attendre devant la bouche du métro.
Maxime: Disons 2h45. Je vais porter mon maillot de Marseille!
Julien: Ça ne me surprend pas. Tu achètes les tickets sur Internet, et je te rembourse après?

7 On va au match de foot!

Répondez aux questions.

1. Qu'est-ce que Julien désire acheter?
2. Ça coûte combien?
3. Qu'est-ce qu'il achète?
4. Où est-ce qu'ils vont pour regarder le match de PSG?
5. Qui est un supporter du PSG? de Marseille?
6. Où est-ce que Julien va attendre Maxime?
7. Qu'est-ce que Maxime va porter au match?

Extension **Le petit Napoléon**

Dans le métro, Léa et Quentin parlent d'un match à la télé.

Léa: Et le match dimanche?
Quentin: Génial! Ribéry est un footballeur fantastique!
Léa: C'est vrai qu'on l'appelle "le petit Napoléon" au Bayern de Munich?
Quentin: Oui, les supporters l'adorent.
Léa: Et il a marqué?
Quentin: Comme d'habitude... un but et une passe décisive. Et le but, de la folie!
Léa: On va voir ce qu'il va faire avec l'équipe de France....

Extension What remains undecided about Ribéry?

Points de départ

Question centrale

What activities do friends in other countries do together?

Le foot en France

Soccer has been a popular sport in France since 1880. Major cities, such as Marseille, Lyon, Bordeaux, Toulouse, Paris, and Lille, have their own professional soccer teams, or clubs. Amateur teams for both men and women, and for of all ages, exist in communities large and small. Schools in France do not organize competitions for soccer or any other sport. Young people can begin playing competitively at age 14. Soccer also has the largest television following of any sport in France. Some 21 million viewers tuned in to watch the last **Coupe du monde**, or World Cup, finals.

Search words: ca montrichard, club de football

Océane enjoys playing soccer in France.

Produits

All media outlets in France cover soccer. There are newspapers like *L'Équipe*, magazines like *Onze*, TV programs such as "Jour de foot," and radio shows like "Le grand direct" to give soccer die-hards all the details they could want.

COMPARAISONS

What is the most popular sport in the United States according to ticket sales and/or TV viewership?

Les clubs de foot

Two soccer clubs have ruled the sport in France: the **Olympique Lyonnais**, from the city of Lyon, and the national French team, nicknamed **Les Bleus**. The **Olympique Lyonnais** have gained fame by dominating their national league (**Ligue 1**) in recent years while **Les Bleus** have performed well internationally, winning the World Cup in 1998 and coming in second place in 2006. **Les Bleus** also won the European Championship in 1984 and 2000. France is one of only seven countries to have won the World Cup in soccer since the tournament began in 1930.

Les Bleus, the famous 1998 **Coupe du Monde** winners, include Zinédine Zidane (10), Fabien Barthès (16), and Lilian Thuram (15).

Search words: olympique lyonnais site officiel, équipe de france, coupe du monde 1998

Les meilleurs joueurs de foot

Michel Platini, Éric Cantona, Zinédine Zidane, Thierry Henry, and Franck Ribéry are considered some of France's most outstanding players in recent years. Ribéry is considered the best French player today and attracts thousands of fans wherever he plays. An athlete known for his speed and technique, he scored the fastest goal ever, after only 13 seconds of play. In both league and international games, Ribéry often scores the deciding goal that takes his team to victory.

Search words: franck ribéry photos, vidéo, biographie

8 Questions culturelles

Répondez aux questions.

1. How long has soccer been a popular sport in France?
2. What types of soccer teams are there in France?
3. What is the name of the latest soccer team to dominate national French soccer?
4. In what year did the French national team win the World Cup?
5. What famous French soccer player scored the fastest goal ever?

À discuter

How do you balance competition and teamwork in your life?

Another name for **un club de foot** is **une association de football.**

Du côté des médias

Lisez le programme.

GRILLE DES PROGRAMMES

LUNDI 28/06 | MARDI 29/06

semaine précédente matin | midi | après-midi | soirée | Tous | Imprimer semaine suivante

EUROSPORT

18:05 FOOTBALL LIVE
FOOTBALL : Soccer City Flash (10mn)

18:15 FOOTBALL
FOOTBALL: Coupe du Monde, Afrique du Sud - Matches de poule: Portugal - Brésil (45mn)

19:00 FOOTBALL LIVE
FOOTBALL : ONZE DIT TOUT (1h15mn)

20:15 MOTO
MOTO GP : Grand Prix des Pays-Bas à Assen - 125cc (45mn)

21:00 MOTO
MOTO GP : Grand Prix des Pays-Bas à Assen (45mn)

21:45 MOTO
MOTO GP : Grand Prix des Pays-Bas à Assen - Course MotoGP (45mn)

22:30 SPORTS MECANIQUES
SPORTS MECANIQUES : Motorsports Weekend - Un point complet sur l'actualité des grandes compétitions de sports mécaniques diffusées sur Eurosport : FIA WTCC, Champ Car World Series, WRC, GP 2 Series, MotoGP... (20mn)

22:50 SUPERBIKE
SUPERBIKE : Championnat du Monde à Misano, San Marin - 2ème manche (40mn)

23:30 FOOTBALL LIVE
FOOTBALL : Soccer City LIVE (30mn)

EUROSPORT 2

18:00 INFORMATIONS LIVE
INFORMATIONS : Eurosport 2 News - Les toutes dernières news. (30mn)

18:30 ENDURO
ENDURO: Championnat du Monde à Kwidzyn, Pologne (30mn)

19:00 AUTO
AUTO: MEGANE TROPHY à Magny-Cours, France (30mn)

19:30 INFORMATIONS LIVE
INFORMATIONS : Eurosport 2 News - Les toutes dernières news. (30mn)

20:00 SPORTS EXTREMES
SPORTS EXTREMES: à Boston, Etats-Unis - 2ème journée (1h30mn)

21:30 SUPERBIKE
SUPERBIKE : Championnat du Monde à Misano, San Marin - 2ème manche (1h)

22:30 FOOTBALL AUSTRALIEN
FOOTBALL AUSTRALIEN : Le Magazine - Toute l'actualité de l'Australian Football League : Résultats et classement, interviews, reportages... (1h)

23:30 INFORMATIONS LIVE
INFORMATIONS : Eurosport 2 News - Les toutes dernières news. (30mn)

Ex.: Football, Ligue des Champions, Eurogoals ...

OK

BONUS EUROSPORT PLAYER

ATP Masters Guinot Mary Cohr 19-21/05
-19.05: 13:00/20:00. -20.05: 13:00/18:00. -21.05: 13:00/18:00.

WTA Varsovie 20-22/05
-17.05: 11:00/15:00. -18.05: 11:00/17:00. -19.05: 11:00/17:00. - 20.05: 11:00/17:00. -21.05: 11:00/17:00. -22.05: 11:30/ 14:30

Première Ligue Russe
-06/05: Zenit/ Spartak Nakchik - 16:45. -07/05: Highlights - 10:50. - 10/05:CSKA/Terek - 12:00. -11/05: Spartak Nalchik/ Lokomotiv - 16:15. - 12/05: Highlights – 10:50.

Giro - 08-30/05
-08/05: 15:30/19:00. -09/05: 14:00/18:30. -10/05: 13:30/18:00. - 12/05: 14:30/18:30. -13/05: 14:30/18:30. -14/05: 14:30/18:30. - 15/05: 14:30/18:30. -16/05: 14:00/18:30. -17/05: 14:30/18:30. - 18/05: 14:30/18:30. -19/05: 14:00/18:30. -20/05: 14:30/18:30. - 21/05: 14:30/18:30. -22/05: 14:00/18:30. -23/05: 14:00/18:30. - 25/05: 14:30/18:30. -26/05: 14:30/18:30. -27/05: 14:30/18:30. - 28/05: 14:00/18:30. -29/05: 14:00/18:30. -30/05: 14:00/19:00.

9 Les sports à la télé

Répondez aux questions.

1. How many soccer programs are there on the Eurosport channels?
2. How many motorcycle shows are there on Eurosport?
3. How many cycling shows are there on Eurosport?
4. At what times can you listen to sports news on Eurosport 2?
5. Eurosport 2 features football from which country at 22h30?
6. What words would you enter to search for a program about the World Cup?

There are over 20 motorcycle races per year in France.

Structure de la langue

Aller + Infinitive

To say what you are going to do in the near future, use a present tense form of **aller** followed by an infinitive.

aller +	infinitif
going to +	Infinitive

Karim va gagner le match?

Qu'est-ce que tu **vas faire**? — *What are you going to do?*
Je **vais aller** au match. — *I'm going to go to the game.*

To say what you are not going to do, put **ne (n')** before the form of **aller** and **pas** after it.

Xavier **ne** va **pas** porter le maillot. — *Xavier isn't going to wear the jersey.*

10 C'est le weekend!

C'est le weekend! Choisissez la lettre de l'image qui correspond à chaque activité que vous et vos amis allez faire.

A. 

B. 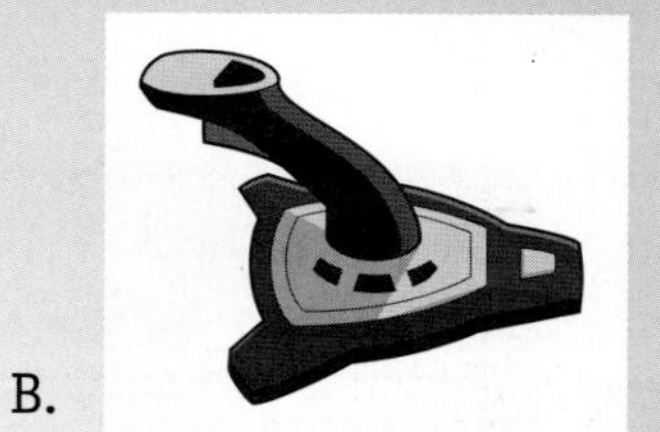

C. 

D. 

E. 

F. 

COMPARAISONS

In French, the near future is expressed with aller + infinitive. How is the near future expressed in English?

Sarah va porter un blouson.
Sarah is going to wear a jacket.

COMPARAISONS: In English the near future is also expressed with a conjugated verb followed by an infinitive.

11 Au stade 

Indiquez les articles de la boutique du PSG que les personnes suivantes vont porter au match de football demain. (Say what items from the PSG boutique the following people are going to wear to the soccer game tomorrow.)

MODÈLE Hugo
Hugo va porter des chaussettes.

1. Sabrina

2. Antoine et moi, nous

3. Madame, vous

4. Justin et Karim

5. Rosalie et Valérie

6. Moi, je

7. Toi, tu

Communiquez!

12 Qu'est-ce qu'on va faire ce weekend? 

Interpersonal Communication

À tour de rôle, demandez à votre partenaire ce qu'il ou elle va faire et ne va pas faire ce weekend.

MODÈLE regarder un match au stade/écouter de la musique
A: **Est-ce que tu vas regarder un match au stade?**
B: **Non, je ne vais pas regarder un match au stade. Et toi, est-ce que tu vas écouter de la musique?**
A: **Oui, je vais écouter de la musique.**

1. regarder la télévision/sortir samedi soir
2. faire les devoirs/jouer aux jeux vidéo
3. aller au ciné/envoyer des textos
4. nager/plonger
5. aller à la médiathèque/faire du roller
6. jouer au basket/faire du footing

13 Pendant les vacances

Dessinez un symbole pour six activités que vous allez faire pendant les vacances (while on vacation). *Votre partenaire va deviner* (guess) *ces activités. Chaque fois que vous ou votre partenaire devine une activité, cette personne gagne un point. La personne qui gagne le plus de points gagne le jeu.*

MODÈLE A: **Tu vas aller au cinéma?**
B: **Oui, je vais aller au cinéma./Non, je ne vais pas aller au cinéma.**

Forming Questions

- **n'est-ce pas**

One way to ask a question in spoken French is to add the expression **n'est-ce pas** to the end of a sentence. **N'est-ce pas** means "isn't that so" but may be interpreted in various ways, depending on context. It is usually a question answered by saying **oui** or **non**.

Chloé va-t-elle plonger?

C'est toujours un peu cher, **n'est-ce pas**?	*It's still a bit expensive, isn't it?*
On aime beaucoup les soldes, **n'est-ce pas**?	*We like sales a lot, don't we?*

• **inversion**

A more formal way to ask a question in French, especially in written French, is to invert, or reverse the order of the verb and its subject pronoun. With simple inversion, the order is:

verb - subject pronoun

Fait-il mauvais aujourd'hui? [t]	*Is the weather bad today?*
As-tu besoin d'aller à la médiathèque?	*Do you need to go to the media center?*

Note that a hyphen connects the verb and its subject pronoun.

Inverting the subject pronoun **je** and its verb is not common. Instead, use **est-ce que** or raise your voice at the end of a sentence to form a question with **je**.

Est-ce que **j'**ai besoin d'un ticket?	*Do I need a ticket?*

When **il**, **elle**, or **on** are the subjects of a question and the verb form ends in a vowel, add a **t** between the verb and its subject pronoun. This **t** [t] is pronounced.

Quand porte**-t-**il le blason?	*When does he wear the team logo?*

If the subject of the sentence is a noun, add the appropriate pronoun after the verb. This pronoun agrees with the subject noun in gender and in number.

Les footballeurs portent**-ils** [t] le maillot bleu pour le match?	*Do the soccer players wear the blue jersey for the game?*
Sonia va-t**-elle** [t] acheter un ballon de foot?	*Is Sonia going to buy a soccer ball?*

COMPARAISONS

Does inversion ever occur when forming questions in English?

You are hungry.
Are you thirsty too?

Marcel va-t-il marquer un but?

COMPARAISONS: Inversion occurs in question formation in English also, with the subject pronoun and verb being switched around from a normal declarative sentence: subject + verb + object.

14 Nous allons au stade!

Your friend is gathering things to bring to the French soccer game. Make sure he or she isn't forgetting anything essential!

MODÈLE **Tu as le blason, n'est-ce pas?**

1. 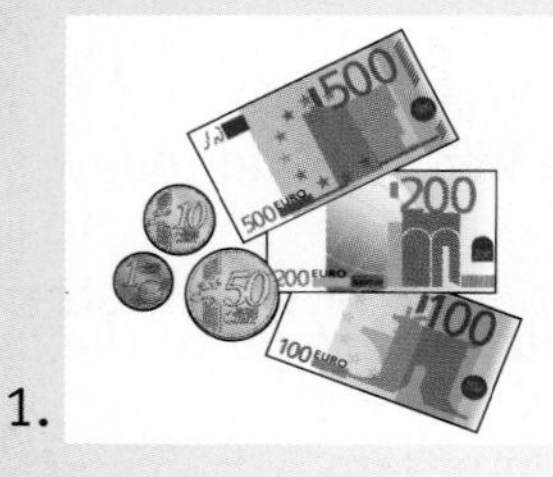

2. 

3. 

4. 

5. 

6. 

15 Formons des questions!

Utilisez l'inversion pour changer les phrases en questions. (Use inversion to turn the statements into questions.)

1. Vous allez au cinéma vendredi soir.
2. Nous jouons aux jeux vidéo.
3. Elle étudie la biologie au labo.
4. Tu vas au match de basket.
5. Ils envoient des textos à la cantine.
6. Il joue au foot samedi.
7. Nous écoutons la prof d'histoire.
8. M. Michaud est intéressant.

L'équipe va-t-elle perdre? Non, elle ne va pas perdre.

16 Pardon?

Votre partenaire n'entend rien au stade. Répétez chaque question en utilisant l'inversion. Ensuite, changez de rôles. (Your partner can't hear well in the stadium. Repeat each question below using inversion. Then, switch roles.)

MODÈLE A: **Tu joues au football?**
B: **Pardon?**
A: **Joues-tu au football?**

1. Tu as un ballon de foot?
2. Les footballeurs portent des casquettes?
3. La prof d'anglais va aller au stade?
4. Tu voudrais aller voir l'équipe après?
5. L'équipe va perdre?

À vous la parole

Question centrale

What activities do friends in other countries do together?

17 Combien d'euros pour soutenir mon équipe?

Interpersonal Communication

You and a friend meet to go shopping at a French sporting goods store. In your conversation:

- greet each other.
- ask each other how things are going.
- find out what sports the other person likes.
- find out each other's favorite team.
- talk about what items you want to buy.
- say what you are going to buy and tell how much the items cost.
- tell each other good-bye.

18 Je suis un fan!

Presentational Communication

Soccer is popular all around the world, and there are many professional teams in French-speaking countries. Start a collection of soccer trading cards by making two of your own.

1. Look online at examples of soccer trading cards.
2. Research a player on the French national team (**Les Bleus**).
3. Find a player from another francophone country, such as Senegal, Mali, or Algeria.
4. In French, write down each player's name, age, birthday, hometown, team name, position played, and other information you might find on a trading card.
5. Now make two cards. On one side, draw or glue a picture of the player. On the other side, write the information you found in French. Make copies of each card to post or trade with other students.

Prononciation

Intonation

- In a sentence or clause, intonation rises or falls on the last syllable.

A Les films

Repeat each pair of sentences. Pay close attention to the difference in intonation between the statement and the question in each pair.

1. C'est un film policier. — Tu aimes les films policiers?
2. C'est une comédie. — Tu aimes les comédies?
3. C'est un film d'action. — Tu aimes les films d'action?
4. C'est un thriller. — Tu aimes les thrillers?

B Au café

Repeat each pair of sentences, noting the slight rise in intonation in the middle of the second sentence.

1. Je voudrais un sandwich. — Je voudrais un sandwich, s'il vous plaît.
2. Je voudrais un coca. — Je voudrais un coca, s'il vous plaît.
3. Je voudrais un café. — Je voudrais un café, s'il vous plaît.
4. Je voudrais une omelette. — Je voudrais une omelette, s'il vous plaît.

The Nasal Sound /ɛ̃/, as in *le pain*

- The nasal sound /ɛ̃/ can be spelled **ain** or **in**. The **n** is not pronounced unless it occurs at the end of a word and the next word begins with a vowel.

C Expressions nasales

Repeat the words and phrases that you hear.

1. copain – matin – faim
2. Vers cinq heures. Vers quinze heures. Vers vingt heures.
3. alpin – demain

- With names, the **n** at the end is not pronounced, even if it is followed by a vowel, for example, **Justin est un copain.**

D Les nationalités

*Listen to the last vowel sound in these words and write **M** if it is nasal to indicate a masculine adjective of nationality. If the end vowel is not nasal, write **F** to indicate a feminine adjective.*

Vocabulaire actif

Au café

avoir faim/avoir soif

J'ai faim.

J'ai soif.

un sandwich au jambon

une omelette

une quiche

un steak-frites

les desserts (m.):

une glace au chocolat

une crêpe

les boissons(m.):

un coca

un café

100	cent
101	cent un
102	cent deux
200	deux cents
201	deux cent un
202	deux cent deux
300	trois cents
400	quatre cents
500	cinq cents
600	six cents
700	sept cents
800	huit cents
900	neuf cents
1.000	mille

Pour la conversation

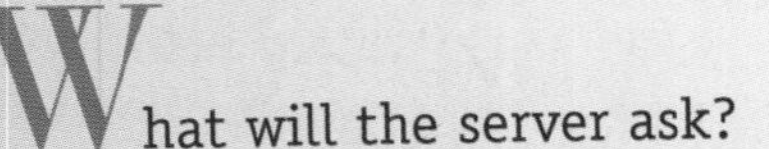

What will the server ask?

> **Vous désirez?**
> *What would you like?*

> **Et comme** boisson?
> *And to drink?*

How do I order in a café or restaurant?

> **Donnez-moi** la spécialité du jour.
> *Give me the daily special.*

> **Je vais prendre** le menu fixe.
> *I'll take the fixed-price menu.*

How do I ask for the bill?

> **L'addition, s'il vous plaît.**
> *The bill, please.*

Et si je voulais dire...?

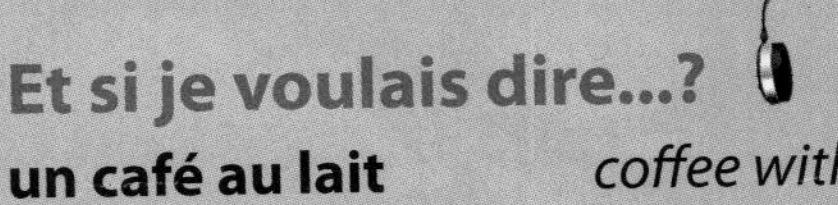

un café au lait	*coffee with milk*
un citron pressé	*lemonade*
un lait chocolat	*chocolate milk*
une menthe à l'eau	*water with mint flavored syrup*
un Orangina	*orange soda*
un thé	*tea*
un croque-madame	*croque-monsieur with egg on top*
un sandwich au pâté	*pâté sandwich*
Vous avez choisi?	*Have you decided?*

1 Avez-vous faim? Avez-vous soif?

Ces personnes ont faim et/ou soif. Écrivez la lettre de l'image qui correspond à chaque phrase.

A. 

B.  

C.   

D.  

E.  

1. Martine a soif.
2. Claude a très soif.
3. J'ai faim.
4. Tu as faim et soif.
5. Bruno a très faim.

Chloé et Martin ont-ils faim ou soif?

2 Une fête chez Jérémy

Écrivez ***A*** *si la personne à la fête de Jérémy a soif ou* ***B*** *si elle a faim.*

A. La personne a soif.
B. La personne a faim.

3 Au Café du Sport

Imagine you are the server at the café. Write down a list of what everyone is ordering to take to the kitchen.

Martine et moi, nous allons prendre des sandwichs au jambon et des limonades. Karim va prendre une quiche et un coca. Saleh et Justine vont prendre des crêpes et des cocas. Tu vas prendre un croque-monsieur et un café. Marie-Alix va prendre un steak-frites et une eau minérale.

4 La commande

Dans votre groupe, donnez votre commande (order) *au serveur.*

MODÈLE **Je vais prendre un hamburger et des frites.**

1.

2.

3.

4.

5.

6.

7.

5 Problèmes de maths

Donnez les solutions à ces problèmes mathématiques.

MODÈLE 342 + 651 = 993
neuf cent quatre-vingt-treize

1. 285 – 137 = ?
2. 178 + 602 = ?
3. 202 – 101 = ?
4. 433 + 141 = ?
5. 113 + 257 = ?
6. 314 + 553 = ?
7. 979 – 389 = ?
8. 543 + 457 = ?
9. 678 + 221 = ?
10. 276 + 178 = ?
11. 745 + 133 = ?

6 De nouveaux cafés

The owners of four new cafés need to buy **chaises**, **tables**, and **parasols** (*umbrellas*). Write out the total cost in euros of these items.

MODÈLE

73 chaises @ 12€
24 tables @ 20€
24 parasols @ 31€
Total
9/11/13 16h26

Les chaises coûtent huit cent soixante-seize euros, les tables coûtent quatre cent quatre-vingt euros, et les parasols coûtent sept cent quarante-quatre euros.

1. Café Bernard

42 chaises @ 11€
11 tables @ 23€
11 parasols @33€
Tot
3/2/13 13h48
SERVICE IS NOT INCLUDED
THANK YOU

2. Café Toulon

110 chaises @ 7€
30 tables @ 21€
30 parasols @ 19€
Tot
15/11/13 9h50
SERVICE IS NOT INCLUDED
THANK YOU

3. Café Grand Prix

25 chaises @ 17€
5 tables @ 26€
5 parasols @ 35€
total
21/11/13 18h50

7 Questions personnelles

Interpersonal Communication

1. Tu aimes aller au café?
2. Qu'est-ce que tu manges au café?
3. Tu préfères un sandwich ou un hamburger?
4. Qu'est-ce que tu aimes comme boisson?
5. Est-ce que tu préfères un coca ou une limonade?
6. Qu'est-ce que tu aimes comme dessert?
7. Tu préfères une glace au chocolat ou une glace à la vanille?

Rencontres culturelles

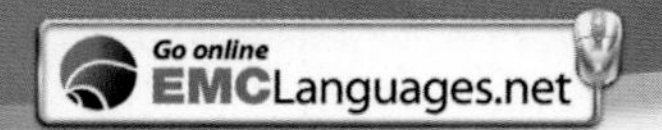

Bon appétit!

Camille and Yasmine are at the café.

Camille: Tu as faim?
Yasmine: Un peu, mais j'ai surtout soif.
Serveuse: Vous désirez?
Yasmine: Un jus d'orange, mais on va regarder la carte....
Camille: Et moi un coca. Ah, je sais, donnez-moi un croque-monsieur avec... une salade et des frites, s'il vous plaît.
Yasmine: Tout ça? Bon, alors moi, je vais prendre un sandwich au fromage.

Serveuse: Voilà, mesdemoiselles. Bon appétit!
Y et C: Merci.

Serveuse: Des desserts?
Camille: Oh! Oui... une crêpe à la confiture.
Yasmine: Euh non. Pour moi, rien merci... enfin si... je prends une glace à la vanille.
Serveuse: Très bien.

8 Bon appétit!

Répondez aux questions.

1. Où sont Camille et Yasmine?
2. Est-ce que Yasmine a très faim?
3. Qu'est-ce qu'elle va prendre?
4. Qu'est-ce que Camille va prendre?
5. Les filles vont prendre quels desserts?

Extension Le restaurant du coin

Nicolas a invité (*has invited*) Marie à manger dans un restaurant du quartier.

Nicolas: Alors, poisson ou viande?
Marie: Poisson.
Nicolas: Menu ou plat du jour?
Marie: Plat du jour: la bouillabaisse!
Nicolas: Pour moi, le menu—la salade grecque, les côtes d'agneau. J'ai très, très faim!
Marie: Et comme boisson?
Nicolas: Comme toi.
Marie: Alors, de l'eau minérale. Je te sers.
Nicolas: À la tienne!
Marie: À la nôtre!

Extension Are Nicolas and Marie a couple? Justify your response.

Points de départ

Question centrale

What activities do friends in other countries do together?

Les cafés et les bistros

At the beginning of the 20th century, there were 500,000 cafés and bistros in France. Today about 35,000 remain. Nevertheless, the French still think of the corner café as a place where regulars gather to talk about what's going on in the neighborhood and where friends meet to catch up on each other's lives. The film *Le fabuleux destin d'Amélie Poulain* provides a glimpse into this tradition. Today, Internet cafés and small restaurants serving organic food have replaced some of the traditional cafés in order to meet the needs of their 21st century clientele.

Search words: le fabuleux destin d'amélie poulain

There are some Internet cafés in Paris.

The **croissant** is served in many French cafés. Similar in shape to an American crescent roll, it is a buttery flaky bread or pastry. The word "croissant" first appeared in a dictionary in 1863, and the first recipe was published in 1891, but it is unclear when the croissant was invented.

Les cafés et les écrivains

Many Parisian cafés have become famous over the years because of the writers associated with them. In the 18th century, writer-philosophers like Voltaire met over coffee to discuss politics at the café Procope. In the 1920s, American writers Ernest Hemingway and F. Scott Fitzgerald used to frequent the cafés La Coupole, Le Dôme, and Le Select on **le boulevard Montparnasse.** In the 1940s and 1950s, Jean-Paul Sartre and Simone de Beauvoir, two writers associated with a literary and artistic movement called existentialism, used to write at two other Left Bank establishments, the Café de Flore and Deux Magots. Today this literary tradition continues at the Café Drouant where each year France's highest literary honor, the Prix Goncourt, is awarded.

French author Albert Camus (1913–1960) also frequented Les Deux Magots.

Search words: pages de paris, cafés

Les fast-foods

McDonald's, or **chez McDo**, is the number one fast-food chain in France. Quick is a French equivalent. Both of these restaurant chains, as well as KFC, Subway, Pizza Hut, and Planet Sushi, can be found in towns, cities, and shopping malls all over France. Other French fast-food restaurants include Flunch, Paul, Délifrance, la Brioche Dorée, le Relais H, la Viennoisière, and Pizza Del Arte. In addition to chain restaurants, there are snack shops everywhere. They sell crepes, waffles, gyros, and other types of sandwiches. Some people in France call fast food the **mal bouffe** because it has led to a growing problem of obesity and other medical problems.

Search words: quick hamburger restaurant, flunch, pizza del arte, délifrance

9 Questions culturelles

Répondez aux questions.

1. How many cafés and bistros have disappeared since the beginning of the 20th century?
2. Why are the Procope, La Coupole, and the Café de Flore famous?
3. What does the **Prix Goncourt** reward?
4. What is the French equivalent of McDonald's?
5. What are the names of two French fast-food restaurants?
6. What types of fast food are available in France?

Perspectives

What attitudes toward American fast food do the French hold?

The Quick fast-food chain originated in Belgium.

Du côté des médias

Lisez la carte.

10 Au restaurant végétarien du Québec

1. What is a **soupe aux légumes**?
2. What comes with a serving of quiche?
3. How much extra does a **salade César** cost?
4. Until what time are sandwiches served?

Menu Végétarien

Vegetarian Menu

***Soupe aux légumes gratinée / Baked vegetable soup** ...6.95*

Quiches

Les quiches sont servies avec salade du chef (pour César + $1.50)

Quiches are served with a chef's salad (for Caesar + $1.50)

***Quiche aux 5 fromages / 5 Cheese Quiche** ...9.95*

Suisse, Brick, Mozzarella, Gruyère et Parmesan

***Quiche Provençale / Vegetable Quiche** ... 9.95*

Avec tomates, courgettes, oignons, olives noires et fromage suisse, Brie et Mozzarella

With tomatoes, zucchini, onions, black olives and Swiss, Brie and Mozzarella cheese

Sandwiches

Servis jusqu'à 17 h. / Served until 5 pm

Les Sandwiches sont servis sur pain baguette avec salade du chef (César ou soupe + $1.50).

Sandwiches are served on a French baguette with a chef's salad (Ceasar or soup + $ 1.50)

***Avocat végétarien / Vegetarian avocado** ...8,95*

Avec laitue, tomates, avocats et pesto

With lettuce, tomatoes, avocado and pesto

***Végétarien au fromage / Cheese Vegetarian** ...8,95*

Avec fromage Brie, oignons caramélisés et tomates

With Brie cheese, caramelised onions and tomatoes

Communiquez!

11 Vous désirez?

Interpersonal Communication

With two classmates, act out the following scene between two customers and their server. In the conversation:

- the server and the two customers greet each other.
- the server asks what the customers would like from the menu above.
- each customer politely orders something from the menu.
- the server repeats the order and thanks the customers.

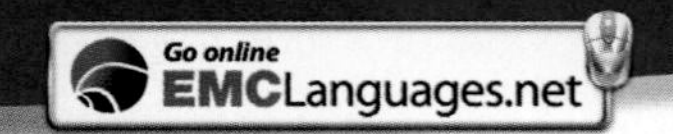

Present Tense of the Irregular Verb *prendre*

The verb **prendre** means "to take" and is irregular. **Prendre** can also mean "to have" when referring to something to eat or drink.

prendre			
je	**prends**	nous	**prenons**
tu	**prends**	vous	**prenez**
il/elle/on	**prend**	ils/elles	**prennent**

Est-ce que Justine prend une décision?

Qu'est-ce que tu **prends**? — *What are you taking?*
Je prends mon cahier d'histoire. — *I'm taking my history notebook.*

The **d** is pronounced [t] in the inverted forms of **il/elle/on: Prend-on une glace?**
[t]

Other verbs that follow the pattern of **prendre** include **apprendre** (*to learn*) and **comprendre** (*to understand*).

12 Qu'est-ce qu'on va prendre?

Tout le monde prend quelque chose à manger ou à boire. Écrivez **1** *si on parle d'une personne ou* **2** *si on parle de deux ou plusieurs personnes.* (Everyone is having something to eat or drink. Write **1** if what you hear refers to one person or **2** if it refers to two people or more.)

COMPARAISONS

Prendre is also used in a number of idiomatic expressions that can't be translated word for word into English. One such expression is prendre une décision (*to make a decision*). How many idiomatic expressions in English can you think of that use the verb "to take"?

COMPARAISONS: A few idiomatic expressions that use the verb "to take" include: to take a fancy (to something), to take away, to take off, to take (something) out on someone, to take to someone, to take someone up (on an offer), to take into account.

13 On prend quoi?

Dites ce que tout le monde prend.

un lecteur mp3 | des euros | un blason du PSG | des chaussures de foot | un dictionnaire français-allemand | un stylo

1. Je vais jouer au foot.
2. Joëlle va avoir un cours d'allemand.
3. Tu vas aller à la teuf d'Éric.
4. Abdoul et moi, nous allons aller au match.
5. Hamza et Clara vont faire les devoirs.
6. Guillaume et toi, vous faites du shopping.

14 Les amis au café

Dites ce que tout le monde prend au café.

1. les footballeurs

2. Michèle

3. moi, je

4. toi, tu

5. Nathalie et toi, vous

6. Karim et moi, nous

15 Au Café Splendide!

Interpersonal Communication

Avec deux partenaires, jouez les rôles du serveur et deux clients dans un café. Le serveur demande ce que (what) *les clients prennent et les clients commandent quelque chose* (order something) *à manger et à boire* (to drink). *Utilisez la carte et suivez le modèle.*

MODÈLE

A: **Qu'est-ce que vous prenez?**
B: **Moi, je prends une salade et un coca. Et toi, qu'est-ce que tu prends?**
C: **Moi, je prends une pizza et une eau minérale.**
A: **D'accord... vous prenez une salade, une pizza, un coca et une eau minérale.**

Qu'est-ce que vous prenez?
Café Splendide
PLATS
salade
sandwich (fromage, jambon)
steak-frites
omelette
croque-monsieur
pizza
BOISSONS
coca
eau minérale
jus d'orange
limonade
café
DESSERTS
crêpe à la confiture
glace (vanilla, chocolat)

Avoir Expressions: *avoir faim/soif*

You already know the expression **avoir besoin de** (*to need*). Two more **avoir** expressions are **avoir faim** (*to be hungry*) and **avoir soif** (*to be thirsty*).

Chloé a soif et Michel a faim.

COMPARAISONS

J'ai soif.

Literally, the French sentences says "I have thirst." Which verb is used to express hunger and thirst in English?

I am hungry.
She is thirsty.

COMPARAISONS: To express hunger and thirst in English, speakers use the verb "to be."

16 À Flunch

Vous êtes à Flunch avec des amis. D'après (Based on) *les images, dites si ces personnes ont faim, soif ou les deux. Ensuite, dites ce qu'elles prennent.*

MODÈLE Hugo et Antoine
Ils ont faim. Donc, ils prennent un sandwich au jambon.

1. Gabrielle et Annie

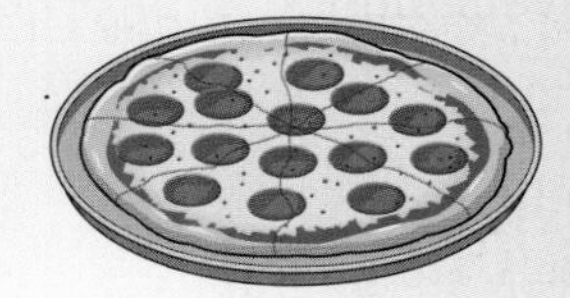

2. Alima et Cédric

3. moi, je

4. Rose

5. Virginie et Sandrine

6. Augustin et toi, vous

7. Alexandre

8. toi, tu

Rose a-t-elle faim ou soif?

À vous la parole

Question centrale

What activities do friends in other countries do together?

17 On va au café?

Interpersonal Communication

You invite a new student to meet your friends at a café. One person in your group will play the role of the server. In your conversation:

- greet each other.
- introduce the new student.
- ask each other how things are going.
- the server greets the group and everyone orders something to eat and drink.
- the server repeats the order and leaves.
- discuss what you are going to do this weekend.
- the server returns with the food and wishes everyone a good meal.
- one person asks for the check.
- the server brings the check and everyone discusses the cost of each item.
- tell each other good-bye.

Communiquez!

18 Découvrez les cafés de Paris!

Presentational Communication

Find a café, for example, a cybercafé, a sports café, a vegetarian café, an organic café, in Paris for each person below. Then write the name and address of the café and a sentence in French (see the model).

MODÈLE **Brad va au Café du Stade.**

1. Clarissa is a vegetarian who eats eggs.
2. Justin likes to use the Internet while having lunch.
3. Mrs. Petersen believes in the slow food movement.
4. Brad likes to watch sporting events while eating a sandwich.
5. Ms. Blair will only eat food that has not been sprayed for insecticides.
6. Mr. Burton likes to frequent cafés where artists like Picasso used to spend time.

Stratégie communicative

Writing Descriptions

To make a story more interesting, include adjectives, adverbs, and other details.

19 Comparez les paragraphes

The two stories below are essentially the same, but the second version has more detail. Make a list of the adjectives, adverbs, and other details that make the second version of the story more interesting.

C'est samedi. Il fait beau. J'ai soif. Je veux sortir avec mes amis au café. Je veux aller au café pour prendre une boisson et une glace. Après, je vais voir un film avec Corinne et son copain, Lucas! Il est comment Lucas? Ah, c'est une surprise!

C'est samedi. Il est 4h00. Il fait beau et j'ai très soif. Je veux sortir avec mes amis au café algérien devant le cinéma. Je voudrais aller au café pour prendre une eau minérale avec une glace à la vanille ou au chocolat. Après, je vais voir un film américain avec Corinne et son nouveau copain, Lucas! Il est comment Lucas? Ah, c'est une surprise!

20 Le portrait de Lucas

Complétez chaque phrase avec un adjectif ou adverbe de la liste pour améliorer (improve) *ce portrait de Lucas.*

canadien difficile intéressant intelligent drôle beaucoup de
génial alternative américaines nouveau bien

1. Le... copain de Corinne s'appelle Lucas.
2. C'est un garçon....
3. Il aime... films, surtout les comédies....
4. Il aime... écouter la musique....

21 Un portrait

Imagine you see a girl with your friend's jacket with the PSG logo at a café and decide to call your friend. Write what you say to her: describe the girl, where you see her, what she is doing, and what she is wearing, plus any other important details.

Leçon C

Vocabulaire actif

Au cinéma 

Les genres *(m.)* de film

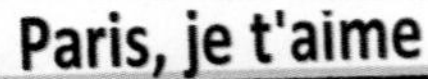

Clovis Cornillac

un acteur

Vanessa Paradis

une actrice

Clovis Cornillac **joue le rôle** d'un pingouin (*penguin*) dans le film *Happy Feet.* George Miller est **le metteur en scène** de *Happy Feet.*

Pour la conversation 

How do I make a prediction?

> **Tu vas aimer ça.**
> *You're going to like it.*

> **Tu vas rire.**
> *You're going to laugh.*

> **Tu vas pleurer.**
> *You're going to cry.*

How do I respond to a prediction?

> **Peut-être.**
> *Maybe.*

> **On va voir.**
> *We'll see.*

Et si je voulais dire...? 

l'écran (m.)	*screen*
un billet de cinéma	*movie ticket*
chialer	*to cry (slang)*
un navet	*bad movie*
le stand	*concession stand*

1 On va au cinéma?

Dites si les personnes suivantes sont en avance, à l'heure, ou en retard pour le film Les Ch'tis *qui commence* (that begins) *à 19h20.*

MODÈLE toi, tu/19h30
Tu es en retard.

1. moi, je/19h05
2. Thomas et Philippe/20h00
3. elle/19h20
4. nous/19h25
5. Guillaume/19h00
6. vous/19h20
7. toi, tu/19h10

M. Lemaire est à l'heure.

2 Nous allons être à l'heure, n'est-ce pas?

Regardez l'horaire des films et pour chaque phrase que vous entendez, décidez si les personnes vont être....

A. en avance B. à l'heure C. en retard

CINÉMA
Les Enfants du Paradis
21/12/13

Shrek 4 - 16h15
Millenium 2 - 21h15
Fatal - 13h35
Tournée - 19h55
Prince of Persia - 20h10

3 Mon film favori

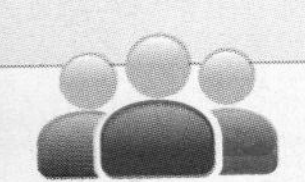

In your group, ask the person on your right what their favorite movie is. They will tell you what genre of movie it is.

MODÈLE A: **Quel film est-ce que tu préfères?**
B: **Je préfère *les Pirates des Caraïbes*. C'est un film d'aventures et une comédie.**

(It is not necessary to give the film title in French, but if you're interested you can search online to see what the French call it.)

4 Une actrice française

Lisez le paragraphe et répondez aux questions.

Audrey Tautou est une célèbre actrice française. Dans la comédie *Le fabuleux destin d'Amélie Poulain*, sorti en 2001, elle joue le rôle d'une serveuse dans un café de Paris. Les Français et les Américains l'adorent! Elle change de direction avec *Pas sur la bouche*, un film musical de 2003. En 2006, Mlle Tautou joue dans le film américain *Da Vinci Code*, un thriller, avec Tom Hanks. Aussi en 2006, elle joue dans *Hors de prix*, une comédie. En 2007, elle joue dans deux films importants: *Ensemble, c'est tout*, une comédie dramatique et *Coco avant Chanel*, un drame. Dans ce film, elle joue le rôle de Coco Chanel.

1. Qui est Audrey Tautou?
2. Quel rôle joue-t-elle dans *Le fabuleux destin d'Amélie Poulain*?
3. C'est quel genre de film?
4. Est-ce que les Américains aiment *Amélie*?
5. Avec quel acteur américain joue-t-elle dans *Da Vinci Code*?
6. C'est quel genre de film?
7. Elle joue dans quelle comédie dramatique?
8. Elle joue le rôle de qui dans le film *Coco avant Chanel*?

At the end of the movie, *Coco avant Chanel*, all the models come out to show Coco Chanel's most famous designs.

5 Questions personnelles

Interpersonal Communication

Répondez aux questions.

1. Est-ce que tu préfères les comédies, les films d'aventures, ou les films de science-fiction?
2. Tu préfères les thrillers, les documentaires, ou les films d'horreur?
3. Quel(s) drame(s) regardes-tu?
4. Quand tu voudrais voir un film est-ce que tu préfères regarder un DVD à la maison ou aller au cinéma?
5. Au cinéma, est-ce que tu arrives en avance, à l'heure, ou en retard?
6. Tu vas rire au nouveau film de Judd Apatow?

Communiquez!

Les critiques aiment...
Passionnément ☺☺☺
Beaucoup ☺☺
Un peu ☺
Pas du tout ☹

6 Quel film?

Interpersonal Communication

With a partner, read the film guide and make plans to see a movie from each genre below. Be sure to make a prediction about how your partner will react to each film.

MODÈLE **A: Je voudrais voir un documentaire.**
B: On va à *Être et avoir*? Tu vas aimer ça.
A: D'accord. À quelle heure?
B: Disons à 19h25!

1. une comédie
2. un film d'horreur
3. un drame
4. une comédie romantique
5. un film de science-fiction

Je voudrais voir une comédie.
On va à *Bienvenue chez les Ch'tis*?

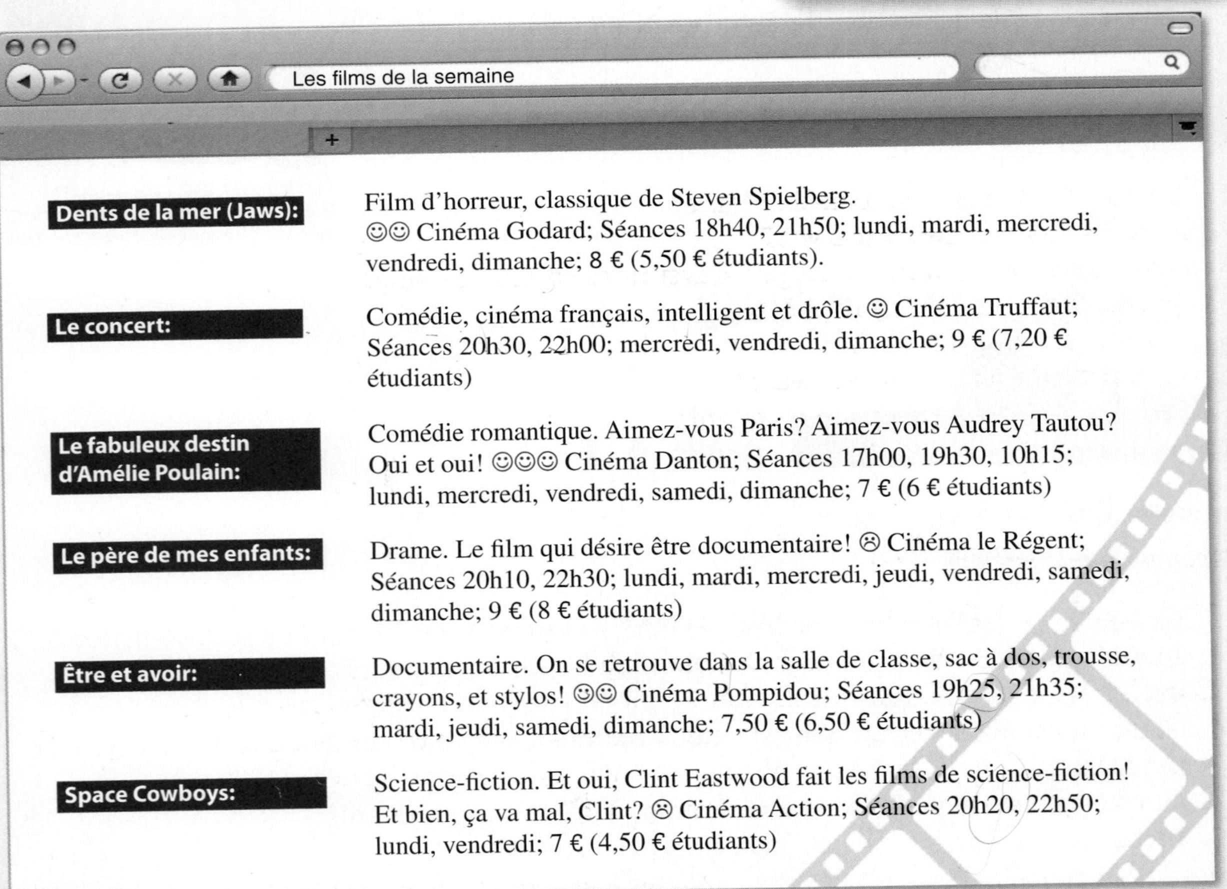

Les films de la semaine

Dents de la mer (Jaws): Film d'horreur, classique de Steven Spielberg. ☺☺ Cinéma Godard; Séances 18h40, 21h50; lundi, mardi, mercredi, vendredi, dimanche; 8 € (5,50 € étudiants).

Le concert: Comédie, cinéma français, intelligent et drôle. ☺ Cinéma Truffaut; Séances 20h30, 22h00; mercredi, vendredi, dimanche; 9 € (7,20 € étudiants)

Le fabuleux destin d'Amélie Poulain: Comédie romantique. Aimez-vous Paris? Aimez-vous Audrey Tautou? Oui et oui! ☺☺☺ Cinéma Danton; Séances 17h00, 19h30, 10h15; lundi, mercredi, vendredi, samedi, dimanche; 7 € (6 € étudiants)

Le père de mes enfants: Drame. Le film qui désire être documentaire! ☹ Cinéma le Régent; Séances 20h10, 22h30; lundi, mardi, mercredi, jeudi, vendredi, samedi, dimanche; 9 € (8 € étudiants)

Être et avoir: Documentaire. On se retrouve dans la salle de classe, sac à dos, trousse, crayons, et stylos! ☺☺ Cinéma Pompidou; Séances 19h25, 21h35; mardi, jeudi, samedi, dimanche; 7,50 € (6,50 € étudiants)

Space Cowboys: Science-fiction. Et oui, Clint Eastwood fait les films de science-fiction! Et bien, ça va mal, Clint? ☹ Cinéma Action; Séances 20h20, 22h50; lundi, vendredi; 7 € (4,50 € étudiants)

Rencontres culturelles

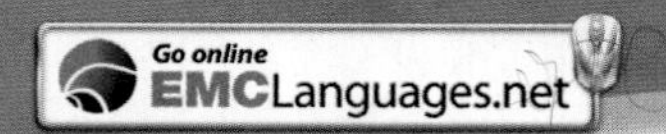

On va au ciné!

Maxime and Yasmine are returning from a **kiosque à journaux** where they went to see what movies are playing.

Maxime: Bon alors, on va à la séance de 14h30 ou de 16h45?
Yasmine: De 16h45. Mais on voit quoi?
Maxime: Nous allons toujours voir un film d'aventures!
Yasmine: Ou un film policier. Ah! Je veux voir *Bienvenue chez les Ch'tis.*
Maxime: La comédie avec Dany Boon?
Yasmine: Ben oui, et Kad Merad.
Maxime: On va rire alors?
Yasmine: Peut-être. On va voir! Si tu veux pleurer, on peut aller voir *La Rafle*.
Maxime: Je veux bien voir *La Rafle* aussi, mais pas aujourd'hui.
Yasmine: On se retrouve où et à quelle heure?
Maxime: Devant le guichet. On arrive un peu en avance, disons 16h15.

7 On va au ciné!

Répondez aux questions.

1. Maxime et Yasmine vont à quelle séance?
2. Qu'est-ce que Yasmine désire voir?
3. *Bienvenue chez les Ch'tis* est un film d'aventures ou une comédie?
4. C'est un film avec Johnny Depp?
5. Pourquoi est-ce qu'on va rire?
6. On se retrouve où et à quelle heure?
7. Maxime aime être à l'heure ou en retard?

Extension À chacun son goût

Laura interviewe Théo et Lucie pour le journal du lycée, le *ClasseEcho*.

Laura: Quel genre de films est-ce que vous aimez voir?
Théo: Moi, surtout les films de science-fiction, les films d'horreur, les films d'action.
Lucie: Moi, j'aime surtout les comédies, les films d'aventures, les films dramatiques.
Laura: Lui, action, elle, évasion, vous n'allez pas souvent au cinéma ensemble....
Lucie: C'est vrai! Mais on aime discuter nos films après.

Extension Why don't Lucie and Théo go to the movies together very often?

Points de départ

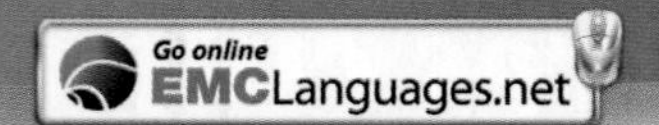

Question centrale

What activities do friends in other countries do together?

Le cinéma en France

The French film industry began at the end of the 19th century. Today, studios such as Pathé and Gaumont produce about 220 films a year and distribute them to some 4,400 screens around France. Every year, theaters sell 200 million tickets, approximately 85 million of them for movies produced in France.

Pathé produces films, distributes them, and owns 92 movie theatres in France.

The French film industry has managed to thrive over the years thanks in part to the financing it receives from private investment and the French government. For example, money earned from taxes on private television channels and from movie ticket and DVD sales are given back to the film industry to help pay for new productions. Two events celebrate this success each year: **les Césars**, the French version of the Academy Awards held in February, and the Cannes Film Festival on the Riviera in May.

Search words: cinéma français

COMPARAISONS

Which film genre is the most popular in the United States?

Les comédies françaises

Comedy is the most important genre in French cinema. Some French comedies have been adapted and remade in the United States, including *Three Men and a Baby* (***Trois hommes et un couffin***), *The Birdcage* (***La Cage aux folles***), and *True Lies* (***La Totale***). Police comedies, ensemble comedies, and parodies are all popular in France. A number of French comedies have become enduring and beloved classics, including ***Mon Oncle*** *(My Uncle)*, ***La Cage aux folles*** and ***Le Dîner de cons***, which was remade in the United State as *Dinner for Schmucks*.

Search words: allociné

Another French-American film connection is Johnny Depp, who had a small part speaking French in the film ***Ils se marièrent et eurent beaucoup d'enfants*** (*...And They Lived Happily Ever After*), which came out in 2004. The mother of his children is French actress-singer Vanessa Paradis. On the set of *Public Enemies* (2009), he and French actress Marion Cotillard spoke French when they didn't want others to understand what they were saying.

Bienvenue chez les Ch'tis

With more than 20 million tickets sold in France, ***Bienvenue chez les Ch'tis*** (*Welcome to the Land of Shtis*), starring Dany Boon, is the most popular French movie of all time. A tribute to earlier French comedies, it contains numerous references to French movies made in the 1950s and 1960s.

Search words: bienvenue chez les ch'tis site officiel

8 Questions culturelles

Répondez aux questions.

1. What are the names of two major French film studios?
2. About how many movies does France produce a year?
3. How are French films paid for?
4. Which movie genre do the French prefer?
5. What types of comedies are popular?
6. What is the title of a classic comedy?
7. *Bienvenue chez les Ch'tis* pays tribute to French comedies from what era?
8. Who stars in *Bienvenue chez les Ch'tis*?

Dany Boon and the rest of the cast from *Bienvenue chez les Ch'tis* attended the 61st **Festival de Cannes.**

À discuter

How are teen movie viewing preferences different from those of adults?

Du côté des médias

9 Le film est bon?

Lisez le tableau (chart).

This is a summary of what critics from the entertainment guide *Pariscope* think of certain films. Write sentences summarizing their findings, using **aimer... beaucoup**, **un peu**, or **n'aimer... pas**. Follow the model.

MODÈLE *Le petit Nicolas*/V. Gaucher et A. Gaillard
Ils aiment beaucoup *Le petit Nicolas*.

1. *L'imaginarium du docteur Parnassus*/ Bernard Achour
2. *Une exécution ordinaire*/Éric Libiot
3. *Vincere*/Françoise Delbecq
4. *Un prophète*/Pierre Murat
5. *Le ruban blanc*/Fabrice Leclerc
6. *Les herbes folles*/V. Gaucher et A. Gaillard

Les critiques aiment:
passionnément ***
beaucoup **
un peu *
pas du tout

cotation des critiques

	V. Gaucher et A. Gaillard	Bernard Achour	Éric Libiot	Françoise Delbecq	Pierre Murat	Fabrice Leclerc
Vincere	***		***	**	*	***
Le petit Nicolas	***	*	*		*	**
Les herbes folles	*			***	**	**
L'imaginarium du docteur Parnassus	**		*	***		**
Une exécution ordinaire	***	*	*		***	
Un prophète	***	***	***		***	***
Le ruban blanc	***	*	***	***	***	

La culture sur place

Question centrale

What activities do friends in other countries do together?

Les remakes de films français

Introduction

One place to find modern versions of a culture's collected stories is in movies. In this section, you and your classmates will use the Internet to learn about French movies that have been "remade" in the United States.

Investigation

Moviemakers in the United States often borrow ideas and themes of movies from other cultures. You and your classmates will use the suggestions below to identify American movies based on French films.

10 Un remake d'un film français

First, use one or more of the following techniques to find a list of American remakes of French films:

- enter the phrase "remakes américains de films français" in an online search engine. Click on a site that comes up and see if it includes a list of remakes.
- search for "remake of French films" on the Internet Movie Database site (www.imdb.com).
- look up the box office results for "Remake-French" on the Box Office Mojo site (www.boxofficemojo.com/genres.com).

Second, select a movie that you are familiar with or that interests you.

Third, look for information that will help you answer the following questions.

1. Compare the French title with the American title. Do they have the same meaning? Or, has the title completely changed?
2. In what ways are the plots similar?
3. In what ways is the American remake different from the French original version? For example, are the main characters the same? Did the setting change? Are elements of the plot different?
4. How popular were the French and American versions in each country? (You may want to include information about box office earnings, film critiques, fan pages, etc.)

11 Un film français et américain

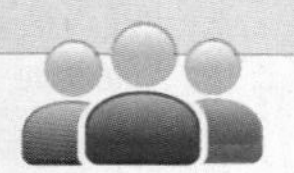

Share your research with your small group.

Structure de la langue

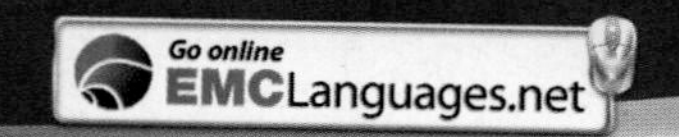

The Interrogative Adjective *quel*

Quel café est-ce qu'Amadou prend?

The adjective **quel** means "which" or "what" and is used to ask questions. **Quel** agrees in gender and number with the noun it precedes.

	Masculine	Feminine
Singular	quel	quelle
Plural	quels	quelles

À **quelle** heure est le film? *At what time is the film?*
Vous désirez **quel** dessert? *Which dessert would you like?*

The forms of **quel** may also come directly before the verb **être**. In this case, **quel** agrees with the noun following **être**.

Quel est le genre du film? *What is the film's genre?*

COMPARAISONS

What question words replace quel in English?

What movie are you seeing?
At which movie theater?

12 Quand on veut préciser

*Complétez avec **quel**, **quelle**, **quels**, ou **quelles**.*

1. Tu aimes... actrices?
2. Et... acteurs préfères-tu?
3. Johnny Depp joue dans... genres de film?
4. On voit son nouveau film à... cinéma?
5. On va à... séance?
6. Rendez-vous à... bouche de métro?

J'invite les filles à la teuf.
Quelles filles?

13 Qu'est-ce que tu dis?

*Utilisez l'adjectif **quel** pour demander plus (more) d'information sur les projets de ton ami(e) pour ce weekend. Suivez le modèle.*

MODÈLE A: **Je fais du sport ce weekend!**
B: **Tu fais quel sport ce weekend?**

1. Les devoirs vont être difficiles!
2. Les amies se retrouvent au café samedi!
3. Les élèves vont voir un film à 19h00.
4. Nous invitons une prof au stade pour regarder le match de football.
5. J'invite les filles à la teuf.

COMPARAISONS: The question words that replace **quel** in English include "what" and "which".

Present Tense of the Irregular Verb *voir*

The verb **voir** (*to see*) is irregular.

voir			
je	**vois**	nous	**voyons**
tu	**vois**	vous	**voyez**
il/elle/on	**voit**	ils/elles	**voient**

Pronunciation Tip

The shaded area shows the verb forms that all sound the same.

Spelling Tip

In the **nous** and **vous** forms, the "i" from the infinitive changes to "y."

Quel film **voyez**-vous? — *What film are you seeing?*

Nous **voyons** une comédie romantique. — *We are seeing a romantic comedy.*

14 Qui voit quoi?

Tout le monde (Everyone) *voit un film ce weekend. Écrivez la lettre qui correspond à la forme du verbe* **voir** *que vous entendez dans chaque phrase.*

A. vois
B. voit
C. voyons
D. voyez
E. voient

COMPARAISONS

The verbs "to see" and "to watch" are similar in both French and English, but their meanings are distinct. Can you complete these sentences?

I want to... the new sitcom on TV.
I want to... my grandmother this weekend.

COMPARAISONS: The sentences should be completed like this:
I want to **watch** the new sitcom on TV.
I want to **see** my grandmother this weekend.

15 Qu'est-ce qu'on voit?

À tour de rôle, demandez à votre partenaire ce qu'on voit du Café de la Tour (Tower).

MODÈLE Michèle
A: Qu'est-ce que **Michèle voit?**
B: **Elle voit un magasin.**

1. on

2. les filles

3. tu

4. Amir

5. Marianne, Mégane, et Sandrine

6. vous

16 On fait le tour de l'école

You are giving your French host family a tour of your school. Describe to them what there is to see.

1. Dans la cantine, vous....
2. Ici, dans la médiathèque, nous....
3. Dans la salle de classe, on....
4. Le bureau du proviseur est devant nous. On....
5. C'est la piscine. Je....

C'est la salle d'informatique. Tu vois la prof?

À vous la parole

Question centrale

What activities do friends in other countries do together?

17 Le ciné-club

Interpersonal Communication

In order to help you choose a film for **le ciné-club**, ask your classmates what genre of movie they prefer. Insert their responses in a chart like the one below. Finally, write a summary (**Activité 18**).

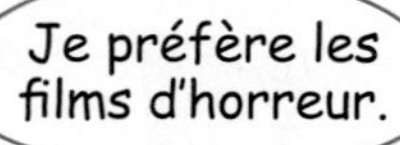

Quel genre de film est-ce que tu préfères?										
	1	2	3	4	5	6	7	8	9	10
films d'action										
drames										
comédies										
etc.										

Communiquez!

18 Les résultats

Presentational Communication

Present the results of **Activité 17**. Say what types of movies your classmates prefer.

MODÈLE

Cinq élèves préfèrent les comédies, deux préfèrent les drames, deux préfèrent les comédies romantiques et un préfère les films de science-fiction.

19 Allociné

Interpretive

Go to *www.allocine.fr* and click on "sorties de la semaine." Research a French movie so that you can provide a presentation to your group about:

- le nom du film en français
- le genre du film (comédie? drame?)
- le nom du metteur en scène
- le nom de l'acteur qui joue le rôle principal

Remember to cite your Internet sources.

Lecture thématique

LOL

Rencontre avec l'auteur

An anonymous blogger describes the movie *LOL* (2009) in the selection you are about to read. *LOL* tells the story of a 16-year-old French girl.

Pré-lecture

Think of a movie or television program about a teen that made an impact on you. Tell a classmate about the movie, summarizing the story.

Stratégie de lecture

Identifying the Conflict in a Story

The plot of a film or story often centers on a conflict of some sort. There are three types of external conflict in a story. The main character may struggle (1) against another character, (2) against forces of nature, or (3) against society or social norms. Create a chart like the one below. As you read, look for two examples of conflict in the story. Then describe each conflict in the appropriate column of your chart.

	Person vs. Person	Person vs. Nature	Person vs. Society
1.			
2.			

Outils de lecture

False Cognates

In Unit 2 you learned that cognates are words that resemble and have the same meaning as English words, for example, **compliquer** and **essentiel** in this reading. But watch out for false cognates that look like English words but have a different meaning. In this reading you will come across the verb **ignore**, which looks like "ignore" in English but actually means "to not know."

Movie stills by ©2008_Pathe_Production_Bethsabee Mucho_TF, Films Production_M6 Films. LOL official movie poster.

LOL? Ca veut dire "Laughing Out Loud"—mort de rire—en langage MSN.

C'est aussi comme ça que les amis de Lola l'appellent.*

Pourtant,* le jour de sa rentrée, Lola n'a pas le cœur* à rire.

Arthur, son copain, la provoque en lui disant* qu'il en aime une autre.*

Et sa bande de copains a le don* pour tout compliquer.*

Tout comme sa mère, Anne, avec qui le dialogue est devenu* impossible, et pas seulement parce qu'elle ignore* ce que LOL signifie....

Et pourquoi Anne traite-t-elle son ado comme une enfant en lui mentant* sur l'essentiel, par exemple sur le fait qu'elle revoit son ex-mari en cachette?*

De son côté, Anne se demande pourquoi sa douce* petite fille est si triste.*

De la fusion à la confusion, les relations mères-filles bouillonnent* d'amour et de LOL.

Pendant la lecture

1. Quel est un autre nom de Lola?

Pendant la lecture

2. *LOL* est un drame ou une comédie?

---

l'appellent *call her;* **Pourtant** *however;* **cœur** *heart;* **en lui disant** *by telling her;* **une autre** *another;* **le don** *gift;* **tout compliquer** *make it all worse;* **est devenu** *has become;* **ignore** *doesn't know;* **mentant** *lying;* **en cachette** *in secret;* **douce** *sweet;* **triste** *sad;* **bouillonnent** *boil*

Search words: **lol film**
blog lol le film officiel

Post-lecture

How would you describe Lola's life—too good to be true, normal, or melodramatic?

Le monde visuel

Poster art became commercially viable with the introduction of commercial lithograghy in the 1870s. The most famous creator of poster art at that time was Henri de Toulouse-Lautrec, whose use of stylized images and large swaths of color still influence many cinematic posters of today. Look at some examples of Toulouse-Lautrec's poster art of Paris nightlife online. In what ways does the poster art for LOL differ essentially?

20 Activités d'expansion

1. Refer to your chart and write a paragraph describing the conflicts in Lola's life. What type of conflicts are they? Are these conflicts common ones for teens? Do you think these conflicts will be resolved by the end of the movie?
2. Complete the following sentences to write a review for a movie you've seen about a teen's life.

Je recommande.... / Je ne recommande pas le film....
C'est un(e)... (*genre*)
Le héros/l' heroïne s'appelle....
Le problème de... (*nom du héros/de l' heroïne*) est....
À la fin (*end*), il/elle....
C'est un film.... (*adjectif*)

T'es branché?

Projets finaux

A Connexions par Internet: Littérature

Les romans français

Many French movies have been based on novels, and sometimes the movies have the same title. Select a novel from the list below or find a French novel on your own that has been adapted to the screen and read a summary of it.

Bonjour tristesse, Françoise Sagan
Le château de ma mère, Marcel Pagnol
Le comte de Monte Cristo, Alexandre Dumas
En plein cœur, Georges Simenon
Les Misérables, Victor Hugo
Le tour du monde en 80 jours, Jules Verne

Next, present the novel to a group of your classmates. In your presentation, be sure to include....

- the title of the novel and name of the author
- when the novel was written
- a description of the main character
- what the main character wants or has a conflict with
- the names of people who directed and starred in the movie based on the novel (If more than one movie has been made, select the one that interests you most.)

B Communautés en ligne

Le football américain

Your partner class in France would like to learn more about American football. Work with four classmates to make a ten-minute video about the basics of football. Your video should explain the object of the game, how many players there are on a team, the names of some of the powerhouse professional teams in the United States, and some details about your school's football team. Give each member of your group a task: writing the narrative, filming, adding the soundtrack, editing. Finally, present your video to the class who will vote on which video to send to your partner school in France. Use as much French as you can in your video.

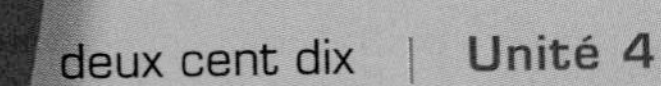

C Passez à l'action!

Une bande-annonce

Work with three other students to create an outline for **une bande-annonce** (*film trailer*) in French for a current film or remake of an older movie. The eventual film trailer will be between 30 and 60 seconds in length.

1. Research movies and **les bandes-annonces** on websites, such as **allocine.fr**. Choose a movie, and discuss with your group what information to include in a film trailer.
2. Include the following in your outline....
    - the movie title in French
    - the names of the actors starring in the film
    - the film genre
    - one thing that the film is about or that happens in the film
    - **la sortie du film**, or when the movie comes out
    - if you will feature video or photo stills from the movie
    - what the soundtrack will be
    - a list of the sources you used (credits)

D Faisons le point!

Question centrale
What activities do friends in other countries do together?

Your teacher will give you a chart like the one below. Fill it in to show what you've learned about the French language and francophone cultures in this unit.

Je comprends	Je ne comprends pas encore	Mes connexions

What did I do well to learn and use the content of this unit?	What should I do in the next unit to better learn and use the content?
How can I effectively communicate to others what I have learned?	What was the most important concept I learned in this unit?

Évaluation

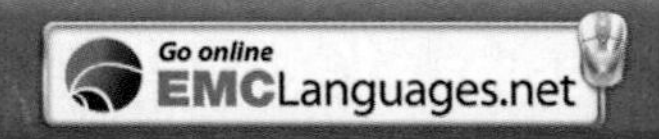

A Évaluation de compréhension auditive

Listen as Marine and Khaled talk about their plans for Wednesday afternoon. For each statement you hear, write **V** if it is true (**vrai**) or **F** if it is false (**faux**).

B Évaluation orale

You and a friend are making plans for the weekend. In your conversation:

- tell two activities you each plan to do this weekend.
- discuss a couple activities you'd like to do and pick one.
- make arrangements for when and where to meet.

After your conversation, report your plans to the class.

Rendez-vous à 3h00 devant le cinéma?
Disons 3h15.

C Évaluation culturelle

In this evaluation, you will be asked to compare francophone cultures with American culture. You may need to complete additional research about American culture.

1. **Les sports populaires**
   Which sports in the United States are as popular as soccer in France? Who are some of today's sports heroes in the United States? Can you name any well-known French or American soccer players? In your opinion, is soccer becoming a more popular sport? Does your school have a soccer team?
2. **Les cafés**
   Do you ever spend time in cafés? How are French cafés different from those in the United States? Are cafés in France increasing or declining? Are cafés becoming more or less common in your community?
3. **La cuisine**
   What do Americans think of French cuisine? What evidence is there that American cuisine has become more common in France?
4. **Le café et les arts**
   How do cafés in your area compare to the French literary café scene in the 1940s and 50s?
5. **Le cinéma**
   Have you ever seen a French movie? If you have, how was it similar to the American movies you've seen? How was it different? Which film genre is the most popular in France? Which is the most popular in the United States? What are the ties between the French and American film industries?

Crêpes have crossed the Atlantic to the United States.

D Évaluation écrite

Write an e-mail inviting a friend to do four different activities with you this weekend.

MODÈLE **On va faire du roller?**

E Évaluation visuelle

Write a dialogue between two friends deciding on a movie to see. In your dialogue:

- discuss the movie genres you both prefer.
- decide on a movie to see.
- make a prediction about the movie or respond.
- choose a showing to attend.
- agree on where and when to meet.

F Évaluation compréhensive

Create a storyboard of six frames. Sketch what you like and don't like to do on the weekend and write a two-sentence caption for each frame. Share your storyboard with your classmates.

Vocabulaire de l'Unité 4

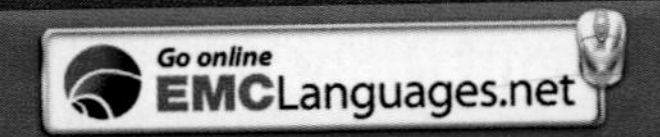

à on, with *B*; **à l'heure** on time *C*; **à la vanille** vanilla *B*
un **acteur, une actrice** actor, actress *C*
l' **action (f.)** action *C*
l' **addition (f.)** bill *B*
apprendre to learn *B*
arriver to arrive *C*
attendre to wait (for) *A*
aujourd'hui today *C*
avance: en avance early *C*
une **aventure** adventure *C*
avoir: avoir faim to be hungry *B*; **avoir soif** to be thirsty *B*
un **ballon (de foot)** (soccer) ball *A*
bienvenue welcome *C*
un **blouson** jacket *A*
une **boisson** drink *B*
bon: Bon appétit! Enjoy your meal! *B*
une **bouche: bouche du métro** subway entrance *A*
un **but** goal *A*
ça that *A*
la **carte** menu *B*
le **chocolat** chocolat *B*
une **comédie** comedy *C*; **comédie romantique** romantic comedy *C*
comme for *B*
comprendre to understand *B*
contre versus, against *A*
désirer to want *B*
le **dessert** dessert *B*
disons let's say *A*
un **documentaire** documentary *C*
donc so, therefore *A*
donner to give *B*; **donnez-moi** give me *B*
un **drame** drama *C*
du of the *A*
l' **eau (f.)** water *B*; **eau minérale** mineral water *B*
en on *A*; **en avance** early *C*; **en retard** late *C*; **en solde** on sale *A*
enfin finally *B*
ensemble together *C*
une **équipe** team *A*
un **film** film *C*; **film d'action** action movie *C*; **film d'aventures** adventure movie *C*; **film d'horreur** horror movie *C*; **film de science-fiction** science fiction movie *C*; **film musical** musical *C*; **film policier** detective movie *C*
un **footballeur, une footballeuse** soccer player *A*
gagner to win *A*
le **genre** type *C*
le **guichet** ticket booth *C*
l' **heure (f.): à l'heure** on time *C*
le **jambon** ham *B*
jouer un rôle to play a role *C*
un **kiosque à journaux** newstand *C*
l' it (object pronoun) *C*
marquer to score *A*
un **match** game *A*
les **meilleurs (m.)** the best *A*
le **menu fixe** fixed-price menu *B*
merci thank you *B*
mesdemoiselles (f.) plural of **mademoiselle** *B*
le **métro** subway *A*
un **metteur en scène** director *C*
mille thousand *B*
perdre to lose *A*
peut: on peut we can *C*
peut-être maybe *C*
pleurer to cry *C*
porter to wear *A*
prendre to take, have (food or drink) *B*
rembourser to reimburse *A*
le **rendez-vous** meeting *A*
se **retrouver** to meet *C*
rire to laugh *C*
un **rôle** role *C*
s'il vous plaît please *B*
sais: je sais I know *B*
la **science-fiction** science fiction *C*
une **séance** film showing *C*
une **série** series *C*
un **serveur, une serveuse** server *B*
si if *C*
solde: en solde on sale *A*
soutenir to support *A*
la **spécialité du jour** daily special *B*
un **stade** stadium *A*
surprend: ça ne me surprend pas that doesn't surprise me *A*
surtout especially *B*
te (t') you *A*
un **thriller** thriller *C*
le **ticket** ticket *A*
toujours still *C*
tout: Tout ça! All that! *B*
veux: tu veux you want *A*
voilà here is/are *B*
voir to see *C*

Clothing... see p. 165
Food... see pp. 179–180

Unité 4 Bilan cumulatif

Listening

I. You will hear a short conversation. Select the reply that would come next. You will hear the conversation twice.

1. A. Il est midi.
   B. Disons devant le bureau du proviseur.
   C. À une heure.
   D. On se retrouve au cours d'espagnol.

II. Listen to the conversation. Select the best completion to each statement that follows.

1. Alexis....
   A. est dans la salle de classe
   B. téléphone à Séverine
   C. présente un nouveau camarade de classe
   D. désire faire du sport

2. Alexis et Séverine se retrouvent....
   A. au café pour prendre une pizza
   B. à la médiathèque pour faire les devoirs
   C. au stade pour voir un match de foot
   D. au magasin pour faire du shopping

Reading

III. Read the letter from Rémi to Marianne. Then select the best completion to each statement.

Bonjour Marianne,

Comment ça va? Moi, ça va! C'est dimanche et je suis content! Et oui, c'est la finale de foot et on se retrouve avec les deux meilleures équipes de football en Europe. Oh, le match va être très intéressant. Tu vas rire, mais j'aime les deux équipes. Oui. Il est possible d'aimer la France et l'Espagne! Disons que j'aime beaucoup l'équipe espagnole. Elle est énergique et les footballeurs aiment jouer avec le ballon de foot. Ils envoient le ballon devant et derrière. C'est drôle et intéressant! J'aime soutenir l'équipe de France parce que c'est la France et je suis français! Le match France-Espagne, tu vas l'aimer, Marianne!

Bisous,

Rémi

1. Rémi aime....
   A. l'équipe française et l'équipe espagnole
   B. l'équipe espagnole
   C. l'équipe française
   D. l'équipe italienne

2. L'équipe espagnole est....
   A. géniale
   B. toujours en avance
   C. énergique
   D. drôle et intéressante

3. Rémi aime l'équipe française parce qu'....
   A. elle est intelligente
   B. il est français
   C. il est italien
   D. il n'aime pas le football espagnol

Writing

IV. Complete the paragraph by writing an appropriate word or expression.

Midi, c'est l'heure du __1__ .	A. menu fixe B. déjeuner C. blouson
Les élèves sont au café, et ils regardent __2__ .	A. une carte B. une heure C. une séance
"Qu'est-ce que vous désirez?" dit __3__ .	A. le croque monsieur B. la serveuse C. le guichet
Philippe a très __4__ .	A. frites B. faim C. addition
Il prend un __5__ .	A. sandwich B. guichet C. coca
Il a soif, donc il prend aussi une __6__ .	A. séance B. chaussette C. boisson
Coralie dit "__7__" un steak-frites.	A. On peut B. Donnez-moi C. Surtout
Après, Coralie et Philippe disent "__8__!"	A. merci B. l'addition C. bon appétit

V. Complete the paragraphs with the correct form of the verb in parenthese.

Nous __9__ voir deux équipes de football aujourd'hui.

Les spectateurs français __10__ l'équipe de Paris.

Mon ami Marc est espagnol; il __11__ beaucoup l'équipe espagnole.

Et moi, je préfère soutenir les Français. Je (J') __12__ le blason de l'équipe française sur mon blouson!

Après un match, nous __13__ faim et soif.

Nous __14__ la serveuse.

"Nous __15__ prendre une pizza et des cocas."

Souvent, mes amis __16__ une glace aussi. Moi, non.

9. (aller)
10. (aimer)
11. (aimer)
12. (avoir)
13. (avoir)
14. (voir)
15. (aller)
16. (prendre)

Composition

VI. Your friends have asked you to meet them at the Café des Sports at 18h00. Since you will arrive first, they've asked you to order for everyone. Write the conversation between you and the server.

Speaking

VII. Tell a story suggested by the images.

Unité

5 Les gens que je connais

Rendez-vous à Nice!

Épisode 5:

S.O.S devoirs

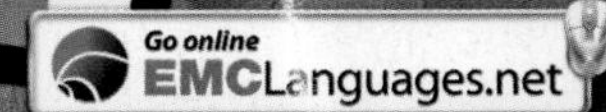

Citation

"L'amour, l'amitié, c'est surtout rire avec l'autre, c'est partager le rire que de s'aimer."

Love and friendship, more than anything, mean to laugh with another person, because to laugh together is to share affection.

—Arletty, actrice française

À savoir

Actress **Akissi Delta** produced a television drama in the Ivory Coast called **"Ma famille."** The show has been a favorite for over a decade across Africa.

Unité 5 Les gens que je connais

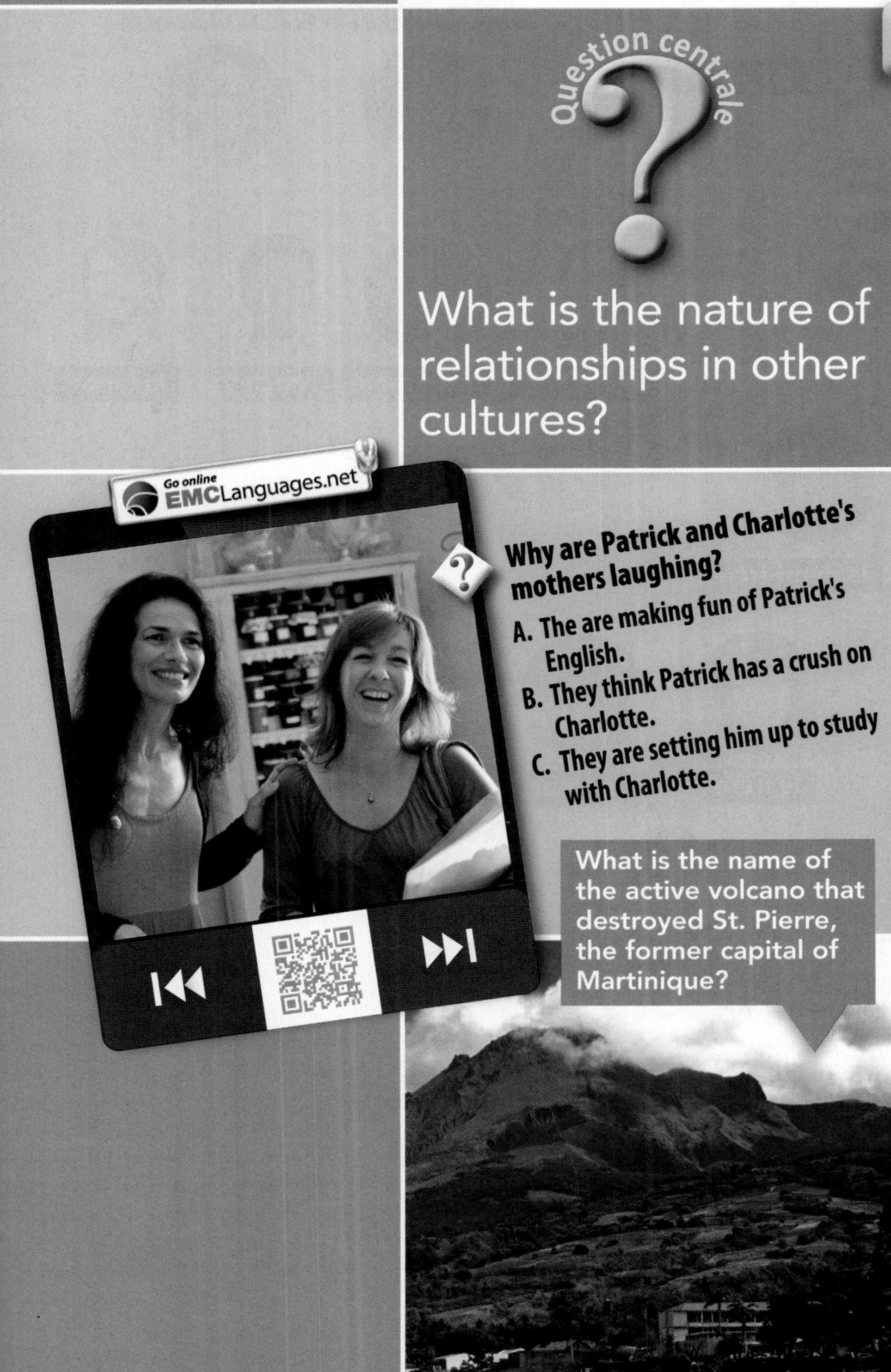

Question centrale
What is the nature of relationships in other cultures?
Go online EMCLanguages.net
Why are Patrick and Charlotte's mothers laughing?
A. The are making fun of Patrick's English.
B. They think Patrick has a crush on Charlotte.
C. They are setting him up to study with Charlotte.
What is the name of the active volcano that destroyed St. Pierre, the former capital of Martinique?

Contrat de l'élève

Leçon A I will be able to:

- propose something to eat and ask if I look like someone.
- name measurements in the metric system and talk about Martinique.
- use possessive adjectives.

Leçon B I will be able to:

- ask someone's age and tell my age, tell what gift I'm giving, and plan a party.
- discuss holidays in francophone countries.
- use **–ir** verbs and **offrir** in the present tense, the expression **avoir... ans**, and give dates.

Leçon C I will be able to:

- ask what someone's profession is, ask where someone is from, and tell what country I'm from.
- discuss French-speaking Africa and performers Amadou and Mariam.
- use **c'est** and **il/elle est**, the verb **venir**, and **de** + definite articles.

Leçon A

Vocabulaire actif

La famille de Théo

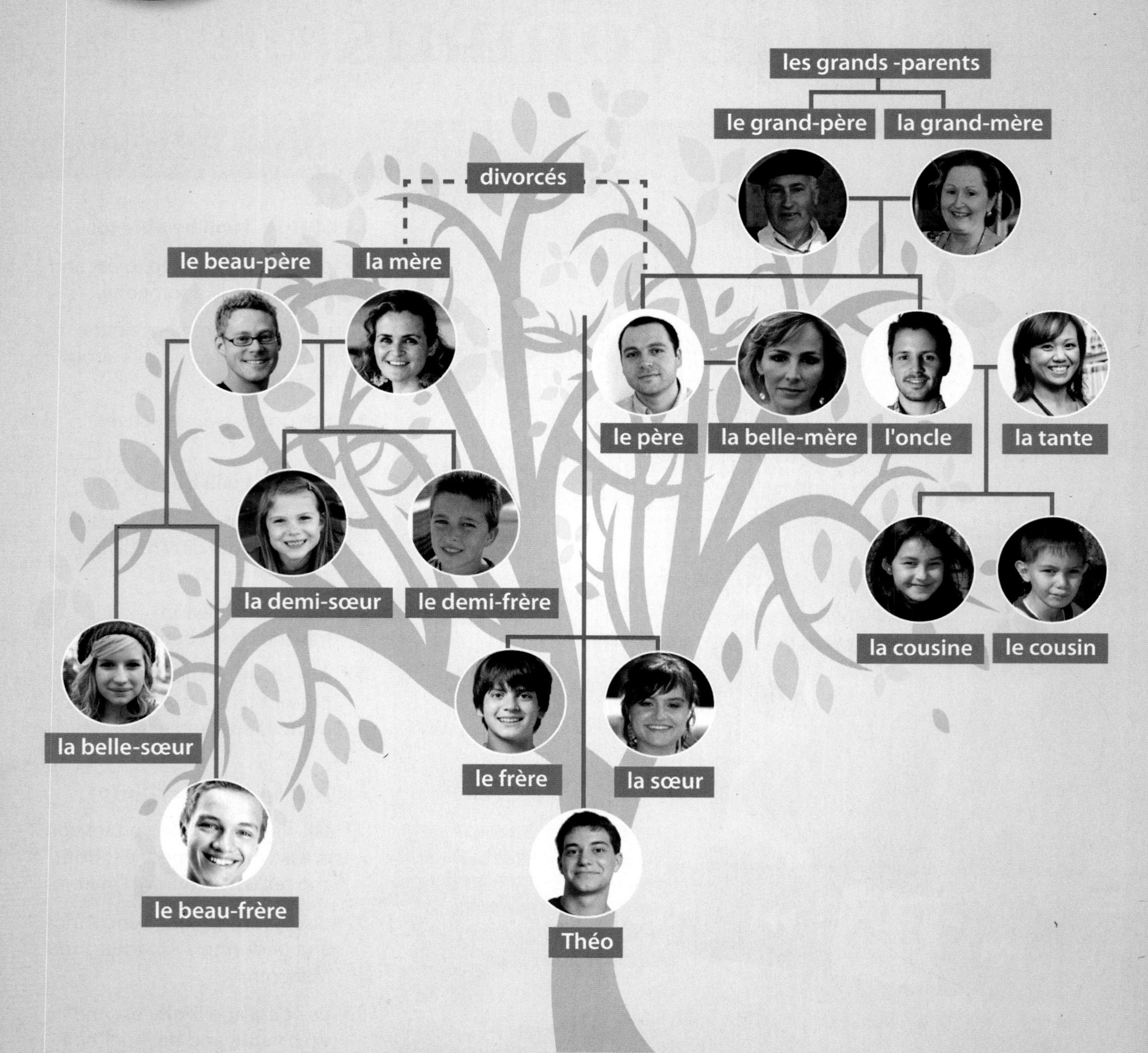

C'est la famille de M. Perrin.

C'est la famille de Mme Angelou.

Alexandre a les cheveux blonds et les yeux bleus.

1.000	mille
1.001	mille un
1.002	mille deux
2.000	deux mille
3.000	trois mille
1.000.000	un million
2.000.000	deux millions
3.000.000	trois millions

Pour la conversation

How do I ask what someone is like?

> **Comment est** ma tante?
> *What is my aunt like?*

How do I point out resemblances?

> **Tu ressembles à** ton grand-père.
> *You look like your grandfather.*

Et si je voulais dire...?

les cheveux blancs	*white hair*
les cheveux bouclés	*curly hair*
les cheveux ondulés	*wavy hair*
les cheveux frisés	*tightly curled hair*
les cheveux raides	*straight hair*
Je porte des lentilles/lunettes.	*I wear contacts/ glasses.*

1 Des familles françaises

Choisissez la description qui correspond à chaque image.

A. Mme Diouf a deux filles, Rahina et Naya. Elles ont les cheveux noirs et les yeux noirs comme leur mère.
B. M. Russac a les cheveux blonds et les yeux bleus. Il a deux fils, Alexis et Simon. Simon a les cheveux noirs. Alexis a les yeux bleus de son père.
C. M. et Mme Djellouli ont deux enfants—une fille, Leïla, et un fils Salim. Leïla ressemble à son père et Salim ressemble à sa mère.

1.

2.

3.

2 Des descriptions

Décrivez la taille (size), *les cheveux, et les yeux des personnes suivantes.*

MODÈLE un(e) camarade de classe

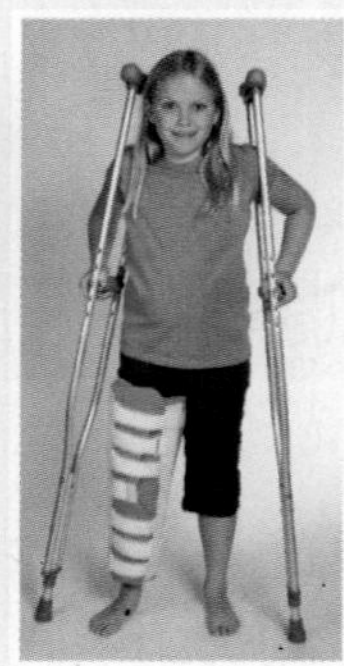

Chloé est de taille moyenne. Elle a les cheveux blonds et les yeux bleus.

1. ton frère ou sœur ou cousin(e)
2. un(e) prof
3. ton acteur préféré
4. ton actrice préférée
5. toi-même (*yourself*)

3 Questions personnelles

Répondez aux questions.

1. Est-ce que tu as les cheveux bruns, noirs, blonds, ou roux?
2. Est-ce que tu as les yeux gris, marron, verts, noirs, ou bleus?
3. Tu ressembles à qui?
4. Est-ce que tu as des frères et des sœurs, ou tu es enfant unique (*only child*)?
5. Comment s'appellent tes cousins?

4 Des chefs-d'œuvres de la peinture française

Écrivez le prix que les acheteurs (buyers) *ont payé* (paid) *pour ces peintures.*

1. *Bal du moulin de la Galette* de Renoir
   78.100.000 dollars

2. *Portrait de l'artiste sans barbe* de Van Gogh
   94.500.000 dollars

3. *Le bassin aux nymphéas* de Monet
   80.451.178 dollars

4. *Le vase paillé* de Cézanne
   36.900.000 dollars

5 Ma famille

Simone décrit (is describing) *sa famille. Regardez l'arbre généalogique* (family tree) *et dites si chaque phrase est **vraie*** (**V**) *ou **fausse*** (**F**).

Rencontres culturelles

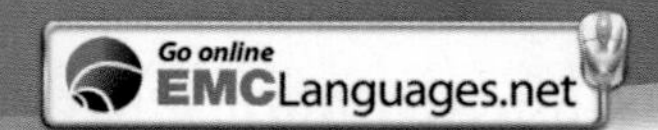

Réunion de famille

Julien's Uncle René has just arrived from Martinique to visit his sister's family in Paris.

La mère de Julien: Julien, c'est ton oncle René. Il a voyagé 7.000 kilomètres pour nous voir à Paris!

Julien: Bonjour, mon oncle!

René: Tu ressembles beaucoup à ton grand-père!

Julien: Vraiment? C'est comment la Martinique?

René: La Martinique est petite, mais géniale! On mange très bien là-bas. Tu dois manger les accras de morue de ta tante Anne-Sophie. Délicieux!

Julien: Comment est ma tante? A-t-elle les yeux verts comme mes cousins?

René: Non. Elle a les yeux marron et les cheveux bruns. Tes cousins ont les yeux verts, comme les yeux de ma belle-mère!

6 Réunion de famille

Identifiez la personne ou les personnes du dialogue.

1. Cette personne a voyagé de la Martinique.
2. Cette personne ressemble à son grand-père.
3. Cette personne prépare les accras de morue.
4. Cette personne a les yeux marron et les cheveux bruns.
5. Ces personnes ont les yeux verts.

Extension Recherches généalogiques

L'oncle d'Amélie parle de l'histoire de leur famille.

L'oncle: Ma belle-sœur, c'est-à-dire ta mère, et sa sœur ne se parlent plus depuis 20 ans!

Amélie: À cause de quoi?

L'oncle: À cause de moi! Ta tante a quitté Paris pour venir avec moi à la Martinique.

Amélie: Un vrai coup de foudre!

Extension Which family members are estranged?

Points de départ

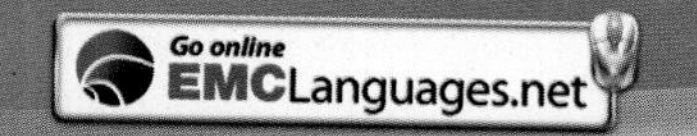

Question centrale

What is the nature of relationships in other cultures?

Le système métrique

In France, people use the metric system of measurements, developed by a commission of French scientists in 1789 just after the French Revolution began. The metric system uses centimeters, meters, and kilometers instead of inches, feet, and miles to measure distances. Weight is measured in grams and kilograms instead of ounces and pounds, while volume is measured in liters, not ounces, quarts, or gallons. Weight, volume, and size are tied to the same standards. This means one liter weighs one kilogram and fills a ten-centimeter square cube.

Search words: conversion unités de mesure

The speed limit in France is 30 miles per hour in most cities, 43 miles per hour on main roads, and 80 miles per hour on national freeways.

COMPARAISONS

Use formulas for metric conversion to find equivalents for:

- a kilometer
- 7,000 kilometers
- a meter
- a kilogram
- a liter

Search words: metric conversion formulas

La Francophonie

Antilles: La Martinique

Martinique, the "Island of Flowers," is an island located in the Caribbean Sea. Like nearby Guadeloupe, it is a French overseas **département**. This means that its citizens share the same rights and responsibilities as French citizens in mainland France. French people like to vacation in Martinique, and some residents of Martinique seek work in France. Martinique is a mountainous island with an active volcano. The last major eruption of Mont Pelé occurred on May 8, 1902. It destroyed the capital city of St. Pierre and killed some 30,000 people. After the disaster, the capital was moved to Fort-de-France, where it remains today.

Since Mont Pelé erupted in 1902, the former capital, Saint-Pierre, is now a small city with only 5,000 inhabitants.

Martinique has a unique cultural heritage due to the African, French, and other ancestors of its people. This blending of cultures can be especially seen in the island's traditional foods—cod fritters (**accras de morue**), creole sausage (**boudin créole**), and Caribbean pork stew (**Colombo de porc**)—and language. Creole is the term used to refer to this "blended" identity and to the language many native **Martiniquais** speak. The Creole language is a combination of several other languages, including French, Indian, and African languages

Zouk is a style of dance music, influenced by American R'n'B, that originated in the Antilles in the 1980s. The word zouk also refers to the type of dance performed to zouk music.

Search words: zouk vidéos

Mon dico Créole

Bonjou!	*Bonjour!*
Bonswa!	*Bonsoir!*
O revwa!	*Au revoir!*
Kombyen li ye?	*C'est combien?*
Ki sa wap etidye?	*Qu'est-ce que vous étudiez?*
Ou pale creole?	*Vous parlez créole?*
Fode mwen alé.	*Je dois aller.*

Accras de morue, a typical creole dish, has Portuguese origins.

7 Questions culturelles

Répondez aux questions.

1. When was the metric system invented?
2. Instead of miles, how is distance measured in the metric system?
3. Where is Martinique located?
4. What happened in 1902?
5. What is the capital of Martinique today?
6. What is the ethnic heritage of Martinique's population?
7. What does the word creole refer to?
8. What is zouk?

À discuter

How would you describe Martinique's relationship with France? Can you think of a similar relationship the United States has with an island?

Du côté des médias

8 Un tournoi de beach-volley!

Répondez aux questions.

1. On va jouer à quel sport?
2. Quelles sont les dates du tournoi (*tournament*)?
3. Où est la compétition?
4. Qu'est-ce que c'est que NRJ? (Faites des recherches en ligne.)
5. Quelle ligne aérienne (*airline*) soutient le "Défi des îles"?

Structure de la langue

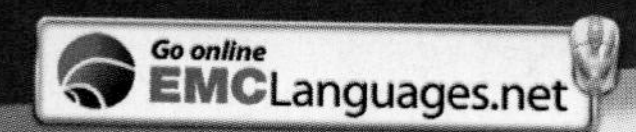

Possessive Adjectives

Tu me présentes à tes parents?

Possessive adjectives show ownership or relationship, as in "my" computer, "his" flash drive. In French, possessive adjectives have different forms depending on the nouns they describe. They agree in gender (masculine or feminine) and in number (singular or plural) with what is possessed.

	Singular				Plural	
	Masculine		Feminine before a Consonant Sound			
my	mon	oncle	ma	cousine	mes	parents
your	ton		ta		tes	
his, her, one's, its	son		sa		ses	
our	notre		notre		nos	
your	votre		votre		vos	
their	leur		leur		leurs	

The possessive adjective agrees with what is possessed, not with the owner.

Leurs cousins ont les cheveux roux. *Their cousins have red hair.*

Son, **sa,** and **ses** may mean "his," "her," "one's," or "its," depending on the gender of the owner.

Luc aime bien **sa** belle-mère. *Luc really likes his stepmother.*
Claire et **son** frère ont les yeux verts. *Claire and her brother have green eyes.*

Before a feminine singular word beginning with a vowel sound, **ma**, **ta,** and **sa** become **mon**, **ton,** and **son**, respectively.

Luc? J'ai **son** affiche. *Luc? I have his poster.*

C'est ton dictionnaire d'espagnol?
Oui, c'est mon dictionnaire.

COMPARAISONS

What are the possessive adjectives in English?

Emily is my sister.
Is Leon your brother?
He lives with his mother.
He has her eyes.
We like our cousins.
We have their blond hair.

COMPARAISONS: The possessive adjectives in English are "my," "your," "his," "her," "our," and "their."

9 Au lycée

Les étudiants du Lycée Victor Schoelcher à Fort-de-France ont besoin de leur livre d'histoire, d'une feuille de papier, et d'un stylo pour leur cours d'histoire. Regardez les bureaux de ces étudiants et dites ce dont (what) *ils ont besoin.*

mon frère
Il a besoin de sa feuille de papier et de son livre d'histoire.

1. Maude

2. Romain

3. Raphaël

4. ma cousine

5. Nicolas

6. Emma

10 Comparons nos familles!

Juliette compare sa famille à la famille de Xavier. Écrivez **J** *si elle parle de sa famille,* **X** *si elle parle de la famille de Xavier, ou* **J** *et* **X** *si elle parle des deux familles.*

Communiquez!

11 Ma famille

Presentational Communication

Décrivez une photo de votre famille en répondant à ces questions.

1. Qui est-ce?
2. Il ou elle ressemble à qui?
3. Il ou elle a les cheveux de quelle couleur?
4. Il ou elle a les yeux de quelle couleur?
5. Qu'est-ce qu'il ou elle aime faire?

Indefinite Articles in Negative Sentences

Non, je n'ai pas de cousine, j'aime la cuisine!

The indefinite articles **un**, **une**, and **des** become **de** or **d'** *(a, an, any)* in a negative sentence.

Tu as **une** sœur?	Non, je n'ai pas **de** sœur.
Mme Blondel a **des** enfants?	Non, elle n'a pas **d'**enfants.

However, **un**, **une**, and **des** do not change after a form of the verb **être** in a negative sentence.

Ce ne sont pas **des** maillots de l'équipe.
They're not the team's jerseys.

12 Est-ce que tu as...?

Interpersonal Communication

Demandez si votre partenaire a les parents ou profs suivants. Ensuite, changez de rôles.

MODÈLE un prof tahitien
A: **Est-ce que tu as un prof tahitien?**
B: **Non, je n'ai pas de prof tahitien.**
Et toi, est-ce que tu as un prof tahitien?
A: **Oui, j'ai une prof tahitienne, Mlle Mataoa.**

1. une prof française
2. un prof algérien
3. un frère
4. une sœur
5. des cousins
6. des tantes
7. un oncle

13 Les affaires de Juliette et Joëlle

Juliette et Joëlle sont des sœurs qui partagent la même chambre. Dites ce qu'elles ont et n'ont pas, selon l'illustration. (Juliette and Joëlle are sisters who share a room. Say what they have and don't have, according to the illustration.)

Juliette | Joëlle

MODÈLE **Juliette a un livre de maths, mais Joëlle n'a pas de livre de maths.**

À vous la parole

Question centrale

What is the nature of relationships in other cultures?

14 Je me présente.

Interpersonal Communication

Imagine you are at a party where you don't know anyone. Introduce yourself to another student, giving your name. Then tell the student a little about yourself, including your favorite activities and something about the members of your family. After exchanging introductions with your partner, move on to the next student and introduce yourself again. Continue until you have spoken with four different students. Write a paragraph about one of the people you interviewed.

Communiquez!

15 Bienvenue!

Interpersonal/Presentational Communication

Awa is an exchange student from **Sénégal**, and Christophe has just arrived at your school from Belgium. Choose one of them to interview for the school newspaper. Write questions to find out the student's favorite activities and foods, the town or city where he or she is from, who the members of the student's family are, as well as their names, favorite activities, and foods. Then, role-play the interview with a classmate and write the article for the school newspaper.

16 Un faire-part de naissance

Je suis un garçon
Je mesure 49 cm
Je pèse 3 kg 250
Je m'appelle
Maxime
et je suis né
le 3 septembre 2012
Famille Brunon-4 rue des Pissenlits-69600 Oullin

Interpretive Communication

Un faire-part de naissance is a birth announcement sent out to family, friends, and colleagues. Sending a **faire-part de naissance** to friends and relatives is a very important tradition in French culture. Go online to find an example. Take notes on what you understand. Then show the **faire-part** to your classmates and describe the facts about the baby.

Pronônciation

Linking Consonants

- In French you don't normally pronounce the last consonant in a word, such as the **s** in **gris** or the **t** in **est**. But when you do pronounce the last consonant, like the **r** in **père**, and the next word begins with a vowel, you link the two sounds together.

  Mon père‿est blond.

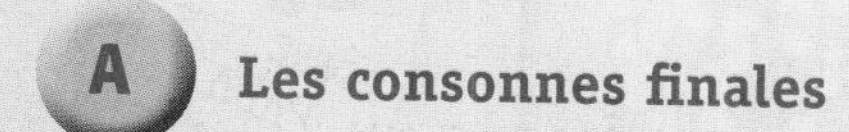

A Les consonnes finales

Repeat each sentence. Pay attention to final consonants.

1. Mon père est brun. Il est brun.
2. Ma mère est blonde. Elle est blonde.
3. Mon frère est roux. Il est roux.

B Les mois de l'année

Repeat each sentence. Pay attention to the pronunciation of the months.

1. Septembre est frais (*cool*).
2. Octobre est pluvieux (*rainy*).
3. Novembre est humide.
4. Décembre est froid (*cold*).

Pronunciation of the Letter "a"

- The vowel /a/ in **ma** or **famille** is different from the nasal vowel /ã/ in **grand**.

C Les sons /a/ et /ã/

Repeat the sounds /a/ and /ã/ in the words and sentences that follow.

1. mars, avril, janvier
2. Il va manger.
3. Il va changer.

D Les âges

To practice the pronunciation of /a/ and the nasal vowel, repeat the questions and statements.

1. Quel âge a Stéphane? Il a trente ans.
2. Quel âge a Romane? Elle a quarante ans.
3. Quel âge a Marianne? Elle a soixante ans.
4. Quel âge a Suzanne? Elle a cent ans.

E Distinguez!

What do you hear in each sentence? Write **A** *for the sound /a/ or* **B** *for the sound /ã/.*

Leçon B

Vocabulaire actif

Bon anniversaire!

les mois (m.) de l'année (f.)

janvier
février

mars

avril

mai

juin

juillet

août

septembre

octobre

novembre

décembre

Comment sont-ils?

Sarah est bête.
Didier est intelligent.

Claude est égoïste.
Chloé est généreuse.

Michèle est diligente.
Théo est paresseux.

Angèle est bavarde.
Karim est timide.

Martine est sympa.
Léo est méchant.

l'anniversaire

une carte
un gâteau
un cadeau
une carte cadeau

bavard	bavarde
bête	bête
diligent	diligente
égoïste	égoïste
généreux	généreuse
méchant	méchante
paresseux	paresseuse
sympa	sympa
timide	timide

Pour la conversation

How do I ask someone's age?

> **Tu as quel âge?**
> *How old are you?*

How do I tell my age?

> **J'ai... ans.**
> *I'm... years old.*

How do I tell what gift I'm giving?

> **J'offre** un CD à Alice.
> *I'm giving Alice a CD.*

How do I plan a party with others?

> **Tu peux apporter** les boissons?
> *Can you bring the drinks?*

Et si je voulais dire...?

de l'argent	*money*
une boîte de chocolats	*box of chocolates*
un bouquet de fleurs	*bouquet of flowers*
canon	*beautiful/handsome*
faible	*weak*
moche	*ugly*
pauvre	*poor*
riche	*rich*

1 Les mois

Identifiez le mois qui correspond au chiffre (number), *par exemple, janvier est 1.*

1. 3
2. 8
3. 6
4. 11
5. 1
6. 7
7. 12
8. 2
9. 9
10. 4
11. 10
12. 5

Noël est en décembre.

2 Ils sont comment?

Décrivez chaque personne.

MODÈLE Nicole
Nicole est généreuse.

Lutte contre le cancer

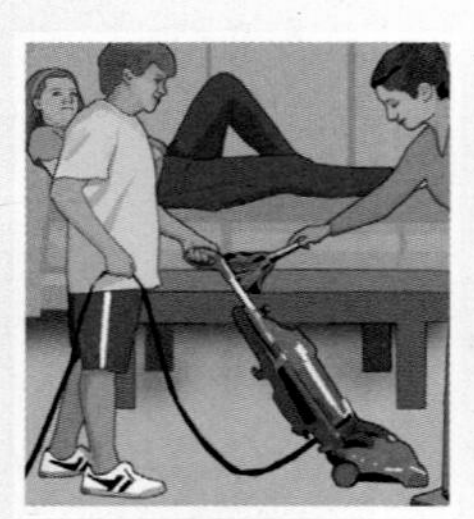

1. Marie-Alix

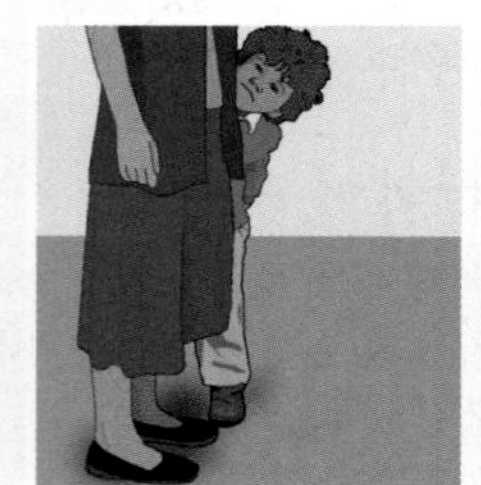

2. Salim

3. Julien

4. Abdoulaye

blah, blah, blah

5. Juliette

Je suis la meilleure footballeuse de l'équipe

6. Julie

7. Bernard

8. Anne

9. Antoine

Magali est bavarde.

3 Les jumeaux

Les jumeaux souvent se ressemblent. Écoutez chaque description et écrivez l'adjectif qui décrit le jumeau de cette personne. (Twins often look and act alike. Listen to each description and write the adjective that describes that person's twin.)

MODÈLE Vous entendez: Christian est méchant. Comment est sa sœur Delphine?
Vous écrivez: **méchante**

4 On offre un cadeau d'anniversaire.

Choisissez un cadeau qui correspond aux intérêts et besoins de chaque personne. Ensuite, expliquez (explain) *pourquoi vous offrez ce cadeau.*

- une carte cadeau pour le magasin Printemps
- un ordinateur portable
- une comédie sur DVD
- un CD
- des chaussures de sport
- une écharpe avec le blason de PSG

MODÈLE Je m'appelle Francine. J'aime sortir avec mes amis et nous aimons aller aux concerts.
J'offre un CD à Francine parce qu'elle aime la musique.

1. Je m'appelle Marc et j'aime bien le sport. J'aime faire du footing dans le parc, mais j'ai besoin de chaussures.
2. Je suis Céline et j'adore lire les blogues! J'aime jouer aux jeux vidéo. Je surfe beaucoup sur Internet.
3. Je suis Julien, un fan du football. J'aime regarder l'équipe de Paris au stade.
4. Je suis Mlle Dupont. J'aime faire du shopping au centre commercial.
5. Je m'appelle François. J'aime rire! Je vais au cinéma le samedi soir.

5 Quel âge ont-ils?

Lisez le paragraphe suivant. Quel âge a chaque personne dans la famille de Florence? Écrivez le nom de chaque personne et leur âge en chiffres (numbers) *comme ça:* **nom, 13 ans.**

Florence a quinze ans. Son frère Émile a seize ans. Leurs parents ont quarante-cinq ans. Leur grand-mère a soixante-six ans.

6 Questions personnelles

Mon amie est généreuse et sympa.

Répondez aux questions.

1. Qu'est-ce que tu offres à ton ami(e) pour son anniversaire?
2. En quel mois est-ce que tu organises une fête pour l'anniversaire de ton ami(e)?
3. Qui apporte les boissons? la musique?
4. Qu'est-ce qu'on va manger?
5. Comment est ton ami(e)?
6. En quel mois est ton anniversaire?

Rencontres culturelles

Quel cadeau offrir?

Julien's friends are planning to celebrate his upcoming birthday.

Yasmine: Bon. Qu'est-ce qu'on offre à Julien?
Maxime: Ah! Son anniversaire, c'est le 23 février! Il va avoir 15 ans!
Yasmine: C'est un samedi. Alors, on va faire une super teuf!
Camille: Qu'est-ce qu'on va acheter comme cadeau?
Maxime: Je sais! Une carte cadeau de la FNAC!
Yasmine: Maxime, tu es paresseux! Tu ne veux pas faire un peu de shopping?
Maxime: C'est que... je suis généreux!
Camille: Ah! Julien est passionné de cinéma, non? Alors, nous lui offrons des DVD!
Maxime: Quels films choisissons-nous?
Camille: Des films sympa et intelligents. Julien n'aime pas les films bêtes.
Yasmine: Bon. Maxime, tu choisis les DVD, d'accord?
Maxime: C'est ça. Et on finit la discussion chez moi. Je peux vous offrir une pizza!

7 Quel cadeau offrir?

Répondez aux questions.

1. C'est bientôt l'anniversaire de qui?
2. Qu'est-ce que Camille, Maxime, et Yasmine vont organiser?
3. Quel cadeau Maxime désire-t-il offrir?
4. Est-ce que Yasmine aime l'idée de Maxime? Pourquoi, ou pourquoi pas?
5. Pourquoi Camille parle de DVD?
6. Quels films est-ce que Julien n'aime pas?
7. Qui va choisir les cadeaux?
8. Où est-ce que les amis finissent la discussion?

Extension **Samuel, un nouveau copain**

Élodie a été malade hier. Emma lui parle d'un nouvel élève à l'école.

Emma: Samuel, c'est son nom.
Élodie: Il est comment?
Emma: Je le trouve un peu timide. Mais qui sait? Il est peut-être juste un peu réservé?
Élodie: Comme toi l'année dernière! Tu te souviens... toi qui ne voulais parler à personne? Et ben, raconte-moi tout! Il est sympa?
Emma: Oui... enfin, je crois. Il est martiniquais. Il vient d'arriver des Antilles avec sa famille.

Extension What does Emma tell Élodie about Samuel, the new student?

Points de départ

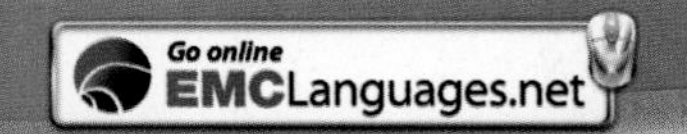

Question centrale

What is the nature of relationships in other cultures?

Joyeux anniversaire! Bonne fête!

In France, people often celebrate birthdays with a party, cake, and gifts just like in the United States. To wish someone a happy birthday in French, you say **Bon anniversaire!** or **Joyeux anniversaire**! Another day many people celebrate in France and other European countries is their saint's day. Each day of the year is associated with a Christian saint, so if an individual is named after a saint, such as Anne, Catherine, François, or Vincent, he or she may receive gifts or treats on that particular saint's day.

La Francophonie

Fêtes

In her autobiography, Antillean writer Maryse Condé writes about her mother's huge birthday parties attended by the entire family. She tells of how her many brothers and sisters would create skits and write poems in their mother's honor, and how the children where her mother taught would sing songs and present her with bouquets of flowers.

Many Muslim families in the Middle East and Africa don't always celebrate a child's birthday. They give parties and presents to their children, as well as gifts to less fortunate young people not related to them, during such festivals as **Aïd-el-Kébir** (also known as **Aïd-al-Adha** or **Tabaski**).

La FNAC

La FNAC is a French chain store selling media and electronics. It is known for the affordability, number, and selection of its products. People shop at FNAC stores or online to find a wide variety of products ranging from books and music to software and portable communications devices. Customers can also buy and reserve tickets for the theater, concerts, and other events at the FNAC. One of the most successful retailers in Europe, it also sponsors book fairs, literary prizes, and even campaigns that promote culture and the arts.

COMPARAISONS

The United States is a very diverse country, made up of people from many places who brought their traditions, celebrations, and cultures with them. What special days does your family celebrate? What special foods do you eat on those days? What types of activities do you do? Do you give presents on those days?

8 Questions culturelles

Répondez aux questions.

1. How are birthday celebrations in France similar to those in the United States?
2. How do you wish someone a happy birthday in French?
3. What other special day do some people celebrate in France?
4. How does writer Maryse Condé describe her mother's birthday parties?
5. What is **Aïd-al-Kébir**?
6. What can you buy at **la FNAC**?
7. What other services does this retailer provide?

La mosquée, or mosque, is the place of prayer and religious gatherings for Muslims all over the world.

À discuter

What do personal, national, and religious celebrations all have in common?

Du côté des médias

9 Les fêtes

Choisissez la date pour la fête des ados avec les prénoms suivants.

MODÈLE Sylvain
May 4

1. Véronique
2. Yvette
3. Hervé
4. Pascal
5. Catherine
6. Jules
7. Françoise

Prénoms des saints

Janvier			Fevrier			Mars			Avril			Mai			Juin		
1	V	Jour de l'an	1	L	Ella	1	L	Aubin	1	J	Hugues	1	S	Fête du travail	1	M	Justin
2	S	Basile	2	M	Présentation	2	M	Charles le Bon	2	V	Sandrine	2	D	Boris	2	M	Blandine
3	D	Geneviève	3	M	Blaise	3	M	Guénolé	3	S	Richard	3	L	Philippe-Jacques	3	J	Kévin
4	L	Odilon	4	J	Véronique	4	J	Casimir	4	D	Isidore	4	M	Sylvain	4	V	Clotilde
5	M	Edouard	5	V	Agathe	5	V	Olive	5	L	Irène	5	M	Judith	5	S	Igor
6	M	Mélaine	6	S	Gaston	6	S	Colette	6	M	Marcellin	6	J	Prudence	6	D	Norbert
7	J	Raymond	7	D	Eugénie	7	D	Félicité	7	M	J-B. de la Salle	7	V	Gisèle	7	L	Gilbert
8	V	Lucien	8	L	Jacqueline	8	L	Jean de Dieu	8	J	Julie	8	S	Armistice 1945	8	M	Médard
9	S	Alix	9	M	Apolline	9	M	Françoise	9	V	Gautier	9	D	Pacôme	9	M	Diane
10	D	Guillaume	10	M	Arnaud	10	M	Vivien	10	S	Fulbert	10	L	Solange	10	J	Landry
11	L	Pauline	11	J	ND de Lourdes	11	J	Rosine	11	D	Stanislas	11	M	Estelle	11	V	Barnabé
12	M	Tatiana	12	V	Félix	12	V	Justine	12	L	Jules	12	M	Achille	12	S	Guy
13	M	Yvette	13	S	Béatrice	13	S	Rodrigue	13	M	Ida	13	J	Rolande	13	D	Antoine de P.
14	J	Nina	14	D	Valentin	14	D	Mathilde	14	M	Maxime	14	V	Matthias	14	L	Elisée
15	V	Rémi	15	L	Claude	15	L	Louise	15	J	Paterne	15	S	Denise	15	M	Germaine
16	S	Marcel	16	M	Julienne	16	M	Bénédicte	16	V	Benoît-Joseph	16	D	Honoré	16	M	J. F. Régis
17	D	Roseline	17	M	Alexis	17	M	Patrice	17	S	Anicet	17	L	Pascal	17	J	Hervé
18	L	Prisca	18	J	Bernadette	18	J	Cyrille	18	D	Parfait	18	M	Eric	18	V	Léonce
19	M	Marius	19	V	Gabin	19	V	Joseph	19	L	Emma	19	M	Yves	19	S	Romuald
20	M	Sébastien	20	S	Aimée	20	S	Printemps	20	M	Odette	20	J	Bernardin	20	D	Silvère
21	J	Agnès	21	D	Damien	21	D	Clémence	21	M	Anselme	21	V	Constantin	21	L	Eté
22	V	Vincent	22	L	Isabelle	22	L	Léa	22	J	Alexandre	22	S	Emile	22	M	Alban
23	S	Banard	23	M	Lazare	23	M	Victorien	23	V	Georges	23	D	Didier	23	M	Audrey
24	D	Fr. de Sales	24	M	Modeste	24	M	Catherine1	24	S	Fidèle	24	L	Donatien	24	J	Jean-Baptiste
25	L	Conv. de Paul	25	J	Roméo	25	J	Annonciation	25	D	Marc	25	M	Sophie	25	V	Prosper
26	M	Paule	26	V	Nestor	26	V	Larissa	26	L	Alida	26	M	Bérenger	26	S	Anthelme
27	M	Angèle	27	S	Honorine	27	S	Habib	27	M	Zita	27	J	Augustin1	27	D	Fernand
28	J	Th. d'Aquin	28	D	Romain	28	D	Gontran	28	M	Valérie	28	V	Germain	28	L	Irénée
29	V	Gildas				29	L	Gwladys	29	J	Cath. de Sienne	29	S	Aymar	29	M	Pierre-Paul
30	S	Martine				30	M	Amédée	30	V	Robert	30	D	Ferdinand	30	M	Martial
31	D	Marcelle				31	M	Beniamin				31	L	Visitation			

IMAGE DE CALENDRIERS.COM

Structure de la langue

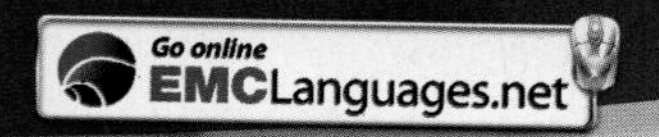

Present Tense of Regular Verbs Ending in *–ir*

Many French verb infinitives end in **-ir**. Most of these verbs are regular, such as **finir** (*to finish*) and **choisir** (*to choose*). Their forms follow a predictable pattern. To form the present tense of a regular **-ir** verb, drop the **-ir** ending from the infinitive to find the verb stem, then add the appropriate ending.

Now add the endings (**-is, -is, -it, -issons, -issez, -issent**) to the stem of the verb depending on the corresponding subject pronouns.

finir			
je	fin**is**	nous	fin**issons**
tu	fin**is**	vous	fin**issez**
il/elle/on	fin**it**	ils/elles	fin**issent**

Je **finis** le gâteau pour sa fête d'anniversaire. — *I am finishing the cake for her birthday party.*

En général, ma tante **choisit** les meilleurs cadeaux. — *My aunt generally chooses the best presents.*

Note: The verb **offrir** (*to give* or *offer*) is irregular. It will be presented later in this lesson.

Some common –**ir** verbs:	
grandir	*to grow*
grossir	*to gain weight*
maigrir	*to lose weight*
réfléchir (à)	*to think over, consider*
réussir (à)	*to succeed, to pass (a test)*
rougir	*to blush*

COMPARAISONS

Are the verbs "to finish" and "to choose" also regular in English?

I finish, you finish, she finishes, we finish, they finish

I choose, you choose, he chooses, we choose, they choose

COMPARAISONS: The verbs "to finish" and "to choose" are also regular in English.

10 Quelle cartes cadeaux choisissent-ils?

Dites quelle carte cadeau ces personnes choisissent pour offrir à leurs amis.

MODÈLE Guillaume a besoin d'un nouveau sac à dos./Sébastien
Sébastien choisit la carte cadeau Carrefour.

1. Alima a besoin d'un ballon de foot./Mehdi et Romain
2. Mamadou a besoin de chaussures de foot./Inès et Coralie
3. Julie aime manger des hamburgers et des frites./je
4. Héloïse aime les concerts./Anaïs et toi, vous
5. Noémie a besoin d'un dictionnaire./Lilou et moi, nous
6. Marc-Antoine désire un maillot du PSG./je
7. David a besoin d'un cédérom./tu
8. Martin désire le nouveau CD de Franz Ferdinand./Laurence

Communiquez!

11 Les emplois du temps

Interpersonal Communication

Bruno et Serge désirent savoir quand l'autre finit ses cours pour trouver le temps de jouer au football. (Bruno and Serge want to find out when the other finishes class so they can find a time to play soccer.) *Avec un partenaire, jouez les rôles de Bruno et Serge.*

MODÈLE
Bruno: **Quand est-ce que tu finis les cours lundi?**
Serge: **Je finis à 14h45. Et toi, quand est-ce que tu finis?**
Bruno: **Je finis à 15h30.**

Bruno

Jour	Ses cours finissent à....
lundi	15h30
mardi	14h45
mercredi	16h00
jeudi	16h30
vendredi	14h45
samedi	11h50

Serge

Jour	Ses cours finissent à....
lundi	14h45
mardi	15h30
mercredi	15h15
jeudi	14h45
vendredi	16h30
samedi	11h50

Quand est-ce que tu finis les cours mercredi?
Je finis à 16h00.

12 La fête d'anniversaire

Xavier est content. Hugo lui donne (is throwing him) *une fête d'anniversaire. Complétez son e-mail avec les formes convenables des verbes* ***choisir****,* ***finir****,* ***grossir****, et* ***rougir****.*

À: Hugo
Cc:
Sujet: Mon anniversaire

Salut, Hugo!

Une fête pour mon anniversaire, c'est sympa. Tu es généreux! (Je __1__!) On va faire une super teuf! Qu'est-ce que tu vas __2__ comme gâteau? Je préfère les gâteaux au chocolat. Moi, je vais manger le gâteau, mais Andrée et Clara, ça, c'est différent. Elles ne veulent pas __3__ . On va avoir aussi des fruits et des boissons? Comme ça, les filles vont être contentes. Oui, c'est bien. Nous __4__ le dîner avec le gâteau ou des fruits.

À+! Xavier

Dates

To express the date in French, follow this formula:

le + number + month

C'est **le 19 mars.**
Nous sommes **le 19 mars.** } It's March 19.

C'est le 14 février.

An exception to this rule is "the first" of any month. Use **le premier** before the name of a month.

C'est **le premier mai.**
C'est **le 1er mai.** } *It's May first.*

When a date is abbreviated, the day comes before the month: 12/7 is July 12.

13 Les jours fériés

Écrivez les dates en français de ces jours fériés (holidays).

MODÈLE 1/1
le premier janvier

9/4
le neuf avril

1. 9/4
2. 1/5
3. 8/5
4. 17/5
5. 28/5
6. 14/7
7. 15/8
8. 11/11
9. 25/12

14 Les dates spéciales

Écrivez la date en français de chaque fête américaine ou événement.

1. Valentine's Day
2. New Year's Day
3. Saint Patrick's Day
4. Independence Day (U.S.)
5. Halloween
6. April Fools' Day
7. Christmas
8. New Year's Eve
9. your birthday
10. the last day of school

In France, it is common to eat raw oysters squirted with lemon juice on New Year's Eve.

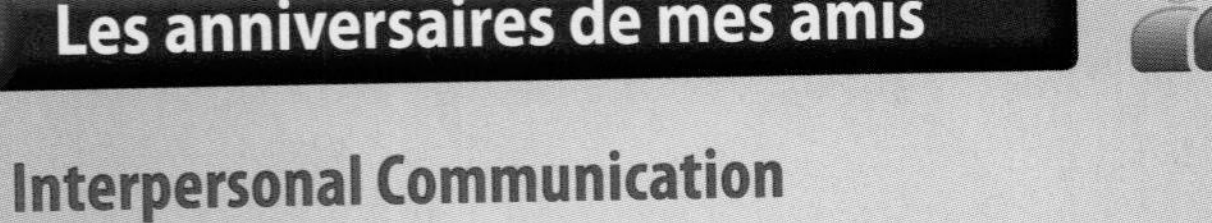
Communiquez !

15 Les anniversaires de mes amis

Interpersonal Communication

Écrivez les noms de cinq amis et échangez (exchange) *votre liste avec la liste d'un partenaire. Votre partenaire va demander la date d'anniversaire de chacun de vos amis et la noter. Échangez encore* (again) *vos listes et corrigez les dates.*

MODÈLE Rahina
A: **C'est quand, l'anniversaire de ton amie Rahina?**
B: **Son anniversaire est le 11 juin.**

C'est quand l'anniversaire de Patrick?
C'est le 12 février.

16 Les dates

Catherine et sa sœur parlent de dates importantes. Écoutez leur conversation et écrivez les dates que vous entendez à la française: le jour/le mois. Par exemple, la date de Noël (Christmas) *s'écrit* (is written) *25/12.*

MODÈLE Vous entendez: L'anniversaire de Richard est le 12 mai.
Vous écrivez: **12/5**

Expressions with *avoir*

You have already learned three expressions with the verb **avoir: avoir besoin de** (*to need*), **avoir faim** (*to be hungry*), and **avoir soif** (*to be thirsty*). Another expression is **avoir... an(s)** which is used to tell how old someone is. To ask someone's age, you can say: **Tu as quel âge?**

Tu as quel âge?	*How old are you?*
J'**ai** quatorze **ans**.	*I'm fourteen (years old).*

17 On a quel âge?

Donnez l'âge de tout le monde selon leur date de naissance (birthdate).

1. L'actrice et chanteuse Vanessa Paradis a quel âge?
   mille neuf cent soixante-douze
2. L'acteur Johnny Depp a quel âge?
   mille neuf cent soixante-trois
3. Le footballeur Franck Ribéry a quel âge?
   mille neuf cent quatre-vingt-trois
4. Le chanteur Corneille a quel âge?
   mille neuf cent soixante dix-sept
5. Le chanteur Rachid Taha a quel âge?
   mille neuf cent cinquante-huit

COMPARAISONS

What verb do you use to express someone's age in English?

Amber is 15 years old.
Tom and Jim are only 14.

COMPARAISONS: To express a person's age, English speakers use the verb "to be."

18 L'album de photos de grand-mère

Vous regardez l'album de photos de votre grand-mère. Elle est née (was born) *en 1950. Elle a quel âge dans chaque photo?*

MODÈLE 1960
Ma grand-mère a dix ans en mille neuf cent soixante.

1. 1965

2. 1969

3. 1977

4. 1983

5. 2000

Present Tense of the Irregular Verb *offrir*

The verb **offrir** (*to offer, to give*) looks like an **–ir** verb, but it is irregular.

offrir			
j'	**offre**	nous	**offrons**
tu	**offres**	vous	**offrez**
il/elle/on	**offre**	ils/elles	**offrent**

Spelling Tip

Note that in the present tense of **offrir** has the endings of an –**er** verb.

Qu'est-ce qu'on **offre**? *What are we giving?*

Qu'est-ce que Sophie offre à sa grand-mère?

19 Les cadeaux d'anniversaire

Dites ce que tout le monde offre.

MODÈLE Jean-Luc/son beau-père
Il offre un cadeau à son beau-père.

1. Emma/sa cousine

2. moi, je/mon oncle

3. Gabrielle et Paul/leurs cousins

4. René/son cousin

5. Charlotte et moi, nous/notre belle-sœur

6. Océane et Annick/leur grand-mère

7. toi et Ambre, vous/votre cousin

8. toi, tu/ta prof de français

Communiquez !

20 Les fêtes

Interpersonal Communication

Posez des questions à votre partenaire sur ce qu'il ou elle offre à certaines personnes comme cadeau. Puis, changez de rôles.

MODÈLE ta grand-mère/son anniversaire
A: **Qu'est-ce que tu offres à ta grand-mère pour son anniversaire?**
B: **J'offre une écharpe à ma grand-mère pour son anniversaire.**

1. ton père/la fête des Pères
2. ton ami(e)/la Saint-Valentin
3. ta mère/la fête des Mères
4. tes parents/leur anniversaire de mariage
5. ton frère ou ta sœur/son anniversaire
6. ton ami(e)/son anniversaire

Qu'est-ce que tu offres à ton ami pour la Saint-Valentin?
J'offre un CD à mon ami pour la Saint-Valentin.

À vous la parole

Question centrale

What is the nature of relationships in other cultures?

Communiquez!

21 Quelle est la date de ton anniversaire?

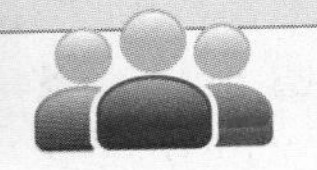

Interpersonal Communication

Form a circle with your classmates around the room to represent the calendar year. The door of the room marks the beginning of the year, or **janvier**. Ask the classmates closest to you when their birthday is, then arrange yourselves clockwise in the circle according to the month you were born. When everyone has found their place, each student will say when their birthday is. Listen carefully to make sure everyone is in the correct place!

Communiquez!

22 Une carte d'anniversaire

Interpretive/Presentational Communication

Your teacher will come around the room with a bag. Pull out the name of a classmate and send him or her a virtual birthday card with a message. For example, you might wish your classmate a happy birthday and ask what he or she is going to do or ask how old he or she is now.

Search words: cartes de vœux virtuelles

Je veux inviter Awa, Anne, et Justin.
Je peux téléphoner à nos amis.

Communiquez!

23 Une surprise!

Interpersonal Communication

You and a classmate are planning a surprise birthday party for a friend. In your conversation:

- greet each other.
- ask each other how things are going.
- confirm the date of your friend's birthday.
- decide on a gift to give him or her.
- decide who is going to bring the sandwiches, cake, beverages, and music.
- say whom you want to invite and write a list of names.
- say who will send the invitations or phone your friends.
- exchange phone numbers so that you can do more planning later. Say good-bye.

Vocabulaire utile

envoyer les invitations *send invitations*; **téléphoner à un copain** *phone a friend*; **continuer la discussion** *continue the discussion*

Stratégie communicative

L'Art de la conversation

There is an art to carrying on an interesting conversation. You may have mastered this art in English, but how do you improve your conversation skills in French? The answer is easy. Ask questions! Most people like to talk about themselves. Let's begin by reviewing how to ask someone for information. Here is a formula for asking information questions:

question word + **est-ce que (qu')** + subject + verb	**Pourquoi est-ce que** tu vas au Café de Paris? *Why do you go to the Café de Paris?*

Other question words and expressions you can use are:

où *where*	**comment** *how*	**avec qui** *with whom*
quand *when*	**qui** *who*	**que** *what*

24 Je continue la conversation.

Imaginez que vous parlez avec ces personnes. Choisissez la question qui suit logiquement (that logically follows) *chaque phrase.*

1. Alexandre: Je vais au stade le weekend.
2. Michèle: J'aime faire du jogging.
3. Myriam: Je vais au centre commercial ce soir.
4. Marianne: J'étudie avec Hugo.
5. Mehdi: Je vais au parc après l'école.
6. Lamine: Je vais aller à Lyon.

A. Qui est Hugo?
B. Pourquoi est-ce que tu vas au stade le weekend?
C. Quand est-ce que tu vas aller à Lyon?
D. Où est-ce que tu aimes faire du jogging?
E. Qu'est-ce que tu vas faire au parc?
F. Comment est-ce que tu vas au centre commercial?

Communiquez!

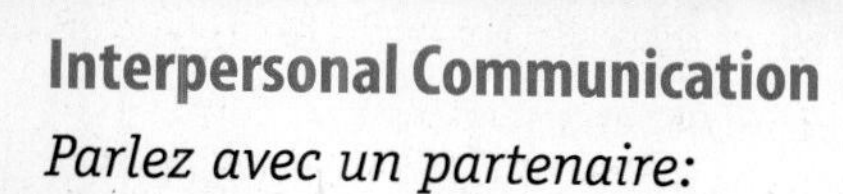

25 Je peux participer dans une conversation.

Interpersonal Communication

Parlez avec un partenaire:

1. du cinéma
2. d'un(e) camarade de classe
3. des dates d'anniversaire
4. des projets pour le weekend
5. de la famille

Prolongez la conversation avec une question.

Leçon C

Vocabulaire actif

L'Afrique francophone

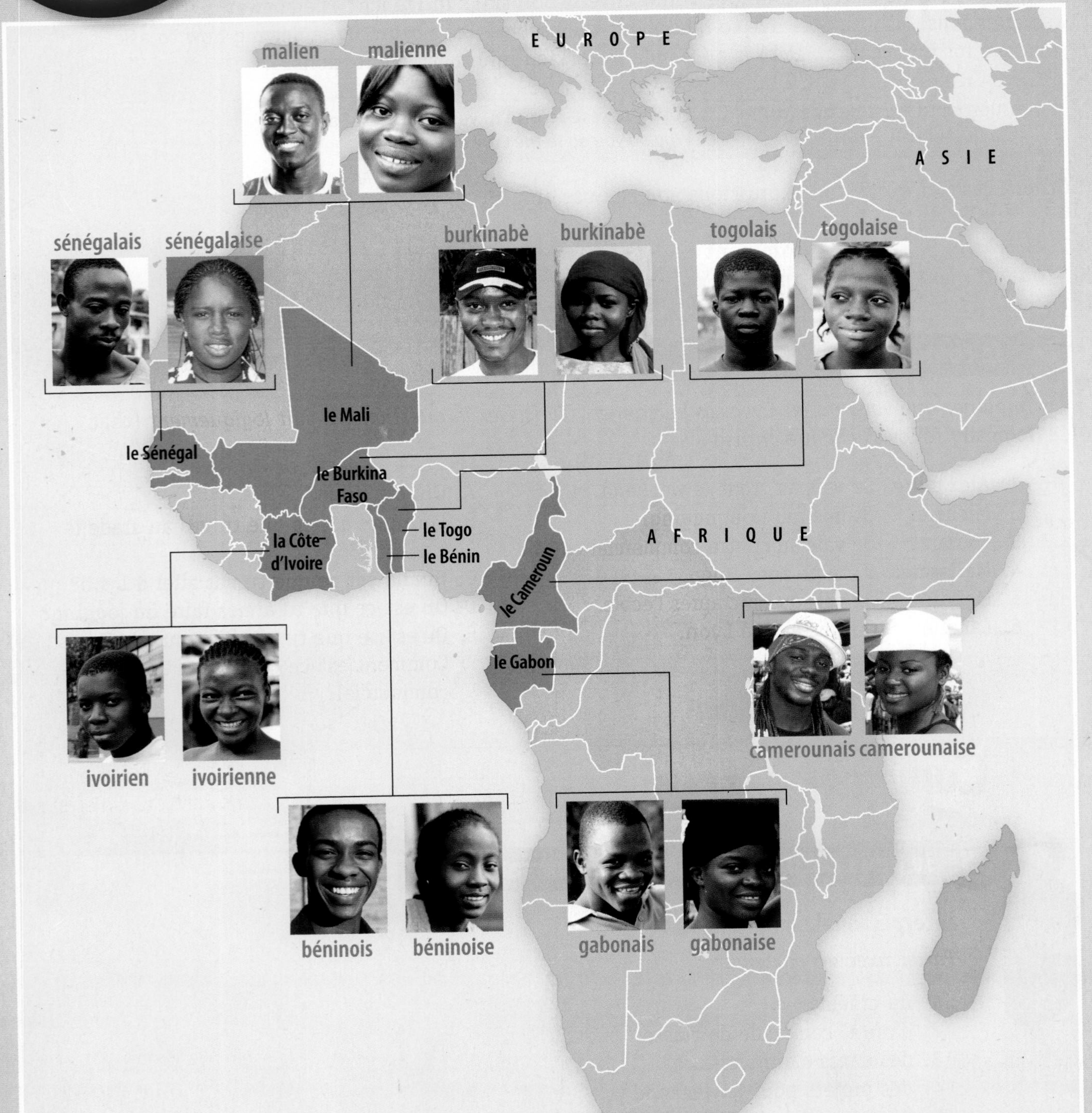

Des professions et des métiers 

un agent de police

une athlète

une avocate

un cuisinier

un homme d'affaires

un médecin

un ingénieur

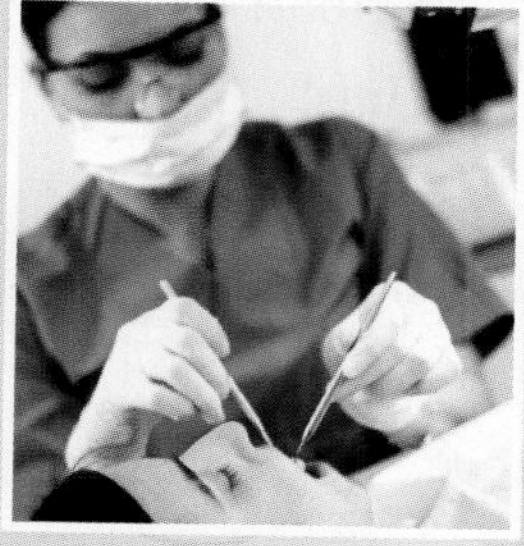
une dentiste

un écrivain

une chanteuse

un metteur en scène

un graphiste

un testeur de jeux vidéo

un agent de police
un athlète
un avocat
un cuisinier
un homme d'affaires
un médecin
un ingénieur
un dentiste
un écrivain
un chanteur
un metteur en scène
un graphiste
un testeur de jeux vidéo

un agent de police
une athlète
une avocate
une cuisinière
une femme d'affaires
un médecin
un ingénieur
une dentiste
un écrivain
une chanteuse
un metteur en scène
une graphiste
un testeur de jeux vidéo

Pour la conversation 

How do I find out what someone's profession is?

> **Quelle est votre profession?**
> *What is your profession?*

> **How do I state my profession?**

> **Je suis actrice.**
> *I'm an actrice.*

How do I ask where someone comes from?

> **Vous venez/Tu viens d'où?**
> *Where do you come from?*

How do I say where I come from?

> **Je viens** des États-Unis.
> *I come from the United States.*

> **Je viens** du Canada.
> *I come from Canada.*

> **Je viens** de France.
> *I come from France.*

Et si je voulais dire...? 

un(e) secrétaire	*secretary*
un boulanger, une boulangère	*baker*
un boucher, une bouchère	*butcher*
un épicier, une épicière	*grocery store owner*
un pâtissier, une pâtissière	*pastry chef*
un caissier, une caissière	*cashier*
un pompier	*fire fighter*
un(e) vétérinaire	*veterinarian*
un chercheur, une chercheuse	*researcher*

1 Des étudiants de l'Afrique

Des élèves de l'Afrique se présentent (are introducing themselves). *Complétez chaque phrase avec l'adjectif de nationalité convenable.*

1. Je m'appelle Alima. Je viens du Cameroun. Je suis....
2. Je m'appelle Amidou. Je viens de la Côte-d'Ivoire. Je suis....
3. Je m'appelle Naya. Je viens du Sénégal. Je suis....
4. Je m'appelle Evenye. Je viens du Mali. Je suis....
5. Je m'appelle Kemajou. Je viens du Togo. Je suis....
6. Je m'appelle Koffi. Je viens du Gabon. Je suis....

Je vous présente Mlle Fanta. Elle est gabonaise.

2 Quelle est sa profession?

Dites la profession de ces personnes.

MODÈLE Mme Dumont
Mme Dumont est cuisinière.

1. Mme Renette

2. M. Odinot

3. Mlle Touzain

4. M. Vivot

5. M. Toussaint

6. Mlle Soyer

3 Les professions

Choisissez l'image qui correspond à la phrase que vous entendez.

MODÈLE Vous entendez: M. Diouf? C'est un dentiste congolais.
Vous écrivez: **E**

A.

B.

C.

D.

E.

F.

G.

H.

I.

J.

4 Questions personnelles

Répondez aux questions.

1. Tu viens d'où?
2. Tes parents, ils sont américains?
3. Quelle est la profession de tes grands-parents ou ton oncle et ta tante?
4. Quelle profession est-ce que tu vas choisir?
5. Quelle profession est-ce que tu préfères, graphiste ou testeur de jeux vidéo?

Rencontres culturelles

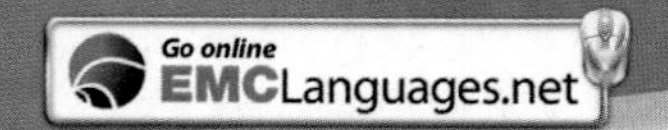

On prépare un projet culturel!

To prepare for a culture project, Yasmine tells Maxime about Amadou and Mariam, her favorite African singers.

Maxime: D'où viennent-ils?
Yasmine: Amadou et Mariam? Ils viennent du Mali.
Maxime: Et quelle est leur profession?
Yasmine: Ils sont chanteurs et compositeurs.
Maxime: Je voudrais être chanteur un jour.
Yasmine: C'est une bonne profession. Mais tu chantes bien, toi? Et bien, moi, je voudrais être écrivain ou peut-être médecin!
Maxime: Mademoiselle n'est pas paresseuse! Tu travailles bien à l'école.
Yasmine: Non. Mais toi, tu es un peu bavard! Je veux préparer mon projet culturel, pas parler de professions!

5 On prépare un projet culturel!

Complétez les phrases.

1. Yasmine prépare un....
2. Elle aime bien..., des chanteurs et compositeurs africains.
3. Amadou et Mariam... du Mali.
4. La future profession de Maxime est....
5. Yasmine désire être... ou....

Extension **Comment choisir sa profession?**

Sébastien, un reporteur pour le journal du lycée, interviewe des élèves pour trouver la profession qu'ils veulent exercer un jour.

Sébastien: Quelle profession aimerais-tu exercer et pourquoi?
Étudiante 1: Cuisinière! Pour les saveurs et pour le plaisir que l'on donne aux autres.
Étudiant 2: Journaliste... par passion de l'écriture et par intérêt pour le monde qui change.
Étudiant 3: Avocat... parce que j'aime les causes perdues!
Étudiante 4: Ingénieur... parce que c'est l'art de faire et de défaire et d'imaginer d'autres solutions.

Extension Which reason for choosing a profession comes closest to one you would have? Explain.

Points de départ

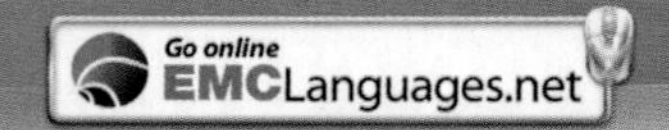

Question centrale

What is the nature of relationships in other cultures?

La Francophonie

L'Afrique francophone

Sub-Saharan francophone Africa refers mainly to West Africa and Central Africa. It includes the nations of Senegal, the Ivory Coast, Cameroon, Benin, Togo, Gabon, Burkina Faso, and Mali....

European traders brought African slaves to the Americas from the 15th to the 19th century. Heavy colonization of Africa didn't begin until the 19th century in what is called the "Scramble for Africa." By the 1960s, most African colonies had gained their independence, bringing the colonial period to an end. After independence, several of the former colonies modeled their educational systems on the one in France and used French in business and governmental affairs.

Peanuts, food for men and animals, are an important export crop in West Africa.

Many Africans earn a living from farming and herding, even in the dry and hot regions of the Sahel, just south of the Sahara. Coffee, cacao, cotton, and peanuts are important export products. Africa also exports minerals and other raw materials, such as natural gas, petroleum, rare metals, and diamonds. Africa is home to many artists who have greatly influenced francophone culture. African writers like Kourouma, Birago Diop, Tchicaya U Tam'si, Henri Lopès, Mariama Bâ, and Mongo Beti are popular in both Africa and Europe, and musicians and singers, such as Youssou N'Dour and Akon have become international stars.

Search words: carte afrique francophone de l'ouest
akon vidéo

Mon dico africain

une France au-revoir: *used car from France*
faire le show: *have fun*
coco taillé: *shaved head*
Ça fait deux jours. *It takes a long time.*
On dit quoi? *Ça va?*

Produits

African masks are more than decorative objects. They play an important role in tribal ceremonies and are used to communicate with the spirits. Made of wood and carved by hand, they vary from region to region. Masks from Gabon are often white, representing dead ancestors. Many Malian and Cameroonian masks look like animal heads.

Search words: masques africains

West African mask

Amadou et Mariam

Amadou Bagayoko and Mariam Doumbia are from Mali. They met at Mali's Institute for the Young Blind where they discovered a shared love for music. Eventually they married and had children. Their unique sound blends traditional Malian music with rock and roll, as well as Syrian and Cuban musical genres, as seen through the use of guitars, violins, and trumpets. Their music has often been described as "Afro blues." One of their albums, with Latin music star Manu Chao, was called *Dimanche à Bamako*. In 2010 they published their autobiography, *Away from the Light of Day*.

Amadou and Mariam have given concerts all over the world, including in the United States.

Search words: amadou et mariam en concert
amadou et mariam site officiel

COMPARAISONS

Can you name any American musicians who have been influenced by World music?

6 Questions culturelles

Répondez aux questions.

1. Can you name four countries that are considered part of sub-Saharan francophone Africa?
2. What was the "Scramble for Africa," and when did it take place?
3. When did colonialism end in francophone Africa?
4. What are some of Africa's export products?
5. Can you name two areas in which Africans are contributing to francophone culture?
6. What purpose do masks serve in Africa?
7. Who are Amadou and Mariam? What kind of music are they known for?
8. What does the name of their album *Dimanche à Bamako* mean?

Perspectives

In his poem, "Ni l'un ni l'autre," African poet Alphonse Bamana says: "L'Afrique est ma mère/ L'Europe est mon père,/Tels sont ces inséparables/ Êtres adorables. "What is Bamana's attitude toward France, his country's former colonial ruler? What might be another viewpoint held by West Africans toward France?

In this slave warehouse on the island of Gorée, Senegal, Africans were led to slaveships and transported to the Americas.

Du côté des médias

7 Ma famille

Lisez l'information sur ce programme qui passait (used to be on) *à la télévision en Côte-d'Ivoire et répondez aux questions.*

1. What kind of TV show is "**Ma famille**"?
2. How many episodes were made?
3. For how many years was this program on TV?
4. Can you think of any TV programs in the United States like "**Ma famille**"? What are they?
5. Watch an episode posted on the Internet. What do you think the episode was about? How many of the words did you understand?

Search words: épisode ma famille

"Ma Famille"	
Titre original	"Ma Famille"
Genre	Série humoristique, comique, tragique, sentimentale
Créateur(s)	Akissi Delta
Production	LAD Production
Pays d'origine	Côte-d'Ivoire
Chaîne d'origine	La Première
Nombre de saisons	7
Nombre d'épisodes	300
Durée	Environ 1h/1h+
Diffusion d'origine	2002–2009

La culture sur place

Enquête culturelle: Nos familles

Introduction

As you know, not all families are alike, even in one culture. How many different types of families do you know? In this activity, you will contact someone in a French-speaking country to learn about his or her family.

Investigation

Moussa, tu viens d'une famille nucléaire?

8 Des questions pour un(e) Francophone

Use the vocabulary that you have learned in this chapter and what you know about asking questions in French to create a list of at least ten interview questions to ask about someone's family. You may wish to consult your teacher about the types of questions to ask.

After you have written your list of questions, your teacher will give you contact information for someone from a French-speaking country. You will then communicate with him or her either through e-mail or some other form of electronic communication. Be sure to keep a record of your correspondence or communication since you will report what you learn to the class. For example, you might record your conversation or print your e-mails.

une famille nucléaire – *a nuclear family*
une famille élargie – *an extended family*
une famille monoparentale – *a single-parent family*
une famille recomposée – *a blended family (which includes step-parents and step-children)*

Taking Inventory

9 Présentation et discussion

Prepare a report of what you learned to present to your group. Summarize your interviewee's responses to your questions in French. Once everyone in your group has given their presentation, compare and contrast your interviewees' families. Some questions to consider are:

1. What do the families have in common? How are they different?
2. How are these families similar to ones you know in the United States?
3. What general conclusions can you draw about families from French-speaking countries in comparison to families in the United States?

Structure de la langue

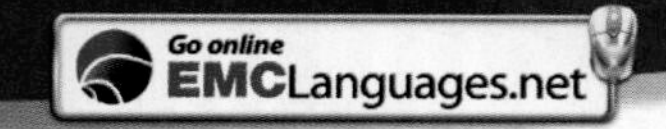

C'est vs. il/elle est

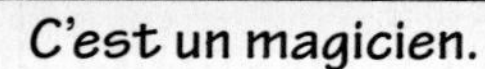
C'est un magicien.

Le lapin? Il est invisible.

Both **c'est** and **il/elle est** mean *he is* or *she is* as well as *it is*.

Use **c'est:**

- with an article/possessive adjective and a noun
  C'est un sac à dos.
  C'est mon affiche.
- with an article, a noun, and an adjective
  C'est un étudiant diligent.

C'est becomes **ce n'est pas** in a negative sentence.

C'est un bon athlète, mais **ce n'est pas** un footballeur.	*He's a good athlete, but he's not a soccer player.*

Use **il/elle est:**

- with an adjective by itself

Elle est malienne.	*She is Malian.*
Elle est généreuse.	*She is generous.*

- with a profession

Elle est femme d'affaires.	*She is a businesswoman.*

The plural for of **c'est** is **ce sont.** The plural form of **il/elle est** is **ils/elles sont.**

Ce sont des testeurs de jeux vidéo.	*They are video testers.*
Ils sont canadiens.	*They are Canadian.*

Adjectives of nationality are not capitalized like they are in English. However, a noun referring to a person's nationality is.

Elle est ivoirienne.	*She is Ivorian.*
C'est une **Ivoirienne**.	*She is an Ivorian.*

COMPARAISONS

An antecedent is something that comes before, for example, to indicate gender. What type of antecedent would you need to see before translating these sentences? Why?

C'est un agent de police.
C'est un médecin.

COMPARAISONS: Because both **agent de police** and **médecin** are masculine professions, there would need to be an antecedent indicating gender before these sentences to know if someone is describing a man or a woman. For example, you could use a title like **M.** or **Mme**.

10 Devinettes

Devinez l'identité des personnes.

1. C'est un couple africain. Ce sont des chanteurs. Leur genre, c'est la world.
2. C'est un chanteur R'n'B. C'est un Canadien. Il est généreux.
3. Il n'est pas paresseux. C'est un footballeur énergique. C'est un Français.
4. C'est un Américain. Il a les cheveux noirs. C'est un acteur drôle de *The Office*.
5. C'est un écrivain avec les initiales J.K. Elle est anglaise. Ses livres? Ils sont très intéressants.
6. C'est une actrice et une chanteuse. C'est une Française. Elle est sympa. Le père de ses enfants est Johnny Depp.

Vanessa Paradis.

11 Les gens que je connais

Complétez ces titres (captions) *de photo de l'album de Josyanne avec* ***il est, elle est, elles sont, c'est,*** *ou* ***ce sont.***

MODÈLE ... ma mère. ... médecin. ... diligente.
C'est ma mère. Elle est médecin. Elle est diligente.

1. ... mon père. ... avocat. ... Américain. ... très sympa.

2. ... mes amies Claire et Susan. ... des élèves intelligentes. ... françaises.

3. ... ma prof d'histoire. ... une Ivoirienne. ... énergique.

4. ... mon amie. ... une Française. ... intéressante.

Present Tense of the Irregular Verb *venir*

The verb **venir** (*to come*) is irregular. Other verbs that follow the same pattern are **devenir** (*to become*) and **revenir** (*to come back*).

venir	
je **viens**	nous **venons**
tu **viens**	vous **venez**
il/elle/on **vient**	ils/elles **viennent**

Avec qui est-ce que Nathalie vient au pique-nique?

Quand est-ce que vous **venez**? *When are you coming?*
Je **viens** le 16 juin. *I'm coming June 16.*

Pronunciation Tip

The singular forms of **venir** all sound the same.

COMPARAISONS

In French venir means "to come' and revenir means "to come back." What English verbs contain the prefix re-? What does it mean?

12 L'exposition de Gauguin

Dites qui vient avec la classe de français à l'exposition de Gauguin. Si vous voyez un "✔" sous "Permission," les parents ont dit (have said) *que cette personne peut y aller.*

Permission	Noms
✔	Anne et Luc Perrin
✔	moi
	Fatima et Nasser Aknouch
✔	Océane et Lucie Morel
	Jérôme Fontaine
✔	Marie-Alix Richard
	toi
✔	Thomas Martin
	Virginie Faure

Paysage à Arles, 1888.

COMPARAISONS: Here are some verbs that begin with the prefix **re-**, which indicates that an action is occurring again: reacquaint, reactivate, reaffirm, reappear, reapply, rearrange, recheck, recopy, restart.

Communiquez!

13 Les grandes vacances

Dites quand ces personnes reviennent de vacances.

MODÈLE Karim/20.7
Karim revient le 20 juillet.

1. Stéphanie/22.7
2. Philippe et toi, vous/18.8
3. je/29.7
4. Augustin et Sandrine/31.8
5. Sarah et moi, nous/25.8
6. Maude et Justine/27.7
7. tu/18.8
8. Éric/1.8

Ma tante revient le 25 juillet.

De + Definite Articles

The preposition **de** (*of, from*) contracts with the definite articles **le** and **les** to form **du** and **des.**

de + le = du	*from (the), of (the)*
de + les = des	*from (the), of (the)*

C'est le steak-frites du cuisinier?

De does not contract with the definite articles **la** and **l'**.

C'est l'anniversaire **de la** prof. — *It's the teacher's birthday.*
Le premier mois **de l'**année est janvier. — *The first month of the year is January.*

To say where someone comes from, use a form of **venir** followed by:

- **de** or **d'** if the place is a city — Je **viens de** Paris. Amir **vient d'**Annecy.
- **de** or **d'** if the country is feminine — Il **vient de** France. Elle **vient d'**Algérie.z
- **du** if the country is masculine — Je **viens du** Canada.
- **des** if the country is plural — Nous **venons des** États-Unis.

14 C'est à qui?

Dites à qui sont les choses suivantes.

MODÈLE l'élève
C'est le livre de l'élève.

1. le footballeur

2. la prof

3. le proviseur

4. l'actrice Audrey Tautou

5. les élèves

6. les footballeurs

7. la cuisinière

Du côté des médias

15 Un festival international du hip-hop

Interpretive Communication

Dites d'où vient chaque groupe ou chanteur au festival de hip-hop.

MODÈLE le Togo
Ali Jezz vient du Togo.

1. le Gabon
2. la France
3. le Bénin
4. le Canada
5. la Côte-d'Ivoire
6. le Mali
7. le Burkina Faso
8. le Sénégal

16 Les pays d'origine

Écrivez en anglais le nom du pays (country) *d'où viennent ces personnes.*

Question centrale

What is the nature of relationships in other cultures?

17 Les petites annonces

Interpretive Communication

Read each classified ad below. Then write a sentence profiling the type of person who should apply for the job.

MODÈLE

CHERCHE graphiste

Description:

Tahiticlic recherche graphiste freelance installé en Polynésie Française pour divers projets: flyer, plaquette, design web.

Lieu: Papeete

Contact: Merci d'envoyer vos tarifs à Fabien: graphix@tahiticlic.com

http://www.toutannoncer.com/emploi/cherche-graphiste-freelance

Accueil > Petites annonces > Collaboration - Offres

Someone interested in working as a graphic designer in Tahiti, who has experience with Web design, would be interested in this position.

1. CHERCHE ingénieur

Description:

Ingénieur industriel ou civil en mécanique/électromécanique (idéalement précédé par un graduat en mécanique)

Lieu: Belgique

Contact: AW Europe, Avenue de l'Industrie, 19, 1420 - Braine-L'Alleud, Belgique

Présentation Recrutement@aweurope.be

tél : 02/3891204
fax : 02/3860804

http://www.aweurope.be/

2. CHERCHE chanteuse

Description:

Recherche, pour une production pop dance, une chanteuse à la couleur de voix Nubienne, Orientale, Nord africaine qui parle français, espagnol et eventuellement portugais.

Lieu: Ornans, France

Contact: *http:// www.vincentleclere.fr*

3. CHERCHE acteur

Description:

Nous recherchons un acteur homme de 25-30 ans pour le tournage d'une publicité à Toulouse, dans la semaine du 23 au 29 août. Merci d'envoyer des photos.

Lieu: Toulouse

Contact: Pour contacter Alix, écrire à *webmaster@lunox-production.com*

4. CHERCHE testeur jeux vidéo

Description:

Le studio de Paris recrute plusieurs testeurs pour une production sur console next gen. Votre mission: identifier les bugs d'un jeu vidéo, tester des outils nécessaires à la production, utiliser les logiciels Word et Excel et l' informatique.

Lieu: Paris

Contact: Audrey CHATELET; Ubisoft, 28, rue Armand Carrel, 93100 Montreuil-sous-Bois, France

http://www.ubisoftgroup.com

18 Garde d'animaux

Interpretive Communication

Élève veut garder vos animaux

Je suis en terminale au Lycée Drummondville et je cherche comme beaucoup d'élèves un petit job pour les mois de juin, juillet, et août. Si vous désirez partir en vacances et vous avez des animaux, je peux les garder. Je vais jouer avec vos animaux et, bien sûr, je vais nourrir vos animaux le matin et le soir. Je vais aussi sortir vos animaux si vous le désirez. J'aime énormément les chiens et les chats, mais j'aime tous les animaux. Je suis à votre disposition.

Laurence T.
01.04.21.78.15

A. Answer these questions in English to demonstrate your comprehension of the ad.

1. What kind of job is Laurence looking for?
2. What is the name of her school?
3. What grade is she in?
4. How does she feel about dogs?
5. What services does Laurence provide for pets?

B. Write a similar ad for the type of summer job you would like to have.

Communiquez!

19 Tu connais la chanson?

Interpretive Communication

Find a song you like at Amadou and Mariam's official website. Click on "ALBUMS." See if there are some words you understand in one of the songs. Then search for the lyrics to the song. Type up a copy of the lyrics, leaving blanks for words you think your partner will know. Exchange song sheets and ask your partner to listen to the song and write in the missing words. To make it easier for him or her, you can write the words and expressions at the top of the song sheet. Finally, correct the song sheet once the blanks have been filled in.

Search words: amadou et mariam site officiel
paroles (+ *name of song*)

Lecture thématique

L'Enfant multiple

Rencontre avec l'auteur

Andrée Chédid (1920–) was born in Cairo, Egypt, and then moved to Paris in the 1940s. Her books focus on the lives of everyday people, their tragedies and hopes. Omar-Jo, the Lebanese protagonist of ***L'Enfant multiple*** (1989), leaves for Paris to start a new life in a new country. In the excerpt you will read he meets up with a ride operator at a carnival with whom he would like to work. What does Omar-Jo want more than a job?

Pré-lecture

Do you have friends that feel as close or closer than members of your own family? Draw a portrait of you and your "extended" family. Put yourself in the middle with your blood relatives, friends, or other people who feel like family around you.

Stratégie de lecture

Theme

A theme is the main idea or message of a literary work. It is a statement or opinion about a topic that the author expresses or implies. A universal theme is a message about life that people of different cultures can understand. To help you find the theme in this reading, find the following lines in the text and write down what you think each one means or implies in a chart like the one below.

	Signification
1. Je ne fais partie de rien.	**Omar-Jo feels like he doesn't belong anywhere**
2. Un homme qui aime son manège, je n'ai pas besoin de savoir d'où il vient. Il est de ma famille.	
3. Pas la famille de sang, mais l'autre. Parfois ça compte beaucoup plus. On peut la choisir.	
4. Oui, maintenant, je te choisis!	

Outils de lecture

Monitor your comprehension

This selection is a dialogue. A dialogue might occur in a literary work for a number of reasons, such as to show an exchange of information or how one character gets something from another. In this reading, Omar-Jo wants something from the carnival worker. As you read this selection, look for clues that will help you figure out what Omar-Jo wants. If you still don't know by the end of the selection, read the passage again, maybe with the help of a French-English dictionary. Or, discuss with a partner what you understand and share your insights.

Le forain:* Tu fais partie d'une bande*?

Omar-Jo: Non, je ne fais partie de rien.

Le forain: Si je t'emploie*, il faut quand même que je sache* d'où tu viens!

Omar-Jo: Je ne te demande pas d'où tu viens. Un homme qui aime son manège*, je n'ai pas besoin de savoir d'où il vient. Il est de ma famille.

Le forain: De ta famille?

Omar-Jo: Pas la famille de sang*, mais l'autre. Parfois* ça compte* beaucoup plus. On peut la choisir.

Le forain: Tu veux dire* que tu m'as choisi?

Omar-Jo: Oui, maintenant je te choisis!

Pendant la lecture

1. What does Omar-Jo say when asked if he is a gang member?

Pendant la lecture

2. Who chooses whom?

forain *carnival worker;* **fais partie d'une bande** *belong to a gang;* **t'emploie** *hire you;* **il faut quand meme que je sache** *I must know at least;* **manège** *merry-go-round;* **sang** *blood;* **Parfois** *Sometimes;* **compte** *counts;* **Tu veux dire...?** *Do you mean...?*

Post-lecture

Do you think the carnival worker will hire Omar-Jo? Why, or why not?

Le monde visuel

When artists create a work of art, they think about its composition, or how all the elements in the piece fit together to create a unified whole. Many artists combine elements to create balance or symmetry. How does the photographer compose the elements in this photograph: the chair swing ride, the Ferris wheel, the snack stand, the building in the background, and the people in the foreground? Is there balance or symmetry? Explain.

Fête foraine, 2003. Alfred Wolf.

20 Activités d'expansion

1. What do you think the theme of the reading selection is? Is it a universal theme? Write a paragraph of at least five sentences presenting your ideas. Use the quotations from your chart to support your position. Then tell whether or not you agree with the theme.
2. Omar-Jo is from Lebanon. How do you think he learned French? Research the French connection with Lebanon. Use the search words **le liban et les français** ou **langues au liban**. Prepare a map or other document to share with a group of classmates.

Les copains d'abord: Tout est relatif

Projets finaux

A Connexions par Internet

Le système métrique

Gerald Browne, who lives in Milwaukee, Wisconsin, works as a consultant for an international organization in France. He needs your help with his travel report. Recreate the chart below, writing the dates as they do in France and converting the miles to kilometers. Browne will be reimbursed for mileage at a euro per kilometer, so also figure out the total of what he is owed and what his compensation will be in dollars.

Search words: convertisseur kilomètres

Dates	Ville	Distance en miles	Total en euros/dollars
11/10	Minneapolis, Minnesota	680	
11/21	Indianapolis, Indiana	540	
12/8	Chicago, Illinois	180	
12/19	Cleveland, Ohio	880	
1/13	Des Moines, Iowa	740	
1/27	Fargo, North Dakota	1,150	

B Communautés en ligne

Mon album de photos

Presentational Communication

Find or create four photos of different members of your family and write a description for each photo. Give the name, age, birthday, and a physical description of each family member. Then tell what that person likes to do or is doing in the photo. Create a website for your photo album, or share them in another way with French-speaking teens you know. If you do not want to describe your real family, you may use the definition of family from the reading selection.

C Passez à l'action!

Les Très Riches Heures du Duc de Berry: Un calendrier historique et artistique

Art often reflects the history and daily life of a particular country. *Les Très Riches Heures du Duc de Berry* is a famous set of illuminated manuscripts from the Middle Ages. It contains illustrations for each month of the calendar year. Research this famous work online and answer the following questions.

1. Why were these manuscripts created?
2. When were they produced?
3. What is an "illuminated" manuscript?
4. Who were the artists?

5. Jean de Berry was the patron of these manuscripts. What is a "patron"?
6. What ingredients were used to create these paintings?
7. Study six of the paintings for different months closely, then describe each one.
8. What professions can you identify in the images?
9. From these manuscripts, what do you learn about life in the Middle Ages?
10. Based on the images, what do you think was important to people back then?

In small groups of six, create your own calendar showing the months, seasons, scenery, and events in your town or region. Each group member will be responsible for two calendar months. Once your calendar is completed, present it and explain it in French to the class.

D Faisons le point!

Question centrale

What is the nature of relationships in other cultures?

Make a diagram like the one that follows and fill it in to demonstrate your understanding of how relationships are defined in other cultures. An example has been done for you.

Leçon A **Points de départ: "Les Antilles: Martinique"** What is Martinique's relationship with France?	Martinique is a French overseas department, so its citizens share the same rights and responsibilities as French citizens. A lot of French people vacation in Martinique, and a lot of people from Martinique seek jobs in France.
Leçon A **À vous la parole: "Un faire-part de naissance":** What family event does **un faire-part de naissance** celebrate, and to whom is it sent?	
Leçon B **Recontres culturels: "Quel cadeau offrir?":** How do some French teens celebrate a friend's birthday?	
Leçon B **Points de départ: "Joyeux Anniversaire":** What happens at a French birthday party?	
Leçon C **Points de départ: "L'Afrique francophone": Produits.** How do West Africans maintain relationships with their ancestors?	
Leçon C **Perspectives:** What relationship does the poet Alphonse Bamana have with France?	
Leçon C **La culture sur place: "Enquête culturelle":** What did you learn about francophone families due to your interview?	

Évaluation

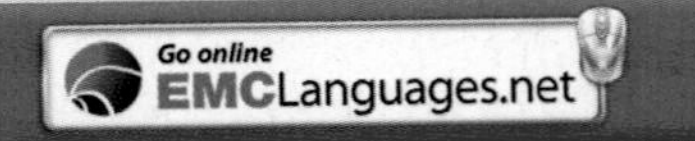

A Évaluation de compréhension auditive

Listen to the conversation between Rahina and Mathéo. Afterward, you will read some statements. Write **oui** if the statement is correct. Write **non** if the statement is incorrect.

1. C'est l'anniversaire de Rahina.
2. Mathéo ne va pas à l'anniversaire d'Antoine.
3. Antoine va avoir 18 ans.
4. La famille d'Antoine vient de Martinique.
5. La mère d'Antoine va acheter des accras de morue.
6. Le père d'Antoine est metteur en scène.
7. La mère d'Antoine est une bonne cuisinière.
8. Mathéo va offrir un CD de Corneille.

B Évaluation orale

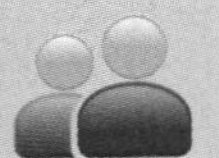

Nous allons acheter une écharpe pour Coralie.
Et une carte d'anniversaire!

You and a friend are planning a birthday party for Coralie and have come up with a guest list. There is room for two more guests at the table. Each of you suggests someone to invite, stating the person's name, age, physical description, and what they like to do. Next, plan the details of the party by saying:

- the date and time of the party.
- what you will each buy Coralie, based on her personality, likes, or pastimes.
- who will buy the cake.
- who will bring the sandwiches and beverages.
- who will choose the music.

C Évaluation culturelle

You will be asked to make some comparisons between francophone cultures and American culture. You may need to complete some additional research about American culture.

1. **Le système métrique**
   Make a list of the measurements you use on a daily basis when buying bottled products, cooking, driving, stating the temperature, etc. Next to the American measurements, write the metric system equivalents. (You may use a metric converter online.)
2. **La Martinique**
   Write a note to someone from Martinique planning to visit your state. Describe how things are different or the same where you live to those same topics in Martinique. Some things you might talk about are the climate, food, language, and music.

3. **Les fêtes**
   Compare a holiday or special occasion your family celebrates with one from the French-speaking world. Compare the reasons for the celebration, the food, activities, and gift-giving traditions.
4. **Le shopping en ligne**
   Compare France's FNAC, Quebec's Archambault, and the American online site from which you buy music, books, video games, etc. Compare the criteria on the chart your teacher will give you, then rate all three online stores accordingly.
5. **Les écrivains francophones en Afrique**
   In small groups, have each member select an author from the culture reading "L'Afrique francophone" in the **Points de départ** section of **Leçon C**. Do online research to fill in the chart your teacher will give you about your author.
6. **World Music**
   Compare the musical instruments and styles used by Amadou and Mariam with those of an American musician who has recorded a World Music album.

The legendary zouk band **Kassav** performed in Paris to raise money for Haitian earthquake victims.

D Évaluation écrite

Imagine you are hosting a francophone student who will live with you for the school year. Write him or her a letter introducing the members of your family. Give their names, ages, physical and character descriptions, professions, and birthdays. Begin your letter with **Cher** before the name of a boy or **Chère** before the name of a girl, and close your letter with **Amitiés** and sign your name.

E Évaluation visuelle

Write a paragraph describing the family in the illustration. Identify everyone by name and relationship, give their ages, birthdays, and professions. Describe the color of their hair and eyes, and tell what kind of person they are.

F Évaluation compréhensive

Create a storyboard with six frames. Write captions for each frame, telling about a friend's birthday party. Finally, share your story with a partner or a small group of classmates.

Vocabulaire de l'Unité 5

à in *A*
les **accras de morue (m.)** cod fritters *A*
l' **Afrique (f.)** Africa *C*
l' **âge (m.)** age *B*; **Tu as quel âge?** How old are you? *B*
l' **an (m.)** year *B*
l' **année (f.)** year *B*
un **anniversaire** birthday *B*
apporter to bring *B*
avoir: avoir... an(s) to be...years old *B*; **avoir quel âge** to be how old *B*
bavard(e) talkative *B*
le **Bénin** Benin *C*
béninois(e) Beninese *C*
bête, unintelligent *B*
le **Burkina Faso** Burkina Faso *C*
burkinabè from, of Burkina Faso *C*
un **cadeau** gift *B*
le **Cameroun** Cameroon *C*
camerounais(e) Cameroonian *C*
le **Canada** Canada *C*
une **carte** card *B*; **une carte cadeau** gift card *B*
chanter to sing *C*
choisir to choose *B*
comme like *A*
comment: Comment est...? What is... like? *A*
un **compositeur une compositrice** composer, songwriter *C*
connais: je connais I know *A*
la **Côte-d'Ivoire** Ivory Coast *C*
culturel, culturelle cultural *C*
des from (the), of (the) *C*
devenir to become *C*
diligent(e) diligent *B*
la **discussion** discussion *B*
divorcé(e)(s) divorced *A*
dois: tu dois you must *A*
du from (the) *C*
égoïste selfish *B*
les **États-Unis(m.)** United States *C*
être: Nous sommes le (+ date). It is the (+ date). *B*
une **famille** family *A*
finir to finish *B*
francophone French-speaking *C*
le **Gabon** Gabon *C*
gabonais(e) Gabonese *C*
un **gâteau** cake *B*
généreux, généreuse generous *B*
les **gens (m.)** people *A*
grand(e) tall, big, large *A*
grandir to grow *B*
grossir to gain weight *B*
ivoirien(ne) from, of the Ivory Coast *C*
un **kilomètre** kilometer *A*
là-bas over there *A*
leur, leurs their *A*
lui to him/her *B*
maigrir to lose weight *B*
le **Mali** Mali *C*
malien(ne) Malian *C*
la **Martinique** Martinique *A*
méchant(e) mean *B*
un **métier** job *C*
un **million** a million *A*
un **mois** month *B*
notre, nos our *A*
nous us *A*
offrir to offer, to give *B*
paresseux, paresseuse lazy *B*
parler to speak, to talk *C*
passionné(e)(de) passionate (about) *B*
petit(e) little, short, small *A*
premier, première first *B*
préparer to prepare *B*
la **profession** profession *C*; **Quelle est votre profession?** What is your profession? *C*
un **projet** project *C*
que that *B*
réfléchir (à) to think over, consider *B*
ressembler (à) to ressemble *A*
réussir (à) to succeed, pass (a test) *B*
revenir to come back *C*
rougir to blush *B*
le **Sénégal** Senegal *C*
sénégalais(e) Senegalese *C*
son, sa, ses his, her, one's, its *A*
super super *B*
sympa nice *B*
la **taille** size *A*; **de taille moyenne** of average height *A*
timide shy *B*
le **Togo** Togo *C*
togolais(e) Togolese *C*
ton, ta, tes your *A*
travailler to work *C*
votre, vos your *A*
vous to you *A*
voyager to travel *A*
vraiment really *A*

Family members... see pp. 220–21
Hair and eye color... see p. 221
Months of the year... see p. 232
Professions... see pp. 249–50

Unité

6 La rue commerçante

Rendez-vous à Nice!

Épisode 6:
Au travail!

Go online
EMCLanguages.net

Citation

"La beauté échappe aux modes passagères."

Beauty escapes passing styles.

—Robert Doisneau, photographe français

À savoir

The tradition of the French open-air market dates back to the Middle Ages, and continues today. Meat, candy, flowers, fruit and vegetables, and clothing are some of the most popular items.

Unité 6

La rue commerçante

Question centrale
How is shopping different in other countries?
Go online EMCLanguages.net
Why is Jean-Charles upset?
A. Charlotte is ill.
B. He caught Patrick at Charlotte's house.
C. He caught Patrick kissing Charlotte.
In what parts of the francophone world can you find open-air markets like this?

Contrat de l'élève

Leçon A I will be able to:

- shop for clothes.
- talk about shopping online in France, French flea markets, designers, and clothing in West Africa.
- use the verbs **acheter** and **vouloir** and demonstrative adjectives.

Leçon B I will be able to:

- sequence activities.
- talk about French stores, cheeses, and metric measurements.
- use regular –**re** verbs and expressions of quantity.

Leçon C I will be able to:

- make purchases at the market.
- talk about French and North African markets and the slow food movement in France.
- use the partitive in affirmative and negative sentences.

Leçon A

Vocabulaire actif

À la boutique

Les vêtements (m.)

Les chaussures (f.)

Les couleurs (f.)

noir/noire	blanc/blanche
violet/violette	marron
bleu/bleue	beige
vert/verte	gris/grise
rouge	rose
jaune	orange

Le pull **violet** est **joli**.

La chemise **violette** est **moche**.

Pour la conversation 

What do I say to find the clothes I want?

› **Je cherche** une jupe.
I'm looking for a skirt.

› **Vous avez** le pantalon **en** gris/**en** 38?
Do you have the pants in gray/in a size 38?

What does the salesperson say?

› **Je peux vous aider?**
May I help you?

› **De quelle couleur?**
What color?

› **Quelle taille faites-vous?**
What's your size?

Et si je voulais dire...? 

à la mode	*in style*
un anorak	*ski jacket*
des bas	*(panty) hose*
un costume	*man's suit*
court(e)	*short*
une cravate	*tie*
long(ue)	*long*
un sweat	*sweatshirt*
un tailleur	*woman's suit*

1 Le voyage de Fatima

Fatima va voyager avec un groupe d'élèves qui va donner des concerts en Europe. Comparez les deux listes. Ensuite, dites ce dont (what) *elle a besoin, selon la liste de sa prof et la liste de ce qu'elle a déjà* (already).

MODÈLE **Fatima a besoin d'une chemise blanche....**

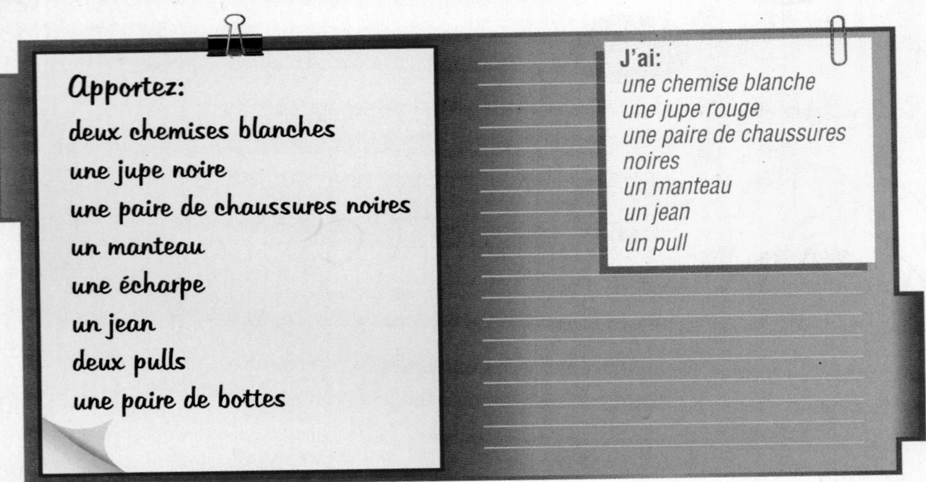

Communiquez!

2 On fait du shopping!

Interpersonal Communication

Vous cherchez les vêtements suivants dans un magasin. Avec un partenaire, jouez les rôles du vendeur et son client.

MODÈLE

A: **Je peux vous aider?**
B: **Oui, je cherche un pull.**
A: **De quelle couleur?**
B: **Un pull vert, s'il vous plaît.**
A: **Voilà un pull vert.**
B: **Combien coûte le pull?**
A: **Trente-six euros.**

3 Qu'est-ce qu'on porte?

Choisissez l'illustration qui correspond à chaque description que vous entendez.

A. 

B. 

C. 

D. 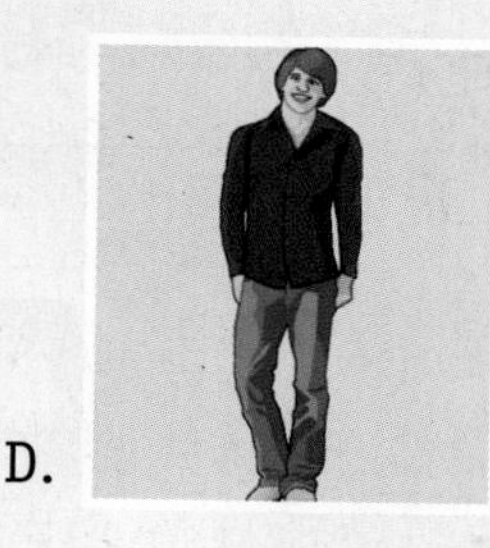

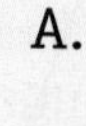

E. 

F. 

G. 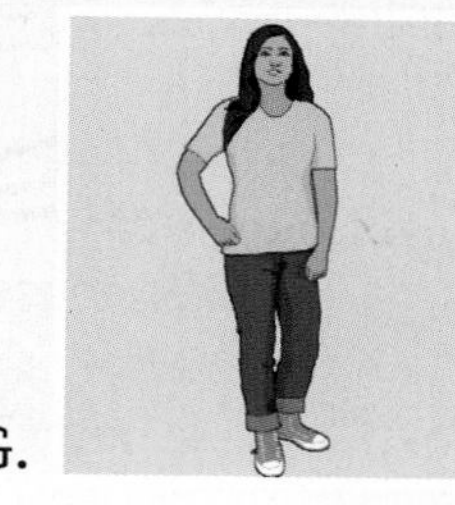

H. 

4 Qu'est-ce qu'ils portent aujourd'hui?

Choisissez un ado. Dites ce qu'il ou elle porte aujourd'hui. Votre partenaire va identifier la personne basée sur votre description.

5 Questions personnelles

Répondez aux questions.

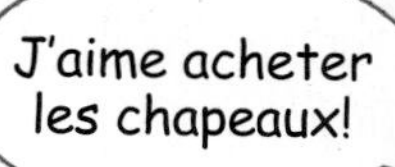
J'aime acheter
les chapeaux!

1. Est-ce que tu aimes faire du shopping?
2. Préfères-tu faire du shopping au centre commercial, au magasin, ou à une boutique?
3. Quels vêtements est-ce que tu cherches d'habitude au magasin?
4. Aimes-tu porter des chapeaux? Des chaussures? Des maillots de bain?
5. As-tu un manteau et des bottes pour le mois de janvier?
6. As-tu besoin d'un nouveau pull? D'un nouveau jean?
7. Qu'est-ce que tes amis et toi, vous portez quand vous allez à l'école?
8. Qu'est-ce que tes amis et toi, vous portez quand vous allez au restaurant avec vos parents?
9. Qu'est-ce que tu apportes quand tu voyages?

Rencontres culturelles

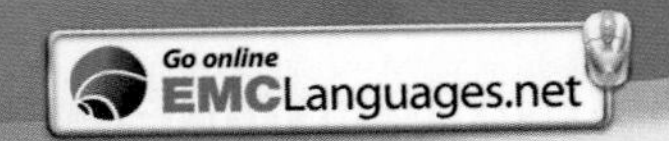

Camille cherche un ensemble.

Yasmine et Camille font du shopping dans une boutique.

Yasmine: Mais, qu'est-ce que tu cherches?
Camille: Je cherche une jupe et un pull pour la teuf vendredi soir.
Vendeuse: Je peux vous aider?
Yasmine: Ma copine cherche une jupe et un pull, taille *small*.
Vendeuse: De quelles couleurs?
Camille: Je veux une jupe noire et un pull rose.
Vendeuse: Alors, c'est là-bas. Allez voir.
Camille: Je veux essayer cette jupe et ce pull.
Yasmine: Vas-y!

(*Camille sort de la cabine d'essayage.*)

Camille: Tu trouves que cet ensemble me va bien?
Yasmine: Tu es très chic, comme un mannequin de Gaultier!
Camille: Donc, j'achète. Ensuite, le marché aux puces pour trouver un foulard bon marché.
Yasmine: Autrement, tu peux trouver un foulard en ligne.

6 Camille cherche un ensemble.

Complétez chaque phrase.

1. Yasmine et Camille sont dans....
2. Camille cherche un ensemble pour....
3. ... aide Camille.
4. Camille désire essayer....
5. Yasmine compare Camille à....
6. Comme accessoire, Camille désire trouver....

Extension **Lucas est chic?**

Lucas fait du shopping dans une boutique avec son copain Théo.

Lucas: Pardon, Monsieur, je cherche un pantalon en coton.
Vendeur: Tu aimes ce jean framboise?
Lucas: Oui, ce jean framboise et ce polo mauve....
Théo: Comme ça, les filles, elles vont s'affoler....
Lucas: Tu penses, vraiment?

Extension How would you describe Lucas' style?

Points de départ  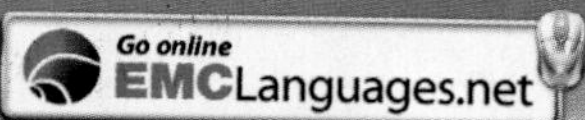

e-commerce: acheter en ligne

Cinquante-huit pourcent des personnes qui utilisent l'Internet en France font du shopping en ligne. Ils achètent des produits de tourisme (56%); des billets* de concerts, de théâtre, etc.; des CD, des DVD, et des livres (45%); des vêtements (48%); et des produits techniques (type téléviseur, 50%). Il y a aussi des personnes qui achètent des choses à manger au supermarché en ligne. Le e-commerce représente 30.000.000.000 d'euros par an* en France.

 **Search words: la redoute, 3 suisses, tati**

billet *ticket;* **par an** *yearly*

COMPARAISONS

What percentage of your clothing do you and your friends buy online? What else do you buy online?

Les marchés aux puces*

Un marché aux puces est un marché en plein air* où on vend des articles d'occasion* et des antiquités. Il y a environ 10.000 marchés aux puces en France, mais le plus important est le marché de Saint-Ouen, à côté de Paris. C'est le plus grand marché d'antiquités au monde avec 2.000 stands dispersés dans un ensemble de 17 marchés différents. "Aller aux puces" est une promenade* que des millions de Parisiens et de touristes aiment faire chaque année.

Le marché aux Puces de Saint-Ouen est ouvert du lundi au samedi, de 9h00 à 18h00.

 **Search words: paris puces, marché aux puces de saint-ouen**

plein air *open-air;* **d'occasion** *used;* **promenade** *outing;* **marchésaux puces** *Flea Markets*

La haute couture*

Chanel, Dior, Givenchy, Lanvin, Cardin, Saint-Laurent, Balenciaga, Jean-Paul Gaultier, et Christian Lacroix sont les grands noms de la haute couture française. Ils présentent leurs collections de vêtements (été et hiver) deux fois* par an. Chaque robe, tailleur (*suit*), ou ensemble est unique et peut coûter 100.000 euros. Les stars du show business servent souvent d'inspiration pour les collections de certains couturiers*: Madonna et Jean-Paul Gaultier; Catherine Deneuve et Saint-Laurent; Vanessa Paradis, Nicole Kidman, et Audrey Tautou pour Chanel.

Search words: chanel paris, jean paul gaultier

Le mannequin porte un manteau rose et bleu Chanel.

haute couture *high fashion*; **fois** *times*; **couturiers** *designers*

C'est Coco Chanel qui a créé (*created*) "**la petite robe noire**" dans les années 20. Beaucoup de femmes considèrent cette robe courte et simple un vêtement essentiel. On la porte le soir pour sortir et son dessin classique assure qu'elle va être toujours à la mode (*in fashion*).

En Afrique: Les vêtements

En Afrique de l'Ouest, les vêtements sont souvent en **pagne**, un tissu* très coloré. Les femmes portent des tailleurs, de grandes robes, et des foulards de tête* en **pagne**. Les hommes portent des **boubous** (une sorte de robe pour homme) et des chemises en **pagne**. Pour les jours de fête, on porte des vêtements en **bazin**, un tissu en coton coloré qui a un aspect de papier glacé*.

tissu *fabric*; **foulards de tête** *headscarves*; **glacé** *glazed*

Beaucoup de femmes africaines portent des foulards de tête.

7 Questions culturelles

Répondez aux questions.

1. Au sujet du e-commerce, à quoi correspondent ces chiffres?
   - 56%
   - 45%
   - 48%
2. Qu'est-ce qu'on achète au marché aux puces?
3. Comment s'appelle le plus grand marché aux puces en France?
4. Quels sont les noms de trois grands couturiers en France?
5. Quels couturiers sont associés avec ces stars?
   - Audrey Tautou et Nicole Kidman
   - Madonna
   - Catherine Deneuve
6. Quels sont les vêtements traditionnels pour les femmes et les hommes africains?

La petite fille sénégalaise porte une robe en pagne.

Perspectives

Some French people say they can pick out Americans traveling in France even before they speak. What styles and clothing do you think they consider as "American"?

Du côté des médias

8 Shopping en ligne

Regardez cette page de catalogue. Ensuite, répondez aux questions ou complétez le projet.

1. Ces vêtements sont pour les filles de quel âge?
2. Pour compléter ces ensembles, vous choisissez quelles catégories (à gauche)?
3. Comparez les prix (*prices*) des trois produits avec les prix d'un catalogue américain.
4. Faites votre propre (*own*) page de catalogue Internet. Sélectionnez des images de vêtements, décrivez-les (*describe them*) en français, et dites combien chaque article coûte.

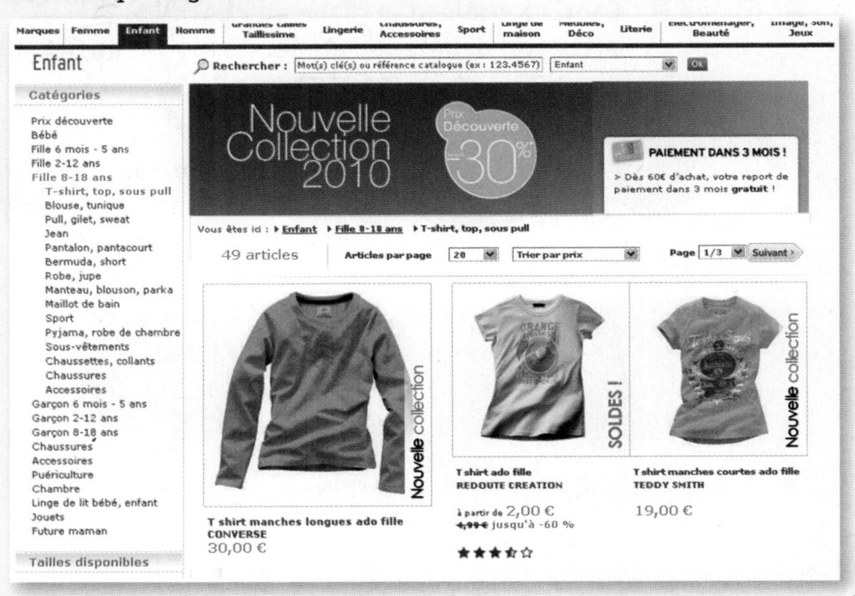

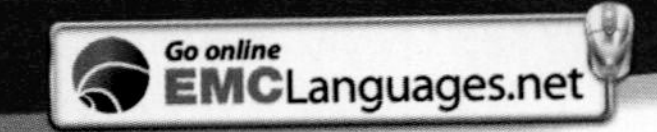

Present Tense of the Verb *acheter*

Mme Diouf achète une robe pour sa fille ou pour elle-même? Les deux achètent des vêtements?

The endings of the verb **acheter** (*to buy*) are regular, but there is an **accent grave** over the final **e** (**è**) in the stem of the **je**, **tu**, **il/elle/on**, and **ils/elles** forms like in the verb **préférer**.

acheter			
j'	**achète**	nous	**achetons**
tu	**achètes**	vous	**achetez**
il/elle/on	**achète**	ils/elles	**achètent**

Pronunciation Tip

The shaded section shows you which forms have a spelling change in the verb stem. All these forms are pronounced the same way.

Tu **achètes** le maillot de bain orange? *Are you buying the orange bathing suit?*

Je n'**achète** pas ça! *I'm not buying that!*

COMPARAISONS

Is the verb to buy regular or irregular in English?

I buy, you buy, she buys, we buy, they buy

9 À Flunch

Dites ce qu'on préfère et ce qu'on achète à la cafétéria Flunch.

MODÈLE **Sabrina préfère la glace au chocolat, mais elle achète la salade.**

Sabrina

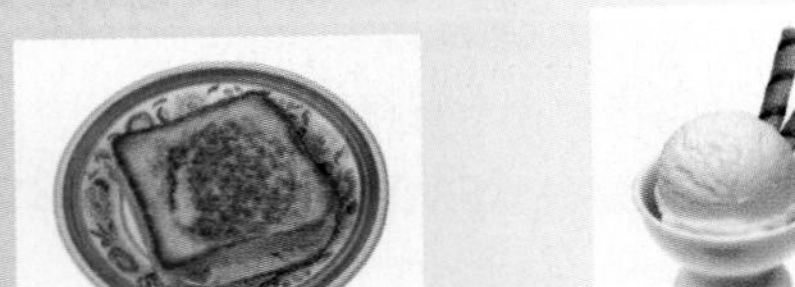

1. Amidou et sa sœur

2. ma tante

3. Noémie et moi, nous

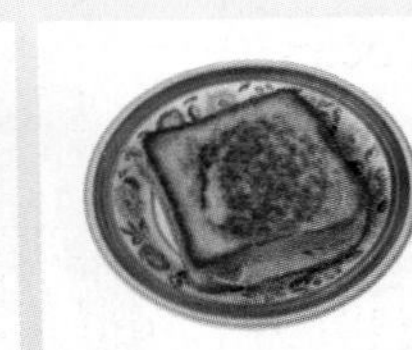

4. Rahina et toi, vous

5. moi, je

COMPARAISONS: In English the verb „to buy" is regular.

Communiquez!

10 Qu'est-ce que tu achètes?

Qu'est-ce que tu achètes pour la teuf?
J'achète un pantalon et des tennis.

Interpersonal Communication

À tour de rôle, discutez avec un partenaire de ce que vous achetez pour chaque (each) situation.

MODÈLE A: **Qu'est-ce que tu achètes pour la rentrée?**
B: **J'achète un jean, des tee-shirts, et des pulls.**

1. la rentrée
2. la teuf d'un(e) ami(e)
3. un voyage en décembre
4. un voyage en juillet
5. pour jouer au foot
6. pour faire du footing

Present Tense of the Irregular Verb *vouloir*

The verb **vouloir** (*to want*) is irregular.

vouloir			
je	**veux**	nous	**voulons**
tu	**veux**	vous	**voulez**
il/elle/on	**veut**	ils/elles	**veulent**

COMPARAISONS

You already know one form of the verb vouloir that you use when you ask for something politely: Je voudrais essayer le pantalon gris. What would the English equivalent of this sentence be? In both French and English, the conjugated verb is in what tense?

Pronunciation Tip

The singular forms of **vouloir (veux, veux, veut)** are all pronounced the same way.

Usage Tip

The verb **vouloir** can be followed by a verb or a noun.

Quand **voulez**-vous faire du shopping? *When do you want to go shopping?*
Je **veux** un nouveau pantalon maintenant! *I want a new pair of pants now!*

COMPARAISONS: Je voudrais and "I would like," both translations, are in the conditional tense. In this instance, the conditional is used to make a polite request.

11 On veut faire du shopping.

Alexis, son frère, et sa sœur veulent faire du shopping au marché aux puces. Complétez la note d'Alexis à ses parents avec la forme appropriée du verbe **vouloir**.

Salut! Je ___ aller au marché aux puces avec Lucas et Juliette ce weekend. On ___ chercher des soldes. Lucas ___ 10 euros pour une chemise. Juliette et moi, nous ___ 10 euros pour des livres. Lucas et Juliette ___ 5 euros pour des tee-shirts. Est-ce que vous ___ aider vos enfants?

Bisous,
Alexis

12 Faisons du shopping!

Choisissez le rayon (department) *du magasin où M. et Mme Chambon et leurs enfants, Gabrielle (5 ans) et Julien (10 ans), trouvent les vêtements.*

A. rayon (*department*) garçons
B. rayon filles
C. rayon hommes
D. rayon femmes

M. et Mme Chambon trouvent une robe pour leur fille au rayon filles.

Communiquez!

13 Qu'est-ce que tu veux d'habitude (*usually*)?

Interpersonal Communication

Interviewez votre partenaire pour trouver ce qu'il ou elle veut dans les situations suivantes.

MODÈLE tu as soif/prendre

A: **Quand tu as soif, qu'est-ce que tu veux prendre d'habitude?**
B: **Je veux prendre une eau minérale. Et toi, qu'est-ce que tu veux prendre d'habitude?**
A: **Je veux prendre un jus d'orange.**

1. tu as faim/manger
2. tu vas à une teuf/porter
3. c'est l'anniversaire de ton ami(e)/offrir
4. tu vas au centre commercial/acheter
5. tu vas au cinéma/voir
6. tu as soif/prendre

Quand tu vas à une teuf, qu'est-ce que tu veux porter d'habitude?
Je veux porter une chemise et une jupe. Et toi?

Demonstrative Adjectives

Tu veux cette glace, ce yaourt, ou ces bonbons comme dessert?

Demonstrative adjectives are used to point out specific people or things. The demonstrative adjectives in French are **ce**, **cet**, and **cette**, which mean "this" or "that," and **ces,** which means "these" or "those." These adjectives agree with the nouns that follow them.

Singular			Plural (m. + f.)
Masculine before a consonant sound	**Masculine before a vowel sound**	**Feminine**	
ce pull	**cet** ensemble	**cette** jupe	**ces** chaussures

14 Mon album de photos

Faites un album de photos. Écrivez une légende (caption) *pour chaque photo de votre famille réelle ou imaginaire.*

MODÈLE Cet homme est mon oncle, Bill.

Communiquez!

15 C'est combien?

Interpersonal Communication

Avec un partenaire, jouez les rôles d'un(e) client(e) et un vendeur ou vendeuse dans une boutique.

MODÈLE **A: C'est combien, cette robe jaune?**
B: Cette robe jaune coûte 80 euros.

80 €

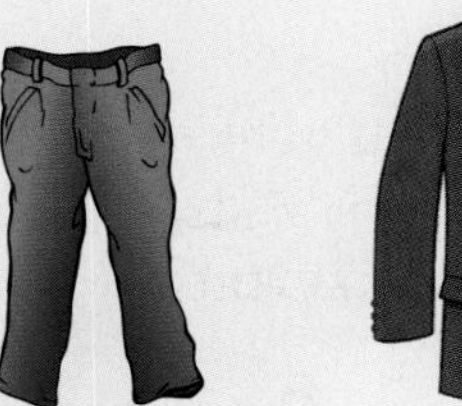

1. 37 €

2. 120 €

3. 38 €

4. 69 €

5. 72 €

6. 25 €

7. 97 €

8. 77 €

9. 152 €

Communiquez!

16 Comment est-ce que tu trouves...?

Interpersonal Communication

Trouvez huit photos d'athlètes, chanteurs, metteurs-en-scène, et acteurs. À tour de rôle, demandez à votre partenaire son opinion de ces personnes célèbres. Utilisez une profession de la liste dans chacune (each) de vos réponses.

un chanteur   une chanteuse   un acteur   une actrice
un metteur en scène   un(e) athlète

MODÈLE Shaun White
A: **Comment est-ce que tu trouves Shaun White?**
B: **J'aime bien cet athlète. Il est énergique.**
ou
Je n'aime pas cet athlète. Il est égoïste.

Comment est-ce que tu trouves Audrey Tautou?
J'aime un peu cette actrice. Elle est sympa.

À vous la parole

Question centrale

How is shopping different in other countries?

17 Le prêt-à-porter

Interpersonal Communication

With a partner, role-play a scene between a salesperson and customer shopping in **un grand magasin,** or department store. In the conversation, the salesperson finds out what the customer is looking for, what color he or she would like, and the customer's size. The salesperson then finds the item and they discuss its price.

Communiquez!

18 Un défilé de mode

Interpretive/Presentational Communication

Follow the steps below to create a plan for a fashion show for your classmates.

- Visit the online catalogues of French stores **La Redoute** or **3Suisses** or **Tati.**
- Select six to eight outfits for different occasions.
- Print photos or create drawings for your selections.
- Prepare a detailed description of each outfit. Present your outfits to a group of classmates.

Search words: la redoute, 3suisses, tati

Pronunciation

No Liaison

- As a general rule, words in a sentence are connected. However, liaison does not occur between the **tu** form of **aller** and a verb beginning with a vowel. For example, there is no liaison in **Tu vas° aller° au cinéma**?

Les endroits

Listen to the question, then replace the location.

MODÈLE

You see: **à la salle d'informatique**
You say: **Tu vas° à la salle d'informatique?**

1. au stade
2. au labo
3. à la piscine
4. à la médiathèque

- Liaison does not occur before or after the word **et**.

Au café

Repeat the statement, replacing the food items and/or drinks.

S'il vous plaît, **un thé° et° un coca**!

1. un café° et° un coca!
2. un croissant° et° une limonade!
3. un chocolat° et° un café!

Pronunciation of /o/ and /õ/

- The vowel /o/ in **beau** is different from the nasal vowel /õ/in **bon.**

Les sons /o/ et /õ/

Repeat the sentences, paying careful attention to the sounds /o/ and /õ/.

1. C'est un beau blouson. C'est un beau pantalon.
2. C'est un bon gâteau. C'est un bon cadeau.

Eh bien, dis donc...!

Pronounced /ebjẽdidõ/, ***Eh bien, dis donc*** *expresses surprise. Repeat each of these sentences to practice the sound /õ/.*

Eh bien, dis donc, ce jambon est... spécial!
Eh bien, dis donc, ce melon est... génial!
Eh bien, dis donc, ce saucisson est... original!

Choisissez le son correct.

Write ***V*** *if you hear the vowel /o/ or* ***N*** *if you hear the nasal vowel /õ/.*

Leçon B

Vocabulaire actif

On fait les courses.

la boulangerie

la baguette

le croissant

le pain

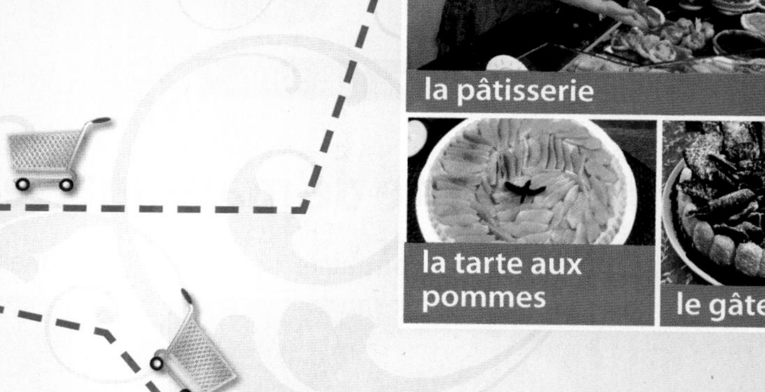

la pâtisserie

la tarte aux pommes

le gâteau

la crémerie

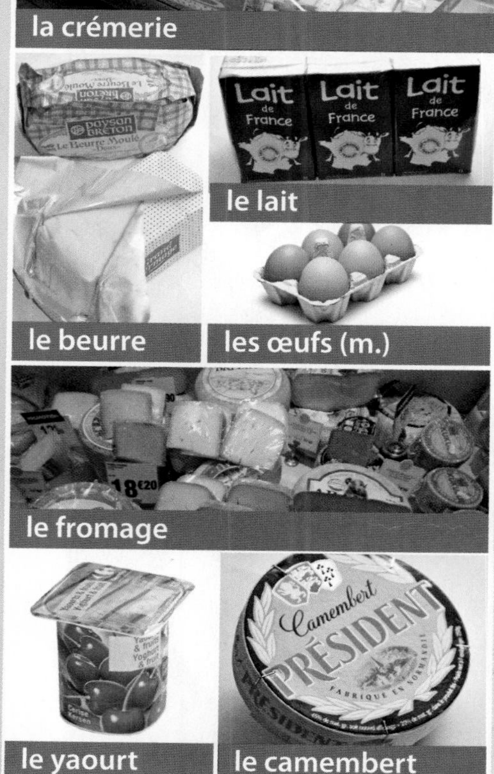

le beurre

le lait

les œufs (m.)

le fromage

le yaourt

le camembert

la boucherie

le porc

le bœuf

le poulet

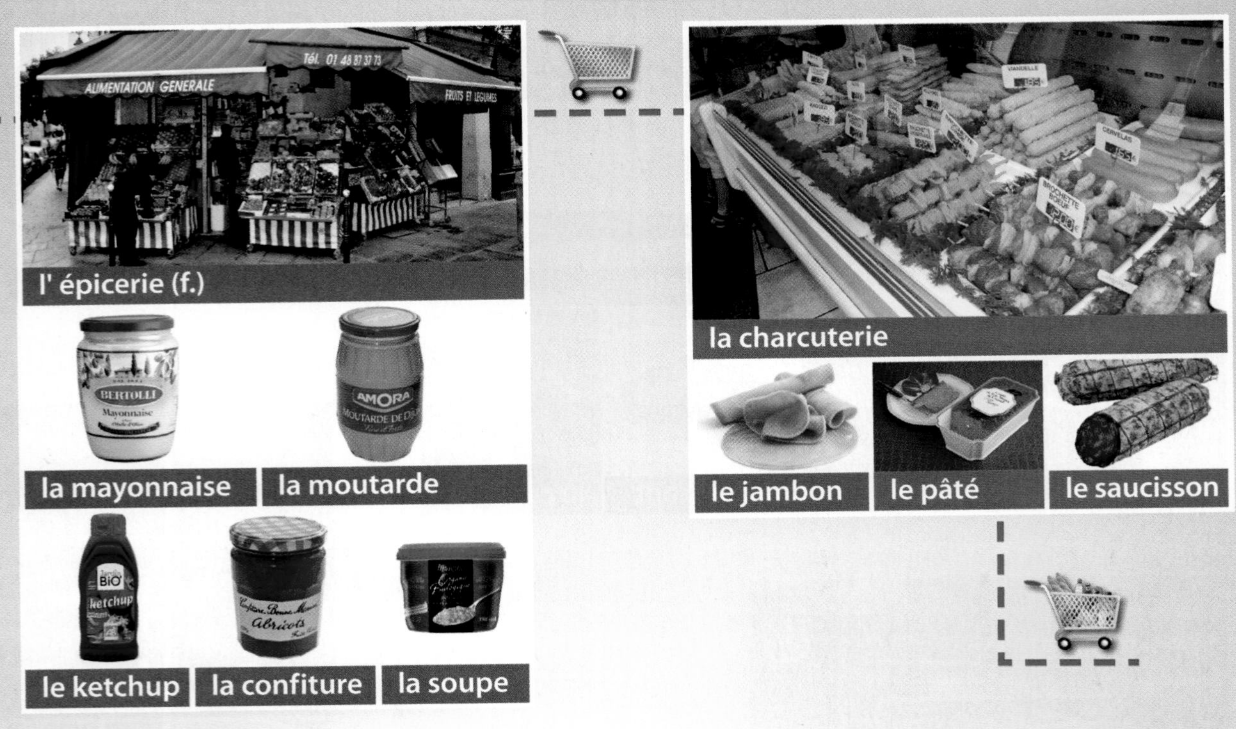

Quelle quantité de mayonnaise a-t-on?

M. Durand a trop de mayonnaise.

Mme Durand a assez de mayonnaise.

Marie-Alix a beaucoup de mayonnaise.

Guillaume a un peu de mayonnaise.

Mme Roussin fait les courses au supermarché.

Liste d'achats
6 tranches (f.) de jambon
un kilo de beurre
un paquet de café
un pot de moutarde
un paquet de pâtes
un morceau de fromage
un litre de lait
une bouteille d'eau minérale
une boîte de soupe

Pour la conversation 

How do I sequence my activities?

› Je vais **d'abord** à la crémerie acheter du beurre et du fromage.

First I'll go to the dairy store to buy some butter and cheese.

› **Ensuite**, je vais à la charcuterie.

Then I'll go to the delicatessen.

› **Enfin**, je vais à l'épicerie.

Finally, I'll go to the grocery store.

Et si je voulais dire...? 

une barre céréalière	*nutrition bar*
des biscuits (m.)	*cookies*
une brioche	*sweet bread*
la boucherie chevaline	*horse meat shop*
des chips (m.)	*potato chips*
un flan	*custard pie*
une livre de	*a pound of*
un pain au chocolat	*chocolate croissant*
le poisson	*fish*
la poissonerie	*fish shop*

1 Je fais les courses.

Choisissez la description qui correspond à chaque illustration.

1.

2.

3.

4.

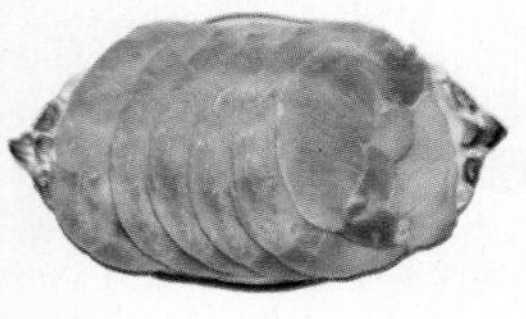

5.

6.

7.

8.

A. six tranches de jambon
B. un kilo de beurre
C. une boîte de soupe
D. un pot de moutarde
E. un paquet de pâtes
F. un morceau de fromage
G. un litre de lait
H. une bouteille d'eau minérale

2 Une tartine pour le petit déjeuner

On prépare le petit déjeuner (breakfast). *Dites quelle quantité de confiture chaque personne a.*

1. Mélanie

2. Paul

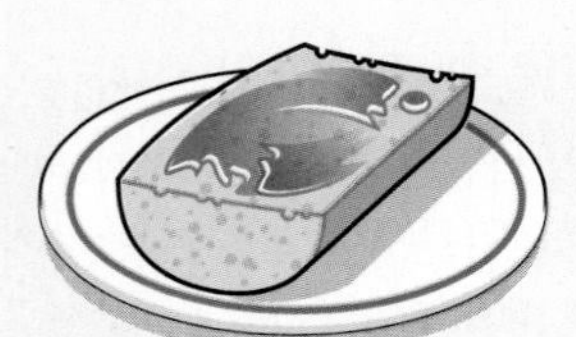

3. M. Leroy

4. Mme Leroy

3 Mme Deschanel fait les courses.

Lisez le paragraphe. Ensuite, répondez à la question.

Madame Deschanel a besoin de faire les courses parce qu'elle invite ses parents pour le dîner. Elle préfère acheter ses provisions chez les petits commerçants. D'abord, elle achète cinq cent grammes de fromage et une douzaine d'œufs. Ensuite, elle achète un poulet, une tarte aux pommes, et deux baguettes. Enfin, elle va acheter une tranche de pâté et deux saucissons.

Madame Deschanel va faire les courses à quels magasins?

Mme Deschanel va acheter une tarte aux pommes à la pâtisserie.

Communiquez!

4 Le dîner

Interpersonal Communication

À tour de rôle, demandez à votre partenaire quels aliments (foods) *il ou elle préfère.*

MODÈLE A: **Tu préfères le pâté ou le saucisson?**
B: **Je préfère le saucisson.**

1.

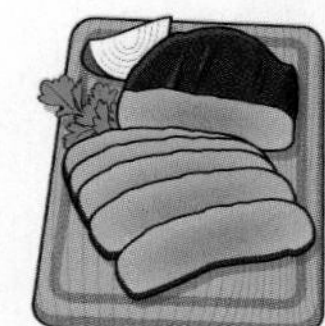
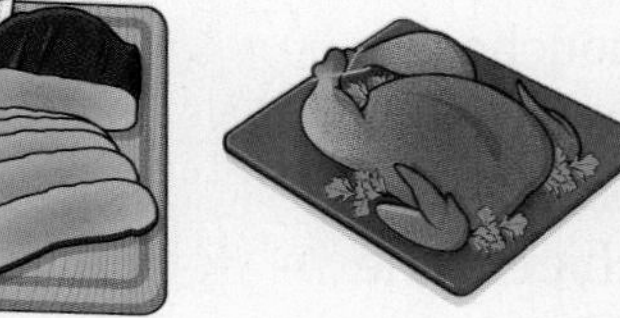

2.

3.

4.

5.

5 Les petits commerçants

Interpersonal Communication

À tour de rôle, demandez à votre partenaire s'il ou elle a besoin d'acheter l'objet. Votre partenaire va dire "oui" et où il ou elle va pour l'acheter.

MODÈLE A: **Tu as besoin de fromage?**
B. **Oui, je vais à la crémerie.**

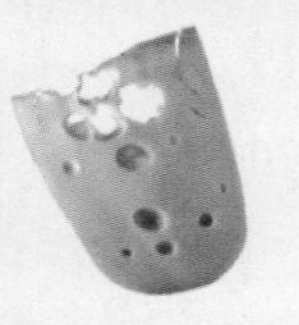

1. 

2. 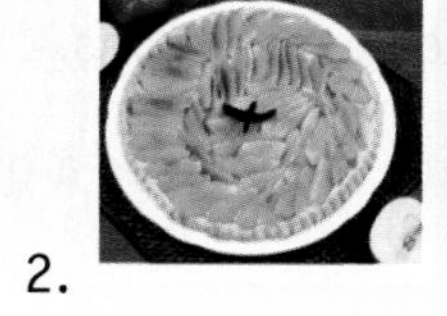

3. 

4. 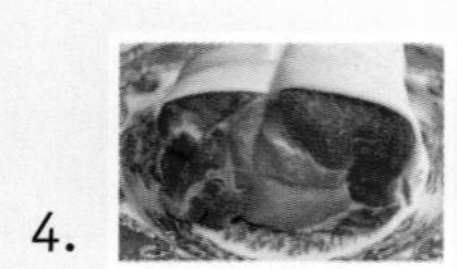

5. 

6. 

7. 

8. 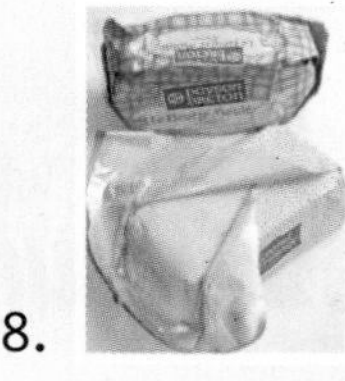

6 La chronologie

Indiquez le magasin où François achète les choses que vous entendez.

A. la boulangerie
B. la crémerie
C. la boucherie
D. le supermarché
E. la pâtisserie
F. la charcuterie

7 En ville

Dites où vous allez, ensuite ce que vous y (there) *faites.*

MODÈLE Je regarde un match.
D'abord, je vais au stade.
Ensuite, je regarde un match.

1. J'étudie.
2. Je prends un croque-monsieur et un coca.
3. Je nage.
4. J'achète un ensemble bleu.
5. Je surfe sur Internet.
6. Je fais du shopping.
7. Je fais les courses.
8. Je vois un drame français.
9. J'achète un pot de confiture.

8 Au nouveau supermarché

On fait les courses au nouveau supermarché, mais c'est difficile de trouver certains produits. Dites que, enfin, les gens trouvent ce qu'ils cherchent.

MODÈLE M. Roussel
Enfin, M. Roussel trouve le bœuf.

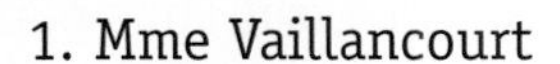

1. Mme Vaillancourt
2. Mlle Fleury
3. M. Moreau

4. Jules
5. Mlle Martin
6. Anne-Marie

9 Questions personnelles

Répondez aux questions.

1. Est-ce que tu préfères le porc, le bœuf, ou le poulet?
2. Manges-tu un peu ou beaucoup de fromage? De yaourt?
3. Dans ta famille, qui aime faire les courses?
4. Est-ce que tu aimes faire les courses?
5. Qu'est-ce que ta famille va acheter au supermarché ce weekend?

Rencontres culturelles

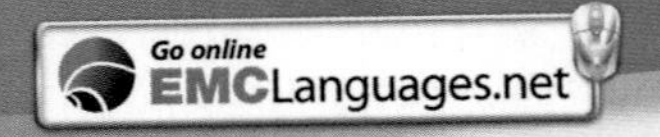

Chez Momo

Julien et Maxime font les courses dans l'épicerie de Momo.

Julien: Bon, mes parents ne sont pas à la maison ce soir. Je t'invite à manger. Qu'est-ce que tu veux?
Maxime: Du couscous. On achète combien de paquets? Deux?
Julien: D'accord.
Momo: Tiens, j'ai des légumes tous prêts pour préparer le couscous.
Maxime: Ils sont frais?
Momo: Tout frais d'aujourd'hui, mon ami.
Julien: Alors, 500 grammes. On prend aussi un litre de coca, s'il vous plaît. Ça coûte combien?
Momo: 9,50 euros. Et prends ce pain pour manger avec, c'est un cadeau.
Julien: Merci, Momo. À bientôt!
Maxime: Dis, Julien, où est-ce qu'on vend des tartes aux fruits?
Julien: À la pâtisserie Giscard.
Maxime: C'est moi qui les offre. Enfin, on cherche une crémerie pour acheter un peu de camembert.

10 Chez Momo

Répondez aux questions.

1. Qui n'est pas à la maison de Julien ce soir?
2. Qu'est-ce que Julien et Maxime vont manger?
3. Combien de légumes frais Julien va-t-il prendre?
4. Julien et Maxime ont-ils soif?
5. Qu'est-ce que Momo offre comme cadeau?
6. Julien et Maxime vont aller à quels magasins maintenant?

Extension Au rayon charcutier du supermarché

Apolline et François font les courses.

Apolline: Alors, on prend quoi comme hors-d'œuvre?
François: Coppa et jambon corse, c'est bien, non?
Apolline: Avec le melon, parfait!
François: Ça veut dire pas de melon au dessert....
Apolline: Non, on prend du sorbet avec des fraises et des framboises.
François: Alors, sorbet citron vert et deux bouteilles de Badoit!

Extension Qu'est-ce qu'Apolline et François vont prendre comme hors-d'œuvre et dessert?

Points de départ

How is shopping different in other countries?

Les hypermarchés et les petits commerces

De plus en plus de Français font les courses aux hypermarchés, des grands magasins qui vendent des produits alimentaires* et non alimentaires. Depuis le début des années 60, les hypermarchés ont influencé comment les Français font leurs courses et ce qu'ils* achètent. Les plus importants sont Carrefour, Auchan, Leclerc, et Intermarché. Aujourd'hui les petits commerces représentent seulement* 15% du total du commerce dans l'alimentation (boucherie, crémerie, épicerie....)

Search words: supermarchés en ligne

Avec Carrefour en ligne vous n'avez pas besoin d'aller au magasin.

alimentaires *food;* **ce qu'ils** *what they;* **seulement** *only*

Le pâté est une préparation à base de viande hachée (*minced meat*) souvent mélangée (*mixed*) avec du gras (*fat*), des épices (*spices*), des herbes, des légumes, ou du vin (*wine*). On achète du pâté à la charcuterie ou au supermarché. Cherchez des photos et des recettes en ligne.

COMPARAISONS

What cheeses are popular where you live?

Les fromages

"Comment voulez-vous gouverner un pays où il existe 258 variétés de fromage?"

—Charles De Gaulle, président de la France (1959–1969)

Chaque région en France a ses spécialités. La Normandie a le camembert; l'Auvergne, le bleu; le Jura, le comté; la Savoie, la tomme; l'Alsace, le munster.... Mais l'emmental, de Savoie, et le camembert sont les fromages les plus populaires en France.

Le fromage est si important en France qu'il entre dans de nombreuses expressions, comme par exemple: "en faire tout un fromage" qui signifie exagérer et "entre la poire* et le fromage" qui indique le bon moment pour discuter d'une affaire.

Search words: fromage français

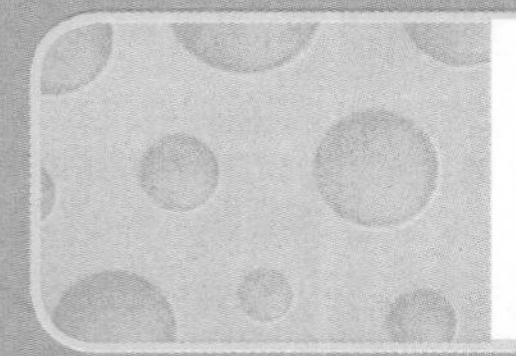

Producteurs de fromage: 1. USA 2. Allemagne 3. France

Exportateurs de fromage: 1. France 2. Allemagne 3. Pays-Bas

Consommateurs de fromage (par habitant): 1. Grèce 2. France 3. Italie

si *so;* **poire** *pear*

COMPARAISONS

If you were to buy a maxi bouteille of your favorite soft drink in France, would it be more or less than a gallon?

L'expression des mesures

En France, on utilise le système métrique. Pour le poids* (fruits, légumes, viande), on utilise le kilo (1.000 grammes), la livre (500 grammes), ou la demi-livre (250 grammes). Pour les quantités de moins d'une demi-livre on utilise les grammes. Certaines expressions sous-entendent* des quantités.

Quantité	Mesure métrique
le paquet de café	250 grammes
la plaquette de beurre	125 grammes
la barquette de fruits	Entre 100 et 250 grammes
une maxi bouteille de coca	1,5 litres
une bouteille	1 litre
une demi-bouteille	0,50 litres
une canette / boîte	33 centilitres
un pack ou une boîte de lait	1 litre

Au supermarché, on vend des litres d'Orangina au rayon des boissons.

Search words: tableau système métrique

poids *weight;* **sous-entendent** *imply*

11 Questions culturelles

Répondez aux questions.

1. Comment s'appellent les quatre grands hypermarchés français?
2. Le petit commerce représente quel pourcentage du commerce dans l'alimentation?
3. Quel est l'ingrédient principal du pâté?
4. Quelles sont les spécialités de fromage dans ces régions?
   - Normandie
   - Auvergne
   - Alsace
5. Quels sont les deux fromages les plus populaires en France?
6. L'expression "entre la poire et le fromage" suggère quelle activité?
7. Quel pays est le premier exportateur de fromage?
8. Quelles sont les mesures principales pour le poids en France?
9. En quoi est-ce qu'on achète de l'eau ou du coca?

La vache qui rit est un fromage français qu'on trouve aux États-Unis.

À discuter

What can the small shop owner offer that the **hypermarchés** cannot? What does the increasing popularity of **hypermarchés** suggest about a shift in priorities in France? Which type of store would you prefer if you lived in France? Why?

Du côté des médias

12 Au supermarché

Faites les activités suivantes.

1. Dites pour quel repas on prend ces produits.
2. Dites quelle sorte de produits on achète de la marque:
   - Quaker ou Kellogg's
   - Illy ou Maison du café
   - Grany LU
3. Vous avez 8 euros. Qu'est-ce que vous achetez pour le petit déjeuner?

Structure de la langue

Present Tense of Regular Verbs Ending in *–re*

The infinitives of many French verbs end in **-re.** Most of these verbs, such as **vendre** (*to sell*) and **attendre** (*to wait for*), are regular. To form the present tense of a regular **-re** verb, drop the **-re** ending from the infinitive to find the stem, and add the appropriate ending. Note that no ending is added for the **il/elle/on** form.

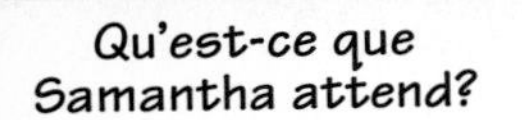
Qu'est-ce que Samantha attend?

Qui attend Samantha au musée?

vendre			
je	**vends**	nous	**vendons**
tu	**vends**	vous	**vendez**
il/elle/on	**vend**	ils/elles	**vendent**

Qu'est-ce que vous **vendez**? *What do you sell?*
Nous **vendons** du pain. *We sell bread.*

COMPARAISONS

How does the English version of the verbs in these two sentences differ?

On attend!
On attend le médecin.

What word is omitted in French, but necessary in English in the second sentence?

Pronunciation Tip

The singular forms of **-re** verbs are all pronounced the same way.

Usage Tip

You don't need to add an ending after **il/elle/on**.

Damien attend Rachida au café.

COMPARAISONS: In the second sentence "for" needs to be added after the verb in English.

13 Les commerçants

Dites ce que ces personnes vendent dans leurs magasins.

MODÈLE Monsieur Dufort
Monsieur Dufort vend du poulet.

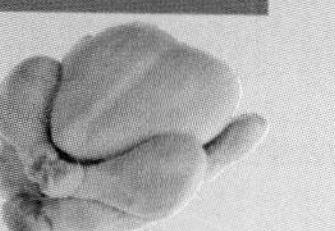

1. Madame Salomé et son fils

2. Sarah et moi, nous

3. toi, tu

4. Hamza et toi, vous

5. on

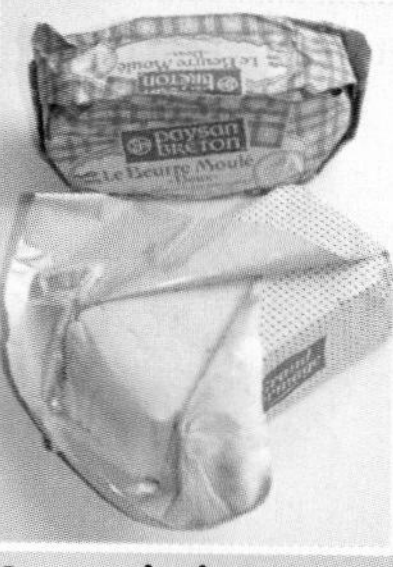

6. moi, je

7. mon amie Élodie

Communiquez!

Est-ce que tu attends les jeux Olympiques d'été?

Non, j'attends le match des Lakers.

14 Qu'est-ce que tu attends?

Interpersonal Communication

Demandez à votre partenaire s'il ou elle attend la chose suivante. Ensuite, changez de rôles.

MODÈLE le nouveau livre de Stephanie Meyer
A: **Est-ce que tu attends le nouveau livre de Stephanie Meyer?**
B: **Oui, j'attends le nouveau livre de Stephanie Meyer.**
ou
Non, je n'attends pas le nouveau livre de Stephanie Meyer. J'attends le nouveau livre de Stephen King.

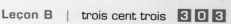

1. le nouveau CD de Snow Patrol
2. le nouveau film de Robert Pattinson
3. le match des Red Sox
4. la fête de ton ami(e)
5. les Jeux Olympiques d'été
6. le nouveau film de Kristen Stewart
7. le match des Lakers

Vous voulez un morceau de fromage, monsieur? Un peu de pain?

Expressions of Quantity

To ask "how many" or "how much," use the expression **combien de (d')** before a noun.

Combien de tartes est-ce que tu veux?	*How many pies do you want?*
Il y a **combien d'**œufs dans cette omelette?	*How many eggs are there in this omelette?*

To tell "how many" or "how much," use one of these general expressions of quantity before a noun:

(un) peu de	*(a) little, few*
assez de	*enough*
beaucoup de	*a lot of, many*
trop de	*too much, too many*

Je voudrais **un peu de** fromage.	*I would like a little cheese.*
Non, merci, j'ai **assez d'**eau.	*No thanks, I have enough water.*

Certain nouns express a specific quantity. They are followed by **de (d')** and a noun.

une boîte de	*a can of*
une bouteille de	*a bottle of*
un gramme de	*a gram of*
un kilo de	*a kilogram of*
un litre de	*a liter of*
un morceau de	*a piece of*
un paquet de	*a package of*
un pot de	*a jar of*
une tranche de	*a slice of*

Est-ce que Jean a acheté une bouteille d'eau?

Donnez-moi **une tranche de** jambon.	*Give me a slice of ham.*
Je vais acheter **un litre d'**eau minérale.	*I am going to buy a liter of mineral water.*

COMPARAISONS

What do these sentences mean in English?

J'aime **beaucoup** le fromage.
J'aime **beaucoup de** fromages.

What part of speech is each boldfaced word or expression?

COMPARAISONS: The sentences mean "I like cheese a lot" and "I like a lot of cheeses." In the first sentence, **beaucoup** is an adverb; in the second, **beaucoup de** expresses a quantity.

15 Maman fait les courses.

*Dites si votre mère achète **trop de**, **assez de**, ou **pas assez de** provisions pour les membres de votre famille.*

MODÈLE **Maman achète trop de jambon.**

1. 
2. 

3. 
4. 
5. 

6. 
7. 
8. 

9. 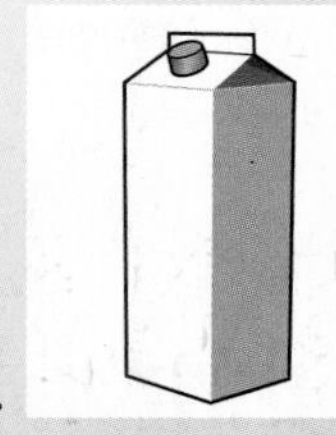
10. 

Communiquez!

16 Le pique-nique

Interpersonal Communication

Vous faites un pique-nique avec quatre amis. À tour de rôle, demandez à votre partenaire combien il y a de chaque aliment.

MODÈLE

A: **Il y a combien de tartes?**
B: **Il y a beaucoup de tartes.**

A: **Il y a combien de cocas?**
B: **Il y a assez de cocas.**

17 Quelle quantité?

Choisissez la quantité appropriée.

un litre de | une bouteille de | six tranches de | une boîte de
un morceau de | 250 grammes de | un pot de | un kilo de | un paquet de

MODÈLE pommes
un kilo de pommes

1. mayonnaise
2. fromage
3. beurre
4. moutarde
5. café
6. lait
7. eau minérale
8. jambon
9. soupe

J'ai un kilo de pommes et 500 grammes de poivrons dans mon panier.

18 Dans mon panier

Interpersonal Communication

Dessinez un panier (basket) *avec six aliments différents. À tour de rôle, demandez ce que votre partenaire a dans son panier.*

un kilo de | un paquet de | un pot de | un morceau de
une bouteille de | un litre de | une tranche de | une boîte de

MODÈLE A: **Tu as un litre de lait?**
B: **Oui, j'ai un litre de lait. Tu as un pot de confiture?**
ou
Non. Tu as un pot de confiture?

19 Au supermarché

Choisissez l'expression de quantité qui correspond à l'aliment (food) *que Nicole achète.*

A. une boîte
B. une bouteille
C. un kilo
D. un litre
E. un morceau
F. des tranches
G. un paquet
H. un pot

À vous la parole

Question centrale

How is shopping different in other countries?

20 Les mesures métriques

Presentational Communication

In this lesson, you have learned to express some units of measurements in the metric system. Bring in an item or a photo of an item that is given in a metric measurement, for example, the odometer in your car or a product from the grocery store. (Since Canada uses metric measurements, you might easily find a Canadian product.) Present your product or photo to your group, giving the measurements of your product in the metric system and our system. Finally, discuss how you would feel if the United States adopted the metric system and for what careers knowing the metric system would be useful.

Search words: convertisseur métrique

Communiquez!

21 Je fais les courses en ligne.

Interpretive/Interpersonal Communication

Make a grocery store flyer with this week's specials. Draw, cut out, or download pictures of at least ten different items, then visit an online grocery store to find out how much each item costs in euros. Write the quantity and cost of each item on the flyer. Then with a partner, role-play placing a telephone order for groceries. Your partner will use your flyer to tell you how much money each item costs and how much you owe for your order.

Search words: carrefour shopping en ligne, mon supercasino, auchan en direct

22 La recette

Interpretive/Interpersonal Communication

Find a recipe of a French dish online, then role play a conversation with a partner in which you discuss the ingredients you need to buy to make the dish. Be sure to talk about the amount of each ingredient you need and which stores you will go to in order to purchase the items.

Search words: recettes

On a besoin de cerises pour faire un clafoutis.

Stratégie communicative

Telling a Story through Pictures

One way to develop your speaking skills is to practice telling a story. Use the following strategies to describe the sequence of pictures that follows.

1. Study the pictures. Think about the people in the picture, where they are, and what they are doing.
2. Review the vocabulary and structures you have learned in this and previous units. This will help you to describe what you see.
3. Use as many of the words and expressions that you know to tell the story. You may be surprised by just how much you can say!

Vocabulaire utile

parler de *to talk about;* **une photo** *photo;* **du fast-food** *some fast-food*

When you told the story, did you include everything you saw in the pictures? Did you use your imagination to make up details about the story? Did you use vocabulary from Unit 6 and from previous units? Read the following paragraphs to see how one student told the story.

Marianne et son amie Françoise sont à la maison de Marianne. Marianne parle de sa famille à son amie. Son père a 50 ans. Il a les yeux noirs et les cheveux bruns. Il est homme d'affaires. Sa mère est médecin. Elle a aussi 50 ans. Elle a les cheveux blonds et les yeux bleus. Ses grand-parents viennent du Sénégal. Ils sont généreux et sympa. Son frère ressemble à leur père. Il a 20 ans et il est testeur de jeux vidéo. Il est timide, mais très intelligent. Il travaille beaucoup. Il n'est pas paresseux!

Françoise étudie les maths parce qu'elle va être prof de maths. Elle est très diligente. Marianne achète des vêtements à Tati en ligne. Les filles mangent une pizza, des hamburgers, et des frites. Elle prennent aussi des cocas.

23 Je raconte une histoire!

Les rues commerçantes are often filled with shoppers on the weekends. Carefully study the following storyboard featuring two girls doing their weekend shopping. Then with a partner, tell a story based on the pictures. In the first frame, name the characters; describe their relationship, physical appearance, clothing, and character; tell how old they are, and what they like to do. Then move on to describing the events. Remember to use the strategies you just learned.

1.

2.

3.

4.

Vocabulaire utile

dit *says;* **la liste** *list*

Leçon C

Vocabulaire actif

Au marché 

Les légumes (m.)

- les salades (f.)
- les champignons (m.)
- les pommes de terre (f.)
- les tomates (f.)
- les carottes (f.)
- les courgettes (f.)
- les haricots verts (m.)

les petits pois (m.)

les oignons (m.)

les aubergines (f.)

les poivrons (m.)

les concombres (m.)

Les fruits (m.)

- les pommes (f.)
- les poires (f.)
- les oranges (f.)
- les cerises (f.)
- les fraises (f.)
- les bananes (f.)
- les melons (m.)

les ananas (m.)

les pêches (f.)

les raisins (m.)

les pamplemousses (m.)

Pour la conversation 

How do I make a purchase at the market?

> Les pêches **sont mûres?**

Are the peaches ripe?

> **C'est combien le kilo?**

How much is it per kilo?

> **Je prends 500 grammes.**

I'll take 500 grams.

What will the vendor say?

> **Et avec ça?**

And with that?

> **C'est tout?**

Is that all?

Et si je voulais dire...? 

l'ail (m.)	*garlic*
les framboises (f.)	*raspberries*
les mangues (f.)	*mangoes*
les myrtilles (f.)	*blueberries*
les patates (f.) [slang]	*potatoes*
les poireaux (m.)	*leeks*

1 Les marchands de légumes

Dites quels légumes chaque marchand vend.

MODÈLE **Mlle Rousseau vend des aubergines, des tomates, et des haricots verts.**

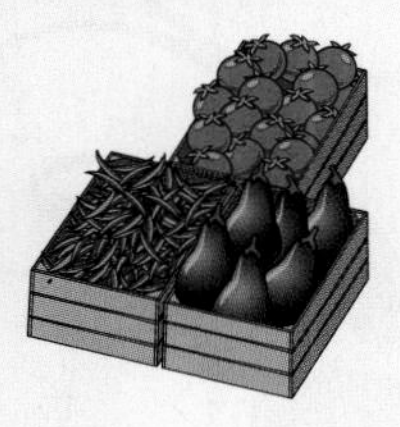

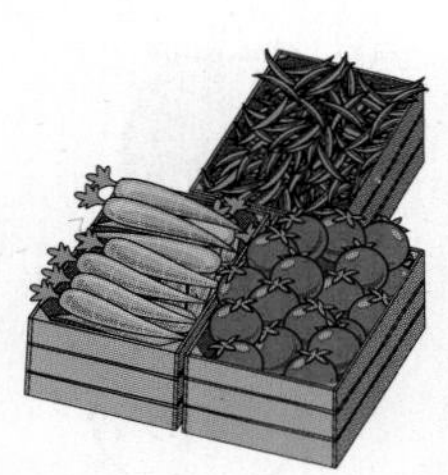

1. M. Gaumont

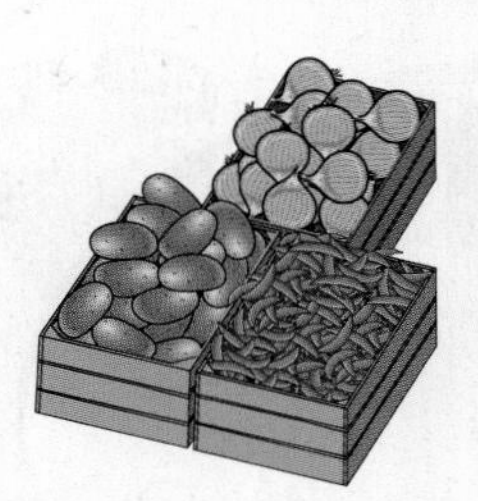

2. Mme Bernier

3. Mlle LeForestier

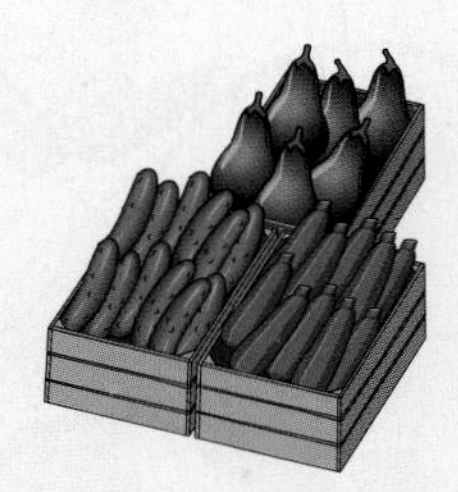

4. M. Sofralot

2 C'est combien le kilo?

Pour chaque aliment, répondez à la question.

MODÈLE **Les oranges coûtent 4,55 euros le kilo.**

1. 

2. 

3. 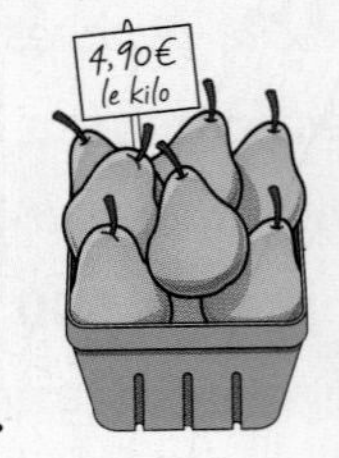

4. 

5. 

6. 

7. 

3 À l'épicerie

Choisissez l'illustration qui correspond à ce que les clients achètent au marché.

A. 

B. 

C. 

D. 

E. 

F. 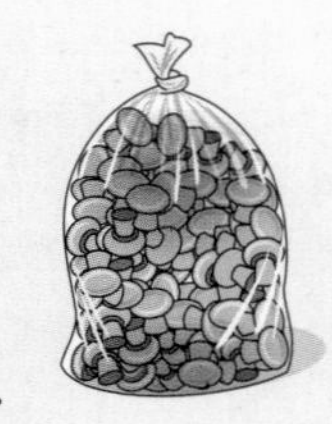

G. 

H. 

I. 

J. 

4 De petites conversations au marché

Choisissez la lettre qui correspond à la bonne (correct) *réponse.*

1. Nous n'avons pas de pêches aujourd'hui.
2. Bonjour, Monsieur. Vous désirez?
3. C'est combien le kilo?
4. Vos poires sont fraîches?
5. On achète combien de haricots verts, maman?

A. Cinq cent grammes.
B. C'est trois euros quatre-vingt-dix.
C. Donc, je prends 500 grammes de cerises.
D. Toutes fraîches d'aujourd'hui.
E. Un kilo d'oignons, s'il vous plaît.

5 Le marché vient au quartier.

Tout le monde achète des fruits et des légumes frais pour préparer un repas (meal). *D'abord, lisez le paragraphe. Ensuite, choisissez un plat de la liste pour dire ce que chaque personne prépare.*

une soupe aux champignons   une salade de fruits   un ragoût (*stew*) de bœuf
un smoothie aux fruits   une salade   une soupe de légumes

Les Boucher achètent des haricots verts, des pommes de terre, des carottes, et une courgette. M. Boyer achète une pastèque, un melon, trois pêches, et des raisins. Les Charpentier achètent du bœuf, des carottes, des petits pois, et des pommes de terre. Julie achète un kilo de fraises et 500 grammes de bananes. Marcel achète des champignons et des oignons. Aurélie achète des concombres, des carottes, et un poivron vert.

MODÈLE les Boucher
Les Boucher préparent une soupe de légumes.

1. Marcel
2. les Charpentier
3. M. Boyer
4. Aurélie
5. Julie

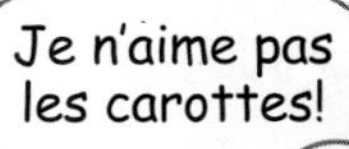
Je n'aime pas les carottes!

6 Questions personnelles

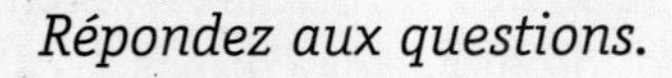

Répondez aux questions.

1. Préfères-tu les melons ou les poires?
2. Quels légumes est-ce que tu n'aimes pas?
3. Est-ce que tu manges assez de fruits et de légumes?
4. Qu'est-ce que tu achètes pour faire une bonne salade?
5. Quels légumes est-ce que tu préfères dans une soupe?
6. Est-ce que ta famille va au marché pour acheter des fruits et des légumes frais?

Rencontres culturelles

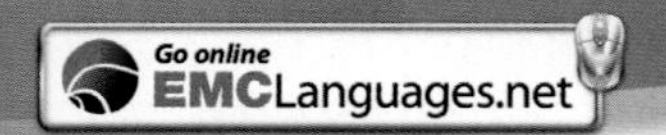

Camille et sa mère au marché

Camille et sa mère font les courses pour le déjeuner.

Marchand: Bonjour, Madame! Vous désirez?
Mère: Vos tomates sont mûres?
Marchand: Oui, oui.
Mère: C'est combien le kilo?
Marchand: C'est 3,89 euros.
Mère: Alors, un kilo de tomates, s'il vous plaît. Des concombres, une livre; deux poivrons, un vert et un orange.
Camille: Des olives noires, Maman! Et, du thon.
Marchand: Ah! Y'a de la salade niçoise dans l'air.
Mère: On achète du thon et des olives à l'épicerie.
Camille: Et, pour la salade de fruits, Maman?
Mère: Oh! Alors, je prends un kilo de pêches, une livre de fraises, et un melon.
Marchand: Nous n'avons pas de pêches aujourd'hui.
Mère: Tant pis. Ça fait combien?
Marchand: 22 euros, Madame.

(La mère de Camille donne un billet de 50 euros.)

Marchand: Ah! Vous êtes toutes les mêmes avec vos gros billets, hein?

7 Camille et sa mère au marché

Dites si la phrase est vraie ou fausse. Corrigez (correct) les phrases qui sont fausses.

1. La mère de Camille achète 500 grammes de tomates.
2. Elle achète deux poivrons verts.
3. Camille et sa mère vont préparer une quiche.
4. Elles vont acheter du thon à l'épicerie.
5. La mère de Camille prend une livre d'olives vertes.
6. Comme dessert, Camille et sa mère vont manger une glace à la vanille.
7. Le marchand n'est pas content (*happy*).

Extension Au marché

Sarah s'arrête devant le marchand de fruits.

Marchand: Je vous fais un prix sur les cerises... profitez-en!
Sarah: Combien?
Marchand: Quatre euros 50 le kilo, sept euros les deux kilos.
Sarah: C'est beaucoup trop! Qu'est-ce que je vais en faire?
Marchand: Des clafoutis! Des tartes! Des yaourts! Tout le monde aime les cerises....
Sarah: Ah! Oui, c'est une idée. Je prends un kilo de cerises.
Marchand: Trois euros 75 et c'est bien, parce que je suis gentil!

Extension Que fait le vendeur pour vendre son produit à Sarah?

Points de départ  

Question centrale

How is shopping different in other countries?

Au marché

En général, il y a des marchés une ou deux fois* par semaine dans les villes et villages de la France. On trouve sur les marchés des produits alimentaires*, surtout* des fruits et des légumes. Mais on peut aussi acheter des spécialités locales ou régionales, des produits bio*, des spécialités étrangères (italiennes, africaines) ou exotiques, de la viande et de la charcuterie, des fromages et des produits laitiers*, des fleurs*, et du pain ou des gâteaux. Les prix sont souvent moins chers que dans les épiceries, mais plus chers que dans les supermarchés ou hypermarchés.

 **Search words: marchés de paris, marchés provence**

Au marché, le marchand de fruits et légumes vend beaucoup de pêches.

COMPARAISONS

How many farmers' markets are there where you live? How is it different from shopping at a supermarket? How is it similar to French markets?

---

fois *times;* **alimentaires** *food;* **surtout** *especially;* **bio** *organic;* **laitiers** *milk;* **fleurs** *flowers*

Le mouvement slow food en France

D'origine italienne, le mouvement *slow food* existe en France depuis* 2003. C'est une réaction à la restauration rapide ou le *fast-food*. Le mouvement encourage la consommation* de produits régionaux, une alimentation* diversifiée, et des traditions gastronomiques. Des associations *slow food* sont surtout présentes dans le sud de la France.

 **Search words: slow food france**

---

depuis *since;* **consommation** *consumption (eating);* **alimentation** *diet*

La Francophonie: le marché

Au Maghreb

Au Maghreb (Tunisie, Algérie, Maroc), le marché s'appelle **le souk**. On y vend des produits alimentaires, des vêtements, des poteries, et des produits artisanaux. Une différence entre les souks et les marchés français est qu'il est nécessaire au souk de marchander* le prix des produits. On discute avec le vendeur pour acheter un produit à un prix moins cher. Mais le souk, c'est surtout un lieu* de rencontres et de relations humaines. Parfois*, c'est au **souk** qu'un homme fait sa demande en mariage.

Search words: souk tunis photos de souks de marrakech

marchander *to bargain;* **lieu** *place;* **Parfois** *Sometimes;* **fait sa demande** *ask for the hand of someone in marriage*

Les Algériens, les Marocains, et les Tunisiens sont populaires pour leurs poteries, tapis (*carpets*), bijoux (*jewelry*), sacs, et autres **produits artisanaux** faits selon (*according to*) des techniques traditionnelles et avec des dessins géométriques.

Il y a des marchés, ou souks, comme ça en Tunisie, en Algérie, et au Maroc.

8 Questions culturelles

Répondez aux questions.

1. En général, combien de fois par semaine est-ce qu'il y a des marchés en France?
2. Quels sont les produits spécifiques que vous pouvez trouver sur un marché?
3. Est-ce que les prix sont moins chers au marché ou au supermarché?
4. Comment s'appelle le mouvement qui encourage les traditions gastronomiques et la consommation des produits régionaux?
5. Qu'est-ce que c'est un **souk**?
6. Qu'est-ce qu'on fait pour marchander dans un souk?

Au Maroc, le **souk** est aussi un lieu de rencontres.

Perspectives

"J'aime le marché parce que je peux voir, sentir, et toucher la nourriture et il y a une ambiance sociale." Pourquoi est-ce que cette Française ne va pas au supermarché pour ses fruits, légumes, et certains autres produits alimentaires?

Du côté des médias

Lisez les informations sur le Marché de Chambéry.

Marché, Commerces et entreprises

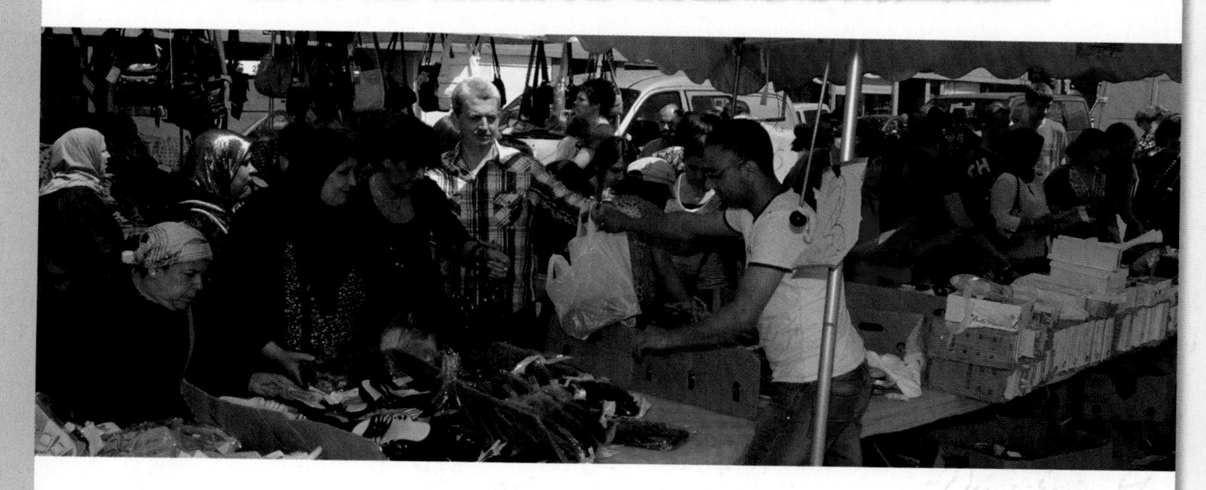

Marché de Chambéry

Le marché de Chambéry situé à l'ouest de Lyon, place du marché, propose une diversité de produits de consommation : fruits et légumes, viande et fromages frais, fleurs et plantes, produits d'habillement et artisanaux.

- le mercredi et le dimanche matin

Tous les mercredis matins, un car desservant les quartiers de Givros, Chambéry et Villeurbanne, est gratuit pour les personnes âgées désirant se rendre au marché.

- départ à 8h30, rue Camailleux, arrivée au centre-ville à 9h 15
- retour à 11h30

9 Marché de Chambéry

Répondez aux questions.

1. Où est-ce qu'on trouve Chambéry?
2. Le marché de Chambéry ressemble à quoi?
3. Qu'est-ce qu'on trouve sur ce marché?
4. Quels jours ont lieu (*takes place*) le marché de Chambéry?
5. Quelles facilités sont offertes aux habitants pour venir au marché?

La culture sur place

Je fais du shopping en ligne.

Introduction

Faire du shopping en ligne est un passe-temps qui est populaire dans tout le monde (*world*), surtout dans les pays (*especially in countries*) où les individus ont accès à l'Internet. Mais quels "looks" est-ce qu'on peut acheter?

LES LOOKS FRANÇAIS

Il y a beaucoup de "looks"en France, mais voilà trois exemples:

- **Le look BCBG**, qui ressemble à notre look "*preppy.*"
- **Le look fashion**, qui représente tout ce qui est à la mode (*in style*) en ce moment.
- **Le look bobo**, qu'on peut décrire (*describe*) comme "bohème bourgeois" (*hippy chic*).

Isabelle a un look BCBG.

Emma aime le style bobo.

Marc a un look fashion.

Enquête

10 Acheter en ligne

Suivez ces étapes pour trouver des vêtements en ligne:

1. Cherchez des exemples des trois looks en ligne.

Search words: le look BCBG, le look fashion, le look bobo

2. Trouvez deux exemples de chaque look en ligne dans ces compagnies.

Search words: www.laredoute.fr
www.les3suisses.fr
www.tati.fr

3. Complétez une grille comme celle-ci avec des détails pour chaque vêtement.

Numéro et compagnie	Le look	Description	Prix	Couleur	Taille	Autre (accessoires....)

4. Imprimez (*Print*) une copie de chaque vêtement que vous choisissez.

11 Ma présentation

Présentez les vêtements que vous avez choisis (that you chose) *à vos camarades de classe en montrant* (showing them) *les images.*

Faisons l'inventaire!

12 Une discussion

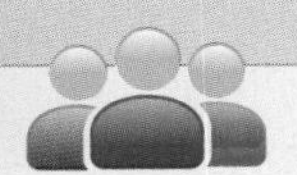

Répondez individuellement en anglais aux questions suivantes. Ensuite, discutez vos idées avec vos camarades de classe.

1. Were you always aware that you were looking at a website in French, or did you sometimes forget? Was there something specific that reminded you that you were looking at a website in French? If so, what?
2. In what ways is French fashion the same as in North America? In what ways is it different?
3. Did you learn anything about the cultures of French-speaking countries during your online shopping experience? If so, what?

Structure de la langue

The Partitive Article

Maintenant prenez du chocolat....
Ensuite, du sucre et de la crème.

For nouns that can't be counted, like bread, ice-cream, and water, use **du**, **de la**, or **de l'** to express the idea of "some" or "any." These are called partitive articles.

On va acheter **du** pain.	*We're going to buy (some) bread.*
Vous avez **de la** glace?	*Do you have (any) ice cream?*
Je voudrais **de l'**eau.	*I would like (some) water.*

For nouns that can be counted, such as potatoes and carrots, use **des** to express the idea of "some" or "any." Remember, **des** is the plural of the indefinite article **un(e)**.

Je veux **des** pommes de terre.	*I want (some) potatoes.*

Partitive articles are often used after the verbs and expressions **acheter**, **avoir**, **désirer**, **donner**, **manger**, **prendre**, **vouloir**, **voilà**, and **il y a** to indicate a quantity. Partitive articles are not used after the verbs **aimer** and **préférer**. The definite articles **le**, **le**, **l'**, and **les** are used.

Il y a **de la salade**?	*Is there (any) salad?*
Catherine aime bien **les** carottes.	*Catherine really likes carrots.*

some, any	in general, for ex., after *aimer*
du pain (before a masculine noun)	**le** pain
de la mayonnaise (before a feminine noun)	**la** mayonnaise
de l'eau minérale (before a noun beginning with a vowel)	**l'**eau minérale
des pommes de terre (before a plural noun)	**les** pommes de terre

13 Les mini-dialogues

Complétez chaque phrase avec l'article approprié.

du de la des le la les

1. Mme Thomas: Vous voulez... tarte?
   Mlle Robert: Non, merci. Je n'aime pas... pommes.
2. Mme Lefevre: Et pour le dessert, il y a... glace à la vanille.
   Annick: Je voudrais... fruits frais. J'aime bien... pommes.
3. Serveuse: Vous désirez, Monsieur?
   M. Guerin: Un steak avec... pommes de terre, s'il vous plaît.
4. Mme Roussel: Qu'est-ce qu'on prépare? Tu aimes bien... couscous?
   M. Roussel: Non, je préfère... quiche.
5. Karine: Voilà... légumes!
   Léon: On achète... aubergines et... tomates?
6. Émilie: J'ai un sandwich au poulet pour toi.
   Chantal: Merci. Tu as... mayonnaise?

14 À la cantine

Dites ce qu'on va manger cette semaine à la cantine.

MODÈLE **Lundi, on va manger des carottes....**

MENU

LUNDI	MARDI	MERCREDI	JEUDI	VENDREDI
carottes	pommes de terre	salade	courgettes	petits pois
thon	jambon	saucisson	bœuf	porc
melon	yaourt ou glace	pastèque	fromage	gâteau

15 Les trois repas

Dites ce que vous prenez du placard (cupboard) *ou du frigo* (refrigerator) *pour faire chaque repas indiqué. Vous n'allez pas utiliser tous les mots.*

la mayonnaise les fraises le beurre le jambon la confiture de fraises
le poulet la confiture de pêches le pain la salade le bœuf le chocolat

1. 

2. 

3. 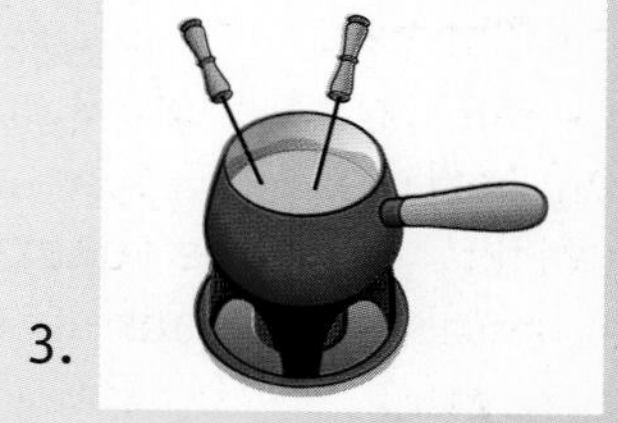

MODÈLE **Je prends du pain avec du beurre et....**

16 Le marché

Choisissez l'image qui correspond à la quantité de l'aliment qu'on décrit (describes).

MODÈLE **Vous entendez:** M. Martin prend du pain.
Vous écrivez: **A**

A
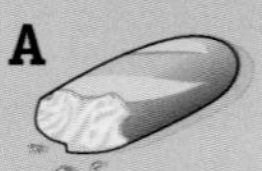

B

1. **A**  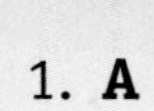 **B**  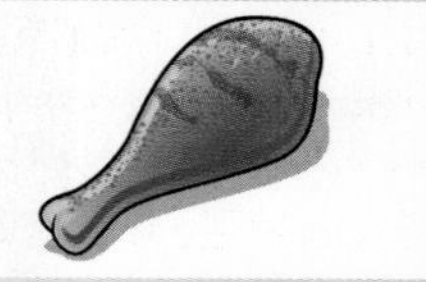

2. **A** 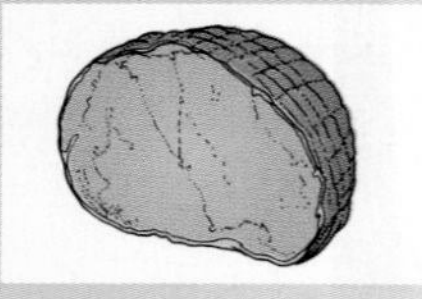 **B** 

3. **A**  **B** 

4. **A**  **B** 

5. **A**  **B** 

6. **A**  **B** 

7. **A** 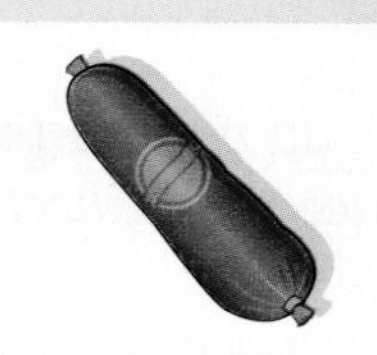 **B** 

Tu veux prendre de la tarte aux pommes?

The Partitive in Negative Sentences

You've already learned that in negative sentences (except with **être**), **des** becomes **de** or **d'**.

The partitive article becomes **de** or **d'** after negated verbs.

Tu achètes **du** fromage?
Are you buying some cheese?

Non, je n'achète pas **de** fromage.
No, I'm not buying any cheese.

Vous avez **de la** glace?
Do you have (any) ice cream?

Nous n'avons pas **de** glace.
We don't have any ice cream.

Tu veux **de l'**eau?
Do you want some water?

Je ne veux pas **d'**eau.
I don't want any water.

Est-ce qu'il y a **des** pommes de terre?
Are there any potatoes?

Il n'y a pas **de** pommes de terre.
There aren't any potatoes.

17 L'intolérance au lactose

Brigitte ne peut pas manger de produits laitiers (milk products). *Dites si elle mange ou non les aliments suivants.*

MODÈLES melons
Elle mange des melons.

yaourt
Elle ne mange pas de yaourt.

1. poulet
2. glace
3. fraises
4. camembert
5. champignons
6. petits pois
7. saucisson
8. fromage
9. aubergines
10. beurre

18 Des plats populaires

Dites quels aliments principaux manquent (are missing) *pour faire ces plats. Soyez logique!* (Be logical!)

MODÈLE les spaghetti bolognaise
Il n'y a pas de bœuf ou de pâtes.

concombres bœuf chocolat carottes jambon
fromage pâtes pommes de terre œufs thon

1. une omelette au fromage

2. un steak-frites

3. une salade niçoise

4. un croque-monsieur

5. une crêpe au chocolat

6. une soupe aux légumes

Communiquez!

19 Activité sur la culture française

Interpersonal Communication

Dessinez huit objets ou aliments français sur une feuille de papier. Ensuite, posez des questions à votre partenaire pour voir s'il ou elle a les mêmes objets ou aliments.

A: **Est-ce que tu as une trousse?**
B: **Oui, j'ai une trousse.**
ou
Non, je n'ai pas de trousse.

À vous la parole

Question centrale
How is shopping different in other countries?

Communiquez!

20 Au marché

Interpersonal Communication

Role play a conversation between a customer and a vegetable or fruit vendor at the market. In the conversation:

- Greet each other.
- Ask each other how things are going.
- Ask a question about the produce.
- Respond.
- Ask the price of three items.
- Give prices.
- Say what quantity you need.
- Say how much the customer owes.
- Thank the merchant.
- Say good-bye.

21 Un sondage

Interpersonal/Presentational Communication

Create a chart like the one below, listing three fruits and three vegetables that you like or dislike. Then ask ten students if they like each fruit or vegetable a lot (**beaucoup, +**), a little (**un peu, =**), or not at all (**ne... pas, -**). Note your classmates' responses in the chart, as indicated by the symbols in parentheses.

MODÈLE A: **Est-ce que tu aimes les pommes?**
B: **Oui, j'aime beaucoup/un peu les pommes.**
ou
Non, je n'aime pas les pommes.

Fruit/Légume	1	2	3	4	5	6	7	8	9	10
Pommes	+	+	-	=	+	-	=	-	=	+
Oranges										
Fraises										

Write a summary of your five most interesting results and share it with your classmates.

MODÈLE **Trois élèves aiment un peu les pommes. Quatre élèves aiment beaucoup les pommes. Trois élèves n'aiment pas les pommes.**

22 Au supermarché en ligne

Interpretive Communication

Answer the following questions about the supermarket advertisement.

1. Quels sont deux fruits dans cette publicité que tu aimes beaucoup?
2. Quel est un fruit que tu n'aimes pas?
3. Ça coûte combien deux kilos de bananes?

Lecture thématique

Le fils du boulanger

Rencontre avec l'auteur

Maurice Pons (1925–) est un écrivain français dont l'œuvre a servi d'inspiration pour beaucoup de metteurs en scène et de chorégraphes. *Le fils du boulanger* est la première des onze nouvelles (*short stories*) qui composent le recueil (*collection*) *Douce Amère* (1985). Qu'est-ce que vous comptez (*plan*) lire dans une nouvelle qui s'appelle "Le fils du boulanger?"

Pré-lecture

Décrivez une visite réelle ou imaginaire à une boulangerie-pâtisserie. Qu'est-ce que vous voyez? Qu'est-ce que vous sentez (*smell*)?

Stratégie de lecture

Setting

The setting of a story is the time, place, and circumstances in which the action takes place. In this selection, the setting is revealed through descriptive details. Create a chart like the one below. Then, as you read, note what each adjective or noun tells you about the bakery where the story take place.

Descriptions	Explication
1. prospère	
2. bien placée	
3. régulière	
4. cette initiative	
5. un succès	

Outils de lecture

Word Families

Sometimes a noun, a verb, an adjective, or another part of speech may share the same root. For example, the adjective **aimable** (*amicable*) and the nouns **amitié** (*friendship*) and **ami(e)** all share the root **ami-** from Latin. You know what **une boulangerie** is. What do you think **un boulanger** does for a living?

Mon père était* boulanger et fils de boulanger. J'étais* gamin* quand il reprit à son compte* l'unique boulangerie de Saint-Gratien, dans la Creuse*. Je me souviens* de façon très précise de notre installation dans ce nouveau pays*, dans cette nouvelle maison, cette nouvelle boutique. (...)

La boulangerie de Saint-Gratien était une affaire* prospère. Elle était bien placée au centre du village et attirait* une clientèle régulière. Le dimanche, ma mère et sa vendeuse écoulaient* un nombre considérable de tartes et de pâtisseries.

Mon père avait vite remarqué que les jeunes ouvrières* de la fabrique,* pendant la pause de midi, plutôt que d'aller déjeuner à la cantine, se rendaient* en bande à la boulangerie pour acheter des pains au chocolat et des croissants. (...) Il décida d'engager un commis* et se mit à* faire des friands à la viande,* des croque-monsieurs au jambon et au fromage, et même des pizzas. Cette initiative, rarement entreprise à l'époque*, connu un succès considérable dans tout Saint-Gratien.

Pendant la lecture

1. Quelle est la profession du père du narrateur?

Pendant la lecture

2. Que vendent sa mère et son assistante le dimanche?

Pendant la lecture

3. Pour quelle raison le père du narrateur est-il un entrepreneur?

était/étais *was*; **gamin** enfant; **reprit à son compte** *bought back his business*; **la Creuse** *department in central France?*; **Je me souviens** *I remember*; **pays** région; **une affaire** un business; **attirait** *attracted*; **écoulaient** *moved*; **ouvrières** personnes qui travaillent; **la fabrique** *factory*; **se rendaient** *went*; **d'engager un commis** *to hire a helper*; **se mit à** *began*; **friands à la viande** *meat pies*; **à l'époque** *at that time*

Post-lecture

Est-ce que le narrateur aime vivre dans ce village et travailler dans cette boulangerie? Justifiez votre réponse.

Le monde visuel

Sabine Weiss (1924–) est connue (*known*) pour ses photos en noir et blanc de la France après la deuxième Guerre Mondiale (*WWII*), une période difficile pour le pays économiquement, psychologiquement, et moralement. Elle fait partie des photographes humanistes qui aident la reconstruction de l'identité française. Ces photographes célèbrent et documentent les institutions et les événements ordinaires et habituels. Quel aspect de la vie de tous les jours et quelle institution française sont représentés sur cette photo?

Enfant à la sortie de la boulangerie, 1960. Sabine Weiss.

23 Activités d'expansion

1. Écrivez une description du milieu (*setting*) de cette lecture, incorporant l'information de votre grille. La boulangérie représente une réussite (*success*)? Expliquez.
2. Commencez des phrases avec ces expressions pour faire un poème sur un endroit:
   A. Je vois....
   B. Je sens (*smell*)....
   C. J'entends (*hear*)....
   D. Je goûte (*taste*)....
   E. Je pense (*think*)....

   Pensez à un titre. Ensuite, lisez votre poème à votre groupe.
3. Dessinez l'image d'une boulangerie-pâtisserie. Ou bien, imprimez des photos que vous trouvez en ligne et mettez des légendes (*captions*).

Search words: boulangerie patisserie bonneau paris

Les copains d'abord: Au marché de Saint-Ouen

Projets finaux

A Connexions par internet: Les finances personnelles

Imagine you have saved 100 euros to throw a party. Follow these steps to plan your party.

- With a partner, make a list in French of beverages, snacks, and other items that you will need for the party.
- Research and compare prices for the items on your list at three French supermarket sites online to get the best deals.
- Create a document to show the results of your research.
- What did you purchase? Were you able to stay within your budget? Share your results with your partner.

Search words: carrefour shopping en ligne, mon supercasino, auchandirect

B Communautés en ligne

Un appartement à Paris

Imagine your family has rented an apartment for a month in Paris. Your parents belong to one of the food movements below. Look for a blog and/or articles online to find out which stores sell foods that will meet your needs, which restaurants and cafés serve those foods, and which outdoor markets have them available.

Search words: bio-organique (organic), **végétalien** (vegan), **manger slow, le fooding**

Nous allons acheter la nourriture bio-organique à Vitalibio.

C Passez à l'action!

Les marchés en France

Question centrale
How is shopping different in other countries?

In groups of three, research the following topics to find out more about markets in France. Each person in your group should research two topics.

- regional and seasonal specialties, such as different cheeses, herbs from the south of France, camembert from Normandy
- the history of French markets
- compare and contrast an American farmers' market with a **marché**
- compare and contrast a French supermarket with a **marché**
- what Rungis is and what you can buy there
- **les Halles** in Paris, yesterday and today

Share what you learn with the members of your group and create a presentation to share with the class. You might create a website, podcast, slide presentation, booklet, or use some other media for your presentation.

D Faisons le point!

Your teacher will give you a chart like the one below. Fill it in with what you've learned about how shopping is different in other cultures.

Je comprends	Je ne comprends pas encore	Mes connexions

What did I do well to learn and use the content of this unit?	What should I do in the next unit to better learn and use the content?
How can I effectively communicate to others what I have learned?	What was the most important information I learned in this unit?

Évaluation

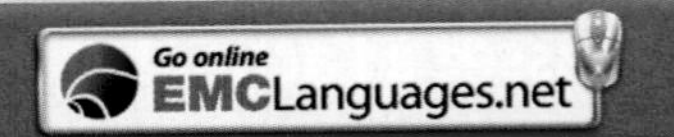

A Évaluation de compréhension auditive

Jean-Luc and Christian are going to the market in a village while on vacation. Make a list in English of what they buy.

B Évaluation orale

You and a friend are talking about what you plan to buy on **la rue commerçante** today. You will each make three stops. In your conversation, state what you need and where you are going to buy it. For clothing include colors and for grocery items include quantities.

Tu as besoin de chaussures?
Oui, allons au magasin de chaussures.

C Évaluation culturelle

In this activity, you will compare francophone cultures with American culture. You may need to complete additional research about American culture.

1. **On fait du shopping.**
   Where do you and your friends typically buy clothes? Where else can you buy clothes in France and the United States other than at the stores themselves?
2. **Les essentiels**
   How does France's "little black dress" compare with American jeans? In what ways are they used similarly? In what ways are they used differently?
3. **Les vêtements en Afrique**
   What does West Africa's traditional style of dress reveal about Western influences on the culture regarding clothing? In what ways would you expect West African clothing to be different from what people wear in France and the United States?
4. **L'exportation de l'alimentation**
   The French export many food products, such as cheese. What packaged foods does the United States export?
5. **On fait les courses.**
   Where do people in France and North Africa traditionally prefer to buy fresh food? Where do you and your family grocery shop? Are there any outdoor markets in your area? If so, what are some local specialties you would find there?
6. **Le mouvement *slow food***
   What kinds of food should people buy, according to the slow food movement? Does the United States have a slow food movement? Are both France and the United States trying to maintain food traditions, or start new ones?

In France, people prefer to shop in small boutiques along **la rue commerçante**.

7. **Les mesures métriques**
   Explain the differences between how most francophone nations measure weight and volume, and compare it to the system used in the United States. Make a list of products you buy on a weekly basis with the metric weight or volume you would need in francophone countries.
8. **Les marchés francophones**
   Look at photos of French markets and North African *souks* online. How do they compare? How different are these markets from your shopping experience? In which places would you need to learn to negotiate the price? Would that be a new experience for you? How comfortable or uncomfortable would you be bargaining?

D Évaluation écrite

Write your family's grocery list (**liste d'achats**) for the week in French. Be sure to include appropriate quantities.

E Évaluation visuelle

Use your answers to the questions below to write a paragraph about the fashion show (**le défilé de mode**) in the illustration.

1. On est où?
2. C'est le défilé de mode de qui?
3. Que porte la première femme?
4. Que porte la deuxième femme?
5. Que porte la troisième femme?

F Évaluation compréhensive

Create a storyboard with six frames. Write captions for each frame, telling about your shopping day on **la rue commerçante**. Share your story with a group of classmates.

Vocabulaire de l'Unité 6

un **achat** purchase *B*
l' **air (m.)** air *C*
aller: Tu trouves que… me va bien? Does this… look good on me? *A*; **Vas-y!** Go for it! *A*
assez (de) enough (of) *B*
autrement otherwise *A*
une **baguette** long thin loaf of bread *B*
beaucoup de a lot of *B*
le **beurre** butter *B*
un **billet** bill (money) *C*
le **bœuf** beef *B*
une **boîte de** a can of *B*
bon marché cheap *A*
la **boucherie** butcher shop *B*
la **boulangerie** bakery *B*
une **bouteille (de)** bottle (of) *B*
une **boutique** shop *A*
la **cabine: cabine d'essayage** dressing room *A*
le **camembert** camembert cheese *B*
ce, cet, cette; ces this, that, these, those *A*
la **charcuterie** delicatessen *B*
chercher to look for *A*
chic chic *A*
combien: C'est combien le kilo? How much per kilo? *C*
commerçant(e) shopping, business *A*
une **couleur** color *A*; **De quelle(s) couleur(s)?** In what color(s)? *A*
le **couscous** couscous *B*
une **crémerie** dairy store *B*
un **croissant** croissant *B*
d'abord first of all *B*
en: en ligne online *A*
un **ensemble** outfit *A*
ensuite next *A*
une **épicerie** grocery store *B*
essayer to try (on) *A*
faire: faire les courses to go grocery shopping *B*
fait: Ça fait combien? How much is it? *C*
faites: Quelle taille faites-vous? What size do you wear? *A*
frais, fraîche fresh *B*
un **fruit** fruit *C*
un **gramme (de)** gram (of) *B*
gros, grosse big, fat, large *C*
joli(e) pretty *A*
le **ketchup** ketchup *B*
un **kilo (de)** a kilogram (of) *B*
le **lait** milk *B*
un **légume** vegetable *B*
ligne: en ligne online *A*
un **litre (de)** a liter (of) *B*
une **livre** pound *C*
un **mannequin** model *A*
un(e) **marchand(e)** merchant *C*
le **marché** outdoor market *C*; **marché aux puces** flea market *A*
la **mayonnaise** mayo *B*
même same *C*
moche ugly *A*
un **morceau (de)** a piece (of) *B*
la **moutarde** mustard *B*
mûr(e) ripe *C*
niçoise: la salade niçoise tuna salad *C*
un **œuf** egg *B*
une **olive** olive *C*
le **pain** bread *B*
un **paquet (de)** a packet (of) *B*
le **pâté** pâté *B*
la **pâtisserie** bakery/pastry shop *B*
peu: un peu (de) a little (of) *B*
peux: Je peux vous aider? May I help you? *A*
le **porc** pork *B*
un **pot (de)** a jar (of) *B*
le **poulet** chicken *B*
prêt(e) ready *B*
la **rue** street *A*
le **saucisson** salami *B*
sort: sortir to come out *A*
la **soupe** soup *B*
le **supermarché** supermarket *B*
la **taille: Quelle taille faites-vous?** What size are you? *A*
tant pis too bad *C*
une **tarte**: pie *B*; **tarte aux fruits** fruit pie *B*; **tarte aux pommes** apple pie *B*
le **thon** tuna *C*
Tiens! Hey! *B*
tous all *B*; **toutes** all *C*
une **tranche (de)** a slice (of) *B*
trop (de) too much (of) *B*
trouver to find *A*
un **vendeur, une vendeuse** salesperson *A*
vendre to sell *B*
des **vêtements (m.)** clothes *A*
vouloir to want *A*
le **yaourt** yogurt *B*

Clothing… see p. 276
Colors… see p. 277
Fruits and vegetables… see p. 310

Unité 6 Bilan cumulatif

Listening

I. You will hear a short conversation. Select the reply that would come next. You will hear the conversation twice.

1. A. C'est quatre euros le kilo.
   B. J'ai besoin de quatre tranches.
   C. C'est mon supermarché là, devant le cinéma.
   D. Je voudrais une jupe blanche en 38.

II. Listen to the conversation. Select the best completion to each statement that follows.

1. Marion cherche....
   A. Céline
   B. une pâtisserie
   C. un centre commercial
   D. un vêtement noir pour samedi

2. Céline n'aime pas....
   A. le noir
   B. le blanc et le rose
   C. Mademoiselle Lecourt
   D. les robes

3. Céline veut d'abord....
   A. acheter une robe noire
   B. aller à la pâtisserie
   C. manger
   D. faire les devoirs

Reading

III. Read the letter that Alexis, a Canadian studying at a French university, writes to her parents describing what she likes about life in France. Then select the best completion to each statement.

Chers papa et maman,

Voilà, je suis à Lyon! J'adore la France! J'aime l'université de Lyon et j'aime beaucoup parler français. Les weekends en France sont super. Le vendredi, je cherche souvent des CD à la médiathèque. La musique française et la musique algérienne sont géniales. Le samedi, je vais à la boulangerie chercher des croissants et du pain. Ils sont fantastiques à huit heures du matin. Ensuite, je vais au café avec ma baguette et mes deux croissants. Je prends un jus d'orange et je mange mes croissants. Au café, j'adore lire mon magazine, regarder et aussi écouter les Français parler. À dix heures, je vais au marché. Je n'aime pas faire mes courses au supermarché. Je préfère le marché parce que les fruits et les légumes sont frais. À midi, mes copains et moi, on se retrouve au restaurant. Enfin, à deux heures, on va au cinéma regarder un film américain ou un film français. Après le film, j'achète souvent de petits gâteaux à la pâtisserie derrière le cinéma, et je mange mon dessert à la maison devant la télé. J'adore la France!

Et vous, ça va à Montréal?

Bises,
Alexis

1. Alexis est....
   A. avec ses parents
   B. à Lyon
   C. dans une université américaine
   D. à Los Angeles

2. Le samedi matin Alexis mange....
   A. à la boulangerie
   B. au café
   D. au restaurant

3. Alexis aime....
   A. la musique française
   B. le pain et les gâteaux français
   C. les films français
   D. A, B, et C

Writing

IV. Complete this conversation at Carrefour with appropriate words or expressions.

Maxime: On va faire du __1__, maman? J'ai besoin __2__ vêtements pour l'école.
Maman: Et moi, je __3__ acheter des fruits et des __4__ d'abord. Ensuite on va __5__ Carrefour.
Le vendeur: Je peux __6__ aider, Madame?
Maman: Je prends un __7__ de tomates. __8__, je prends des bananes.
Le vendeur: Madame, c'est l'été! __9__ pêches sont très __10__ et délicieuses!
Maman: C'est __11__ la livre?
Le vendeur: Un euro cinquante. Ce n'est pas __12__!

Complete the paragraph with the correct form of the verbs.

Quand on __13__ au marché aux puces, — 13. (aller)
nous __14__ des vêtements. — 14. (chercher)
C'est amusant quand on __15__ ensemble. — 15. (être)
Xavier __16__ des tennis noires. — 16. (vouloir)
Sophie et Sarah __17__ les robes. — 17. (regarder)
Elles __18__ top! — 18. (être)
Maxime __19__ besoin de jeans. — 19. (avoir)
Le vendeur __20__ sympa. — 20. (être)
Nous __21__ essayer les vêtements et les chaussures! — 21. (vouloir)

Composition

V. It's your birthday, and you are at a restaurant with family and friends celebrating. Write a paragraph describing the celebration. In your paragraph:

- tell which family members are there.
- state the names and ages of your friends.
- describe the clothes you are wearing.
- tell what you are having to eat.
- tell what people are giving you.

Speaking 

VI. Étienne and Salim are buying a shirt to give to their friend Abdoulaye for his birthday. In groups of three, play the roles of Étienne, Salim, and the saleswoman.

Unité

7 À la maison

Rendez-vous à Nice!

Épisode 7:

Changement de cœur

Go online EMCLanguages.net

Citation

"Chacun est roi en sa maison."

Everyone is a king in his own house.

—Proverbe français

À savoir

Three out of four Frenc
people have a garden c
terrace.

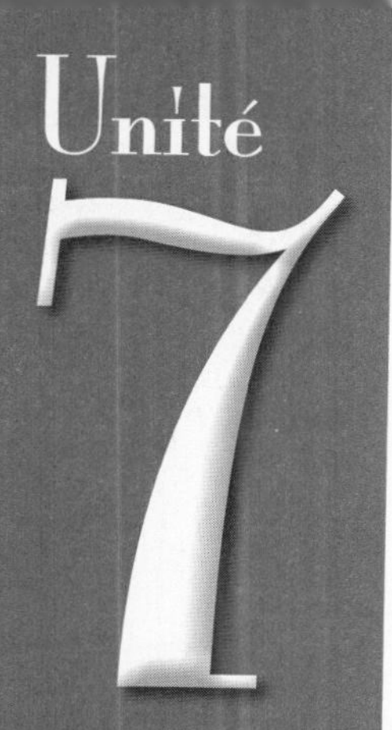

Unité 7 À la maison

Question centrale

What makes a house a "home"?

Go online
EMCLanguages.net
What is Patrick showing Charlotte?
A. a secret that Jean-Charles has been hiding
B. a poster
C. an award from a contest in English
In what city is this port located?

Contrat de l'élève

Leçon A I will be able to:

- give a tour of my home and ask where someone lives.
- talk about housing in France and **le Maghreb** and share facts about Algeria.
- use ordinal numbers.

Leçon B I will be able to:

- give directions in the kitchen.
- talk about Marseille and Provence.
- use the verbs **devoir** and **mettre** in the present tense and make comparisons with adjectives.

Leçon C I will be able to:

- talk about the computer and say I don't understand something.
- talk about technology that young French people use, the province of New Brunswick in Canada, and the singer Natasha St-Pier.
- use the verb **pouvoir** in the present tense.

Vocabulaire actif

La maison

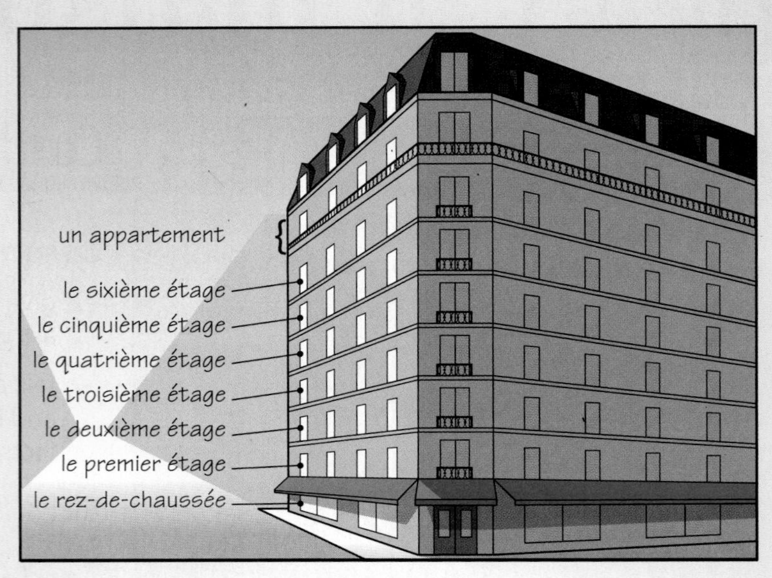

un immeuble

Les pièces (f.):

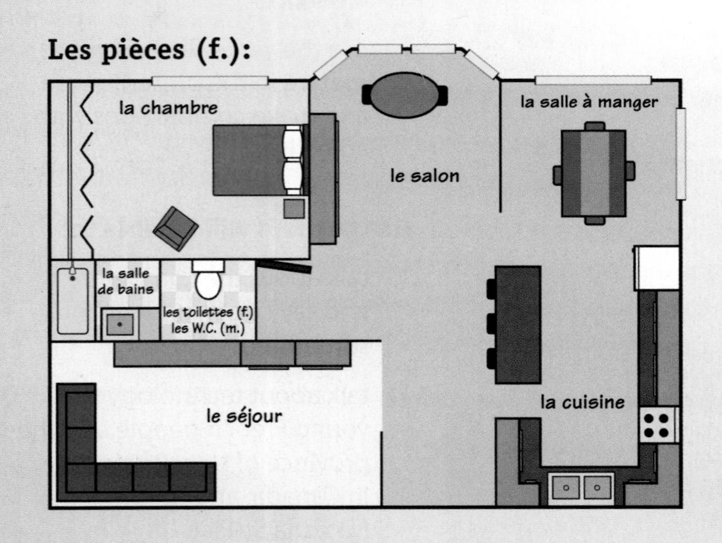

Les meubles (m.):

Pour la conversation

How can I give a tour of my house or apartment?

> **Là, c'est** le séjour où nous regardons des DVD.
> *That's the family room where we watch DVDs.*

> **À côté, c'est** la salle à manger où nous dînons ce soir.
> *Next to it is the dining room where we'll dine tonight.*

> **Au fond du couloir, c'est** ma chambre.
> *At the end of the hallway is my bedroom.*

How do I ask where someone lives?

> **Où est-ce que tu habites?**
> *Where do you live?*

How do I agree and disagree?

> **Je pense que** oui.
> *I think so.*

> **Je pense que** non.
> *I don't think so.*

Et si je voulais dire...?

la banlieue	*suburb*
une cafetière	*coffee maker*
un congélateur	*freezer*
une cuisine aménagée	*equipped kitchen*
un grille-pain	*toaster*
un jardin	*garden*
une maison de campagne	*country house*
un mixeur	*blender*

1 Les maisons des Roux

Les Roux ont déménagé (moved) *avec chaque promotion de M. Roux. Choisissez la légende* (caption) *qui correspond à chaque photo.*

1.

2.

3.

A. leur deuxième maison
B. leur première maison
C. leur troisième maison

2 Nous déménageons!

Dites dans quelle pièce va le meuble (piece of furniture) *ou l'appareil électroménager* (appliance).

MODÈLE la lampe
La lampe va dans la chambre.

la chambre | la cuisine | la salle à manger | le séjour | le bureau

1.

2.

3.

4.

5.

6.

7.

8.

9.

10.

11.

Communiquez!

3 Dans quelle pièce?

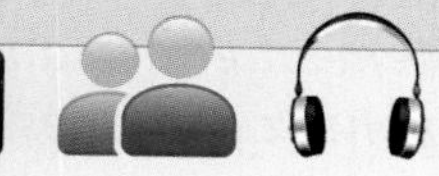

Interpersonal Communication

À tour de rôle, demandez à votre partenaire dans quelle pièce il ou elle aime faire les activités suivantes.

MODÈLE écouter de la musique

A: **Dans quelle pièce est-ce que tu aimes écouter de la musique?**

B: **J'aime écouter de la musique dans ma chambre.**

Dans quelle pièce est-ce que tu aimes lire?
Dans le salon.
Ville de Limoges

1. dormir
2. manger
3. étudier
4. regarder la télé
5. téléphoner
6. voir un film
7. surfer sur Internet
8. lire
9. envoyer des textos
10. jouer aux jeux vidéo

4 Complétez!

Choisissez le mot logique qui complète chaque phrase.

lampe pièces cuisine canapé séjour
immeuble frigo tapis

1. L'appartement des Moreau est dans un... à Marseille.
2. Il y a six... dans l'appartement.
3. Dans le salon, il y a un... et deux fauteuils.
4. Sur la table il y a une lampe rouge; sous la table, il y a un... Algérien qui est rouge aussi.
5. Dans la..., un micro-ondes est sous le placard.
6. On regarde la télé dans le....
7. Pour faire ses devoirs, Maxime a un bureau et une... sur le bureau.
8. M. Moreau est en retard et va manger; sa salade est dans le....

5 L'appartement de Sabrina

Sabrina a besoin de meubles pour son nouvel appartement et demande de l'aide à sa grand-mère. Lisez sa liste et la réponse à son e-mail. Ensuite, répondez à la question.

3 lampes
1 canapé
1 micro-ondes
4 chaises
1 tapis
1 table de nuit

À: Sabrina
Cc:
Sujet: Je peux t'aider.

Ma chère Sabrina,

Je regarde ta liste. Je peux te donner la table de nuit de ta mère quand elle était (*was*) petite, un tapis rouge algérien, une chaise bleue, et une jolie lampe jaune pour ton salon. Je sais que ça coûte cher d'acheter des meubles pour un appartement. C'est pourquoi je t'envoie ce chèque pour 100 euros. Envoie-moi une photo de ton premier appartement!

Je t'embrasse,
Mémé

Enfin, qu'est-ce que Sabrina a besoin d'acheter?

6 Chez moi!

*Écrivez **L** si la description de la maison est **logique** ou **I** si la description est **illogique**.*

7 La maison de mes rêves

Votre famille achète la maison de vos rêves. De quoi est-ce que vous avez besoin pour chaque pièce? Faites un dessin de la maison et écrivez le nom des pièces, des meubles, et des appareils électroménagers.

8 Questions personnelles

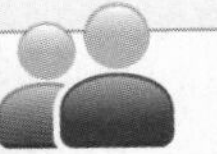

Répondez aux questions.

1. Est-ce que c'est ta première année dans ta maison ou ton appartement?
2. Est-ce qu'il y a une télé dans ta chambre?
3. Dans quelle pièce est-ce que tu aimes faire tes devoirs?
4. Où est-ce que tu manges?
5. De quelle couleur est ton frigo?
6. Où est-ce que ta famille regarde la télé?

Il n'y a pas de télé dans ma chambre.

Rencontres culturelles

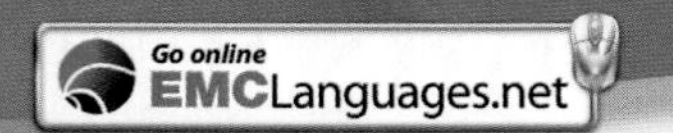

Une invitée

Camille arrive chez Yasmine, où elle va passer la nuit, et elles parlent dans le salon.

Camille: Oh, tu habites près du parc? Quelle belle vue!
Yasmine: Oui, nous sommes au septième étage. On voit tout—le parc, les magasins, la mosquée.
Camille: C'est beau cette pièce! C'est le séjour?
Yasmine: Oui. Ça a un petit air du pays, n'est-ce pas?
Camille: Je pense que oui. J'aime les tapis!
Yasmine: Ce sont des tapis berbères... ils viennent de Kabylie, le pays de mes grands-parents. Regarde, c'est une photo de leur riad.
Camille: Charmant! Les meubles, les lampes, les coussins, ils viennent aussi de là?
Yasmine: Il y a des meubles de mes grands-parents, une lampe aussi. Les autres lampes, les tissus, on peut tout trouver ici....
Camille: Et ça sent quoi?
Yasmine: Ah ça, c'est du jasmin. À droite, c'est la salle à manger où nous dînons avec ma famille ce soir. Là, au fond du couloir, c'est ma chambre.
Camille: Où sont les toilettes?
Yasmine: À gauche de ma chambre.
Camille: J'arrive dans cinq minutes!

9 Une invitée

Complétez la phrase.

1. ... invite son amie à passer la nuit.
2. Yasmine et sa famille ont une vue du....
3. On va dîner avec....
4. Les tapis de la maison viennent de....
5. En Kabylie, c'est possible d'habiter dans un... comme les grands-parents de Yasmine.
6. Ça sent le....
7. Camille a besoin de....

Extension **Les futurs colocataires**

Deux étudiants, qui veulent louer un appartement, parlent à l'agent immobilier. (*Two college students who want to rent an apartment speak to a real estate agent.*)

L'agent: Entrez. Alors vous voyez, c'est un deux pièces classique; il est refait à neuf. C'est ce que vous cherchez?
Alexandre: Euh oui... un grand séjour à tout faire et une chambre.
L'agent: À tout faire?
Julie: Oui, on va mettre deux bureaux face à face devant la fenêtre et ici une table pour déjeuner.
Alexandre: Il y a une prise internet?
L'agent: L'immeuble est câblé: vous n'avez qu'à choisir l'opérateur.
Julie: Contre ce mur la bibliothèque et au milieu, le canapé.
Alexandre: On peut accrocher la télé au mur?
L'agent: Commençons par votre dossier. Il est complet?

Extension Alexandre et Julie sont-ils sûrs d'avoir cet appartement? Justifiez votre réponse.

Points de départ

Question centrale

What makes a house a "home"?

Les logements

Individualistes, 57% des familles françaises choisissent d'habiter dans une maison individuelle et 43% seulement dans un immeuble. Il existe aussi des logements sociaux (des HLM—habitations à loyer modéré*). Ils sont occupés surtout par de jeunes couples, des gens qui ont de faibles revenus*, et des retraités*. Beaucoup de jeunes continuent aujourd'hui à habiter chez leurs parents après l'âge de 20 ans, mais ils sont indépendants financièrement et émotionnellement. D'autres jeunes choisissent la colocation*, qui permet* d'avoir plus d'espace et de payer aussi un loyer* moins cher.

Un HLM en banlieue a en moyenne (*average*) douze étages; le plus grand a 29 étages.

Search words: immobilier paris, immobilier lyon, immobilier marseille

---

habitations à loyer modéré *low-rent housing;* **faibles revenus** *low incomes;* **des retraités** *retired people;* **la colocation** *sharing of an apartment;* **permet** *allows;* **un loyer** *rent*

COMPARAISONS

How does the rate of home ownership in the United States compare to that in France?

La salle de bains et les toilettes

D'habitude, la salle de bains (la douche* ou la baignoire*) est séparée des toilettes (ou W.C.) en France. C'est un espace pour faire sa toilette*, s'habiller*, etc. Des fois, les baignoires sont même* remplacées par des douches avec jet. Les constructions les plus modernes ont tendance aussi à inclure les toilettes dans la salle de bains.

---

douche *shower:* **baignoire** *bathtub;* **faire sa toilette** *wash up;* **s'habiller** *get dressed;* **même** even

Dans cette salle de bains, il y a des W.C., un évier pour la toilette générale, et un bidet pour la toilette privée.

La Francophonie

✲ *L'Algérie*

L'Algérie fait partie* du Maghreb. (Les autres pays de cette région sont la Tunisie et le Maroc.) Colonie française pendant 130 ans, l'Algérie est devenue* indépendante en 1962. La guerre de libération a duré huit ans, de 1954 à 1962. L'économie algérienne est basée essentiellement sur les ressources pétrolières*, mais un chômage très élevé* force beaucoup de gens à émigrer. La langue officielle est l'arabe, mais souvent l'expression au cinéma, dans la littérature et la musique (le raï) est en français.

Search words: **tourisme algérie**
state department travel advisory algérie

---

fait partie *belongs to;* **est devenue** *became;* **pétrolières** *oil;* **un chômage très élevé** *high unemployment*

Produits

Le raï est une musique qui vient de l'Algérie. Aujourd'hui, il est populaire partout au Maghreb. On peut trouver cette musique en France aussi. Parfois ces chansons sont en arabe et français. Vous pouvez trouver des chansons et vidéos de raï sur Internet; cherchez les noms "Cheb Bilal" et "Cheb Khaled," par exemple.

Mon dico maghrébin

un bédouin: un homme (du désert)
un bled: un petit village
cheb: titre (*title*) pour un chanteur de raï
le couscous: un plat à base de semoule de blé (*wheat grain*), servi avec viande et légumes
un souk: un marché
un toubib: un médecin

La Francophonie: Habitations au Maghreb

Les trois types d'habitation traditionnelle sont les *riads*, les *khaimas* (tentes), et les *kasbahs*. Les riads sont des maisons construites autour* d'un patio en forme de jardin. Les khaimas sont de grandes tentes. L'espace intérieur est divisé* en deux, l'un, caché*, réservé aux femmes; l'autre, ouvert*, réservé aux hommes et aux visiteurs. Il y a souvent des tapis et des coussins au sol*. Les kasbahs sont de superbes mais fragiles bâtisses en terre* avec un rez-de-chaussée pour les activités agricoles*, un premier étage pour la cuisine et les femmes, et un deuxième étage qui sert de salon de réception.

Perspectives

How are the values and traditions of **le Maghreb** reflected in its traditional housing?

---

construites autour *constructed around;* **divisé** *divided;* **caché** *hidden;* **ouvert** *open;* **sol** *ground;* **bâtisses en terre** *clay buildings;* **agricoles** *agricultural*

10 Questions culturelles

Répondez aux questions.

1. Où habitent les jeunes en France?
2. Comment sont les salles de bains en France?
3. Remplissez (*Fill out*) la fiche d'identité de l'Algérie.
   - Langue officielle
   - Ressource principale
   - Date de l'indépendance
   - Langue de l'expression du cinéma, dans la littérature et la musique
   - Genre de musique populaire
4. Comment appelle-t-on les habitations suivantes au Maghreb?
   - une maison construite autour d'un patio
   - une tente
   - une bâtisse en terre
5. Qu'est-ce que c'est que le raï? Faites une recherche sur Internet sur l'origine, les caractéristiques, les chanteurs, ou les tendances du raï. Chaque membre du groupe choisit un sujet et fait une présentation au groupe.

On appelle une bâtisse en terre une kasbah; à l'origine elle servait de protection pour la ville.

Du côté des médias

Voici des petites annonces (want ads) *pour des appartements à Paris. Remarquez toutes les abréviations!*

1. Paris, 14ème
Bel imm, appt de 90 m2. Entrée, double séj. proche de la cuis. 2 ch., 1 SdB avec wc. Parquet, cheminée. **750.00 €**

3. Magnif. Appt
4 pces avec espaces verts. Séj., 2 chs, SdB, wc, parc.
225.000 €

2. Paris, 8ème
Bel imm. PdT: 2 pces, 50 m2, 5ème ét., dche.
180.000 €

4. Paris, 9ème
Appt avec entrée, cuis, séjour, 3 chs, balcon. RdC. Park. Proche de toutes commodités!
280.000 €

11 Les petites annonces

Pour chaque expression suivante, écrivez une abréviation.

1. appartement
2. cuisine
3. rez-de-chaussée
4. salle de bains
5. parking
6. pièces
7. séjour
8. immeuble
9. étage

12 On cherche un appartement à Paris!

Aidez les personnes suivantes à trouver un appartement à Paris. Dites le numéro de l'annonce qui les intéresserait (would interest them).

1. Éric a besoin d'un bureau parce qu'il travaille à la maison. Il a besoin d'espaces verts pour promener son chien (*dog*).
2. Les Clément ont deux filles de 14 et 8 ans; donc, on a besoin de deux chambres pour elles. Ils veulent avoir un garage pour leur voiture (*car*). Ils voudraient être proches (*near*) de la rue commerçante.
3. Anne-Marie a 23 ans et elle est célibataire (*single*). Elle a besoin d'un petit appartement bon marché. Elle n'a pas besoin d'un ascenseur (*elevator*).
4. Les Bonnet ont un petit garçon, Mathieu. Ils ont besoin d'un grand séjour parce que Mathieu aime jouer à l'intérieur. Ils désirent un appartement de 100 m² approximativement.

EN TERRAIN DE CONFIANCE
À DUNKERQUE
Venez découvrir cette nouvelle résidence de standing, comprenant 11 logements de 2 à 4 pièces, avec de très belles prestations: chauffage individuel, au gaz par condensation, normes THPE, terrasses, jardins privatifs, parkings, garages et caves, dans un cadre verdoyant exceptionnel.
Portes ouvertes
tous les dimanches
et sur RDV en semaine.
LA RÉSIDENCE DES TOURNESOLS
AVANTAGES FISCAUX SUR CES PROPRIÉTÉS

Structure de la langue

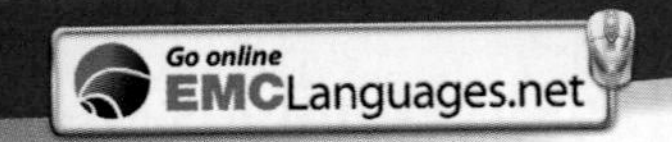

Ordinal Numbers

Numbers like "first," "second," and "third" are called ordinal numbers. They show the order in which things are placed.

All ordinal numbers in French, except **premier** and **première** ("first"), end in **-ième.** To form most ordinal numbers, add **-ième** to the cardinal number. If a cardinal number ends in **-e**, drop the **e** before adding **-ième**. Note that "first," "fifth," and "ninth" are irregular.

un, une	→	**premier (m.), première (f.)**
deux	→	**deuxième**
trois	→	**troisième**
quatre	→	**quatrième**
cinq	→	**cinquième**
six	→	**sixième**
sept	→	**septième**
huit	→	**huitième**
neuf	→	**neuvième**
dix	→	**dixième**

Nicole est deuxième dans le marathon.

COMPARAISONS

How would you express this sentence in English?
Mon appartement est au cinquième étage.

Mon **premier** jour en Algérie, je vais manger du couscous. — *On my first day in Algeria, I'm going to eat couscous.*

Le **deuxième** jour, nous allons à un concert de raï. — *On the second day, we are going to a rai concert.*

Culture Note

In French-speaking countries, **le rez-de-chaussée** is the equivalent of the ground or first floor in English-speaking countries. **Le premier étage** refers to the second floor.

13 C'est quel étage?

Dites à quel étage ces personnes habitent.

MODÈLE Cédric
Cédric habite au deuxième étage.

1. Noémie et Jean-Luc
2. Charlotte
3. Karim et Claude
4. Sabrina
5. Sarah et Lucas

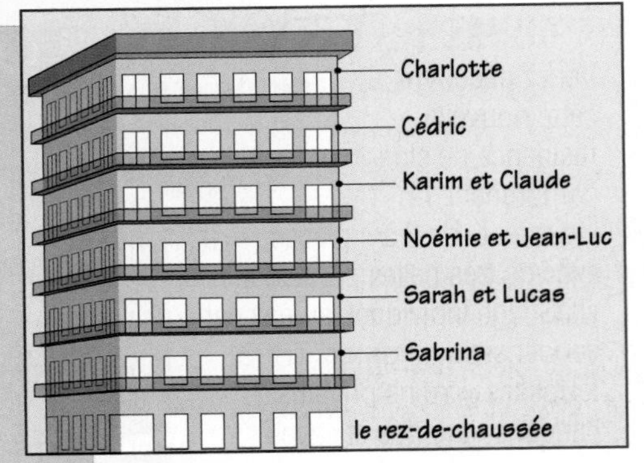

COMPARAISONS: "My apartment is on the sixth floor."

14 Mme Fournier fait les courses au supermarché.

À Monoprix, il y a une caméra à l'extérieur et à l'intérieur, mais les photos de Mme Fournier sont dans le désordre (in disorder). *Retrouvez l'ordre des photos d'après* (according to) *les phrases ci-dessous.*

MODÈLE **Photo A: C'est la première photo.**

A.

B.

C.

D.

E.

F.

1. Elle arrive au supermarché Monoprix.
2. Elle prend un chariot (*cart*).
3. Elle regarde les annonces (*adds*) de Monoprix.
4. Elle met du poulet dans le chariot (*cart*).
5. Elle achète la nourriture.
6. Elle met un sac dans sa voiture.

15 La maison de Coralie

Coralie parle de sa maison à Julie. Écrivez ***0*** *si la pièce que Coralie décrit* (describes) *est au rez-de-chaussée et* ***1*** *si c'est au premier étage.*

À vous la parole

Question centrale

What makes a house a "home"?

Communiquez!

16 L'immeuble

Presentational Communication

Draw a diagram of **un immeuble** with five floors and two apartments on each floor. For each apartment, write the names of the people who live there and their ages, for example, **Michèle, 15 ans.** Introduce one of the families to your small group, including answers to these questions:

- Les membres de la famille s'appellent comment?
- Quel âge ont-ils?
- Est-ce qu'ils habitent dans une maison individuelle?
- À quel étage est-ce qu'ils habitent?
- Il y a combien de pièces?
- Comment est la chambre de l'ado de la famille?
- Qu'est-ce qu'il ou elle aime faire?

La famille Fournier habite au troisième étage de l'immeuble.

Communiquez!

17 La visite

Tu veux un coca ou une limonade?

Interpersonal Communication

With a partner, roleplay the following conversation between an American host student (**A**) and an exchange student from Algeria (**B**). Then switch roles.

A: Welcome your guest and asks if he or she would like a sandwich or a salad, a cola or a mineral water.
B: Say which food and beverage you would like.
A: Give a tour of your house or apartment, ending in the exchange student's bedroom. Ask if he or she needs anything.
B: Respond and thank the host.
A: Say good night (**Bonne nuit!**) and see you tomorrow.
B: Say good night (**Bonne nuit!**) and see you tomorrow.

Je voudrais une limonade, merci.

18 Un appartement ou une maison en France?

Interpretive/Presentational Communication

You and your family plan to spend a month in France this summer. Since your parents don't speak French, they have asked you to help them find a furnished apartment or house to rent. Follow these steps to complete this task.

- Choose a city or region of France you would like to visit.
- Then find vacation rental agency sites in French on the Internet and select three possible rentals.
- Complete the chart, ranking your choices in order of preference.

	Ville ou région?	Appartement ou maison?	Nombre de pièces?	Nombre de chambres?	Piscine? Jardin ou terrasse?	Attractions de la région?	Prix?
1.							
2.							
3.							

Now, explain your choices in French to a partner, using your diagram to organize your presentation.

Search words: location de maisons de vacances en France

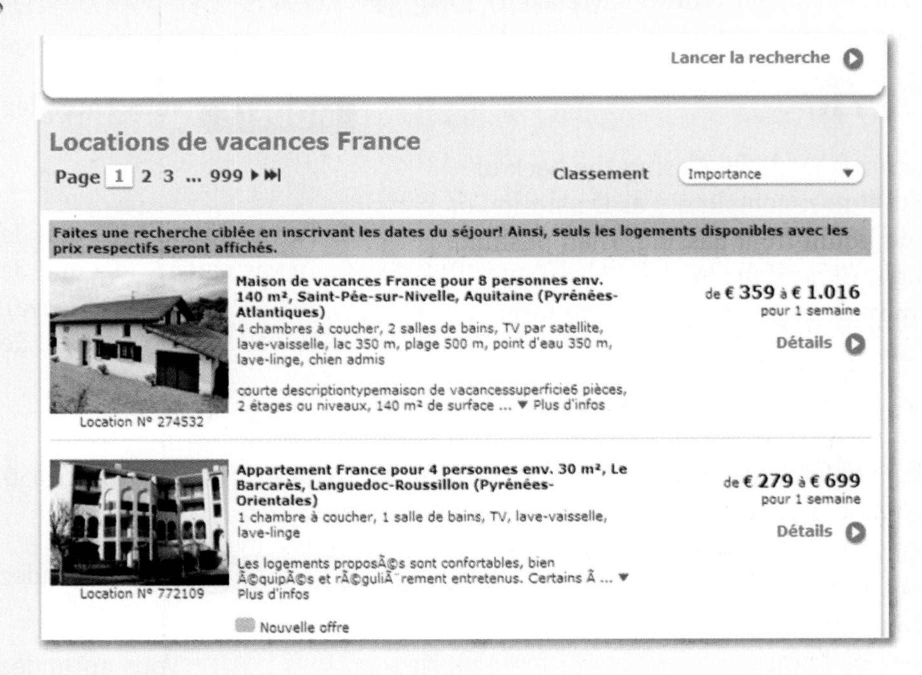

Prononciation

Unpronounced Internal /ə/

- Sometimes the sound /ə/, as in **je** and **de**, is unpronounced in the middle of words.

A Le /ə/ interne non prononcé

Repeat each sentence. Do not pronounce the sound /ə/ except when it is in bold.

1. Au revoir!
2. À samedi!
3. Au revoir! On revient demain matin.
4. Au revoir! On revient le samedi quinze.
5. La boulangerie est près d**e** la crémerie.
6. La boucherie est près d**e** la charcuterie.

B Je la fais tout de suite!

Answer the question according to the example. ***Tout de suite*** *means "right away."*

MODÈLE Vous entendez: **Tu prépares la salade?**
Vous dites: **Je la prépare tout de suite!**

1. Tu fais la sauce? Je la fais tout de suite!
2. Tu coupes les pommes? Je les coupe tout de suite!
3. Tu mets les serviettes? Je les mets tout de suite!

C Style standard, familier, ou relâché?

Listen to the same sentences pronounced in different styles, and repeat.

Excusez-moi, j**e** suis en retard! (standard)
Excusez-moi, j**e** suis en retard! (familiar)
Excuse-moi, je suis en retard! (relaxed)
Excuse-moi, je suis en retard! (relaxed)

The Sound /R/

- The French **r** is made by closing the back of the throat almost completely as if gargling or preventing liquid from passing, then pushing air through. Exceptions to the /R/ sound include **monsieur** and the infinitive form of **-er** verbs.

D Pratiquons le son /R/!

Repeat the following words and phrases.

1. mon père, ma mère, mon frère, ma sœur
2. Bonjour. Bonsoir. D'accord. Bien sûr.
3. le sport
4. un tournoi de rugby
5. le Tour de France
6. Roland Garros

E Tu vas...?

Answer according to the example.

MODÈLE Vous entendez: **Tu vas lire?**
Vous dites: **Ça oui! J*e* voudrais lire!**

1. Tu vas dormir? Ça oui! Je voudrais dormir!
2. Tu vas partir? Ça oui! Je voudrais partir (*to leave*)!
3. Tu vas sortir? Ça oui! Je voudrais sortir!

F Il y a un "r"?

Write ***R*** *if you hear /R/ or* ***O*** *if you do not hear /R/.*

MODÈLES Vous entendez: **C'est un four.**
Vous écrivez: **R**

Vous entendez: **C'est une affiche.**
Vous écrivez: **O**

Leçon B

Vocabulaire actif

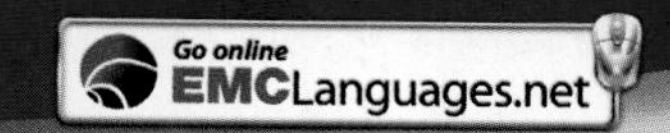

Les repas

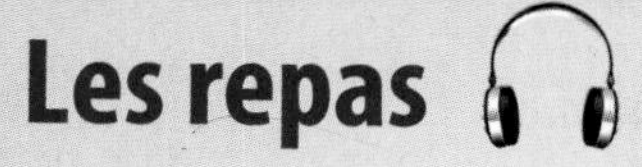

La fourchette est à gauche de l'assiette.

Le couteau est à droite de l'assiette.

La cuiller est au-dessus de l'assiette.

le petit déjeuner

le goûter

le déjeuner

le dîner

Pour la conversation 

How do I give directions in the kitchen?

> **Tu peux couper** les courgettes **en rondelles.**
> *You can cut the zucchini in rounds.*

> **Ensuite, tu mets le couvert.**
> *Next, you set the table.*

Et si je voulais dire...?

une assiette à soupe	*soup plate*
le couvert	*silverware*
une cuiller à soupe	*tablespoon*
une cuiller à café	*teaspoon*
une poêle	*frying pan*
grignoter	*to snack*
un hors-d'œuvre	*appetizer*
des chips (m.)	*chips*
les snacks (m.)	*snacks*

1 Nicole met le couvert.

Lisez comment Nicole met le couvert, puis répondez à la question.

Je mets la nappe et une assiette. Le couteau est à droite de l'assiette. La fourchette est à gauche de l'assiette avec la serviette. Le verre est au-dessus du couteau. La tasse est à droite du couteau. La petite cuiller et la cuiller à soupe sont au-dessus de l'assiette.

Nicole est-elle américaine ou française?

2 À table! 

La mère de Maxime explique comment mettre le couvert. Faites un dessin selon ses explications.

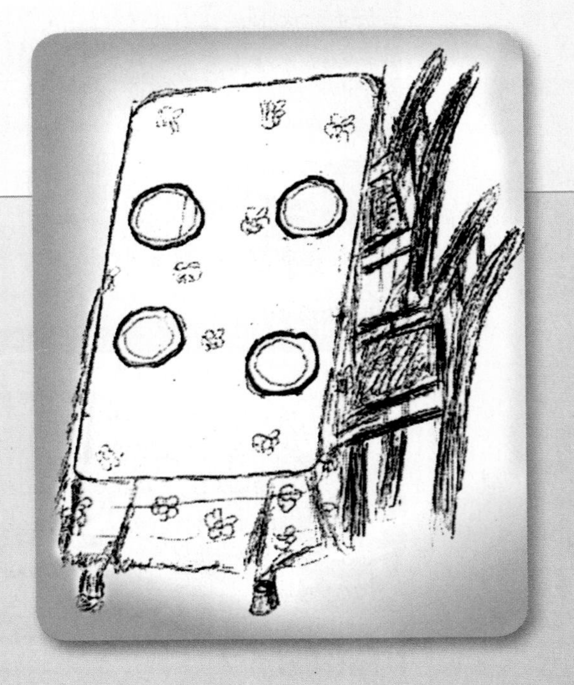

3 Je prépare le dîner!

Dites quels ustensiles de la liste vous prenez pour préparer ces plats.

un couteau   une fourchette   une cuiller   un bol

MODÈLE **Je prends un bol, une fourchette, et un couteau.**

1.

2.

3.

4.

4 Mets le couvert!

Selon le repas, dites ce dont vous avez besoin pour mettre le couvert. N'oubliez pas la nappe, la serviette, le sel, le poivre, et le sucre!

MODÈLE une soupe aux légumes, une crêpe au poulet et au fromage, une salade, et un café
J'ai besoin d'un bol, d'une cuiller, d'une assiette, d'une fourchette, d'une tasse, d'une nappe, d'une serviette, du sel, du poivre, et du sucre.

1. une omelette au jambon, des petits pois, de l'eau minérale, et un yaourt
2. du bœuf avec des pommes de terre, des haricots verts, un gâteau, et un café
3. une soupe aux carottes, du porc, des courgettes, du café au lait, et une glace au chocolat
4. une soupe aux champignons, un sandwich au fromage, une pomme, une limonade, et une crêpe

5 Questions personnelles

Répondez aux questions.

Je prends le déjeuner à l'école.

1. Qu'est-ce que tu prends au petit déjeuner?
2. À quelle heure est-ce que tu prends le déjeuner?
3. Où est-ce que tu prends le déjeuner?
4. Qu'est-ce que tu prends comme dessert?
5. Qu'est-ce que tu prends comme goûter après l'école?
6. Est-ce que ta famille prend un grand dîner?
7. Est-ce que tu aides ta famille à préparer le dîner?
8. Quel est ton dîner préféré?

Rencontres culturelles

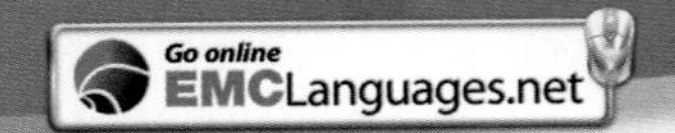

Un repas provençal

Dans la cuisine, Maxime attend la ratatouille que sa mère prépare pour le déjeuner.

Maxime: Je veux prendre le déjeuner maintenant. C'est trop long à préparer ta recette de grand-mère.
Mère: Ah, c'est sûr! On n'est pas chez McDo!
Maxime: Bon alors, qu'est-ce que je fais pour t'aider?
Mère: Eh bien, tu coupes les aubergines et les courgettes. Je vais couper des poivrons et des tomates.
Maxime: Comment?
Mère: Comment quoi?
Maxime: Ben, les courgettes et les aubergines, je les coupe comment?
Mère: Tu peux couper les courgettes en rondelles. Attention! Tu fais des rondelles fines, les aubergines en carrés.
Maxime: Et les carrés comment?
Mère: Les carrés comme des carrés, pardi! Ensuite tu mets le couvert dans la salle à manger. Prends les assiettes de ta tante de Marseille. Elles sont plus jolies que nos assiettes jaunes.
Maxime: Je dois tout faire dans cette maison!

6 Un repas provençal

Repondez aux questions.

1. Qu'est-ce que la mère de Maxime prépare?
2. Quels sont les légumes que Maxime et sa mère préparent?
3. Que fait Maxime pour aider sa mère dans la cuisine?
4. Comment doit-il couper les courgettes?
5. Comment doit-il couper les aubergines?
6. Qui va mettre le couvert?
7. Dans quelle pièce est-ce qu'on va prendre le déjeuner?
8. On va utiliser quelles assiettes? Pourquoi?

Extension **Bon appétit!**

Des participants de la télé-réalité show "Bon appétit" essaient de mettre la table.

Maître d'hôtel: Non, Lauren, on recommence....
Lauren: La fourchette à droite, c'est sûr. Donc... le couteau à gauche. Ah oui, la cuiller à gauche à l'extérieur, et la petite cuiller entre les verres et l'assiette, bien au centre.
Maître d'hôtel: Très bien, Lauren, vous voyez, vous y arrivez quand vous faites attention.... Bon, Matéo, le verre et la serviette maintenant.
Matéo: Je mets le verre d'eau au-dessus du couteau?
Maître d'hôtel: C'est ça. Et la serviette?
Matéo: À gauche de la fourchette.
Maître d'hôtel: Bravo, tous les deux!

Extension Quand Lauren et Matéo mettent le couvert, qui fait quoi?

Points de départ

Question centrale
What makes a house a "home"?

Marseille

Marseille est la deuxième ville de France. C'est le plus grand port de la Méditerranée et le quatrième port européen. Elle est un centre économique pour le transport maritime et les hélicoptères, pour les explorations sous-marines*, et pour la restauration*. L'agglomération* marseillaise a 1,4 millions d'habitants. Ils viennent de pays différents, surtout d'Italie, d'Arménie, d'Espagne, de Turquie, et des pays nord-africains.

Search words: visiter marseille
tourisme marseille

Avec son port qui facilite les migrations on appelle Marseille "le carrefour des mondes" (*world crossroads*).

sous-marines *underwater;* **la restauration** *restaurant business;* **L'agglomération** *urban area*

La Provence

Quand on pense à la Provence, on imagine des oliviers au soleil*, de beaux paysages*, et des ruines romaines. Deux artistes qui ont peint* des sujets provençaux sont Vincent Van Gogh et Paul Cézanne. La Provence est fameuse aussi pour ses spécialités comme la bouillabaisse, une soupe de poissons *; la ratatouille; et la salade niçoise.

oliviers au soleil *olive trees in the sunshine;* **paysages** *landscapes;* **ont peint** *painted;* **poissons** *fish*

Rouget de Lisle a composé une chanson pour l'armée qui est devenue l'hymne national (*national anthem*) en 1792. On l'appelle ***La Marseilleise***.

Mon dico provençal

un calu: *une personne bête*
un pitchoun: *un petit garçon*
une pitchounette: *une petite fille*
Je suis escagassé(e)! *Je suis fatigué(e)!*
mon collègue: *mon copain*
Pardi! *Bien sûr!*

Van Gogh a peint son célèbre tableau (*famous painting*) *The Starry Night* à Saint-Rémy-de-Provence en 1889 dans un style post-impressionniste.

Nuit étoilée, 1889. Vincent Van Gogh.

Gastronomie: spécialités régionales

Chaque région de France a ses spécialités qui illustrent la diversité des climats et des terroirs (*lands*). Voici des exemples:

Les crêpes (Bretagne).

La bouillabaisse (Marseille).

COMPARAISONS

For what special foods and beverages is your city or region famous?

7 Questions culturelles

Faites les petits projets suivants.

1. Retrouvez les informations suivantes sur Marseille pour faire un profil.
   - Importance en France et en Europe
   - Activités économiques
   - Population
   - Principaux pays d'origine des immigrants
2. Quels sont les ingrédients pour une bouillabaisse marseillaise? Faites des recherches en ligne et écrivez une liste.
3. Écrivez le nom de la région associée avec ces plats:
   - les crêpes
   - le camembert
   - la ratatouille
   - la choucroute garnie
   - les escargots
   - le cassoulet
   - la fondue savoyarde
   - la quiche lorraine
   - le roquefort
4. Écrivez un petit dialogue en français avec des mots en provençal.

À discuter

What is the most important room in your house?

La ratatouille.

Du côté des médias

Lisez la recette.

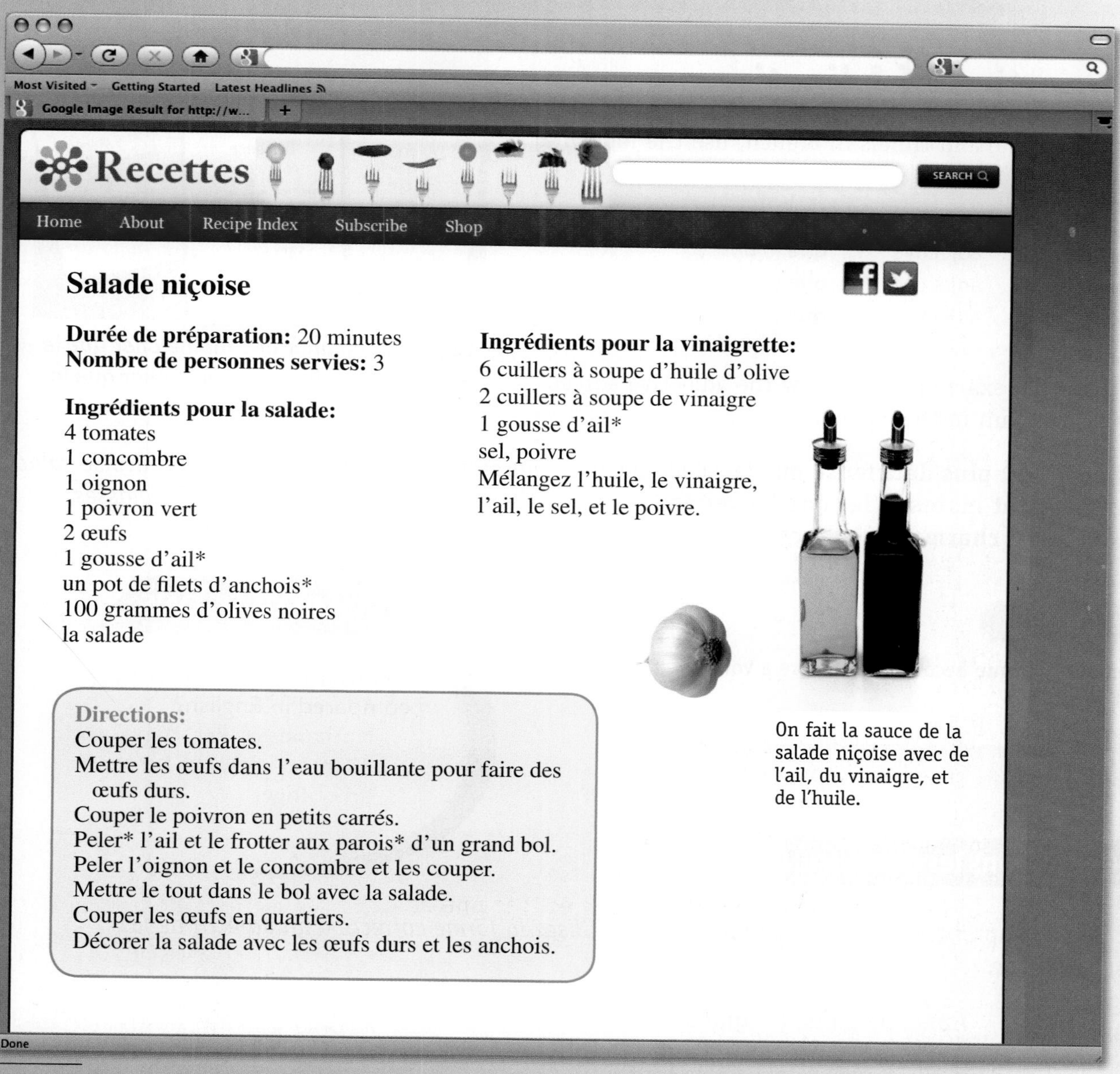

Salade niçoise

Durée de préparation: 20 minutes
Nombre de personnes servies: 3

Ingrédients pour la salade:
4 tomates
1 concombre
1 oignon
1 poivron vert
2 œufs
1 gousse d'ail*
un pot de filets d'anchois*
100 grammes d'olives noires
la salade

Ingrédients pour la vinaigrette:
6 cuillers à soupe d'huile d'olive
2 cuillers à soupe de vinaigre
1 gousse d'ail*
sel, poivre
Mélangez l'huile, le vinaigre, l'ail, le sel, et le poivre.

On fait la sauce de la salade niçoise avec de l'ail, du vinaigre, et de l'huile.

Directions:
Couper les tomates.
Mettre les œufs dans l'eau bouillante pour faire des œufs durs.
Couper le poivron en petits carrés.
Peler* l'ail et le frotter aux parois* d'un grand bol.
Peler l'oignon et le concombre et les couper.
Mettre le tout dans le bol avec la salade.
Couper les œufs en quartiers.
Décorer la salade avec les œufs durs et les anchois.

gousse d'ail *garlic clove;* **anchois** *anchovy;* **peler** *to peel;* **frotter aux parois** *rub against the sides*

8 Une recette pour la salade niçoise

Répondez aux questions.

1. On a besoin de combien de minutes pour faire cette salade?
2. Cette recette sert combien de personnes?
3. On a besoin de quels légumes pour faire une salade niçoise?
4. On prépare combien d'œufs? Et si on double la recette?
5. On décore la salade avec quoi?
6. Comment s'appelle la sauce pour la salade?

Structure de la langue

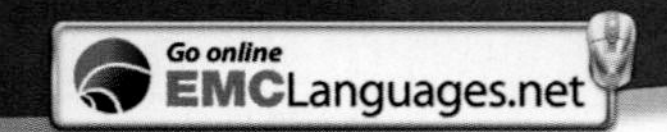

Comparative of Adjectives

To compare people and things in French, use the following constructions.

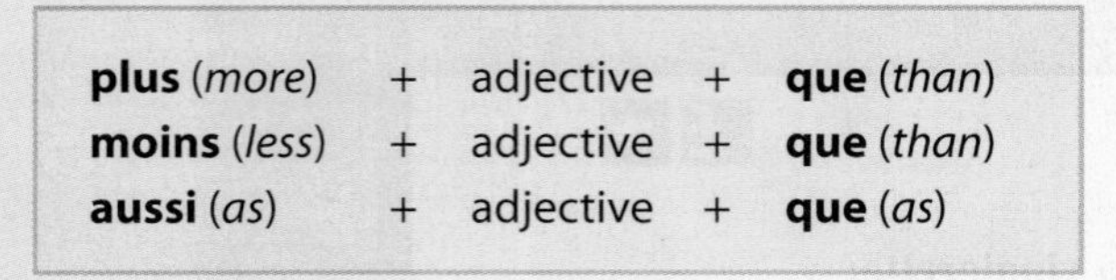

plus (*more*)	+	adjective	+	**que** (*than*)
moins (*less*)	+	adjective	+	**que** (*than*)
aussi (*as*)	+	adjective	+	**que** (*as*)

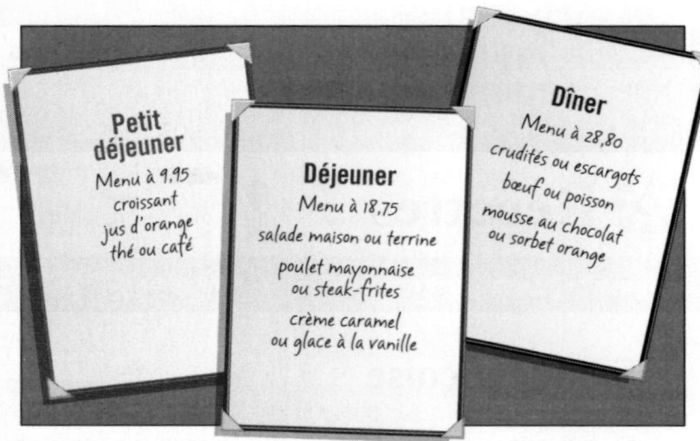

Le petit déjeuner est moins cher que le déjeuner. Le dîner est plus cher que le déjeuner.

In the following examples, note how the adjective agrees with the first noun in the comparison.

La ratatouille **est plus délicieuse que** la salade niçoise. *Ratatouille is more delicious than nicoise salad.*
Les assiettes **sont moins jolies que** les verres. *The plates are less pretty than the glasses.*
Fatima est **aussi charmante qu'**Aïcha. *Fatima is as charming as Aïcha.*

Spelling Tip

Remember that **que** becomes **qu'** before a vowel or vowel sound.

COMPARAISONS

How are two things or people compared in English?
Nathalie is taller than David.
A lemon is more sour than an orange.

9 Comparons les gens!

Comparez la première personne à la deuxième. Utilisez la forme correcte d'un adjectif de la liste suivante.

+	plus
–	moins
=	aussi

MODÈLE Anne/Delphine (– grand)
Anne est moins grande que Delphine.

1. mon meilleur ami ou ma meilleure amie/moi (+ généreux)
2. mon cousin/ma cousine (– intelligent)
3. les acteurs/les artistes (= passionné)
4. ma mère/ma grand-mère (– bavard)
5. mon prof de français/mon prof de gym (= énergique)
6. moi/mon frère ou ma sœur (+ sympa)

COMPARAISONS: To make comparisons in English, add **-er** to the adjective or place "more" before the adjective. This compares to French comparisons made with **plus**.

10 À Carrefour

*Utilisez **plus cher que**, **moins cher que**, ou **aussi cher que** pour comparer les prix à Carrefour.*

MODÈLE **Le yaourt est moins cher que le fromage.**
Le fromage est plus cher que le yaourt.

 1€11  2€96

1. Crousti Moelleuse 5€10  3€12

2.  2€96  2€96

3. Beau & Bon 1€48  2€12

4.  1€60  1€60

5. Oasis 2€49  2€97

Communiquez!

11 À mon avis

Interpersonal Communication

À tour de rôle, demandez l'opinion de votre partenaire.

MODÈLE Jon Stewart/drôle/Stephen Colbert
A: **Tu penses que Jon Stewart est plus drôle que Stephen Colbert?**
B: **Non, je pense que Jon Stewart est moins drôle que Stephen Colbert.**

Tu penses que la world est plus culturelle que le hip-hop?

1. ton prof d'anglais/strict/ton prof d'histoire
2. les élèves d'espagnol/diligent/les élèves de français
3. l'équipe de foot/passionné/l'équipe de basket
4. les pommes/délicieux/les bananes
5. Ben Stiller/drôle/Tina Fey
6. la world/culturel/le hip-hop
7. U2/généreux/Bill Gates
8. les sciences/intéressant/les langues

Present Tense of the Irregular Verb *devoir*

The verb **devoir** (*to have to*) is irregular. It is usually followed by an infinitive to express obligation.

devoir			
je	**dois**	nous	**devons**
tu	**dois**	vous	**devez**
il/elle/on	**doit**	ils/elles	**doivent**

Qu'est-ce que vous **devez** faire? *What do you have to do?*
Je **dois** préparer une ratatouille. *I have to make ratatouille.*

Annie doit faire les courses.

12 Les bulletins de notes

Tous les élèves ont leurs bulletins de notes. Pour le cours d'histoire, dites ce que chacun doit ou ne doit pas faire pour améliorer (improve) *sa note.*

MODÈLE Stéphanie
Elle ne doit pas arriver en retard.

Élève(s)	Commentaires de M. Mathieu:
Modèle Stéphanie	Arrive en retard.
1. tu	N'étudie pas pour les contrôles.
2. Nayah et toi, vous	Envoient des textos en classe.
3. Olivier	Ne finit pas ses devoirs.
4. Timéo et moi, nous	Parlent en classe.
5. je	Regarde par la fenêtre.
6. Maude et Clément	Ne participent pas aux discussions.

13 Des conseils

Donnez deux ou trois conseils aux personnes suivantes. Utilisez le pronom **tu**.

MODÈLE Ton cousin veut être un bon athlète.
Tu dois manger beaucoup de fruits et de légumes.
Tu dois jouer aux sports tous les jours.

1. Ton cousin veut devenir chanteur et compositeur de la musique world.
2. Ton voisin (*neighbor*) veut ouvrir (*open*) un restaurant français.
3. Ta petite sœur veut être une bonne amie.
4. Ton grand frère veut être un bon prof un jour.
5. Ta copine veut être une bonne élève.

Tu veux être une bonne amie? Tu dois me parler.

Present Tense of the Irregular Verb *mettre*

The verb **mettre** (*to put, to put on, to set*) is irregular.

mettre			
je	**mets**	nous	**mettons**
tu	**mets**	vous	**mettez**
il/elle/on	**met**	ils/elles	**mettent**

Amidou met le couvert dans la salle à manger.

Où **mets**-tu les cuillers? — *Where are you putting the spoons?*

Je **mets** les cuillers au-dessus des assiettes. — *I'm putting the spoons above the plates.*

Pronunciation Tip

The singular verb forms all sound the same.

COMPARAISONS

What is the English equivalent of this sentence?

En hiver, je mets un manteau.

14 Un dîner important

Mathieu choisit des vêtements, et son grand frère Guillaume offre des conseils. Complétez la conversation avec la forme appropriée du verbe ***mettre***.

Mathieu: Je vais dîner chez les parents de Romane. Est ce que je __1__ un tee-shirt ou une chemise, et un jean ou un pantalon?

Guillaume: Tu __2__ une chemise et un pantalon, c'est sûr.

Mathieu: Vraiment? Mais on ne va pas au restaurant. On __3__ des vêtements de tous les jours à la maison, n'est-ce pas?

Guillaume: Quand les parents invitent les copains à dîner, les copains __4__ un pantalon et une chemise. C'est simple!

Mathieu: Mais Romane et moi, nous __5__ toujours un jean. Pourquoi est-ce différent?

Guillaume: Parce que les parents t'invitent. Je suis sûr que ce soir Romane __6__ un pantalon ou une jupe.

Mathieu: Et toi et Virginie, qu'est-ce que vous __7__ quand vous dînez chez ses parents?

Guillaume: Nous __8__ un jean, mais c'est différent. On n'a pas besoin de faire bonne impression!

COMPARAISONS: This sentence says "In winter, I put on a coat." Note that while no preposition is needed in French, the preposition "on" is needed in English.

15 Au lac du bois

En colonie de vacances, tous les ados doivent mettre le couvert. Vous êtes le chef ce soir. Dites ce que chacun met.

MODÈLE Raphaël
Raphaël met les assiettes.

1. tu

2. Mohammed

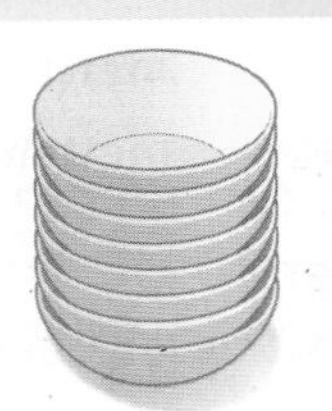
3. Paul et toi, vous

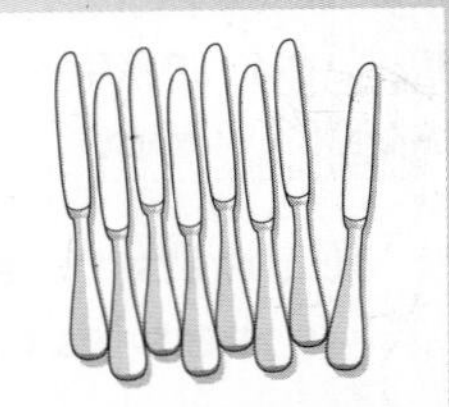
4. Martine

5. Karim et moi, nous

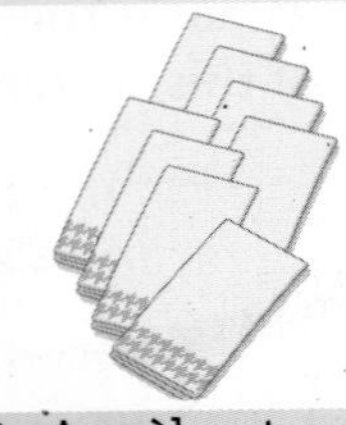
6. Angèle et Héloïse

7. je

8. Noémie et Nayah

9. Hervé

16 La recette de grand-mère

Écrivez les numéros 1–7 sur votre papier. Écoutez la grand-mère de Romane donner une recette d'une ratatouille. Choisissez l'illustration qui correspond à chaque phrase.

Vocabulaire utile

l'huile *oil*; **une poêle** *frying pan*; **des herbes** *herbs/seasonings*

A.

B.

C.

D.

E.

F.

G.

17 Dans le frigo

Dites ce qu'on met dans le frigo.

MODÈLE Marc
Marc met les oranges dans le frigo.

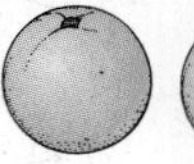 

1. Julie et moi, nous

2. tu

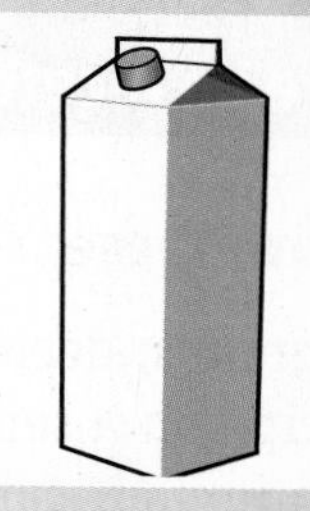

3. Julien

4. mes parents

5. je

6. Éric et toi, vous

Communiquez!

18 Qu'est-ce que tu mets?

Interpersonal Communication

À tour de rôle, demandez à votre partenaire ce qu'il ou elle met pour faire chaque activité.

MODÈLE dîner au restaurant avec tes parents
A: **Qu'est-ce que tu mets quand tu dînes au restaurant avec tes parents?**
B: **Je mets un pantalon, une chemise, et des chaussures noires.**

1. aller à la piscine
2. faire la cuisine
3. jouer au foot
4. faire du footing
5. aller au cinéma
6. faire du camping
7. aller à l'école
8. faire les courses

Qu'est-ce que tu mets quand tu fais la cuisine?
Je mets un jean et un tee-shirt.

À vous la parole

Question centrale

What makes a house a "home"?

19 Un livre de recettes

Interpretive/Presentational Communication

In small groups, decide on an American recipe to create for a Francophone teen. Write each step of the recipe on a separate note card, including the necessary quantities of the ingredients. Then turn in your cards to your teacher, who will mix up all the cards from the class and give a couple to each student, along with the name of a dish. Ask your classmates if they have a card for your recipe. You will need to anticipate the steps of the recipe in order to do this. Finally, put the cards for your recipe in order and type up the ingredients and instructions to make a recipe page for the cookbook for a French-speaking teen.

MODÈLE Recipe: banana split
Est-ce que tu as la carte "Couper les bananes"?

Vocabulaire utile

mélanger	*to mix*
ajouter	*to add*
peler	*to peel*
faire cuire	*to cook*
laver	*to wash*

Communiquez!

20 À table aux USA!

Presentational Communication

Prepare a demonstration in French for Francophone exchange students about the way your family sets the table. Remember to use props such as silverware, plates, bowls, and glasses. Present your demonstration to the class live or via video or podcast.

Communiquez!

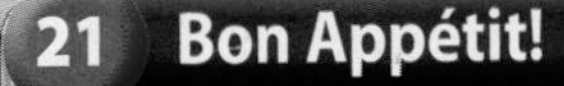

21 Bon Appétit!

Interpersonal/Presentational Communication

Working with a partner, choose an easy recipe and demonstrate how to prepare it for a French cooking show. As you demonstrate, be sure to state the quantities of the ingredients you are using. The class will be your audience. Dishes you might prepare include: a banana split, tacos, a smoothie, burgers or veggie burgers, a casserole, or a taco salad.

Stratégie communicative

Descriptive Writing

Effective descriptive writing depends on the writer's ability to paint pictures with words, and then organize those pictures into an effective pattern. To describe where things are in relationship to each other, use prepositions such as: **dans**, **derrière**, **devant**, **sous**, **sur**, **à droite de**, **à gauche de**, **à côté de**, **au fond de**.

Once you establish relationships among items, you can add adjectives describing colors, sizes, and nationalities to make your description more vivid. Here is a review of how adjectives are formed in French.

Remember, nouns are either masculine or feminine and singular or plural in French. Adjectives agree in gender and number with the nouns they modify. There are some exceptions, however, such as the adjective **marron**, which is invariable.

Masc. singular	Fem. Singular	Masc. plural	Fem. plural
intelligent	intelligente	intelligents	intelligentes
algérien	algérienne	algériens	algériennes
généreux	généreuse	généreux	généreuses
marron	marron	marron	marron

In addition, French adjectives are usually placed after the noun they modify: **une lampe algérienne.**

Interpersonal Communication

Ask your partner to describe people and things in his or her life.

MODÈLE ton ami(e)
A: **Comment est ton amie, Élisabeth?**
B: **C'est une amie sympa et intelligente.**

1. ta maison ou ton appartement
2. ton film préféré
3. ta mère
4. ton cours d'anglais
5. ton prof préféré
6. ton frère ou ta sœur
7. ton acteur ou ton actrice préféré(e)

Comment est ton acteur préféré?
Il est drôle comme toi.

23 Je dessine!

Your partner will describe a living room orally. Draw the room that he or she describes. Then switch roles.

24 Ma chambre

Draw a picture of your real or imaginary bedroom that includes furniture and other items that make your bedroom special. Write a description of your actual or dream bedroom using the prepositions and adjectives you already know. For additional adjectives and prepositions, use a bilingual dictionary. Be creative!

Leçon C

Vocabulaire actif

La chambre

La technologie:

Qu'est-ce que Sophie fait pour télécharger une chanson? 

1. Elle démarre l'ordinateur.
2. Elle clique avec la souris.
3. Elle ouvre le logiciel.
4. Elle navigue sur le site.
5. Elle paie.
6. Elle télécharge sa chanson préférée.
7. Elle synchronise son lecteur MP3.
8. Elle ferme le logiciel.

Pour la conversation 

How do I say that I don't understand?

> **Je ne comprends pas** ce problème de maths.
> *I don't understand this math problem.*

How do I talk about the computer?

> La chanson de Natasha St-Pier? **Je la télécharge.**
> *Natasha Saint-Pier's song? I'm downloading it.*

> **Tu imprimes** les paroles?
> *Are you printing the lyrics?*

Et si je voulais dire...? 

une armoire à pharmacie	*medicine cabinet*
un bidet	*bidet*
une commode	*dresser*
un lavabo	*bathroom sink*
un réveil-matin	*alarm clock*
une table de nuit	*night stand*

1 La chambre de Karim

Dites ce que Karim a dans sa chambre.

MODÈLE **Il a une affiche de film.**

1. 

2. 

3. 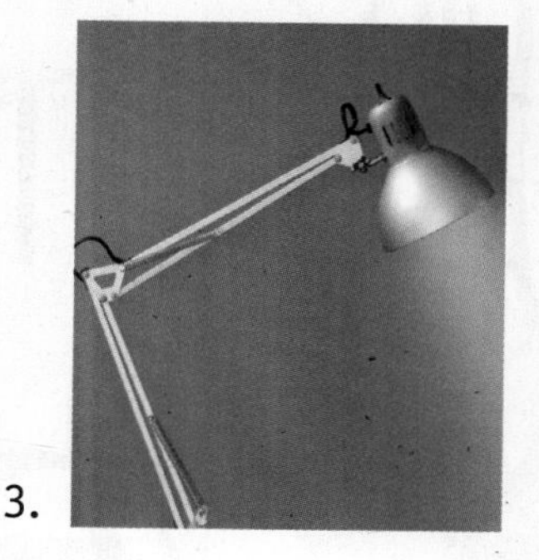

4. 

5. 

6. 

7. 

2 La chambre de Rahina

Lisez la description de la chambre de Rahina, puis faites un dessin avec tous les détails.

La chambre de Rahina est jaune. Dans sa chambre, elle a un grand lit. Son lecteur MP3 et des photos de ses copains sont sur le lit. Elle a un bureau où elle fait ses devoirs. Devant le bureau, il y a une chaise confortable. Sur le bureau, il y a un ordinateur, des cahiers, des livres, et une trousse. Sur la table de nuit, il y a une lampe orange. Le tapis dans sa chambre est orange et marron. Elle collectionne des affiches de films. Elle met ses vêtements dans un placard.

3 La chambre de Julien

Écrivez les lettres des illustrations qui représentent les meubles et les accessoires que Julien a dans sa chambre.

A.

B.

C.

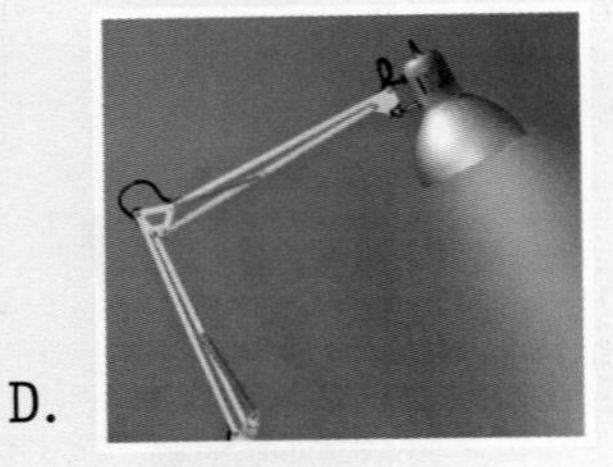

D.

E.

F.

G.

4 En ordre, s'il vous plaît!

Mettez les phrases suivantes dans l'ordre logique.

1. Je télécharge la chanson.
2. Je trouve ma chanson préférée.
3. Je navigue sur le site.
4. Je démarre mon ordinateur.
5. Je synchronise mon lecteur MP3.
6. Je ferme le logiciel.

5 Moussa télécharge une chanson.

Complétez chaque phrase avec un verbe de la liste.

synchronise ferme clique
télécharge démarre paie navigue

1. D'abord, Moussa... son ordinateur.
2. Ensuite, il... avec la souris pour ouvrir le logiciel.
3. Il... sur le site pour trouver sa chanson préférée.
4. Il... pour la chanson.
5. Il... la chanson.
6. Il... son lecteur MP3.
7. Enfin, il... le logiciel.

6 J'achète des billets de cinéma en ligne.

Mettez les phrases suivantes dans l'ordre pour expliquer ce que vous faites pour acheter des billets de cinéma en ligne.

1. Je paie avec ma carte de crédit.
2. Je démarre mon ordinateur.
3. Je choisis "AlloCiné."
4. Mais je clique sur le lien "Billetterie et sorties de cinéma," et "Réservez."
5. J'imprime la page web.
6. Je ne télécharge pas le film sur mon ordinateur.
7. Je navigue sur le web pour trouver un bon site.

7 Questions personnelles

Répondez aux questions.

1. De quelle couleur est ta chambre?
2. Est-ce que tu as un grand lit ou un petit lit?
3. Où est-ce que tu mets tes vêtements?
4. Est-ce que tu as des affiches? De quoi sont-elles?
5. Qu'est-ce qu'il y a sur ton bureau?
6. Qu'est-ce que tu fais pour trouver une chanson que tu aimes en ligne?

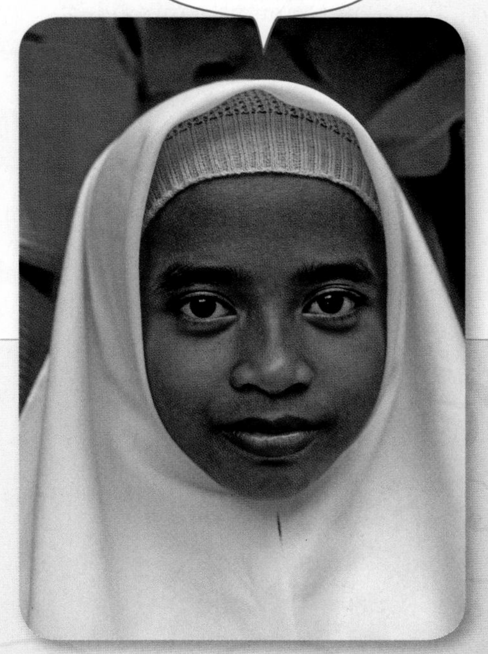
J'ai un ordinateur sur mon bureau.

Rencontres culturelles

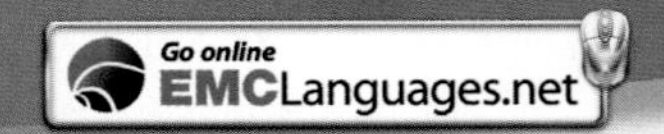

Une chanson téléchargée

Julien et Maxime sont en train d'étudier dans la chambre de Maxime.

Julien: Je ne comprends pas ce problème de maths. À qui est-ce qu'on peut demander?
Maxime: À Thomas, il est fort en maths. Tu as ton portable?
Julien: Et qu'est-ce que je...?
Maxime: Ben, un texto!
Julien: Alors... "Taf impossible en maths. Viens!"

(*Julien regarde son portable.*)

Il arrive.

Maxime: Super!
Julien: Qu'est-ce que tu fais?
Maxime: Je vais sur un site de musique. Nous allons écouter une chanson de Natasha St-Pier.
Julien: Qui?
Maxime: Une chanteuse du Nouveau-Brunswick. Tu vas voir. La chanson est géniale.

(Ils écoutent la chanson.)

Julien: Je suis d'accord avec toi. Elle est géniale. Tu peux m'envoyer le lien?
Maxime: Non, donne-moi ton portable. Il est là-bas, sur le lit. Je télécharge la chanson.
Julien: Merci. Tu imprimes les paroles? Tu vas chanter la chanson à qui?
Maxime: À... ça commence par un "Y," ça finit par un "E"!

8 Une chanson téléchargée

Identifiez ces personnes.

1. Cette personne va venir aider Julien et Maxime avec leurs devoirs de maths.
2. Cette personne envoie un SMS.
3. Cette personne télécharge une chanson.
4. Cette personne aime la chanson de Natasha St-Pier.
5. Cette personne va chanter une chanson à son amie.

Extension Un problème électronique

Marie et Alyssa sont dans la salle d'informatique.

Alyssa: Planté!
Marie: Eh bien, ferme tout et redémarre.
Alyssa: Qu'est-ce que j'ai fait encore?
Marie: Pas de panique... tu cliques ici, tu tapes là, et le tour est joué!
Alyssa: Heureusement, j'ai fait une sauvegarde sur ma clé USB juste avant.
Marie: Tu as trop de programmes inutiles. Ton ordinateur, il rame et il plante. C'est aussi simple....
Alyssa: Alors, éliminons! Avant, je peux vérifier si je n'ai rien perdu....
Marie: Bien sûr que non! Tu as fait une sauvegarde! Ah! L'informatique avec toi, ce n'est pas simple!

Extension Que fait Alyssa pour sauvegarder son travail?

Points de départ

What makes a house a "home"?

Les jeunes et les technologies

Il y a combien d'écrans dans cette pièce?

Les jeunes Français habitent un univers des technologies de l'information et de la communication: textos, blogues, téléchargements *peer to peer*, web 2.0, flux vidéo et audio. C'est une culture du "tout, tout de suite." Les différents types d'écrans (télévision, ordinateur, console de jeux, téléphone portable) occupent une place très importante dans les loisirs* des jeunes Français. Dans la maison, il y a en moyenne* dix écrans par famille.

loisirs *leisure activities;* **en moyenne** *an average of*

La Francophonie: Le Nouveau-Brunswick

Le Nouveau-Brunswick est une province canadienne dans l'est du pays. C'est la seule* province d'être officiellement bilingue (anglais et français). (Le Québec est officiellement francophone.) Plus de 30% des habitants parlent français. Le Nouveau-Brunswick est l'ancien pays des Acadiens, les ancêtres des Cajuns de Louisiane. Aujourd'hui, sa population est assez multiculturelle avec des personnes d'origine acadienne et indigène* parmi* d'autres.

seule *only*; **indigènne** *native*; **parmi** *among*

COMPARAISONS

What people in America were forced to abandon their lands? What was the Trail of Tears?

Le Grand Dérangement

Les Cajuns, habitants de la Louisiane, et les Acadiens, habitants du Nouveau-Brunswick et de la Nouvelle Écosse*, sont très marqués par ce qu'ils appellent **le Grand Dérangement.** En 1755, 13.000 Acadiens Francophones sont chassés* par les Anglophones de ces provinces canadiennes. Entre 7.000 et 8.000 meurent* et beaucoup de familles sont séparées. Dispersés sur les territoires britanniques, ils sont nombreux à se réfugier* aux États-Unis où ils forment la communauté des Cajuns qui est aujourd'hui située principalement au sud* des États-Unis en Louisiane.

Nouvelle Écosse *Nova Scotia;* **chassés** *chased out;* **meurent** *die;* **ils sont nombreux à se réfugier** *many take refuge;* **sud** *south*

Zydeco, ou **Zarico** en français, est un exemple de la musique folklorique de Louisiane et d'autres états du Sud. Cette musique est liée (*tied*) à la musique de l'Acadie. Deux instruments de musique qu'on emploie (*uses*) en faisant cette musique sont l'accordéon et le frottoir (*washboard*).

Natasha St-Pier

Natasha St-Pier est une chanteuse de chansons sentimentales et romantiques. Elle vient du Nouveau-Brunswick et débute sa carrière internationale en 1999 à l'âge de 18 ans. Aujourd'hui, elle continue à être adorée au Canada et en France.

Natasha St-Pier

Tracklist
01 - Embrasse-moi
02 - L'Esprit De Famille
03 - 1, 2, 3
04 - L'Orient-Express
05 - John
06 - Pardonnez-moi
07 - L'instinct de Survie
08 - J'irai te chercher

Natasha St-Pier chante pour la radio Chérie FM.

9 Questions culturelles

Répondez aux questions.

1. Comment est-ce qu'on décrit (*describe*) l'univers des jeunes Français?
2. Quelles langues est-ce qu'on parle au Nouveau-Brunswick?
3. D'où viennent les Cajuns et les Acadiens?
4. Qu'est-ce que vous savez du Grand Dérangement? Faites un profil:
   - Date
   - Nombre d'Acadiens chassés du Canada
   - Nombre de morts
5. Quelles sont les meilleures (*best*) chansons de Natasha St-Pier? Écoutez ses chansons en ligne. Ensuite, faites une liste de vos cinq chansons préférées.

Nathaniel Williams du groupe Nathan and the Zydeco Cha Chas joue de l'accordéon à la Nouvelle-Orléans.

À discuter

How important is technology in your household?

Du côté des médias

Lisez ce sondage (poll) *sur l'usage d'Internet en France.*

en %	Télécharger des logiciels	Télécharger des films	Télécharger de la musique	Effectuer* un achat en ligne	Téléphoner grâce à* un logiciel (Skype, etc.)	Rechercher des offres d'emploi*	Utiliser Internet pour la formation* ou les études	Utiliser Internet pour un travail ou les études	Effectuer une démarche administrative ou fiscale*
Hommes	34	20	27	41	11	19	18	25	39
Femmes	18	11	20	34	6	20	16	20	34
12-17 ans	49	32	56	28	ns	ns	35	14	ns
18-24 ans	56	47	59	56	14	54	33	43	55
25-39 ans	17	7	13	38	7	15	13	16	40
60-69 ans	ns	ns	ns	17	ns	ns	ns	ns	20

effectuer *carry out;* **grâce à** *thanks to;* **offres d'emploi** *want ads;* **formation** *training;* **démarche administrative ou fiscale** *adminstrative or tax-related task*

10 L'Internet et les Français

Répondez aux questions.

1. Est-ce que plus de femmes ou d'hommes téléchargent de la musique? Des logiciels? Des films?
2. Quel groupe achète le plus en ligne?
3. Quel est le pourcentage de personnes âgées de 18–24 ans qui téléphonent grâce à un logiciel? C'est la majorité?
4. Quel groupe utilise l'Internet le plus pour un travail ou des études?
5. Pour quel groupe est-ce que l'Internet est le plus important?
6. Quels sont les résultats pour les ados américains? Faites un sondage (*survey*) basé sur le sondage français.

Ce sont les gens âgés de 25 à 39 ans qui achètent le plus en ligne, pardi!

La culture sur place

Nos maisons

Introduction

Quand on entre dans la maison d'une autre personne, on peut voir comment est sa vie (*life*) de tous les jours. C'est une occasion de voir la culture sur place.

11 Dans ma maison

Lisez les descriptions suivantes des six maisons qu'on trouve dans des pays francophones. Est-ce que votre maison est comme ces maisons? Écrivez chaque description dans la bonne colonne d'une grille comme celle-ci pour faire des comparaisons.

Ma maison est comme ça.	Ma maison est un peu comme ça.	Ma maison n'est pas comme ça.
=	+	–

1. Il y a beaucoup de photos de famille.
2. Les enfants aident les parents dans la cuisine.
3. Les enfants mettent la table.
4. On prépare des spécialités du pays d'origine.
5. L'espace intérieur est divisé en deux, avec un espace pour les femmes et un espace pour les hommes.
6. Il y a des tapis et des meubles qui viennent du Maghreb.
7. La baignoire est séparée des toilettes.
8. Il y a dix écrans dans la maison.
9. On télécharge la musique d'autres pays.
10. Les enfants invitent leurs camarades de classe à la maison.

Faisons l'inventaire!

12 Présentation et discussion

1. *Donnez votre réaction aux dix phrases de l'Activité 11.*
2. *Parlez à une personne qui parle français et demandez-lui sa réaction aux dix phrases.*
3. *En groupes de trois ou quatre personnes, discutez vos réponses à l'activité avec l'organigramme en utilisant les questions suivantes.*

A. Are your answers different from those of your classmates? Discuss possible reasons for this.
B. Are most homes in your community similar to or different from each other? Why do you think this is so?
C. Have you ever visited someone's home that is very different from your own? In what ways was it different? What do you think of these differences?

Structure de la langue

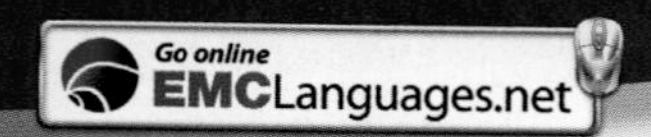
Go online
EMCLanguages.net

Present Tense of the Irregular Verb *pouvoir*

ORDINATEUR
PORTABLE

Annie peut acheter l'ordinateur.

The verb **pouvoir**, which means "can" or "to be able (to)," is irregular. In the following examples, note the different ways to express **pouvoir** in English.

pouvoir			
je	**peux**	nous	**pouvons**
tu	**peux**	vous	**pouvez**
il/elle/on	**peut**	ils/elles	**peuvent**

Pouvez-vous cliquer sur le lien? — *Are you able to click on the link?*

Non, je ne **peux** pas. — *No, I can't.*

Pronunciation Tip

The colored verb forms all have the same vowel sound that is different from that in the infinitive and the **nous** and **vous** forms.

Nous pouvons télécharger la chanson "Embrasse-moi!"

COMPARAISONS

In English, is "can" also usually followed by an infinitive?

I can speak French.

COMPARAISONS: You might just respond "I can" if someone asks, "Can you come to the game?" But most times the verb "can" is followed by an infinitive in English also; "I can swim."

13 Le rayon d'appareils électroniques

Utilisez la forme appropriée du verbe **pouvoir** *pour dire quels appareils électroniques et accessoires ces personnes peuvent ou ne peuvent pas acheter avec l'argent qu'elles ont.*

MODÈLE Alexis a quinze euros.
Alexis a quinze euros. Donc, il peut acheter la souris, mais il ne peut pas acheter le clavier.

1. J'ai 50 euros.
2. M. et Mme Lambert ont 500 euros.
3. Tu as 35 euros.
4. On a 85 euros.
5. Mon frère et moi, nous avons 75 euros.
6. Toi et tes amis, vous avez 20 euros.

14 Au cinéma

Les parents au Québec insistent que leurs enfants qui ont 15 ans voient seulement (only) *des films "Visa général"* (PG) *ou "13 ans +"* (13 and older). *Dites qui peut et qui ne peut pas voir les films au cinéma Mega-Plex Marché Central à Montréal cette semaine.*

Genre de film	Classification
le drame	16 ans +
le film d'aventures	Visa général
la comédie	13 ans +
le film policier	18 ans +
le film de science-fiction	Visa général
la comédie romantique	13 ans +
le film d'action	18 ans +
le thriller	16 ans +
le film musical	Visa général

1. Simon et moi, nous voulons voir le film d'aventures.
2. Angèle et Marie-Alix veulent voir la comédie romantique.
3. Jérôme et toi, vous voulez voir le film d'action.
4. Toi, tu veux voir le film de science-fiction.
5. Martine veut voir le thriller.
6. Abdoulaye et Karim veulent voir le film policier.
7. Karine veut voir le film musical.
8. Et toi? Qu'est-ce que tu veux voir? Est-ce que tu peux?

15 La technologie: on peut...?

*Écrivez les numéros 1–6 sur un papier. Écrivez **oui** si on peut faire les choses mentionnées ou **non,** si on ne peut pas les faire.*

16 Tu peux...?

À tour de rôle, demandez si votre partenaire a la permission de ses parents de faire les activités suivantes. Ensuite, écrivez un paragraphe qui décrit ce que votre partenaire peut et ne peut pas faire.

MODÈLE A: **Tu peux aller au café à 23h00?**
B: **Oui, je peux aller au café à 23h00. Et toi?**
ou
Non, je ne peux pas aller au café à 23h00.

1. envoyer des textos pendant le dîner
2. faire du footing ou du roller après 20h00
3. essayer les vêtements de ton frère ou de ta sœur
4. aller au centre commercial à 20h00 mercredi soir
5. choisir un film à regarder pour la famille
6. regarder la télé à 23h00 le mardi soir
7. manger devant la télévision
8. apporter ton ordinateur portable à l'école

À vous la parole

Question centrale
What makes a house a "home"?

Communiquez!

17 Ma chambre idéale

Presentational Communication

You decide to enter a bedroom makeover contest sponsored by a French Canadian teen magazine. To win, you must submit a 100-word paragraph that describes your ideal bedroom and explains why you should win. Be specific in your description. Tell the color, size, and location of furniture, technology components, and other items in the bedroom.

MODÈLE **Ma chambre idéale a un grand bureau sous la fenêtre....**

18 Signal de détresse!

Vocabulaire utile

un document	*document*
envoie-moi	*send me*
utiliser	*to use*

Interpersonal Communication

With a partner, role-play the following conversation between a tech whiz (A) and a friend (B) who calls in a panic because his or her computer has crashed while working on a French assignment. In your conversation:

Calm your friend down and ask what the problem is. → Say you cannot find a document.

Advise your friend to turn off the computer, then turn it on again, and search for the document.

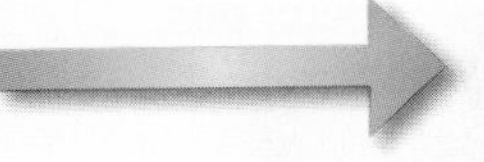

Say you have the document.

Advise your friend to use an external flash drive to save the document. Then tell your friend that if he or she has a problem again, he or she can send you a text message.

Thank your friend.

Lecture thématique

Le chat

Rencontre avec l'auteur

Guillaume Apollinaire (1880–1918), un poète français, est le nom de plume (*pen name*) de Wilhelm Albert Wlodzimierz Apolinary de Waz-Kostrowicki. Il était (*was*) écrivain de l'avant-garde et membre d'un groupe artistique qui comprenait (*included*) Picasso. Selon (*according to*) Apollinaire, l'imagination doit gouverner l'écriture (*writing*), pas la théorie. Il a trouvé son inspiration dans la nature et la vie. Qu'est-ce qu'il y a dans sa maison idéale?

Pré-lecture

Vous avez besoin de quelles personnes et de quels objets dans votre maison?

Stratégie de lecture

Rhyme Scheme

A rhyme scheme is the pattern of end rhymes, or rhymed words at the end of the lines of a poem. Rhyme schemes are labeled with letters, each letter indicating a particular sound. For example, the rhyme scheme of the first four lines of "Twinkle, Twinkle, Little Star" is A-A-B-B. Sometimes rhyming lines are also linked in meaning. Complete the chart below, noting the rhyme scheme and explaining how ideas are linked. Consider these questions as you read: Who does the narrator want in his house besides his wife and the cat? What does **lesquels** (*which*) link to besides his friends? In other words, what else can he not live without? Part of the chart has been filled out for you.

End words	Rhyme scheme letters	Linked ideas
Maison	A	
Raison	A	**la rime maison/raison:** the attitude of the narrator's wife contributes to his happiness at home
Livres		
Saison		
Vivre		

Outils de lecture

Present Participles

When you read a selection and come across a grammatical construction you haven't learned yet, look up its meaning to see if you can figure out what it is. For example, you will see that **ayant** from line 2 is defined under the poem. It is the present participle of **avoir** (the *–ing* form of a verb in English). When used with **raison**, it literally means "having reason." What is another example of a present participle in this poem? Hint: it comes from the verb "to pass."

Je souhaite* dans ma maison:

Une femme ayant raison*,

Un chat passant* parmi* les livres,

Des amis en toute saison,

Sans lesquels* je ne peux pas vivre.*

souhaite voudrais; **ayant raison** *who's reasonable*; **passant** *passing*; **parmi** *among*; **sans lesquels** *without which*; **vivre** *to live*

Post-lecture

Le narrateur a besoin de quoi pour vivre?

Le monde visuel

L'artiste Paul Cézanne (1839–1906) habitait en Provence et ses peintures (*paintings*) reflètent les paysages (*landscapes*) de sa région. Il a été (*was*) influencé par l'impressionnisme, un mouvement d'artistes qui voulaient peindre (*wanted to print*) une impression d'une chose, pas prendre une "photo" avec tous les détails. Mais, on considère Cézanne le père de la peinture moderne et du Cubisme par ses formes géométriques et son expression personnelle. Il est connu aussi pour sa perspective linéaire. Quelles formes géométriques est-ce que vous trouvez dans cette peinture? Combien de plans (*planes*) horizontaux est-ce que vous observez? Comment la peinture est-elle impressionniste et cubiste?

Dans la vallée de l'Oise, 1873. Paul Cézanne. Collection privée.

19 Activités d'expansion

1. Écrivez un paragraphe sur la maison que le narrateur désire. Utilisez les notes dans votre grille pour vous aider: **Le narrateur désire une maison avec....**
2. Écrivez un paragraphe sur la maison de vos rêves (*dreams*).
3. Écrivez un poème qui commence avec: **Je souhaite dans ma vie....** (*I wish in my life*). Continuez ensuite avec une liste de personnes et/ou de choses.
4. Écrivez un poème sur un thème qui vous intéresse avec l'agencement des rimes (*rhyme scheme*) A-A-B-A-B.

Les copains d'abord: Il est beau, mon HLM

Tu restes manger ce soir, Florence? Je prépare une ratatouille.

Mais, maman, tu sais qu'on va au resto avec les copains, ils arrivent.

Quand même, je peux vous aider à mettre le couvert.

Merci. Les assiettes sont dans le placard, derrière les bols.

J'aime votre nouveau frigo! Mais où est la micro-onde?

Mon mari le préfère dans notre chambre.

Bon, il habite où, Mathéo? Dans cet immeuble?

Il est dans cet HLM, au sixième étage... ou au troisième?

Attends, je lui envoie un texto.

Range-ça, tu vas te le faire piquer ici!

Quand même, ça craint ici.

T'es nul, toi; c'est pas parce que les gens habitent dans un HLM qu'ils sont des voleurs!

Les gens sont pas désespérés, ils ont un revenu modéré.

Tsais, c'est vrai, Mathéo a un smartphone et un ordinateur!

...et une télé dans sa piaule, un tapis marocain dans son séjour....

Ben, en tout cas, j'espère qu'il a des toilettes!

Projets finaux

A Connexions par Internet

L'histoire, la littérature, le cinéma, la musique

Working in small groups, choose one of the topics below to research on the Internet and create a PowerPoint™ or some other form of presentation. Divide up project tasks among group members by assigning a role to each person. For example, roles might be note taker, researcher, summarizer, creator of visual images, and data-entry person. Make your presentation to the rest of the class.

- The connection between the Acadians and Cajuns
- The colonization of New Brunswick and the Canadian Maritimes
- The islands of Saint-Pierre and Miquelon, featured in the film *La veuve de St. Pierre*
- The story of *Evangeline* by Henry Wadsworth Longfellow
- The movie *Belizaire the Cajun*
- Cajun and Acadian music

B Communautés en ligne

La semaine du goût

The yearly celebration of **la semaine du goût** (*National "Taste" Week*) in France reflects the country's attitudes and cultural values about food and cuisine. Research **la semaine du goût** on the Internet to find out more about this event, and complete a chart like the one below with your findings. Then, discuss as a class the different communities that participate in **la semaine du goût** and the values reflected in this event.

Le site officiel de la semaine du goût	
Deux ou trois valeurs (*values*) de la semaine du goût	
Deux adresses gourmandes	
C'est quoi un atelier du goût?	
Description des événements (*events*) dans une école pendant la semaine du goût	

Search words: la semaine du goût

C Passez à l'action!

La maison de l'avenir

What will the "house of the future" look like? How will it be better for the environment? What will be its design? What types of furniture and appliances will it have? In groups of four, design the house of the future and address these questions. Label the rooms, furniture, and appliances in French. Use an online dictionary if needed. As a team, create a multimedia presentation to present your vision for the home of the future.

D Faisons le point!

Fill in a chart like the one below to show your understanding of what makes a house a "home." An example has been done for you.

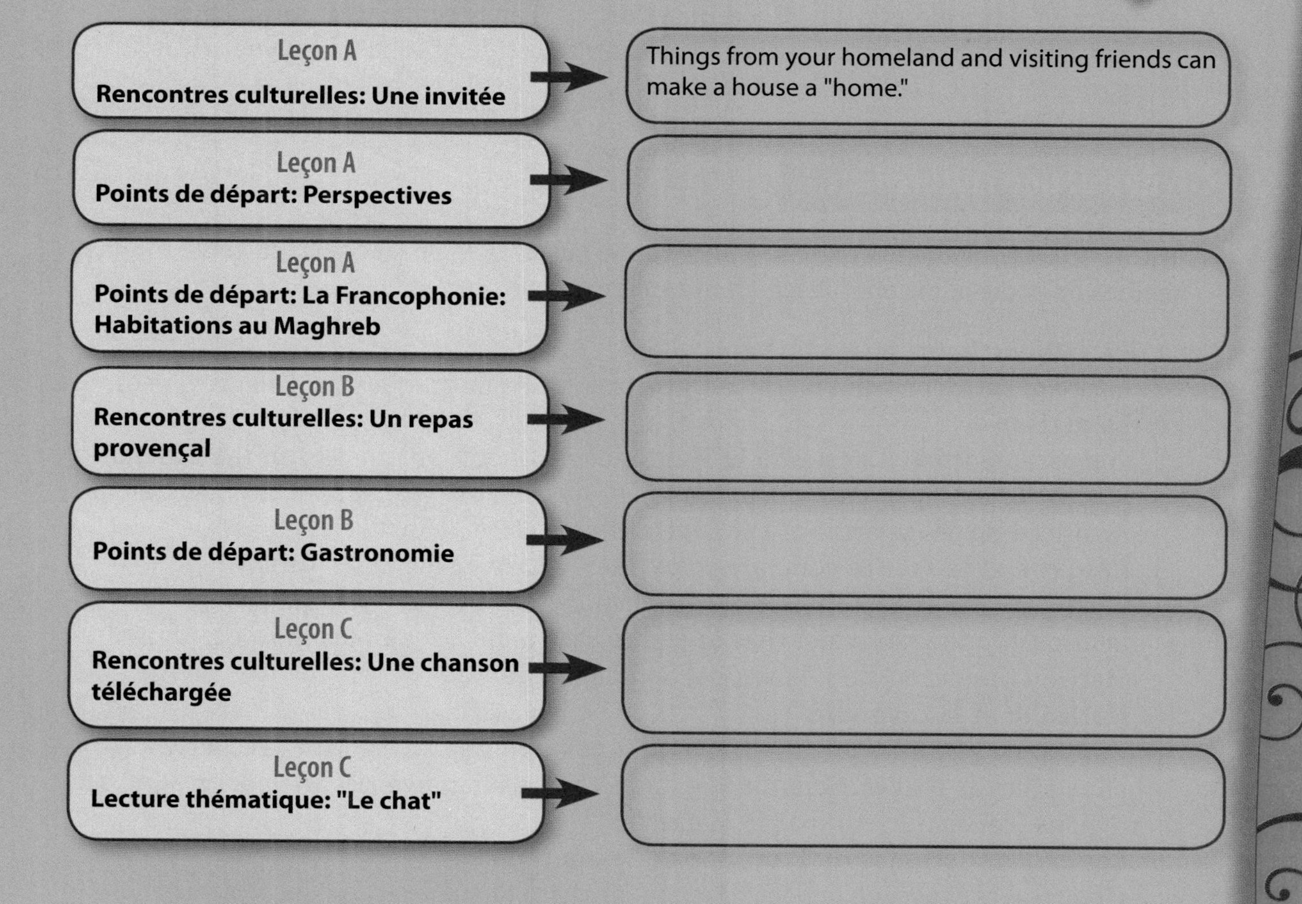

Leçon A
Rencontres culturelles: Une invitée
Things from your homeland and visiting friends can make a house a "home."
Leçon A
Points de départ: Perspectives
Leçon A
Points de départ: La Francophonie: Habitations au Maghreb
Leçon B
Rencontres culturelles: Un repas provençal
Leçon B
Points de départ: Gastronomie
Leçon C
Rencontres culturelles: Une chanson téléchargée
Leçon C
Lecture thématique: "Le chat"

Évaluation

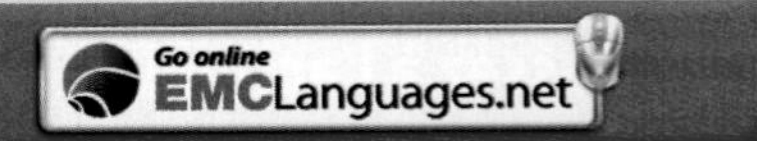

A Évaluation de compréhension auditive

M. and Mme Petit are looking for an apartment. They have two children. Listen to their conversation with the real estate agent and read the sentences. Write **V** if the statement is **vrai** (*true*) or **F** if it is **faux** (*false*).

1. M. et Mme Petit désirent un appartement au rez-de-chaussée.
2. M. et Mme Petit veulent être près des magasins.
3. M. et Mme Petit ont besoin de deux chambres.
4. M. et Mme Petit veulent trois salles de bains.
5. M. et Mme Petit préfèrent les salles de bains et les toilettes ensemble.

B Évaluation orale

Draw a design of a home, perhaps your ideal home, and describe it to your partner, for example, **Dans ma maison, il y a un salon....** Then describe your bedroom and its furnishings to your partner, who should draw a picture of it based on your clear description.

C Évaluation culturelle

In this activity, you will compare francophone cultures with American culture. You may need to do some additional research on American culture.

1. **La salle de bains et les toilettes**
   Compare bathrooms in France to those in your home and in your friends' homes.
2. **La maison**
   Compare traditional homes in **le Maghreb** with traditional homes in the United States, for example, log cabins, farm houses, pueblos. You may want to look at some American homes in areas of the United States other than where you live.
3. **L'Algérie et la France comparées au Puerto Rico et les États-Unis**
   What similarities and differences can you identify between Algeria and its relationship to France and that of Puerto Rico and its relationship to the United States? Consider history, language, and immigration.
4. **Marseille et la diversité**
   How far do you have to travel from your home to find a city with as diverse a population as that of Marseille? Compare the cultural diversity in your local or regional community to that in Marseille.
5. **Les caractéristiques de Provence et de ma région**
   What makes Provence famous? Are any of these characteristics the same as those in your region? What is your region famous for?

6. **Les jeunes et la technologie**
   What kinds of technology do you use regularly? How does this compare with the technology used by teens in France? Would you mind being called the "**tout, tout de suite**" generation? Why, or why not?
7. **Le Grand Dérangement**
   Compare the **Grand Dérangement** in Acadia to "The Trail of Tears" in the United States. How are these two events similar? How are they different?

D Évaluation écrite

You are planning to exchange homes with a family in New Brunswick over spring break. Write a detailed description of your home for the Canadian family. Also tell them how close your home is to shopping areas, parks, and other attractions in your area.

Vocabulaire utile

à un kilomètre	*a kilometer away*
pas loin	*not far*

E Évaluation visuelle

Julie is listening to the song "**L'Orient-Express**" by Natasha St-Pier. Describe the steps she uses on the computer to download this and other songs in French.

"L'Orient-Express"
"M'attend sur le quai"
"D'un mot d'un geste"
"Tu vois je m'en vais"

F Évaluation compréhensive

Create a six-frame storyboard with illustrations and captions that describe the house you will live in someday. Begin by saying in what city you will live.

Vocabulaire de l'Unité 7

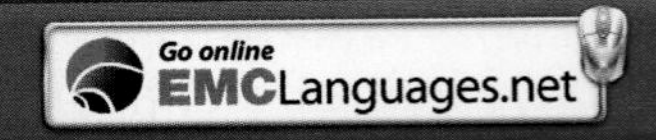

à: à côté (de) beside, next to *A*
air: un petit air du pays looks like (something from) my country *A*
un **appartement** apartment *A*
une **armoire** wardrobe *C*
Attention! Watch out! Be careful! *B*
aussi as *B*
autre other *A*
une **baignoire** bathtub *C*
beau, bel, belle handsome, beautiful *A*
ben well *B*
berbère Berber *A*
un **carré** square *B*; **en carrés** in squares *B*
la **chambre** bedroom *A*
une **chanson** song *C*
charmant(e) charming *A*
cliquer to click *C*
commencer to begin *C*
le **couloir** hallway *A*
couper to cut *B*
un **coussin** pillow *A*
le **couvert:** table setting *B*; **mettre le couvert** to set the table *B*
la **cuisine** kitchen *A*
demander to ask (for) *C*
démarrer to start *C*
dessus: au dessus de above *B*
devoir to have to *B*
dîner to have dinner *A*
une **douche** shower *C*
droite: à droite (de) to (on) the right of *B*
un **étage** floor, story *A*; **le premier étage** second floor *A*
être: être d'accord to agree *C*; **être en train de (+ infinitive)** to be (busy) doing something *C*
fermer to close *C*
fin(e) fine *B*
fond: au fond de at the end of *A*
fort(e) strong, good at *C*
gauche: à gauche (de) to (on) the left of *A*
habiter to live *A*
ici here *A*
un **immeuble** apartment building *A*
impossible impossible *C*
imprimer to print *C*
un(e) **invité(e)** guest *A*
le **jasmin** jasmine *A*
la it (object pronoun) *C*
un **lit** bed *C*
long, longue long *B*
mettre to put (on), to set *B*
une **minute** minute *A*
moins less *B*
la **mosquée** mosque *A*
naviguer to browse *C*
le **Nouveau-Brunswick** New Brunswick *C*
ouvre: elle ouvre she opens *C*
paie: elle paie she pays *C*
par with *C*
un **parc** park *A*
pardi (régional) of course *B*
les **paroles (f.)** lyrics *C*
passer to spend (time) *A*
le **pays** country *A*
penser to think *A*
une **photo** photo *A*
une **pièce** room *A*
plus more *B*
un **portable** cell phone, laptop *C*
pouvoir can, to be able (to) *C*
près (de) near *A*
un **problème** problem *C*
provençal(e) from, of Provence *B*
que as, than *B*
la **ratatouille** ratatouille *B*
une **recette** recipe *B*
un **repas** meal *B*
le **rez-de-chaussée** ground floor *A*
une **riad** riad *A*
une **rondelle:** circle *B* **en rondelles** in circles *B*
le **salon** living room *A*
la **salle à manger** dining room *A*
la **salle de bains** bathroom *A*
sauvegarder to save *C*
le **séjour** living room *A*
sentir to smell *A*; **Ça sent quoi?** What does it smell like? *A*
sûr(e) sure *B*
synchroniser to synchronize *C*
une **tablette** tablet *C*
un **taf** work *C*
télécharger to download *C*
le **tissu** fabric *A*
les **toilettes (f.)** bathroom *A*
une **vue** view *A*; **Quelle belle vue!** What a beautiful view! *A*
les **W.C. (m.)** toilet *A*

Computer… see p. 371
Household furnishings and appliances… see p. 340
Meals… see p. 355
Ordinal numbers… see p. 340
Place setting… see p. 355

Unité

8 À Paris

Rendez-vous à Nice!

Épisode 8:

Meilleurs résultats!

Go online EMCLanguages.net

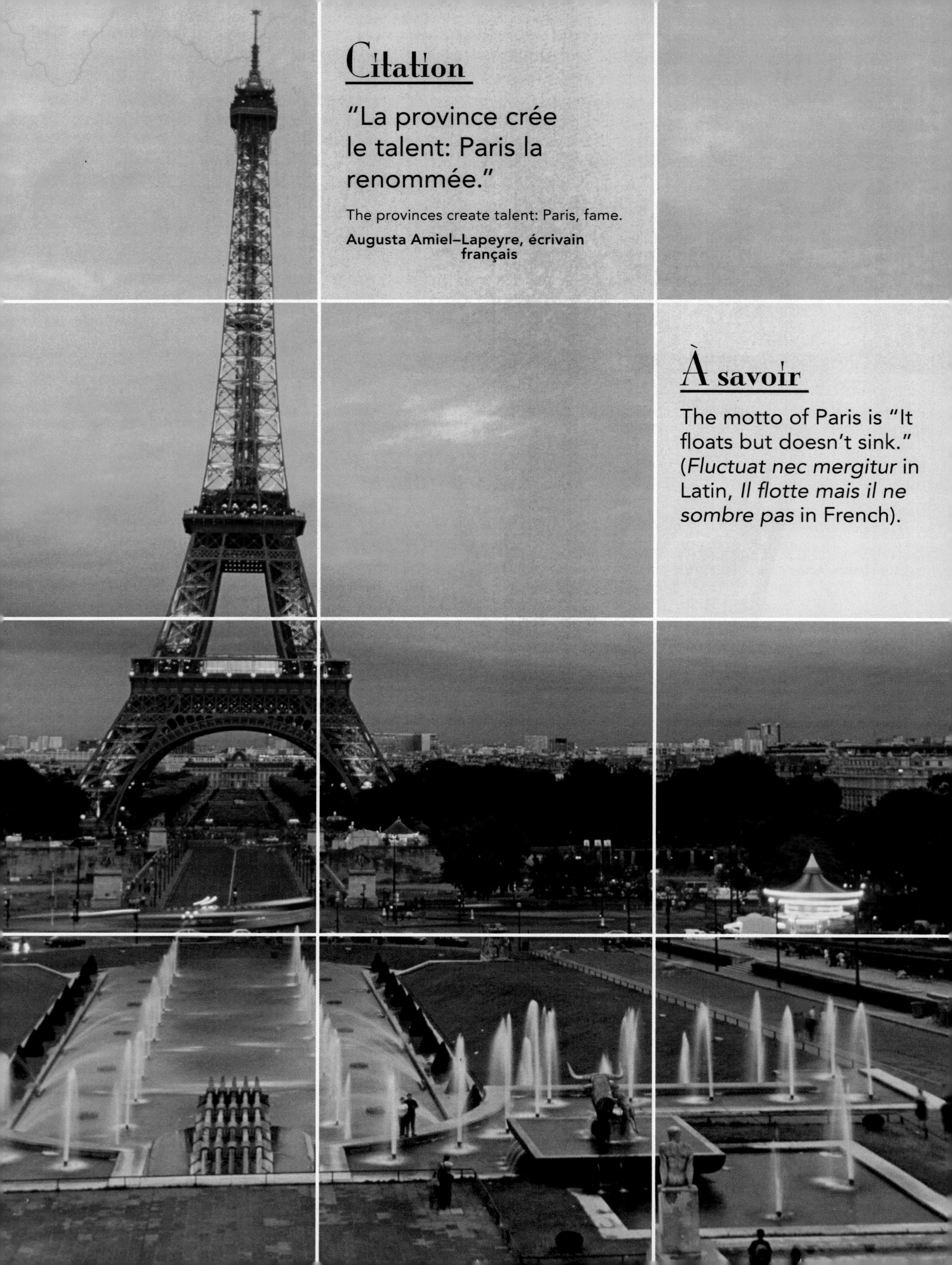

Citation

"La province crée le talent: Paris la renommée."

The provinces create talent: Paris, fame.

Augusta Amiel–Lapeyre, écrivain français

À savoir

The motto of Paris is "It floats but doesn't sink." (*Fluctuat nec mergitur* in Latin, *Il flotte mais il ne sombre pas* in French).

Unité

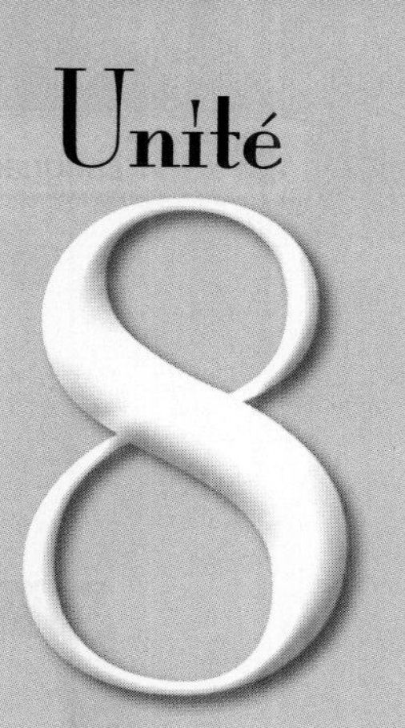

À Paris

How do major world cities tell their stories?

What is Patrick about to do?

A. say the right answer
B. admit his love for Charlotte
C. tell the teacher Jean-Charles cheated on the test

What is the name of this Parisian monument?

Contrat de l'élève

Leçon A I will be able to:

- extend an invitation and accept or refuse an invitation.
- discuss Paris sites; famous pastries; and Port-au-Prince, the capital of Haiti.
- use the verb **faire** when describing the weather, sports and other activities; and learn how to say "I'm hot" and "I'm cold."

Leçon B I will be able to:

- excuse myself and talk about past events.
- discuss three famous Paris monuments.
- describe events completed in the past, including those that take irregular past participles; and use irregular adjectives.

Leçon C I will be able to:

- sequence events in the past.
- discuss **le jardin des Tuileries** and the **métro**.
- describe past events and specify with adverbs.

Leçon A

Vocabulaire actif

Quel temps fait-il?

En été...

il fait beau.
il fait du soleil.
il fait chaud.

En automne...

il fait frais.
il fait du vent.

il fait froid.
il neige.
il fait mauvais.

Au printemps...

il pleut.

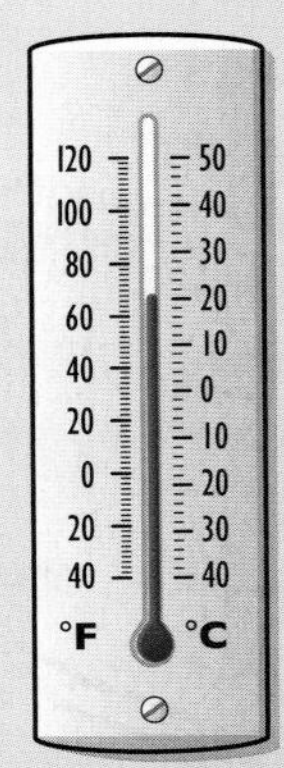

La température est de 20 degrés./Il fait 20 degrés (Celsius).

Chloé a chaud.

Pierre a froid.

Les animaux domestiques 

Pour la conversation 

How do I extend an invitation?

> **Tu as envie de** faire une promenade avec moi?
> *Do you want to take a walk with me?*

How do I accept an invitation?

> **Bonne idée! Je suis disponible.**
> *Good idea! I'm free.*

How do I refuse an invitation?

> **Désolé(e). Je suis occupé(e).**
> *Sorry. I'm busy.*

Et si je voulais dire...? 

bruiner	*to drizzle*
Il fait du brouillard.	*It's foggy.*
Il y a des éclairs.	*It's lightning.*
la grêle	*hail*
la neige	*snow*
la pluie	*rain*
la météo	*weather report*

1 Bruno et les sports

Lisez et répondez à la question.

Bruno aime les sports. Il fait du sport presque toute l'année. Au printemps il aime faire du vélo et du footing quand il fait beau et un peu frais. En été il aime nager et aller plonger quand il fait chaud et du soleil. En automne il aime jouer au foot et au basket avec des copains. En hiver il n'aime pas faire du ski, et il n'aime pas jouer au hockey. Il préfère regarder le basket à la télé.

En quelle saison est-ce que Bruno ne fait pas de sport?

2 Que porter?

Dites quel vêtement vous portez dans les situations suivantes.

MODÈLE Quand il fait chaud, ... (un pantalon, un short)
Quand il fait chaud, je porte un short.

1. Quand il fait frais, ... (un tee-shirt, un pull)
2. Quand il neige, ... (des bottes, des chaussures)
3. Quand il fait du soleil, ... (un manteau, un chapeau)
4. Quand il fait froid, ... (une chemise, un manteau)
5. Quand il fait chaud, ... (un maillot de bain, une veste)

3 En quelle saison?

Dites en quelle saison les ados suivants font chaque activité.

1. Damien aime faire du roller quand il fait frais; il aime faire du roller....
2. Martine aime nager quand il fait du soleil; elle aime nager....
3. Joëlle aime jouer aux jeux vidéo quand il pleut; elle aime jouer aux jeux vidéo....
4. Luc aime plonger quand il fait chaud; il aime plonger....
5. Julie aime faire du vélo quand il fait beau; elle aime faire du vélo....
6. Sébastien aime faire du ski quand il neige; il aime faire du ski....

4 Quel temps fait-il?

Écrivez les numéros 1–6 sur votre papier. Écoutez la météo (weather forecast) *des villes différentes. Ensuite, choisissez la lettre de l'illustration qui correspond à chaque description.*

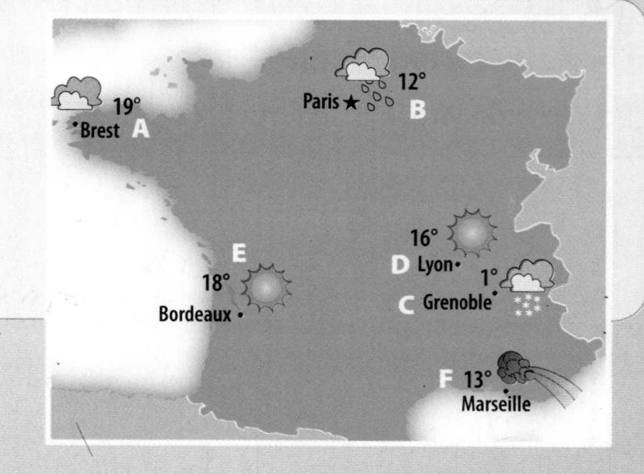

5 Comment s'appellent les animaux?

Dites comment s'appellent les animaux suivants.

MODÈLE Flou-Flou
Le chat s'appelle Flou-Flou.

1. Toto

2. Tweety

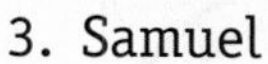

3. Samuel

4. Bellino

5. Prince

As-tu envie de jouer au basket?
Quel jour?

6 Des invitations

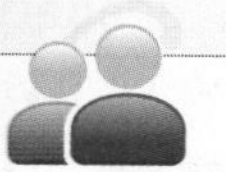

Interpersonal Communication

Faites un agenda pour le soir et le weekend de cette semaine pour voir quand vous êtes disponible. Ensuite, invitez un(e) camarade de classe différent(e) à faire une activité.

MODÈLE jouer aux jeux vidéo chez moi/mardi/15h40
A: **As-tu envie de jouer aux jeux vidéo chez moi?**
B: **Quel jour?**
A: **Mardi.**
B: **À quelle heure?**
A: **À quatre heures moins vingt.**
B: **Bonne idée! Je suis disponible.** ou **Désolé(e), je suis occupé(e).**

7 Questions personnelles

Répondez aux questions.

1. Quel temps fait-il aujourd'hui?
2. Est-ce que tu préfères les sports d'hiver ou les sports d'été?
3. Qu'est-ce que tu aimes faire en hiver? en été?
4. Qu'est-ce que tu portes quand il fait froid?
5. Es-tu occupé(e) samedi soir?
6. Qu'est-ce que tu as envie de faire dimanche?

Rencontres culturelles

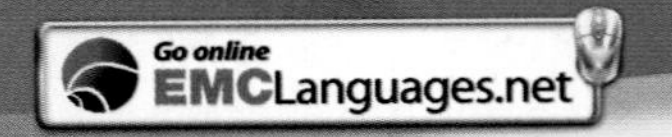

Une promenade à Paris

Yasmine et Maxime se voient dans la rue.

Maxime: Tu as envie de faire une promenade avec Snoopy et moi?

Yasmine: Oui, bonne idée! Si on s'arrête à la pâtisserie du coin? J'ai envie d'un gâteau....

Maxime: Trop gourmande! Attention! Ta ligne....

Yasmine: Ce n'est pas grave! Qu'est-ce que je vais prendre? Une tarte? Non. Un millefeuille? Peut-être. Un éclair au chocolat.... Oh! Oui... non, mieux! Une religieuse. Comme ça, tu manges le haut et je mange le bas.

(Maxime et Yasmine entrent dans la pâtisserie avec le chien.)

Maxime: (*à Yasmine*) Et maintenant, qu'est-ce qu'on fait?

Yasmine: En cette belle journée de printemps, pourquoi pas une chouette promenade aux Tuileries?

Maxime: Il ne va pas pleuvoir?

Yasmine: Mais non!

8 Une promenade à Paris

Mettez les événements (events) *suivants dans l'ordre chronologique.*

1. On achète une religieuse.
2. On s'arrête devant une pâtisserie.
3. On va aux Tuileries.
4. Maxime fait une promenade avec son chien.
5. Maxime voit Yasmine.

Extension À l'agence de voyage

Emma et Loïk parlent au tour-opérateur à l'agence de voyage.

Opérateur: J'ai ce très beau produit... quatre jours à Paris.

Loïk: Ah! Oui, pourquoi pas. On va au bout du monde et on ne va jamais à Paris.

Emma: Et qu'est-ce qu'on fait pendant quatre jours?

Opérateur: Pour voir la Seine et les monuments, une superbe promenade en bateau-mouche; pour dîner en couple, une soirée à la tour Eiffel; côté culture, le Louvre pour vous tous seuls....

Extension Est-ce que vous imaginez que Loïk et Emma vont accepter ce que le tour opérateur propose? Justifiez votre réponse.

Points de départ

Question centrale
?
How do major world cities tell their stories?

Go online
EMCLanguages.net

Paris, capitale de la France

La Seine divise Paris en deux parties: la rive* droite (au nord de la Seine) et la rive gauche (au sud de la Seine). L'île* de la Cité, où la cathédrale Notre-Dame de Paris est située, est une île sur la Seine. Le nom romain de Paris était* Lutèce, mais c'est son nom celte, le nom de ses premiers habitants, les *Parisii,* qu'on utilise. Son destin est lié aux rois*, aux empereurs, aux présidents de la République, et aux hommes d'Église* qui ont construit* ses monuments.

Période	Construction	Responsables
XIIème siècle*	Notre-Dame	Maurice de Sully
XIIème siècle	le Louvre	Philippe Auguste
XVIIème siècle	places Dauphine, Vosges, les Champs-Élysées, les Invalides	Henri IV, Marie de Médicis, Louis XIV
XVIIIème siècle	le Champ de Mars, le Palais-Royal	Louis XV
1852–1875	les grands boulevards et parcs, l'Opéra	Napoléon III, le Baron Haussman, Charles Garnier
1887–1900	la tour Eiffel, le Petit et le Grand Palais	Gustave Eiffel, Charles Girault, etc.
1970–1989	le Centre Pompidou, la Pyramide du Louvre, l'arche de la Défense	Georges Pompidou, François Mitterrand

Search words: **pages de paris**
paris info
louvre site officiel

---

rive *bank*; **l'île** *island*; **était** *was*; **lié aux rois** *linked to kings*; **Église** *Church*; **ont construit** built; **siècle** century

COMPARAISONS

What monuments, churches, museums, and statues are there in your state's capital city?

L'arche de la Défense.

Les pâtisseries parisiennes

Il n'est pas nécessaire d'aller loin à Paris pour trouver une pâtisserie ou une boulangerie-pâtisserie. Des gâteaux traditionnels qu'on y achète sont les flans, les éclairs, les religieuses, et les millefeuilles. Avant les fêtes, on peut y acheter une bûche de Noël* ou une galette des Rois* pour fêter l'Épiphanie. À Paris il y a aussi des salons de thé comme Angelina ou Ladurée qui servent des gâteaux de toutes sortes.

Search words: angelina paris
ladurée
maison pierre hermé

bûche de Noël *Yule log;* **galette des Rois** *Kings' Cake*

Les enfants aiment porter la couronne (*crown*) que les pâtisseries distribuent avec la galette des Rois.

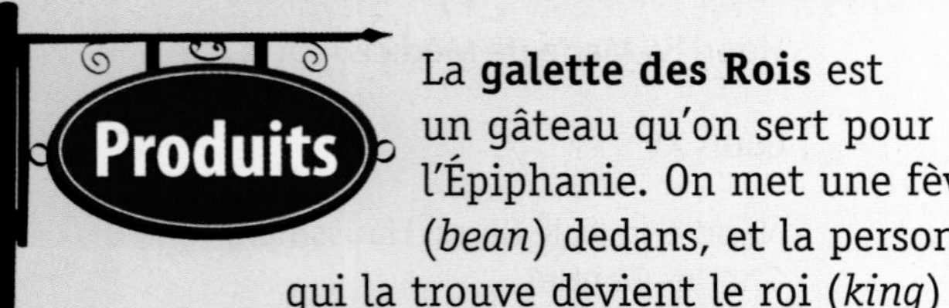

La **galette des Rois** est un gâteau qu'on sert pour l'Épiphanie. On met une fève (*bean*) dedans, et la personne qui la trouve devient le roi (*king*) ou la reine (*queen*) de la journée. On peut aussi trouver cette tradition en Belgique et en Louisiane, où on le sert pendant la fête de Mardi Gras.

La Francophonie

Tu voudrais circuler dans un autobus tap-tap à Port-au-Prince, Haïti?

Une autre capitale

Port-au-Prince est la capitale d'Haïti, la partie ouest de l'île Hispaniola dans la mer des Caraïbes*. (À l'est est la République Dominicaine.) Comme partout* en Haïti, les résidents de la capitale parlent français et créole. Port-au-Prince est un port et la plus grande ville de la République. Il y a une université nationale dans la ville. L'art est partout, même sur les autobus, qu'on appelle des "tap-tap." En général, les artistes haïtiens aiment les couleurs vives* et la décoration. Le 12 janvier 2010 Port-au-Prince a été* dévastée par un tremblement de terre*. Le coût de la reconstruction de la ville est estimé entre 8 et 14 milliards* de dollars.

Search words: haïti tourisme

mer des Caraïbes *Caribbean Sea;* **partout** *everywhere;* **vives** *bright;* **a été** *was;* **tremblement de terre** earthquake; **milliards** billions

9 Questions culturelles

La cathédrale de Notre-Dame est située sur l'île de la Cité.

Répondez aux questions et faites les activités suivantes.

1. À qui doit-on les transformations de Paris?
   - la place des Vosges
   - les Champs-Élysées
   - l'Opéra Garnier
2. Qui étaient (*were*) les responsables des transformations de Paris moderne? Faites des recherches en ligne.
3. Regardez des photos en ligne des pâtisseries mentionnées. Laquelle voudriez-vous goûter?
4. Où est située la République d'Haïti?
5. Qu'est-ce qui y (*there*) est arrivé le 12 janvier 2010?

Perspectives

More than 20 million tourists visit Paris each year, including many Americans. But where do the French travel? Do online research to find out where they like to travel the most.

Search words: destination des séjours personnels

Du côté des médias

10 Le plan de Paris

Regardez le plan de Paris et complétez une grille comme celle-ci en mettant chaque endroit dans la colonne appropriée.

rive droite	rive gauche
Modèle	la tour Eiffel
1.	
2.	

1. l'arc de triomphe
2. l'Opéra
3. le Louvre
4. les Invalides
5. le Sacré-Cœur
6. les Champs-Élysées
7. le Panthéon
8. le Cimetière du Père-Lachaise

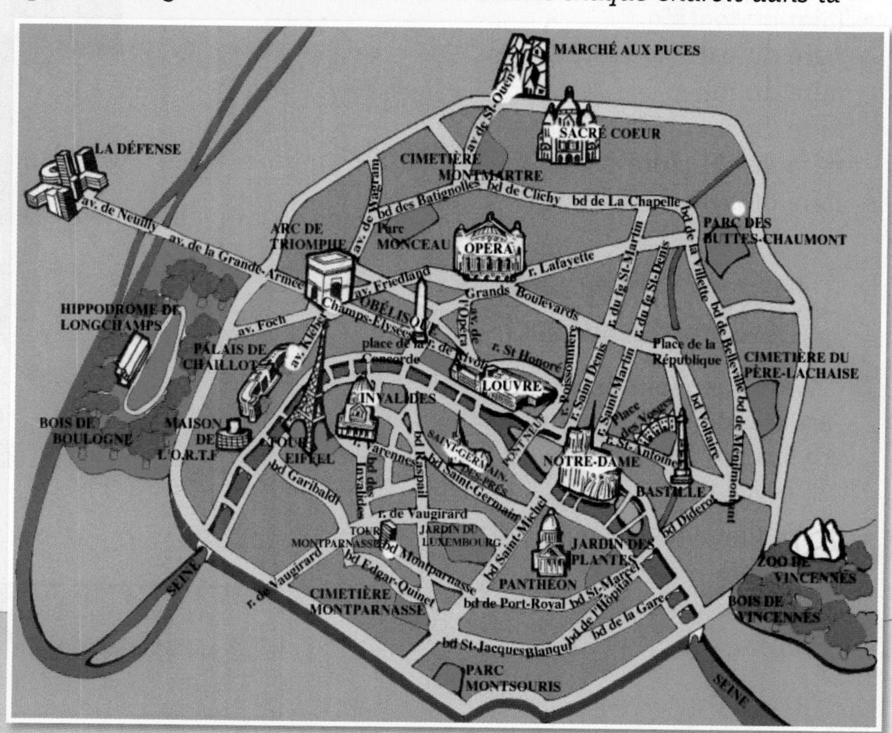

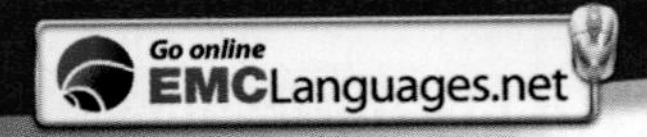

Present Tense of the Irregular Verb *faire*

The irregular verb **faire** means "to do" or "to make."

faire			
je	**fais**	nous	**faisons**
tu	**fais**	vous	**faites**
il/elle/on	**fait**	ils/elles	**font**

Juliette fait une promenade dans le jardin des Tuileries.

Qu'est-ce que vous **faites**? — *What are you doing?*
Nous **faisons** une salade niçoise. — *We're making a* niçoise *salad.*

Like the irregular verbs **aller**, **être**, and **avoir**, **faire** is used in many expressions in which a verb other than *to do* or *to make* is used in English, such as in sports and weather expressions.

Tu **fais** du sport? — *Do you play sports?*
Oui, je **fais** de la gym. — *Yes, I do gymnastics.*
Il **fait** chaud. — *It's (The weather's) hot/warm.*

Do you remember these **faire** expressions?

- faire ses devoirs
- faire la cuisine
- faire les courses
- faire du footing
- faire du patinage artistique
- faire du roller
- faire du shopping
- faire du ski alpin
- faire du vélo

Gisèle et Marc font du patinage artistique.

COMPARAISONS

When someone asks you, "What are you doing?", do you use the verb "to do" in your answer?

What are you doing?
I'm taking a walk.

COMPARAISONS: When someone asks you, "What are you doing?" you can answer with a variety of verbs, just as in French: **Qu'est-ce que tu fais? J'écoute de la musique.**

11 Dans la cuisine

Dites ce que tout le monde fait dans la cuisine.

1. tu

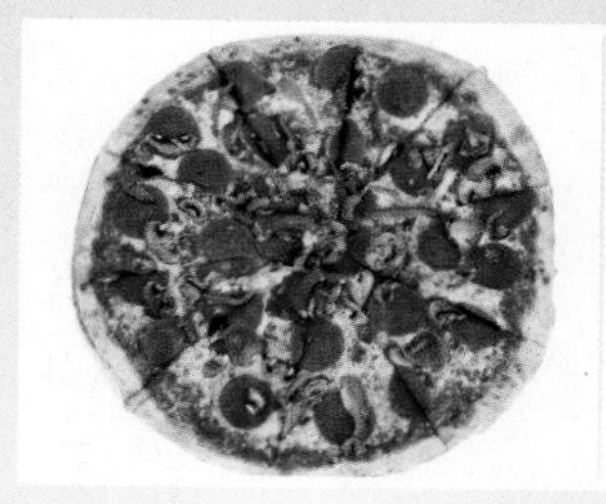

2. Éric et moi, nous

3. Danielle et Awa

4. Rahina

5. je

6. vous

12 Mercredi après-midi

Dites où tout le monde est, puis ce qu'ils y font.

MODÈLE Charlotte
Charlotte est dans le jardin. Elle fait du sport.

1. Nicole

2. je

3. Vincent et toi, vous

4. Simone et Clara

5. tu

6. Alima et moi, nous

13 Qu'est-ce que Malika fait?

Écrivez les numéros 1–5 sur un papier. Écoutez et choisissez l'image qui correspond à chaque activité que Malika fait.

A.

B.

C.

D.

E.

Expressions with *avoir*: *avoir froid, avoir chaud, avoir envie de*

You have already seen that the verb **avoir** is used in several French expressions where English uses another verb: **avoir besoin de**, **avoir faim**, **avoir soif**, **avoir... ans**. Three more **avoir** expressions are **avoir froid** (*to be cold*), **avoir chaud** (*to be hot*), and **avoir envie de** (*to want to*).

Est-ce qu'Amidou a chaud ou froid?

COMPARAISONS

What is the best way to put this sentence into English? A good, idiomatic translation doesn't always rely on translating word-by-word, but by considering the sense of the whole sentence.

J'ai froid, mais tu as chaud.

COMPARAISONS: J'ai froid, mais tu as chaud is best expressed as "I'm cold, but you are hot."

14 Froid ou chaud?

Dites si vous avez froid ou chaud selon le temps.

MODÈLE Il fait frais.
J'ai froid quand il fait frais.

1. Il pleut.
2. Il fait du soleil.
3. Il neige.
4. Il fait beau.
5. Il fait du vent.

Moi, j'ai froid quand il fait du vent.

Communiquez!

15 Qu'est-ce que tu as envie de faire?

Interpersonal Communication

À tour de rôle, demandez à votre partenaire ce qu'il ou elle a envie de faire.

MODÈLE le mercredi soir à 9h00
A: **Qu'est-ce que tu as envie de faire mercredi soir à 9h00?**
B: **J'ai envie de regarder la télé. Et toi?**
A: **Moi, j'ai envie de jouer aux jeux vidéo.**

1. vendredi soir à 20h00
2. en été
3. samedi après-midi
4. en hiver
5. au printemps
6. dimanche matin

Moi, j'ai envie de faire une promenade. Et toi?

À vous la parole

Question centrale

How do major world cities tell their stories?

16 La météo

Presentational Communication

Select a francophone city and look it up on a map. (If it is located south of the equator, remember that seasons are reversed from those in the Northern Hemisphere). Next, research what the weather is like there in the winter, spring, summer, and fall. Also find out the average temperatures in each season and note them in Celsius. Finally, create a weather report or a weather map for your city for a particular date in each season. Share your weather report with the class.

MODÈLE **C'est le 23 décembre. Vous avez besoin de mettre votre manteau. Ici à Paris il pleut et il fait du vent. La température ce matin: 8 degrés. La température cet après-midi va être de 4 degrés. Demain il va neiger.**

Search words: météo (+ name of location)

Communiquez!

17 Album de photos des monuments parisiens

Presentational Communication

Make a photo album of five sites from the culture reading "Paris, capitale de la France." For each image, write a caption in French identifying the location and stating what you can see or do there. To find this out, it may be necessary to do some online research. Next, create a timeline showing when each site was built. Put your album online or print it out. Present it to a partner.

MODÈLE **C'est le Centre Pompidou. Il est sur la rive droite à Paris. On va au Centre Pompidou pour visiter les musées, manger dans les restaurants, et regarder les musiciens et mimes devant le musée.**

Search words: tour eiffel, notre-dame de paris, louvre, opéra garnier, grand palais, centre pompidou

Prononciation

Ellipses

- There is a difference between standard spoken French that you use in class and casual spoken French that you might use with friends. In the casual style, speakers sometimes drop some sounds that can modify the number of syllables and the rhythm of the sentence.

A Style standard et style relâché, le son /l/

Repeat the sentences, paying attention to the sound /l/.

Standard French	Casual French
1. Il faut. Il ne faut pas.	Il faut. Il ne faut pas.
2. S'il te plaît.	S'il te plaît.
3. Ils ont fini?	Ils ont fini?

B Style standard et style relâché, les sons /l/ et /R/

Repeat the sentences, paying attention to the sounds /l/ and /R/.

Standard French	Casual French
1. Ferme la fenêtre!	Ferme la fenêtre!
2. Tu as quatre sœurs?	Tu as quatre sœurs?
3. Il n'a plus faim.	Il n'a plus faim.

C Style standard ou style relâché?

*Write **S** if you hear standard French or **C** if you hear casual French.*

Closed and Open Vowels

- *Closed vowels are usually at the end of a syllable, whereas open vowels are usually followed by a pronounced consonant.*

D La voyelle fermée /e/ et la voyelle ouverte /ɛ/

Repeat the words, paying attention to the sounds /e/ and /ɛ/.

Chloé. Inès.
Hervé. Djamel.

E Le son /e/ ou le son /ɛ/?

Write /e/ if you hear the closed vowel /e/ as in Chloé or /ɛ/ if you hear the open vowel /ɛ/ as in Inès.

Leçon B

Vocabulaire actif

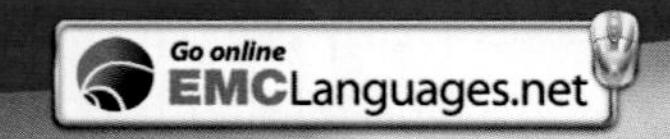

Les endroits en ville

la statue de la **Liberté** | la Seine | l'avenue des **Champs-Élysées** | la place de **la Concorde** | le monumen[t] de la place **Vendôme**

Départ

1 une statue

2 un fleuve

3 une avenue

4 une place

5 un monument

Arrivée

13 un aéroport

l'aéroport Roissy—Charles de Gaulle

12 une gare

la gare du Nord

le musée du Louvre

le Pont-Neuf

6 un musée

7 un pont

8 une rue

9 un hôtel de ville

10 une cathédrale

11 un bateau

le bateau-mouche

la rue de Rivoli

l'hôtel de ville (du 2ème arrondissement)

la cathédrale Notre-Dame **de Paris**

la Coupole

un restaurant

l'hôtel du Quartier latin

un hôtel

la poste du quartier

une poste

l'argent

la Banque de France

une banque

Pour la conversation 

How do I excuse myself?

> **Oh, pardon....**
> *Oh, pardon me....*

How do I describe actions that took place in the past?

> **Nous avons fini** sur la terrasse de l'arc de triomphe.
> *We finished on the terrace of the Arch of Triumph.*

How do I sequence past events?

> **Le premier jour,** nous avons visité la tour Eiffel.
> *The first day, we visited the Eiffel Tower.*

Et si je voulais dire...?

un cimetière	*cemetery*
le distributeur de billets	*ATM machine*
une fontaine	*fountain*
un quai	*train platform, river quay*
un quartier	*neighborhood*
un tableau	*painting*

1 Les touristes américains à Paris

Lisez le paragraphe. Ensuite, répondez à la question.

Les touristes américains arrivent à l'aéroport Roissy–Charles de Gaulle. Ils prennent un taxi pour aller à leur hôtel. Ils achètent des tickets de métro et commencent un tour de Paris. Ils prennent des photos à la tour Eiffel, un monument célèbre. Il visitent Notre-Dame, une vieille cathédrale. Au Louvre, un vieux musée d'art, ils voient la *Joconde* (*Mona Lisa*) de Léonard de Vinci. Sur la Seine, le fleuve de Paris, ils voient du bateau que la statue de la Liberté est plus petite que la même statue à New York. Ils voient que la place de la Concorde est très grande. Ils vont aux restaurants français pour dîner et aux magasins pour acheter des souvenirs.

Quels sites à Paris est-ce que les touristes américains sont sûrs de voir?

2 Questions personnelles

Répondez aux questions.

1. Aimes-tu visiter les musées?
2. Quand est-ce que tu vas à la poste?
3. Quand est-ce que tu vas à la banque?
4. Quel est ton restaurant préféré?
5. Il y a une statue dans ta ville? Si oui, de qui?
6. Il y a un fleuve dans ta région? Si oui, comment s'appelle le fleuve?
7. Quels monuments voudrais-tu voir à Paris?

Non, ma ville n'est pas près d'un fleuve.

3 Une visite à New York

Faites des recherches sur New York pour compléter chaque phrase.

1. LaGuardia est un grand... à New York.
2. On peut aussi entrer dans la ville sur le... Georges Washington.
3. Le Métropolitain est un... d'art intéressant.
4. "Washington" est aussi le nom d'une... importante.
5. On peut prendre le train à la.... Grand Central.
6. La... de la Liberté est sur Staten Island.
7. "Fifth" est une... avec de beaux immeubles et de belles boutiques.

4 C'est où?

Écrivez les numéros 1–7 sur un papier. Écoutez chaque description et écrivez la lettre de l'endroit (location) *correspondant.*

A. 

B. 

C. 

D. 

E. 

F. 

G. 

5 Où vas-tu?

Interpersonal Communication

Vous rencontrez des amis qui vont à des destinations différentes. À tour de rôle, dites ce que vous faites et où vous allez.

MODÈLE faire du shopping
A: **Je vais faire du shopping.**
B: **Alors, tu vas à la rue commerçante?**
A: **Oui, c'est ça.**

la gare — le restaurant — le musée — la poste — l'aéroport — l'hôtel — la rue commerçante

1. envoyer un cadeau
2. voyager à Marseille
3. voir l'exposition (*exhibit*) de Cézanne
4. visiter Hong Kong
5. travailler comme serveur ou serveuse
6. faire les courses
7. travailler comme réceptionniste
8. envoyer une lettre

Je vais voyager à Marseille.
Alors, tu vas à la gare?

6 Un voyage à Paris

Les Nelson organisent un voyage à Paris. Terminez les phrases en choisissant le bon mot de vocabulaire de la liste ci-dessous. Ensuite, mettez les phrases en ordre.

la Seine — l'arc de triomphe — Paris — la statue — la cathédrale — la place — l'avenue — le Louvre

1. Le troisième jour, nous allons visiter ________ Notre-Dame de Paris.
2. Le premier jour, nous allons voir ________ sur ________ des Champs-Élysées.
3. Le cinquième jour, nous allons prendre des photos de ________ de la Concorde.
4. Le quatrième jour, nous allons en bateau sur ________ pour voir ________ de la Liberté.
5. Le deuxième jour, nous allons visiter ________ et voir la *Joconde*.
6. Le sixième jour, nous allons acheter des souvenirs de ________.

Rencontres culturelles

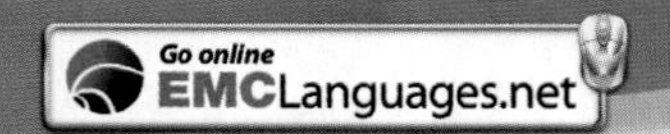

Un tour de Paris

Yasmine attend Camille devant son immeuble.

Yasmine: Enfin!
Camille: Quoi, enfin? J'arrive de la gare de Lyon! Mon petit cousin... tu as oublié?
Yasmine: Oh, pardon! Alors, tu as fait le guide touristique pendant deux jours. Et qu'est-ce que vous avez fait?
Camille: Le premier jour, nous avons visité la tour Eiffel et le musée Grévin. On a vu Céline Dion et Michael Jackson!
Yasmine: Et aujourd'hui, le deuxième jour?
Camille: TOUT! Lucas est parti fatigué. D'abord, on a visité Notre-Dame de Paris. Puis il a vu le tableau la *Joconde* au Louvre. Ensuite, la jolie rue de Rivoli, la grande place de la Concorde, ici photo obligatoire de sa jolie cousine avec son cousin....
Yasmine: Très charmant... quand est-ce que tu me montres la photo?
Camille: Laisse-moi finir! Donc, place de la Concorde, puis les Champs-Elysées, et nous avons fini sur la terrasse de l'arc de triomphe. Quelle belle vue sur Paris!
Yasmine: Et re-photo!
Camille: Exactement!

7 Un tour de Paris

Répondez aux questions.

1. Pourquoi est-ce que Camille arrive de la gare?
2. Qui est fatigué?
3. On a visité quels monuments parisiens?
4. Où est-ce qu'on a une belle vue sur Paris?
5. Camille a combien de photos d'elle avec son cousin?

Extension Les grands magasins de Paris

Laura et Maya se parlent à une terrasse de café.

Laura: Alors, c'était bien ce weekend?
Maya: Trop court. Quand tu es à Paris, tu as envie de rester là une semaine... rien que pour le shopping. C'est de la folie!
Laura: Je vois... tu as beaucoup acheté au Printemps, aux Galeries Lafayette, et au Bon Marché?
Maya: J'ai acheté cette paire de ballerines, ce sac, et une petite marinière.
Laura: Rien que ça!!!

Extension Quels sont trois magasins à Paris?

Points de départ

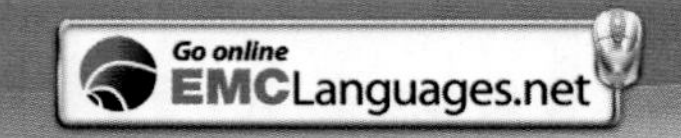

How do major world cities tell their stories?

Notre-Dame de Paris

La cathédrale **Notre-Dame de Paris** est un symbole important de la ville et marque le point zéro de toutes les distances calculées à partir de Paris. Sa construction a duré* deux siècles (1163–1363). C'est un exemple de l'architecture gothique. Approximativement 13,5 millions de visiteurs par an viennent visiter la cathédrale.

Search words: cathédrale notre dame de paris

a duré *lasted*

Les fenêtres multicolores de la cathédrale s'appellent des "vitraux."

L'écrivain célèbre **Victor Hugo** a sauvé la cathédrale en 1831 avec le succès de son roman *Notre-Dame de Paris*, avec le bossu (*hunchback*) Quasimodo.

L'arc de triomphe

Napoléon est responsable pour la construction de **l'arc de triomphe** qui devient le centre de la place de l'Étoile (aujourd'hui la place Charles de Gaulle). C'est ici où 12 avenues différentes débouchent sur un rond-point*. **L'arc de triomphe** est associé avec plusieurs moments historiques comme les funérailles de Victor Hugo en 1885 et le défilé* de victoire après la Première guerre mondiale de 1914–1918. Depuis 1921, on trouve la tombe du Soldat inconnu* et la flamme du Souvenir sous l'arc.

Search words: arc de triomphe centre de monuments nationaux

débouchent sur un rond-point *flow into a traffic circle;* **défilé** *parade;* **Soldat inconnu** *Unknown Soldier*

La tour Eiffel

On a construit* **la tour Eiffel** pour l'Exposition universelle de 1889. La construction de la tour par l'ingénieur Gustave Eiffel a duré deux ans. On a mis 7.000 tonnes d'acier* et deux millions de rivets pour la construire. La tour a trois étages et elle est haute de 300 mètres. Elle est repeinte* tous les sept ans avec 50 tonnes de peinture. Attraction universelle, elle est le symbole de Paris et est célébrée par les plus grands artistes, peintres, poètes, photographes, et metteurs en scène.

Search words: tour eiffel site officiel

---

a construit *built;* **acier** *steel;* **repeinte** *repainted*

8 Questions culturelles

Répondez aux questions.

1. Faites des recherches sur les parties d'une cathédrale gothique comme Notre-Dame. Ensuite, trouvez des photos de la cathédrale Notre-Dame de Paris en ligne qui montrent ces parties.
2. Recherchez l'intrigue (*plot*) du roman de Victor Hugo, *Notre-Dame de Paris*. C'est un roman intéressant pour vous? Pourquoi, ou pourquoi pas?
3. Trouvez autre chose, à part l'arc de triomphe, que Napoléon a fait construire.
4. Avec un convertisseur en ligne, donnez l'équivalent de 300 mètres (la taille de la tour Eiffel) en "feet."

Search words: cartes postales virtuelles de paris

À discuter

Why do societies build monuments?

L'arc de triomphe forme une étoile au centre de douze avenues de Paris, comme l'avenue des Champs-Elysées.

Du côté des médias

Lisez la brochure sur le musée Grévin.

9 Le musée Grévin

Répondez aux questions.

1. Allez au site officiel du musée Grévin. Combien coûte un billet pour un adulte pour un jour férié?
2. Le musée est près de quelle bouche de métro?
3. Combien de personnages sont représentés sur la brochure?
4. Qui est-ce que vous reconnaissez (*recognize*) sur les photos? Que savez-vous de ces personnes?

Structure de la langue

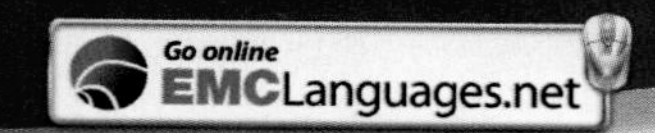

Passé composé with *avoir*

Qu'est-ce que Samuel a oublié dans la médiathèque?

The **passé composé** is a verb tense used to discuss completed events in the past. This tense is composed of two words: a helping verb and a past participle. To form the **passé composé** of most verbs, use the appropriate present tense form of the helping verb **avoir** and the past participle of the main verb.

To form the past participle of **–er** verbs, drop the **–er** of the infinitive and add **é: regarder → regardé.**

J'**ai regardé** des monuments. *I looked at (some) monuments.*

regarder					
j'	**ai**	regard**é**	nous	**avons**	regard**é**
tu	**as**	regard**é**	vous	**avez**	regard**é**
il/elle/on	**a**	regard**é**	ils/elles	**ont**	regard**é**

Est-ce que tu as regardé la télé? *Did you watch TV?*
Non, j'**ai écouté** de la musique. *No, I listened to music.*

To form the past participle of most **–ir** verbs, drop the **–ir** and add **i: finir → fini.**

finir					
j'	**ai**	fin**i**	nous	**avons**	fin**i**
tu	**as**	fin**i**	vous	**avez**	fin**i**
il/elle/on	**a**	fin**i**	ils/elles	**ont**	fin**i**

Most infinitives that end in **–re** form their past participles by dropping the **–re** and adding **u: vendre → vendu.**

vendre					
j'	**ai**	vend**u**	nous	**avons**	vend**u**
tu	**as**	vend**u**	vous	**avez**	vend**u**
il/elle/on	**a**	vend**u**	ils/elles	**ont**	vend**u**

To make a negative sentence in the **passé composé**, put **n'** before the form of **avoir** and **pas** after it.

Les élèves **n'**ont **pas** visité le musée. *The students didn't visit the museum.*

To ask a question in the **passé composé** using inversion, put the subject pronoun after the form of **avoir**.

As-tu **parlé** français à Paris?	*Did you speak French in Paris?*

The **passé composé** has more than one meaning in English.

Elle **a mangé** trois religieuses.	{ *She **ate** three cream puffs.* *She **has eaten** three cream puffs.*
A-t-elle **mangé** trois religieuses?	***Did** she **eat** three cream puffs?*

COMPARAISONS

What are three ways to express this sentence in English?

Ils ont parlé français à Paris.

10 On a fait le tour de Paris!

Dites quels sites tout le monde a visité.

MODÈLE moi, je

Moi, j'ai visité le jardin des Tuileries.

1. tu

2. M. Dupont

3. Maman et moi

4. Les élèves

5. Éric et toi

COMPARAISONS: The sentence **Ils ont parlé français à Paris** can be expressed three ways in English:
1. They *spoke* French in Paris.
2. They *have spoken* French in Paris.
3. They *did speak* French in Paris.

- An auxiliary verb is always needed in French to express the past tense, but not always needed in English.

11 Salut de Paris!

Complétez l'e-mail avec les verbes appropriés au passé composé.

manger | perdre | attendre | finir | visiter | acheter | regarder

À: Saniyya
Cc:
Sujet: Salut de Paris!

Salut, Saniyya!

Paris est super! Le métro est facile à naviguer, et Sylvie et moi, nous __1__ le Louvre aujourd'hui! Hugo préfère le sport, alors il __2__ un match au Stade de France. On l'__3__ au restaurant algérien. Est-ce que tu __4__ le couscous à Paris? J'__5__ ma casquette; donc, j'__6__ une autre casquette avec le blason du PSG. Bien sûr, j'ai aussi un cadeau pour toi! Bon, j'__7__ mon mail!

À très bientôt,
Timéo

12 Le weekend prolongé

Dites ce qu'on a fait chaque jour. Choisissez un verbe de la liste pour décrire chaque illustration.

regarder | vendre | finir | synchroniser | dormir | manger | jouer | attendre

MODÈLE **Le premier jour Ambre a synchronisé son lecteur mp3.**

1. Ambre

2. Mes copines et moi, nous

3. Julian et Clark

13 Paris ou non?

Si Brad parle de ses vacances de l'été dernier à Paris, écrivez ***P****. S'il parle de sa vie à Boston maintenant, écrivez* ***B****.*

14 Oui et non!

Dites que les personnes suivantes ont fait la première chose, mais pas la deuxième.

MODÈLE moi, je (acheter des pommes/préparer la tarte)
Moi, j'ai acheté des pommes, mais je n'ai pas préparé la tarte.

1. Abdoul et toi, vous (jouer au foot/perdre le match)
2. Maude et moi, nous (trouver des cartes postales au musée/trouver le guide touristique)
3. Sarah (finir le dîner/aider sa mère dans la cuisine)
4. toi, tu (surfer sur Internet/synchroniser ton lecteur MP3)
5. Moussa (téléphoner à Émilie/inviter Émilie à la teuf)
6. Thomas et Julien (choisir un CD au magasin/donner le CD à Vincent pour son anniversaire)

Abdoul et toi, vous avez joué au foot, mais vous n'avez pas perdu le match.

Communiquez!

15 Un voyage imaginaire à Paris

As-tu visité la tour Eiffel?
Oui, j'ai visité la tour Eiffel.

Interpersonal communication

Imaginez que vous et votre partenaire avez voyagé à Paris. À tour de rôle, demandez ce que votre partenaire a fait.

MODÈLE passer une heure au jardin des Tuileries
A: **As-tu passé une heure au jardin des Tuileries?**
B: **Oui, j'ai passé une heure au jardin des Tuileries.**
ou
Non, je n'ai pas passé une heure au jardin des Tuileries.

1. choisir un hôtel sur la rive droite ou la rive gauche
2. visiter la tour Eiffel
3. manger des pâtisseries
4. manger un croque-monsieur
5. téléphoner à tes parents
6. acheter des souvenirs
7. attendre le guide au Louvre
8. parler français

Irregular Past Participles

Some verbs that use **avoir** in the **passé composé** have irregular past participles.

Verb	Past Participle	Meaning
avoir	j'ai **eu**	*I had*
devoir	j'ai **dû**	*I had to*
pleuvoir	il a **plu**	*It rained.*
pouvoir	j'ai **pu**	*I was able to*
voir	j'ai **vu**	*I saw*
vouloir	j'ai **voulu**	*I wanted (to)*
mettre	j'ai **mis**	*I put (on)*
prendre	j'ai **pris**	*I took*
être	j'ai **été**	*I was*
faire	j'ai **fait**	*I did, made*
offrir	j'ai **offert**	*I offered*

Qu'est-ce que tu **as vu**? *What did you see?*
J'**ai vu** l'arc de triomphe. *I saw the Arch of Triumph.*

Heather a pris le métro à Paris.

COMPARAISONS

Which of these verbs with irregular past participles in French have regular past participles ending in "-ed" in English?

16 Un cadeau d'anniversaire

Complétez chaque phrase avec le passé composé des verbes entre parenthèses. Puis, faites un storyboard avec un partenaire pour montrer votre compréhension de l'histoire.

1. Marc... en ville. (être)
2. Il... l'idée d'acheter un cadeau pour sa mère pour son anniversaire. (avoir)
3. Il... trouver un cadeau bon marché. (devoir)
4. Il... une promenade dans la rue commerçante. (faire)
5. Il... des écharpes. (voir)
6. Il... une écharpe violette. (choisir)
7. Il... le métro à la maison. (prendre)
8. Il... l'écharpe à sa mère. (offrir)
9. Il... donner le cadeau à sa mère. (pouvoir)
10. Sa mère... l'écharpe et a dit (*said*), "C'est splendide!" (mettre)

Marc a fait une promenade dans la rue commerçante.

COMPARAISONS: Offrir ("offered"), **pleuvoir** ("rained") and **vouloir** ("wanted") are the only three verbs on this list that have regular past participles in English.

17 Samedi

Dites où tout le monde a été. Ensuite, dites ce qu'ils n'ont pas fait et ont fait.

MODÈLE

Chloé et moi, nous avons été à la teuf. Nous n'avons pas offert le CD. Nous avons offert le cadeau.

1. Alima et Leïla/surfer sur Internet

2. Sébastien/acheter des vêtements

3. toi, tu/regarder la la télé

4. je/voir la comédie

5. Monique/mettre un short et un tee-shirt

6. Laurence et toi, vous/ prendre le steak-frites

Communiquez!

18 Un voyage à Paris

As-tu pris le métro à Paris?
Oui, j'ai pris le métro.

Interpersonal Communication

À tour de rôle, demandez si votre partenaire a fait les choses suivantes pendant ses vacances à Paris.

MODÈLE prendre des photos de la place de la Concorde

A: **As-tu pris des photos de la place de la Concorde?**

B: **Oui, j'ai pris des photos de la place de la Concorde.**

ou

Non, je n'ai pas pris de photos de la place de la Concorde.

1. voir un match du PSG
2. mettre une écharpe française
3. faire une promenade aux Champs-Élysées
4. prendre le métro
5. voir la cathédrale de Notre-Dame de Paris
6. être au jardin des Tuileries
7. prendre du couscous dans un restaurant **algérien**

19 Le weekend de Juliette

Écrivez les numéros 1–8 sur votre papier. Écoutez la description de Juliette qui a passé le samedi dernier à Paris avec sa grand-mère. Ensuite, indiquez si chaque (each) *phrase que vous entendez* (hear) *est **vraie*** (true) *ou **fausse*** (false).

Position of Irregular Adjectives

Les Petit ont choisi un beau restaurant.

In French, adjectives usually follow the nouns they describe.

J'ai trouvé une jupe **noire**. *I found a black skirt.*

Some frequently used adjectives precede the nouns they describe. These adjectives often express beauty, age, goodness, and size. (You can remember these categories easily by associating them with the word "BAGS.") Some of these adjectives are **beau**, **joli**, **nouveau**, **vieux** (*old*), **bon**, **mauvais** (*bad*), **grand**, and **petit**.

Ma **petite** sœur va au centre commercial. *My little sister is going to the mall.*
Elle a besoin d'un **nouveau** jean. *She needs new jeans.*
Elle trouve un **beau** pull rose. *She finds a beautiful pink sweater.*
Quel **grand** magasin! *What a big store!*

The adjectives **nouveau**, **vieux**, and **beau** have irregular feminine forms as well as irregular forms before a masculine noun beginning with a vowel sound.

Masculine singular	Masculine singular	Feminine singular
before a consonant sound	**before a vowel sound**	
un **beau** chien	un **bel** achat	une **belle** promenade
un **nouveau** bateau	un **nouvel** hôtel	une **nouvelle** idée
un **vieux** musée	un **vieil** aéroport	une **vieille** cathédrale

The irregular masculine plural forms of **beau**, **nouveau**, and **vieux** are **beaux**, **nouveaux**, and **vieux**.

Pronunciation Tip

When **bon** comes before a masculine word that begins with a vowel, it sounds more like the feminine form **bonne**: **Bon appétit!**

20 Paris—une ville moderne ou une vieille ville?

Dites si les endroits à Paris sont vieux ou nouveaux.

MODÈLE gare
C'est une vieille gare.

1. monument

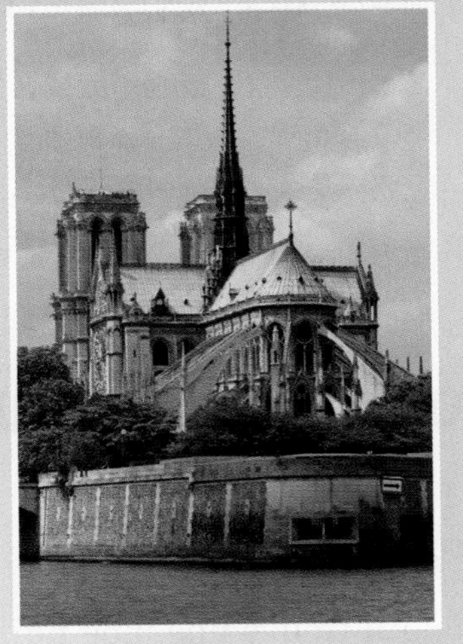

2. cathédrale

3. fleuve

4. musée

5. statue

6. aéroport

7. hôtel

21 Aux Galeries Lafayette

Tout le monde a fait du shopping aux Galeries Lafayette à Paris. Dites ce qu'ils ont acheté et décrivez leurs nouveaux vêtements.

MODÈLE Stéphanie/joli
Stéphanie a acheté un joli ensemble.

1. Mehdi/moche

2. Madeleine et sa sœur/joli

3. Justine/petit

4. Nayah/rose

5. Alexis/beau

22 Bon ou mauvais?

Interpersonal Communication

À tour de rôle, demandez à votre partenaire son opinion de huit personnes ou choses suivantes: des films, des acteurs, des livres, des sports, des athlètes, des écrivains, des chanteurs, etc.

MODÈLE Usher/chanteur
A: **Usher est un bon ou un mauvais chanteur?**
B: **C'est un bon chanteur.**
ou
C'est un mauvais chanteur.

À vous la parole

Question centrale

How do major world cities tell their stories?

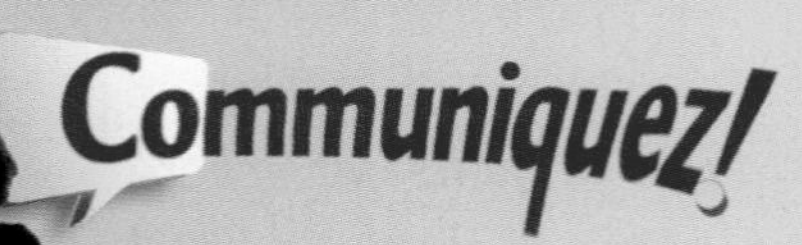

23 Un voyage à la capitale

Interpersonal Communication

With a partner, play the roles of a student who just spent three wonderful days in Paris and a friend from Quebec who wants to know all about the visit. The Quebecker asks what the friend saw and did in Paris. When the traveler mentions a place, the Quebecker always asks a follow-up question.

24 Guide touristique sur un bateau-mouche

Vocabulaire utile

a été construit(e)	*was built*
au XIXème siècle	*in the 19th century*

Presentational Communication

To prepare for a job interview as a tour guide on one of the Paris tour boats (**bateaux-mouches**), you need to be able to identify three famous monuments, museums, or bridges along the Seine. Select three locations visible from the boats (go to the website below and select **promenade**, then **plan du parcours**). Then find out if each place is **sur la rive droite ou gauche**, in which century it was built (use ordinal numbers), and what tourists can see or do there. Write out the information about your three locations. You will be asked to present one of them orally before turning your project in.

MODÈLE **La tour Eiffel est sur la rive gauche. Elle a été construite au XIXème siècle pour une exposition universelle. Les touristes peuvent manger dans un restaurant de la tour Eiffel et regarder les vues de Paris. On peut prendre des photos de la Seine et du Palais de Chaillot.**

Search words: compagnie des bateaux mouches site officiel

Stratégie communicative

Personal Narrative

A personal narrative tells about a life experience, observation, or idea. You are going to write a personal narrative about your own past experiences. In order to do this, it may be helpful for you to review the **passé composé** with **avoir** on pages 419 and 423 in this lesson.

25 Le voyage à Paris de Jameson

Read Jameson's narrative in the **passé composé** about his first day in Paris. Finally, put sentences 1-5 in chronological order.

Le 18 juin, à 10h15, j'ai vu d'abord la tour Eiffel où j'ai acheté des cartes postales pour mes copains. Au café à midi, j'ai pris une omelette, des frites, et une limonade. J'ai envoyé mes cartes postales à la poste à 14h00. Ensuite, j'ai visité le jardin des Tuileries où j'ai fait une promenade. Enfin, le soir, j'ai vu les monuments de Paris d'un bateau sur la Seine.

1. Jameson a pris le déjeuner.
2. Jameson a vu les monuments de Paris d'un bateau.
3. Jameson a envoyé ses cartes postales.
4. Jameson a vu la tour Eiffel où il a acheté des cartes postales.
5. Jameson a fait une promenade au jardin des Tuileries.

26 Mon weekend

Create a timeline of your activities last weekend. Using the information on your timeline, write a personal narrative about your weekend. Add adjectives and adverbs to make your writing more descriptive. Be specific about the time of day each action occurred, using times or expressions such as **samedi soir**.

MODÈLE **Vendredi soir, j'ai regardé un match de basket.**
Samedi matin, j'ai aidé ma mère à la maison.
Samedi après-midi....
Samedi soir....

Leçon C

Vocabulaire actif

Expressions de temps

DÉCEMBRE 2011

lu	ma	me	je	ve	sa	di
			1	2	3	4
5	6	7	8	9	10	11
12	13	14	15	16	17	18
19	20	21	22	23	24	25
26	27	28	29	30	31	

le mois dernier
l'année (f.) dernière
en 2011

JANVIER 2012

lundi	mardi	mercredi	jeudi	vendredi	samedi	dimanche
						1
2	3	4 mercredi dernier	5	6	7	8 le weekend dernier
9	10 hier matin 9h00 hier après-midi 14h00 hier soir 20h00	11 X aujourd'hui	12	13	14	15
16	17	18	19	20	21	22

la semaine dernière

Pour la conversation 

How do I express actions that took place in the past?

> **On est allé** aux Tuileries.
> *We went to the Tuileries.*

> **Nous sommes vite descendus** prendre le métro.
> *We quickly went down to take the metro.*

> **Nous sommes arrivés** chez moi.
> *We arrived at my house.*

How do I sequence past events?

> On a passé un super jour **samedi dernier**!
> *We spent a super day last Saturday.*

Et si je voulais dire...?

avant-hier	*day before yesterday*
l'été passé	*last summer*
il y a 15 jours	*two weeks ago*

1 Les voyages de Mlle Teefy

Lisez le paragraphe. Ensuite, répondez à la question.

Mlle Teefy voyage beaucoup. Elle est femme d'affaires. L'année dernière elle a visité Hong Kong. Le mois dernier elle a voyagé en Haïti. Elle a parlé français aussi la semaine dernière quand elle a voyagé à Paris. Samedi soir elle a mangé dans un restaurant français avec une amie parisienne. Dimanche après-midi elle a visité le Louvre. Lundi elle a pris des photos de la tour Eiffel. Et hier soir? Elle a très bien dormi dans son lit!

Où est-ce que Mlle Teefy a voyagé l'année dernière?

2 Qu'est-ce qui s'est passé?

Choisissez l'expression la plus logique pour compléter chaque phrase.

1. J'ai fait mes devoirs (jeudi matin, hier soir, maintenant).
2. Abdoulaye a vu un film au cinéma (samedi soir, mardi matin, en 2001).
3. Nous avons fait du shopping (le weekend dernier, l'année dernière, hier à 23h00).
4. Chris et Justin ont pris une photo de la tour Eiffel (cet après-midi, l'année dernière, aujourd'hui).
5. Vous avez voyagé à la Martinique (le mois dernier, aujourd'hui, hier soir).

Nous avons fait du shopping le weekend dernier.

Communiquez!

3 Mes activités passées

Interpersonal Communication

À tour de rôle, dites quand vous avez fait les activités suivantes.

MODÈLE A: **Quand as-tu voyagé?**
B: **J'ai voyagé l'été dernier.**

1. faire une promenade
2. télécharger une chanson
3. visiter un monument
4. préparer un gâteau
5. finir tes devoirs
6. rigoler
7. choisir un DVD
8. consommer du fromage

Quand as-tu téléchargé la chanson de Salif Keita?
Ce matin!

4 Ça s'est passé quand?

Écrivez les numéros 1–8 sur votre papier. Aujourd'hui, c'est samedi 17 mars. Écoutez les phrases et indiquez la date (en français) qui correspond à chaque description.

mars

lundi	mardi	mercredi	jeudi	vendredi	samedi	dimanche
			1	2	3	4
5	6	7	8	9	10	11
12	13	14	15	16	17 ✕	18
19	20	21	22	23	24	25
26	27	28	29	30	31	

5 Questions personnelles

Répondez aux questions.

1. Qu'est-ce que tu as fait ce matin?
2. Est-ce que tu as fait tes devoirs hier soir?
3. As-tu fait du sport le weekend dernier?
4. As-tu voyagé l'été dernier?
5. Tu as vu combien de films le mois dernier?

Oui, j'ai voyagé en France l'été dernier.

Rencontres culturelles

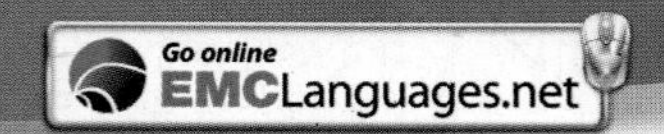

Un beau souvenir

Maxime et Yasmine se parlent au téléphone du jour où ils sont allés aux Tuileries.

Maxime: On a passé une super journée samedi dernier!
Yasmine: Le jour où on est allé aux Tuileries? J'ai a-do-ré. On a commencé à la pâtisserie....
Maxime: On a mangé la religieuse sur un banc aux Tuileries. Mais aux Tuileries il a commencé à pleuvoir. Nous sommes vite descendus prendre le métro.
Yasmine: Oui, et tu as fait comme au cinéma; tu en as profité pour m'embrasser!
Maxime: Tu n'as pas trouvé ça désagréable?
Yasmine: Bien sûr que non! Nous sommes arrivés chez moi....
Maxime: Et ta petite sœur a rigolé de nous voir la main dans la main.

6 Un beau souvenir

Répondez aux questions.

1. Avec qui Maxime a-t-il passé un bon après-midi?
2. Où est-ce que tout a commencé?
3. Est-ce qu'il a fait beau ce jour?
4. Qu'est-ce que les deux jeunes ont fait après les Tuileries?
5. Pourquoi la petite sœur a-t-elle rigolé?

Extension **La Ville lumière**

Le professeur de français de Jack, Emma, Lily, et Nick commente à ses élèves leur visite à Paris en bateau-mouche.

Le prof: Bon, alors, vous reconnaissez les monuments de Paris? Nous avons étudié ces monuments en classe.
Jack: Oui, la tour Eiffel devant à gauche et le jardin des Tuileries, à droite.
Nick: Ah, ils sont beaux, les monuments de Paris!
Emma: Regardez, la place de la Concorde est vachement bien éclairée!
Le prof: Oui, on appelle Paris la "Ville lumière." Vous savez pourquoi?
Lily: Parce qu'elle est très éclairée? La tour Eiffel, par exemple....
Le prof: Oui, mais il y a une autre explication aussi. C'est au XIXème siècle que les Anglais ont appelé Paris "Ville lumière," à cause de ses passages commerçants illuminés.

Extension Qu'est-ce que les élèves peuvent voir du bateau-mouche?

Points de départ

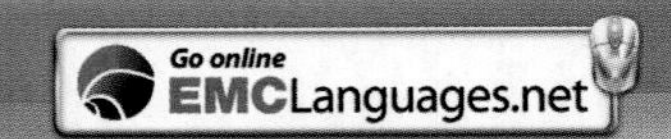

How do major world cities tell their stories?

Le jardin des Tuileries

Le jardin des Tuileries est entre la place de la Concorde et le Louvre à Paris. C'est un jardin pour les gens de tous les âges. Les adultes peuvent faire une promenade et admirer les statues et les fleurs*. Les enfants peuvent faire du vélo, jouer au ballon, ou assister à un spectacle* du théâtre de Guignol. Il y a de vrais poneys et des faux au manège de chevaux de bois*. Les petits peuvent même faire naviguer de petits bateaux sur le grand bassin.

Search words: parcs et jardins de paris

Le jardin des Tuileries est le plus vaste jardin public de Paris.

---

fleurs *flowers;* **assister à un spectacle** *attend a show;* **manège de chevaux de bois** *merry-go-round with wooden horses*

COMPARAISONS

What activities for children are there in the parks in your region?

Le métro

Il y a 16 lignes de métro à Paris. Elles offrent aux voyageurs un système de transport très rapide et bon marché. Avec 297 stations de métro à l'intérieur de Paris, on n'est jamais loin d'une "bouche de métro." Vous prenez le train qui va en direction d'où vous voulez aller. Pour savoir quelle direction prendre, vous regardez le nom de la station à la fin de la ligne. Des fois, il est nécessaire de changer de ligne. En ce cas, vous cherchez le panneau "correspondances" pour changer à la ligne qui va à votre destination. À beaucoup de stations de métro, il y a deux ou trois lignes qui se rejoignent*. Le métro, c'est facile à utiliser!

Search words: ratp paris

Les bouches du métro style "Art Nouveau" ont des structures linéaires métalliques.

---

qui se rejoignent *intersect*

Quand on voulait décorer les stations de métro en 1902, on a mis des panneaux (*signs*) dans le style **Art Nouveau.** On peut toujours trouver 86 de ces panneaux, classés maintenant comme monuments historiques.

7 Questions culturelles

Répondez aux questions.

1. Où est situé le jardin des Tuileries à Paris?
2. Qu'est-ce que les adultes et les enfants peuvent faire au jardin des Tuileries?
3. Il y a combien de lignes et stations de métro?
4. Comment est-ce qu'on utilise le métro?
5. Quel panneau (*sign*) devez-vous chercher pour changer de métro?

Il faut aller à droite pour prendre la correspondance pour la Défense.

À discuter

What, if any, commitments are being made in your region to have public transportation that is fast and cheap?

Du côté des médias

8 Plan du métro

Complétez une grille comme celle-ci pour indiquer votre chemin dans le métro aux destinations ci-dessous. Utilisez le plan du métro à la page 436 pour trouver le chemin le plus direct.

Point de départ et destination finale	Direction (numéro et nom de la ligne)	Correspondances (nom de la station)	Direction (numéro et nom de la nouvelle ligne)	Destination finale: monument à visiter
MODÈLE Invalides—République	13. St. Denis—Université	Miromesnil	9. Mairie de Montreuil	monument à la République—statue de Marianne
1. Champs-Élysées—Anvers				Sacré Cœur, funiculaire à Montmartre
2. Cité—Bir Hakeim				la tour Eiffel
3. Opéra—Assemblée Nationale				l'Assemblée nationale
4. Arts et Métiers—Concorde				Place de la Concorde
5. Place d'Italie—Cluny-La Sorbonne				le Musée de Cluny/National du Moyen Âge, la Sorbonne, le Collège de France
6. destination que vous choisissez				
7. destination que vous choisissez				

http://www.ratp.fr

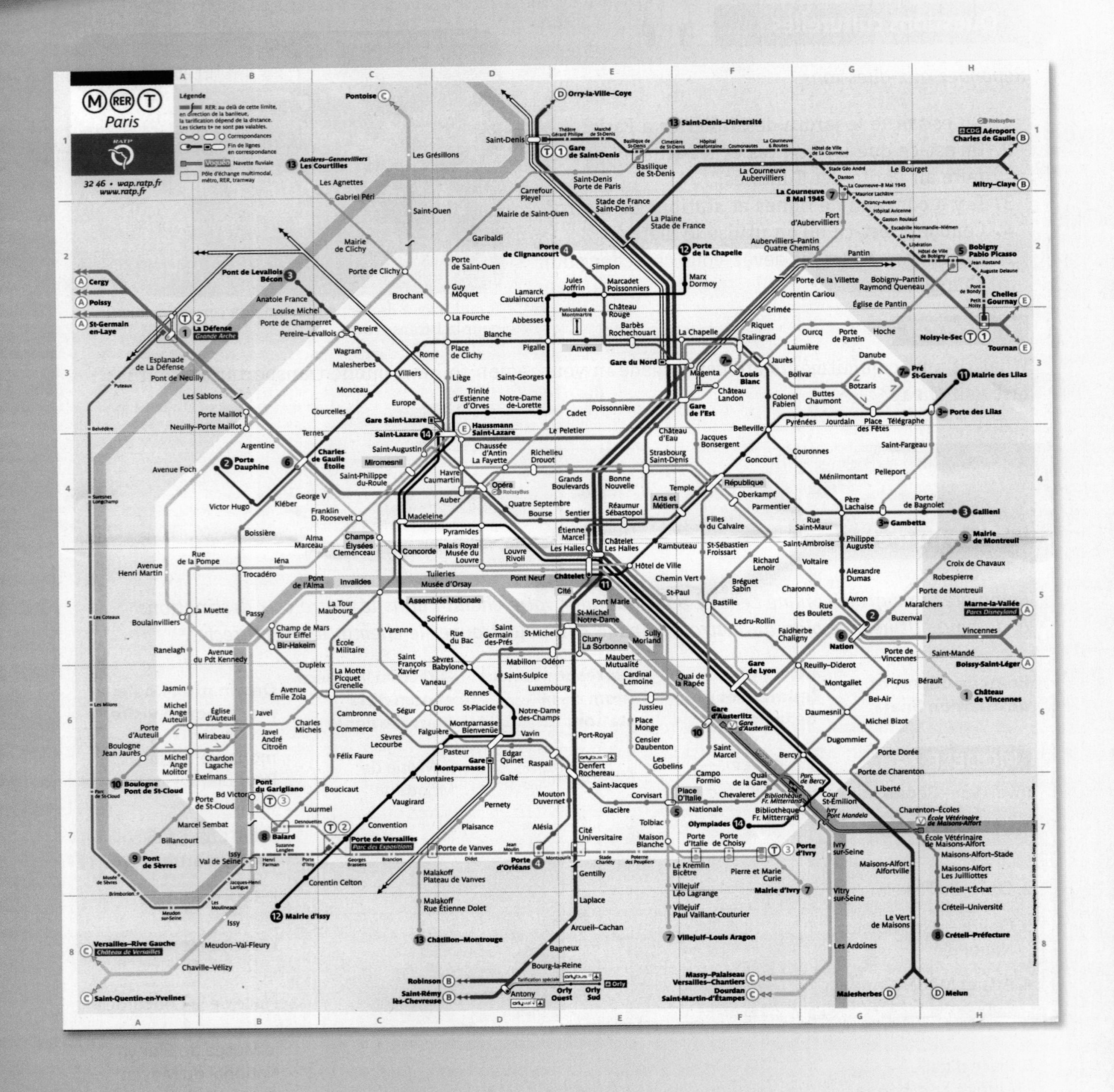

M RER T
Paris
RATP
32 46 • wap.ratp.fr
www.ratp.fr
Légende
Correspondances
Fin de lignes en correspondance
Navette fluviale
Pôle d'échange multimodal, métro, RER, tramway
Pontoise
Orry-la-Ville–Coye
Saint-Denis–Université
Aéroport Charles de Gaulle
Mitry–Claye
Asnières–Gennevilliers Les Courtilles
Les Agnettes
Gabriel Péri
Les Grésillons
Saint-Denis
Gare de Saint-Denis
Basilique de St-Denis
Saint-Denis Porte de Paris
Stade de France Saint-Denis
La Plaine Stade de France
La Courneuve Aubervilliers
Le Bourget
La Courneuve 8 Mai 1945
Fort d'Aubervilliers
Aubervilliers–Pantin Quatre Chemins
Carrefour Pleyel
Mairie de Saint-Ouen
Saint-Ouen
Garibaldi
Mairie de Clichy
Porte de Clichy
Porte de Saint-Ouen
Porte de Clignancourt
Simplon
Porte de la Chapelle
Marx Dormoy
Bobigny Pablo Picasso
Pantin
Porte de la Villette
Bobigny–Pantin Raymond Queneau
Corentin Cariou
Crimée
Église de Pantin
Cergy
Poissy
St-Germain en-Laye
Pont de Levallois Bécon
Anatole France
Louise Michel
Porte de Champerret
Pereire–Levallois
Pereire
Brochant
Guy Môquet
Lamarck Caulaincourt
Jules Joffrin
Marcadet Poissonniers
Château Rouge
Barbès Rochechouart
La Chapelle
La Fourche
Abbesses
Chelles Gournay
Noisy-le-Sec
Tournan
La Défense Grande Arche
Esplanade de La Défense
Pont de Neuilly
Les Sablons
Porte Maillot
Neuilly–Porte Maillot
Wagram
Malesherbes
Villiers
Rome
Place de Clichy
Blanche
Pigalle
Anvers
Gare du Nord
Stalingrad
Riquet
Jaurès
Ourcq
Porte de Pantin
Hoche
Laumière
Danube
Pré St-Gervais
Mairie des Lilas
Monceau
Europe
Liège
Saint-Georges
Trinité d'Estienne d'Orves
Notre-Dame de-Lorette
Magenta
Louis Blanc
Château Landon
Bolivar
Botzaris
Colonel Fabien
Buttes Chaumont
Courcelles
Ternes
Gare Saint-Lazare
Saint-Lazare
Haussmann Saint-Lazare
Cadet
Poissonnière
Gare de l'Est
Belleville
Pyrénées
Jourdain
Place des Fêtes
Télégraphe
Porte des Lilas
Argentine
Porte Dauphine
Charles de Gaulle Étoile
Saint-Augustin
Miromesnil
Chaussée d'Antin La Fayette
Richelieu Drouot
Le Peletier
Château d'Eau
Jacques Bonsergent
Strasbourg Saint-Denis
Goncourt
Couronnes
Saint-Fargeau
Avenue Foch
Saint-Philippe du-Roule
Havre Caumartin
Opéra
Grands Boulevards
Bonne Nouvelle
République
Temple
Oberkampf
Ménilmontant
Pelleport
Victor Hugo
George V
Kléber
Franklin D. Roosevelt
Auber
Quatre Septembre
Bourse
Sentier
Réaumur Sébastopol
Arts et Métiers
Parmentier
Père Lachaise
Porte de Bagnolet
Gallieni
Gambetta
Rue Saint-Maur
Boissière
Madeleine
Pyramides
Étienne Marcel
Filles du Calvaire
Alma Marceau
Champs Élysées Clemenceau
Concorde
Palais Royal Musée du Louvre
Louvre Rivoli
Les Halles
Châtelet Les Halles
Rambuteau
Saint-Sébastien Froissart
Saint-Ambroise
Philippe Auguste
Mairie de Montreuil
Avenue Henri Martin
Rue de la Pompe
Iéna
Trocadéro
Tuileries
Pont Neuf
Châtelet
Hôtel de Ville
Richard Lenoir
Voltaire
Alexandre Dumas
Croix de Chavaux
Robespierre
Porte de Montreuil
Pont de l'Alma
Invalides
Musée d'Orsay
Assemblée Nationale
Cité
Chemin Vert
Saint-Paul
Bréguet Sabin
Charonne
Avron
Maraîchers
Marne-la-Vallée Parcs Disneyland
La Muette
Passy
La Tour Maubourg
Pont Marie
Bastille
Rue des Boulets
Buzenval
Boulainvilliers
Champ de Mars Tour Eiffel
Bir-Hakeim
Solférino
Varenne
Saint-Germain des-Prés
Saint-Michel Notre-Dame
Saint-Michel
Sully Morland
Ledru-Rollin
Faidherbe Chaligny
Nation
Vincennes
Ranelagh
Avenue du Pdt Kennedy
Dupleix
École Militaire
Rue du Bac
Sèvres Babylone
Mabillon
Odéon
Cluny La Sorbonne
Maubert Mutualité
Gare de Lyon
Reuilly–Diderot
Porte de Vincennes
Saint-Mandé
Boissy-Saint-Léger
Jasmin
La Motte Picquet Grenelle
Saint François Xavier
Vaneau
Saint-Sulpice
Cardinal Lemoine
Quai de la Rapée
Montgallet
Picpus
Bérault
Château de Vincennes
Michel Ange Auteuil
Église d'Auteuil
Avenue Émile Zola
Rennes
Luxembourg
Jussieu
Bel-Air
Porte d'Auteuil
Javel
Charles Michels
Cambronne
Ségur
Duroc
Saint-Placide
Notre-Dame des-Champs
Place Monge
Gare d'Austerlitz
Daumesnil
Michel Bizot
Mirabeau
Javel André Citroën
Commerce
Sèvres Lecourbe
Falguière
Montparnasse Bienvenüe
Vavin
Port-Royal
Censier Daubenton
Boulogne Jean Jaurès
Michel Ange Molitor
Chardon Lagache
Félix Faure
Pasteur
Gare Montparnasse
Edgar Quinet
Raspail
Denfert Rochereau
Les Gobelins
Saint Marcel
Dugommier
Bercy
Porte Dorée
Exelmans
Volontaires
Gaîté
Saint-Jacques
Campo Formio
Quai de la Gare
Porte de Charenton
Boulogne Pont de St-Cloud
Pont du Garigliano
Porte de St-Cloud
Boucicaut
Vaugirard
Pernety
Mouton Duvernet
Corvisart
Place D'Italie
Chevaleret
Cour St-Émilion
Liberté
Lourmel
Glacière
Nationale
Bibliothèque Fr. Mitterrand
Charenton–Écoles
École Vétérinaire de Maisons-Alfort
Marcel Sembat
Balard
Convention
Porte de Versailles
Plaisance
Alésia
Tolbiac
Olympiades
Maisons-Alfort-Stade
Billancourt
Porte de Vanves
Porte d'Orléans
Cité Universitaire
Maison Blanche
Porte d'Italie
Porte de Choisy
Porte d'Ivry
Ivry sur-Seine
Maisons-Alfort Alfortville
Maisons-Alfort Les Juilliottes
Pont de Sèvres
Issy Val de Seine
Malakoff Plateau de Vanves
Gentilly
Le Kremlin Bicêtre
Pierre et Marie Curie
Mairie d'Ivry
Vitry sur-Seine
Créteil–L'Échat
Corentin Celton
Malakoff Rue Étienne Dolet
Laplace
Villejuif Léo Lagrange
Villejuif Paul Vaillant-Couturier
Créteil–Université
Mairie d'Issy
Issy
Arcueil–Cachan
Le Vert de Maisons
Créteil–Préfecture
Versailles–Rive Gauche Château de Versailles
Meudon–Val-Fleury
Châtillon–Montrouge
Villejuif–Louis Aragon
Les Ardoines
Chaville–Vélizy
Bagneux
Bourg-la-Reine
Massy–Palaiseau Versailles–Chantiers
Dourdan Saint-Martin-d'Étampes
Robinson
Saint-Rémy lès-Chevreuse
Antony
Orly Ouest
Orly Sud
Orly
Saint-Quentin-en-Yvelines
Malesherbes
Melun

La culture sur place

L'étiquette

Introduction

Afin de (*In order to*) mieux apprécier la culture sur place et comprendre comment montrer son respect dans une autre culture, on doit chercher à comprendre les coutumes (*customs*) de la société. Pour ça, on a besoin d'être bon observateur.

9 À Paris

Lisez les observations suivantes qui ont lieu (take place) *en France. Ensuite, donnez votre réponse ou réaction à la question.*

Observation	Règles (*Rules*)/Coutumes	Votre réaction en France
MODÈLE Un jeune couple à table dans un café appelle le serveur: "S'il vous plaît, monsieur!"	*One should call a waiter by saying* "S'il vous-plaît!," *and not* "Garçon!"	Qu'est-ce que vous dites au café à la serveuse quand vous avez soif? *I say* "S'il vous plaît, mademoiselle, je voudrais une limonade."
1. Un jeune étudiant français entre dans le métro. Il enlève (*removes*) son sac à dos et le porte à la main.		Qu'est-ce que vous faites avec votre sac à dos quand vous entrez dans un train de métro?
2. Un jeune homme traverse (*walks through*) une foule (*crowd*) dans la station du métro, murmurant "Pardon" à chaque personne devant qui il passe.		Qu'est-ce que vous dites quand vous avez besoin de passer quelqu'un quand vous entrez dans un ascenseur (*elevator*)?
3. Quatre jeunes femmes sont à la terrasse d'un café, et elles parlent doucement (*quietly*) et calmement.		Vous êtes très content d'être à la tour Eiffel. Comment est-ce que vous parlez à vos camarades de classe?
4. À la boulangerie, une femme dit "Bonjour, Monsieur" quand elle entre et "Merci, au revoir" quand elle sort.		Vous entrez dans un magasin de souvenirs. Qu'est-ce que vous dites à la commerçante? Et quand vous partez?
5. Au marché de fruits et de légumes, le marchand dit "Je peux vous aider?" à un client. Ensuite, le client choisit des fruits.		Vous voulez prendre une pomme au marché. Qu'est-ce que vous faites?

10 Faisons l'inventaire

Discutez les questions en anglais.

1. Was it easy to identify the rules of etiquette in the situations described above? Why, or why not?
2. What are the advantages to observing people in different social situations? Are there any disadvantages? Would you feel uncomfortable people watching? Why, or why not?
3. Now that you are more aware of what the French say or do in certain situations, would you dress or behave differently if you traveled to France? Why, or why not?

Structure de la langue

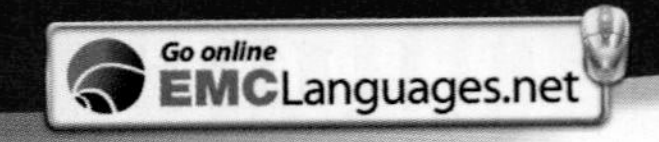

Passé composé with *être*

Madame Solange a dû attendre le train.
Il *est arrivé* en avance ou en retard?

To form the **passé composé** of certain verbs, you use a present tense form of the helping verb **être** and the past participle of the main verb.

Monsieur, vous **êtes allé** à l'hôtel de ville? *Sir, you went to the city hall?*

(helping verb) (past participle of **aller**)

To form the past participle of verbs that use **être** in the **passé composé**, follow the same rules that you learned in **Leçon B**: drop the infinitive ending and add **–é** for **–er** verbs, **–i** for **–ir** verbs, and **–u** for **–re** verbs. For example, for the verb **aller**, which is regular in the **passé composé**, drop the **–er** of the infinitive and add an **é**: **aller** → **allé**.

The difference with verbs that take **être** is that the past participle of the verb agrees in gender (masculine or feminine) and in number (singular or plural) with the subject:

- for a masculine singular subject, add nothing.
- for a masculine plural subject, add an **s**.
- for a feminine singular subject, add **–e**.
- for a feminine plural subject, add **-es**.

aller	
je suis allé(e)	nous sommes allés nous sommes allé(e)s
tu es allé(e)	vous êtes allé vous êtes allé(e)(s)
il est allé elle est allée on est allé	ils sont allés elles sont allées

Virginie, tu **es allée** au restaurant? *Virginie, did you go to the restaurant?*
Non, je **suis allée** au musée. *No, I went to the museum.*

Most of the verbs that use **être** in the **passé composé** *express motion* or *movement*, but not all verbs of movement are conjugated with **être** in the **passé composé**, so it's important to learn those that are.

Infinitive	Past Participle	Meaning
all**er** (*to go*)	all**é**	*went*
arriv**er** (*to arrive*)	arriv**é**	*arrived*
entr**er** (*to enter*)	entr**é**	*entered*
mont**er** (*to go up, to get in/on*)	mont**é**	*went up, got in/on*
rentr**er** (*to come home, to return, to come back*)	rentr**é**	*came home, returned, came back*
rest**er** (*to stay, remain*)	rest**é**	*stayed, remained*
retourn**er** (*to return*)	retourn**é**	*returned*
part**ir** (*to leave*)	part**i**	*left*
sort**ir** (*to go out*)	sort**i**	*went out*
descend**re** (*to go down, to get off*)	descend**u**	*went down, got off*
But:		
ven**ir** (*to come*)	ven**u**	*came*
reven**ir** (*to come back, to return*)	reven**u**	*came back, returned*
deven**ir** (*to become*)	deven**u**	*became*

To make a negative sentence in the **passé composé**, put **ne** (**n'**) before the form of **être** and **pas** after it.

Annie **n'**est **pas** allée au musée Grévin. — *Annie didn't go to the Grevin museum.*

To ask a question in the **passé composé** using inversion, put the subject pronoun after the form of **être.**

Awa **est**-elle **partie** ce matin? — *Did Awa leave this morning?*

Pierre est resté avec son petit frère.

COMPARAISONS

Does English ever use a helping verb to express an action that took place in the past?

We have gone to the convenience store.
Justin has bought a snack.
We did get back on time.

COMPARAISONS: In English, a form of the verb "to have" is sometimes used to express actions in the past. A form of "to do" may also be used. However, it is most common to use no helping verb at all: "We went to the convenience store" rather than "We have gone..." or "We did go...."

11 Un pique-nique au jardin des Tuileries

Votre classe a organisé un pique-nique. Dites où tout le monde est allé pour acheter les provisions.

MODÈLE Mme Olsen
Mme Olsen est allée à la boulangerie pour acheter les baguettes.

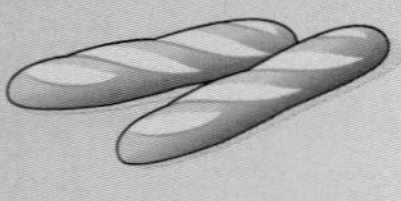

1. Tiffany et moi, nous

2. Hannah et Amber

3. je

4. Noah et Jennifer

5. Amanda et toi, vous

6. tu

12 On part en vacances.

Alain parle à un ami des projets de vacances. Quel jour et à quelle heure est-ce que tout le monde est parti en vacances?

Les départs					
lundi	**mardi**	**mercredi**	**jeudi**	**vendredi HIER**	**samedi AUJOURD'HUI**
Rosalie (9h00)		Florence et toi (14h30)	Sophie (8h00)	Lilou (11h00)	Olivier (10h15)
	Gaby (14h45)			René et Alexandre (13h30)	X
moi (21h45)		Lamine (20h00)		Michèle, Alima, et Élodie (19h00)	

MODÈLE Sophie
Sophie est partie jeudi matin à huit heures.

1. Olivier
2. Rosalie
3. Florence et toi, vous
4. René et Alexandre
5. Michèle, Alima, et Élodie
6. Lamine
7. Gaby
8. moi, je

13 Une soirée au cinéma

Marie-Ange raconte une soirée passée au cinéma. Complétez la phrase avec le passé composé du verbe entre parenthèses.

1. Je... au Gaumont hier avec des amies. (aller)
2. Ma sœur... avec nous. (venir)
3. Nous... à 19h00. (partir)
4. Ma sœur et moi, nous... à 19h20. Mes copains, cinq minutes après. (arriver)
5. Nous... au cinéma pendant deux heures. (rester)
6. Mes amies... prendre le métro, à l'exception de Sophie. (descendre)
7. Sophie et moi, nous... au Café des Artistes. (aller)
8. Je... en retard! (rentrer)

14 Aux Césars

Complétez chaque phrase avec la forme correcte du passé composé du verbe entre parenthèses pour raconter l'histoire d'Awa Soumaré et Kemajou Diouf. Vérifiez que vous avez utilisé le bon verbe auxiliaire, ***être*** *ou* ***avoir****.*

1. Awa... metteur en scène à l'âge de 34 ans. (devenir)
2. Kemajou... acteur l'année dernière. (devenir)
3. Kemajou... son premier rôle dans le film d'Awa, un drame en français qui s'appelle *Loin de chez moi*. (jouer)
4. Ensemble, ils... à Paris pour les Césars. (aller)
5. Pour la cérémonie, Awa... un ensemble traditionnel, et Kemajou un smoking (*tuxedo*). (mettre)
6. Aux Césars ils... deux prix (*awards*) pour leur film. (gagner)
7. Quand ils partaient (*were leaving*), beaucoup de photographes... leur photo. (prendre)
8. Awa et Kemajou... au Sénégal des héros! (retourner)

15 Le passé ou le présent?

*Écrivez les numéros 1–8 sur votre papier. Écoutez les phrases et indiquez si chaque phrase est au passé composé (****PC****) ou au présent (****PRÉS****).*

Communiquez!

16 Hier

Interpersonal Communication

À tour de rôle, demandez à votre partenaire s'il ou elle a fait les activités suivantes hier. Faites attention au verbe auxiliaire.

MODÈLE arriver à l'école en retard
A: **Es-tu arrivé (e) à l'école en retard hier?**
B: **Oui, je suis arrivé(e) à l'école en retard hier.**
ou
Non, je ne suis pas arrivé(e) à l'école en retard hier.

finir tes devoirs dans la médiathèque
A: **As-tu fini tes devoirs dans la médiathèque?**
B: **Oui, j'ai fini mes devoirs dans la médiathèque.**
ou
Non, je n'ai pas fini mes devoirs dans la médiathèque.

1. attendre des amis devant l'école
2. parler français dans la classe de français
3. aller à la cantine à midi
4. prendre un sandwich au jambon pour le déjeuner
5. partir de l'école en avance
6. aller à la banque
7. sortir avec des amis hier soir
8. rester à la maison hier soir

Tu as parlé français dans la classe de français?
Oui.

Position of Adverbs in the *passé composé*

You may wish to add an adverb when expressing an idea in the **passé composé**. The short adverbs below are generally placed between the auxiliary verb (**avoir** or **être**) and the past participle.

Pourquoi M. Gauthier est-il vite parti?

assez	*enough*
beaucoup	*a lot*
bien	*well*
déjà	*already*
enfin	*finally*
mal	*badly*
peu	*a little*
trop	*too much*
vite	*fast, quickly*

Tes amis sont-ils **déjà** partis? — *Did your friends leave already?*
Oui, ils sont **enfin** partis! — *Yes, they finally left!*

17 Le premier match de foot

Mettez l'adverbe entre parenthèses dans la phrase. Quand vous finissez, faites un sommaire de l'histoire en anglais pour votre partenaire.

1. Thierry a acheté un maillot avec le blason de sa nouvelle équipe. (déjà)
2. Il a mis son maillot, son short, ses chaussettes, et ses chaussures. (déjà)
3. Il est allé au stade en métro. (vite)
4. Il a parlé aux autres footballeurs. (peu)
5. Il a pris le ballon avec ses pieds. (bien)
6. Il a marqué un but pour son équipe. (bien)
7. Son équipe a gagné, 1 à 0. (enfin)

COMPARAISONS

Where are adverbs placed in past tense sentences in English?

I ate a lot yesterday.
We really did like the movie.
He has finally arrived.

COMPARAISONS: In past tense sentences in English, adverbs may be placed after the verb, before the verb, or between the helping verb and past participle.

18 Les phrases brouillées

Ils ont trop mangé au restaurant?

Mettez les phrases en ordre.

1. bien / Marcel / samedi soir / a / dormi
2. l'équipe / joué / de Marseille / mal / a / dimanche
3. as / au restaurant / tu / mangé / trop
4. partis / vous / êtes / de l'école / vite
5. avons / enfin / eu / un contrôle français / 20 / nous / sur
6. mon / déjà / père / a / la cuisine / fait
7. a / Mlle Desjardins / à la crémerie / acheté / assez
8. peu / les / étudié / élèves / ont / pour le contrôle de maths
9. beaucoup / j'ai / le film d'action / aimé

19 Le contrôle d'histoire

Dans les écoles françaises, 18 sur 20 est une très bonne note, 16 est très bien. Les élèves qui ont 12 sur 20 sont contents. On a besoin de 10 pour réussir à un examen. Dites si ces élèves ont ***bien***, ***assez bien***, *ou* ***peu*** *étudié pour le contrôle d'histoire, selon les résultats.*

Héloïse	18
Marianne	7
Karim	20
Étienne	12
Evenye	19
Marc-Antoine	13
Virginie	8
Nasser	14

MODÈLE **Virginie a peu étudié pour le contrôle d'histoire.**

1. Héloïse
2. Marc-Antoine
3. Nasser
4. Marianne
5. Karim
6. Evenye
7. Étienne

À vous la parole

Question centrale

How do major world cities tell their stories?

Communiquez!

20 Une carte postale de Paris!

Presentational Communication

Find a virtual postcard of Paris online and send it to one of your classmates. In your postcard:

- Use the salutation **Cher** or **Chère** followed by the student's name.
- Say when you arrived in Paris.
- Name three sites you saw and when (use expressions of time such as **hier soir**). Then tell what you did at each one.
- Say what you are going to do tonight.
- Say you'll see your friend soon and sign your name.

Print a copy of your postcard or e-mail a copy to your teacher.

Search words: carte postale virtuelle de paris

Communiquez!

21 On prend le métro?

Interpretive/Presentational Communication

A. Explore the official Paris metro website to find out the information below.
- cost of a single metro ticket in euros and dollars
- advantage of purchasing a book of 10 tickets (un carnet, ou "**t+**")
- cost of a **Paris visite** pass in euros and dollars
- hours the metro is open

B. Next, use the interactive map to find the best routes to five different tourist sites, following the directions below.
- Start your trip at the Gare d'Austerlitz.
- Find your first location.
- Print out the itinerary.
- Be sure to print out your other itineraries.

C. Show one of your itineraries to your partner. Tell him or her how you got from one tourist site in Paris to another, using the metro.

MODÈLE **Je suis allé(e) de la Gare d'Austerlitz à la tour Eiffel. J'ai pris le métro en direction de Boulogne—Pont de St. Cloud. J'ai fait une correspondance (*transferred*) à La Motte Picquet en direction de Charles de Gaulle—Étoile. Je suis descendu(e) à la station Bir Hakeim.**

Search words: paris ratp

Lecture thématique

Chanson de la Seine

Rencontre avec l'auteur

Jacques Prévert (1900–1977) connaît un vrai succès populaire. Il est l'auteur de chansons célèbres, de films importants, et de quatre volumes de poésie: *Paroles* (1945), *La Pluie et le beau temps* (1955), *Histoires* (1963), et *Choses et autres* (1972). Sa poésie ressemble à la langue parlée et ses thèmes touchent directement la vie de tous les jours avec ses misères et ses joies. Quelles misères est-ce qu'il trouve à Paris dans "Chanson de la Seine"?

Pré-lecture

Avez-vous passé du temps au bord (*along the banks*) d'un fleuve ou d'une rivière? Quelles activités avez-vous faites?

Stratégie de lecture

Personification

Jacques Prévert uses personification in his poem "Chanson de la Seine." Personification is the attribution of human qualities to something that is not human. For example, the phrase "The wind danced in the trees" describes the action of the wind as if it were dancing like a person. As you read the poem, fill in the chart with examples of personification; then explain what human characteristics the poet is giving the river.

Examples of personification	Explanation
1. La Seine n'a pas de souci.	The river is carefree like a young person.
2.	
3.	

Outils de lecture

Inference

An inference is a conclusion reached due to evidence provided in a literary text. What inference can you make about Prévert's attitude toward the Seine? For example, does he respect it, is he indifferent towards it, or does he dislike it? What evidence in the text supports your position?

[1] La Seine a de la chance*
Elle n'a pas de souci*
Elle se la coule douce*
Le jour comme la nuit
[5] Et elle sort de sa source
Tout doucement*, sans bruit* sans sortir de son lit
Et sans se faire de mousse*,
Elle s'en va vers la mer*
En passant par Paris.
[10] La Seine a de la chance
Elle n'a pas de souci
Et quand elle se promène*
Tout au long de ses quais
Avec sa belle robe verte
[15] Et ses lumières dorées*
Notre-Dame, jalouse*, immobile et sévère
Du haut de* toutes ses pierres*
La regarde de travers*
Mais la Seine s'en balance
[20] Elle n'a pas de souci
Elle se la coule douce
Le jour comme la nuit
Et s'en va vers le Havre, et s'en va vers la mer
En passant comme un rêve
[25] Au milieu des* mystères
Des misères de Paris.

Pendant la lecture
1. Comment est la Seine?

Pendant la lecture
2. Qui est jalouse de la Seine?

Pendant la lecture
3. La Seine comprend-elle ce qui se passe à Paris? (*Does the Seine understand what's going on in Paris?)*

a de la chance *is lucky*; **un souci** *worry*; **se la coule douce** *is peaceful*; **doucement** *gently*; **sans bruit** *without noise*; **la mousse** *foam*; **la mer** *sea*; **se promène** fait une promenade; **doré(e)** *golden*; **jalouse** *jealous*; **du haut de** *atop*; **pierres** *stones*; **de travers** *askance*; **au milieu de** *in the middle of*

Post-lecture

Est-ce que le portrait de la Seine par Prévert est romantique? Expliquez.

Le monde visuel

Paul Signac (1863-1935), peintre français, était un co-fondateur du pointillisme, qui consiste à peindre par juxtaposition de petites touches de couleurs primaires (rouge, bleu, et jaune) et de couleurs complémentaires (orange, violet, et vert) pour créer des formes. Connu pour ses couleurs lumineuses, Signac a peint beaucoup de tableaux de la Seine. Dans ce tableau, le fleuve semble être vivant avec sa luminosité et son mouvement. Est-ce que le style de Signac est plus proche de l'art de Monet (recherchez *Impression, soleil levant*) ou de Corot (recherchez *Le Pont de Mantes*)? Pourquoi?

Le Pont Neuf, 1927. Paul Signac. Galerie Daniel Malingue, Paris, France.

22 Activités d'expansion

1. Utilisez les informations dans votre grille pour écrire un paragraphe qui explique la personnification dans le poème. La Seine est-elle un homme ou une femme? Quelles sont ses caractéristiques?
2. Comparez ce poème à un autre poème qui décrit (*describes*) un fleuve, par exemple, le Mississippi, le Nil, ou l'Amazone. Comment est-ce que l'attitude de ce poète ressemble à celle (*the one*) de Prévert dans "Chanson de la Seine"?
3. Quand les lignes d'un poème ressemblent à un objet, c'est un "shape poem." Écrivez un "shape poem" au sujet d'un endroit à Paris.
4. Écrivez un poème qui énumère (*lists*) les gens et les endroits de Paris. Commencez avec **Paris est une ville de....** Trouvez un moyen (*way*) d'organiser vos idées.

Projets finaux

A Connexions par Internet: L'art

Interpretive/Presentational

Many art movements, such as Cubism, were founded in Paris. The city also has a lot of street art—statues, fountains, sidewalk drawings in chalk, etc. Research a piece of art featuring Paris. For example, you might look up works by Jean Béraud, Béatrice Boisségur, Georges Dupuis, Toulouse-Lautrec, Albert Marquet, Jules Ernest Renoux, Paul Signac, Edgar Degas, or Maurice Utrillo. Then present your piece of art to a small group of classmates.

Search words: **bridgeman art library**
musée d'orsay site officiel
louvre site officiel

Le pont de l'Europe, Gare Saint-Lazare, 1877. Claude Monet. Musée l'Harmattant, Paris, France.

MODÈLE **Ce tableau montre le Pont de l'Europe et la Gare Saint-Lazare de Paris. L'artiste est Claude Monet. J'aime ce tableau parce que....**

B Communautés en ligne

Les expatriés américains à Paris

Find a blog about expats living in Paris. Expats are people who have left their home country and now reside somewhere else, in this case Paris. Write a profile of one person, answering the questions below:

1. Comment s'appelle-t-il? Comment s'appelle-t-elle?
2. Il/Elle est à Paris depuis (*since*) quand?
3. Quels sont ses passe-temps?
4. Quelle est sa profession?
5. Est-ce qu'il ou elle cherche quelque chose (*something*)?

Present your profile to your partner. Finally, tell him or her your answers to these questions: **Voudrais-tu habiter ou étudier à Paris? Pour combien de temps?**

Search words: **expatriés américains à paris**
expat blog paris

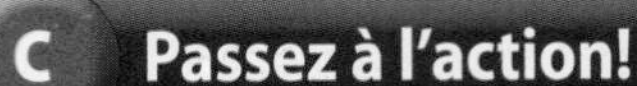

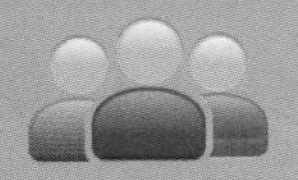

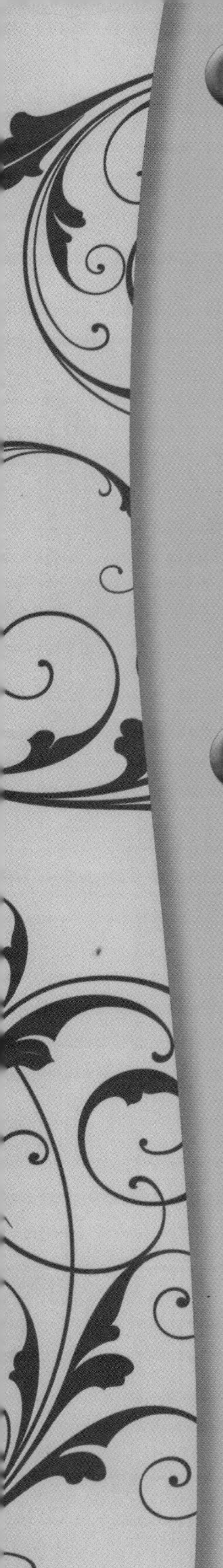

Notre voyage imaginaire à Paris

Plan a class trip to Paris where you will stay for five days. Decide as a group when you'd like to go, in what area of Paris you'd like to stay, and what you'd like to see. To plan your trip, give each person in your group a task, for example:

1. Find a reasonable flight and make a document with the name of the airline, the departure and arrival dates and times, and the name of the airports with their codes.
2. Find a reasonable hotel in a neighborhood you all want to stay in. Make a document with the name of the hotel, the number of stars (if any), the address, the number of the **arrondissement** (district of Paris), the phone number, Website, and nearest metro station(s).
3. Decide what museums, parks, and monuments you'd like to see. Make a document that shows your itinerary, or the date, time, and location.
4. Find photos of the places you plan to see.
5. Write captions for the photos, saying what your group saw and did at each place.
6. Place your documents and photos on the Internet to share with other French classes. Ask them to share an imaginary trip to another francophone destination with you.

D Faisons le point!

Question centrale

How do major world cities tell their stories?

Your teacher will give you a chart like the one below. Fill it in to show what you've learned about the French language and francophone cultures.

Je comprends	Je ne comprends pas encore	Mes connexions

What did I do well to learn and use the content of this unit?	What should I do in the next unit to better learn and use the content?
How can I effectively communicate to others what I have learned?	What was the most important concept I learned in this unit?

Évaluation

A Évaluation de compréhension auditive

Amélie went to Paris for Christmas vacation. Listen to her conversation with Pierre. Then, indicate if each sentence about her trip is **vrai** or **faux.**

B Évaluation orale

Imagine that you traveled to your favorite city last week and your partner wants to know what you saw and did. Answer your partner's questions and say on which days you did each activity. Include monuments, museums, restaurants, and other places you visited. Say if you walked or took the metro. Switch roles.

C Évaluation culturelle

In this activity, you will compare francophone cultures with American culture. You may need to do some additional research on American culture.

1. **Deux capitales**
   Create a timeline of the construction of two key monuments, one in Washington D.C., one in Paris. The timeline should cover the period 1800–2010. Explain how each monument reveals something important about the history of the city.
2. **La nature et la ville**
   Explain how a geographical feature of Paris (such as the Seine) affected the city's development. Compare Paris's development to that of your own town or city. Is there a geographical feature, such as a river or hill, around which your city was built? How has your city's geography influenced construction and economic activity?
3. **Deux monuments**
   Compare **la tour Eiffel** in Paris and the Statue of Liberty in New York. What do these monuments symbolize in their respective countries, and to the world?
4. **Les gâteaux**
   What are the traditional desserts that you and your family eat on different holidays and for special occasions? Research the origins and traditions regarding one of these foods and compare it to **la galette des Rois.**
5. **La culture des drapeaux**
   Compare your state flag to the flag of Haiti. How do the objects and colors of the flags represent or symbolize aspects of each culture?
6. **Les transports en commun**
   Research the public transportation system in a large city in your state. Do many people use the system? Have you ever used a public transportation system? Compare this public transportation system to the metro in Paris. How are the

Crowds of people gather to wait for the **métro** at rush hour.

two systems similar and different? Consider the practicality, affordability, and accessibility of each system, how many people use it, and the area it covers.

7. **Deux parcs**
   Compare the **jardin des Tuileries** to a well-known park in your region. Which one is more urban? Which is older? What kinds of activities does each park offer? Do special events take place there?

D Évaluation écrite

Write to a friend about where you, your family, or friends went, and what you saw and did over the weekend.

E Évaluation visuelle

Imagine that you've spent the last two days sight-seeing in Paris. Write a postcard to a friend telling about your visit based on the image below. Say where you went, what you saw, and what you did there. Be sure to tell on what day you did each activity.

F Évaluation compréhensive

Imagine that you were a tour guide for a group of French students visiting your city or town. Create a storyboard with six frames that show the sites you took them to see and what they did there. Include a written caption for each frame.

Vocabulaire de l'Unité 8

un **aéroport** airport *B*
un **animal** animal *A*
s' **arrêter** to stop *A*
au on the *C*
l' **automne (m.)** autumn *A*
une **avenue** avenue *B*
avoir: avoir chaud to be hot *A*; **avoir envie de** to want, to feel like *A*; **avoir froid** to be cold *A*
un **banc** bench *C*
une **banque** bank *B*
le **bas** bottom *A*
un **bateau** boat *B*
une **cathédrale** cathedral *B*
chaud(e): j'ai chaud I am hot *A*
chouette great *A*
le **coin** corner *A*; **du coin** on the corner *A*
consommer to consume *A*
un **degré** degree *A*
déjà already *C*
dernier, dernière last *C*
désagréable unpleasant *C*
descendre to go down, to get off *C*
désolé(e) sorry *A*
disponible free *A*
du on the *A*; about (the) *C*
un **éclair** eclair *A*
embrasser to kiss *C*
en of *C*
entrer to enter, to come in *A*
exactement exactly *B*
faire: faire une promenade to go for a walk *A*
fatigué(e) tired *B*
un **fleuve** river *B*
froid: cold *A*; **j'ai froid** I am cold *A*
une **gare** train station *B*
gourmand(e) fond of food *A*
grave serious *A*
un **guide touristique** tourist guide *B*
le **haut** top *A*
hier yesterday *C*
un **hôtel** hotel *B*; **un hôtel de ville** city hall *B*
une **idée** idea *A*; **Bonne idée!** Good idea! *A*
un **jardin** garden, park *B*
une **journée** day *A*
laisser: Laisse-moi finir! Let me finish! *B*
la **ligne** figure *A*
la **main** hand *C*; **la main dans la main** hand in hand *C*
un **millefeuille** layered custard pastry *A*
monter to go up, to get in/on *C*
montrer to show *B*
un **monument** monument *B*
un **musée** museum *B*
nouveau, nouvel, nouvelle new *B*
occupé(e) busy *A*
où when *B*
oublier to forget *B*
pardon pardon me *B*
se **parler** to talk to each other/one another *C*
partir to leave *C*
pendant for *B*
une **photo: re-photo** another photo *B*
une **place** square *B*
pleuvoir to rain *A*; **il pleut** it's raining *A*
un **pont** bridge *B*
une **poste** post office *B*
le **printemps** spring *A*
profiter to take advantage of *C*
une **promenade** walk *A*
une **religieuse** cream puff pastry *A*
rentrer to come home, to return, to come back *C*
un **restaurant** restaurant *B*
rester to stay, to remain *C*
retourner to return *C*
rigoler to laugh *C*
une **rue** street *A*
un **souvenir** memory *C*
une **statue** statue *B*
sur of *B*
un **tableau** painting *B*
la **température** temperature *A*
le **temps** weather *A*; **Quel temps fait-il ?** What's the weather like? How's the weather? *A*
la **terrasse** terrace *B*
un **tour** tour *B*
vieux, vieil, vieille old *B*
visiter to visit *B*
vite fast, quickly *C*
se **voir** to see one another/each other *A*

Animals… see p. 397
Weather… see p. 396

Unité 8 Bilan cumulatif

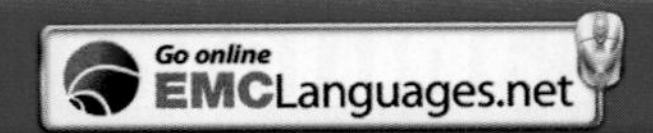

Listening

I. You will hear a short conversation. Select the reply that would come next. You will hear the conversation twice.

1. A. Désolé, je ne suis pas libre.
   B. À bientôt!
   C. Oh pardon, Mélanie.
   D. J'ai froid.

II. Listen to the conversation between a tourist and a French man. Select the best completion to each statement that follows.

2. La touriste cherche....
   A. la tour Eiffel
   B. un bateau-mouche
   C. le musée du Louvre
   D. le métro, ensuite Notre-Dame

3. Elle est....
   A. canadienne
   B. américaine
   C. anglaise
   D. française

4. Le monsieur aime beaucoup....
   A. Paris et ses cathédrales
   B. Montréal et ses bateaux
   C. Paris et ses monuments
   D. Paris—ses cafés, ses monuments, ses musées et cathédrales

Reading

III. Read Claire's e-mail to her friend Alex about her recent trip to Paris. Then select the best completion to each statement.

Salut Alex!

Ça va? Moi, super. Le weekend dernier, je suis allée à Paris avec ma copine, Céline. Paris est magique! En plus, il a fait très beau. Nous avons visité tous les musées et les monuments de la capitale française! Le premier jour, j'ai visité le musée du Louvre où j'ai vu la *Joconde*! Eh bien, tu sais, je n'ai pas trouvé la *Joconde* géniale. Moi, j'ai préféré le jardin des Tuileries où nous avons fait une promenade samedi après-midi. J'ai pris beaucoup de belles photos. Nous sommes arrivées chez moi dimanche soir. J'ai été très contente, mais aussi très fatiguée après mon weekend très occupé. Et toi, qu'est-ce que tu as fait le weekend dernier? Nous nous retrouvons demain au café sur la place de l'hôtel de ville? Je peux te montrer mes photos, d'accord?

À demain,

Claire

1. Céline et Claire ont vu....
   A. des musées et des monuments
   B. Alex
   C. un petit café français
   D. de petites statues

2. Claire aime....
   A. Alex
   B. le jardin des Tuileries
   C. la *Joconde*
   D. les musées

3. Claire voudrait....
   A. retourner à Paris
   B. prendre un café avec son ami demain
   C. voir Céline
   D. aller à Paris avec Alex

Writing

IV. Write the appropriate words or expressions to complete the conversation between Théo and Lucas as they discuss last weekend and plans for the coming weekend.

Theo: Samedi __1__ après les cours, j'ai fait du vélo avec Marine à Paris. Nous avons passé un super __2__. Il a fait très __3__, très chaud avec du soleil. Et toi, est-ce que tu as fait du sport?

Lucas: Bien __4__ que non! Tu parles. Moi, j'ai étudié pour mon __5__ de maths. Je n'ai pas réussi!

Théo: Ce n'est pas __6__. Tu es __7__ ce weekend? On peut faire du roller près de la tour Eiffel.

Lucas: Non, je suis __8__! Je vais faire une __9__ près de la Seine pour voir la cathédrale Notre-Dame de Paris.

Theo: S'il __10__ mauvais et il __11__, qu'est-ce qu' __12__ fait?

Lucas: On peut voir un film __13__ au Gaumont.

V. Choose the appropriate verb or expression to complete each sentence.

La semaine dernière, Martin __14__ Leïla au restaurant pour son anniversaire.
A. a fini B. est allé C. a invité

Ils __15__ à la terrasse d'un café près de Notre-Dame.
A. ont mangé B. sont partis C. ont profité

Après, ils ont profité du beau temps pour __16__ au bord de la Seine.
A. faire une promenade B. consommer C. partir

Leïla __17__ envie de voir les lumières de la tour Eiffel.
A. a été B. a eu C. a fait

Alors, ils ont pris le métro pour __18__ là-bas.
A. aller B. visiter C. descendre

Leïla __19__ ça très beau.
A. a trouvé B. a aimé C. a eu

Enfin, Martin et Leïla __20__ aux Champs-Élysées pour prendre une boisson.
A. ont rigolé B. ont fini C. sont allés

Quel beau souvenir!

Composition

VI. Write a journal entry about your visit to Paris last weekend by responding to the following questions.

1. À quelle heure es-tu arrivé(e) à l'hôtel vendredi soir?
2. Où as-tu mangé?
3. Est-ce qu'il a fait beau?
4. Qu'est-ce que vous avez fait samedi et dimanche?
5. Comment est-ce que tu es allé(e) à l'aéroport dimanche soir?
6. À quelle heure est-ce que tu es arrivé(e) à la maison?
7. Est-ce que tu as aimé ton voyage à Paris?

Speaking

VII. Tell the four stories suggested by the images.

A. Bruno et Caro

B. Antoine et ses copains

C. Malika

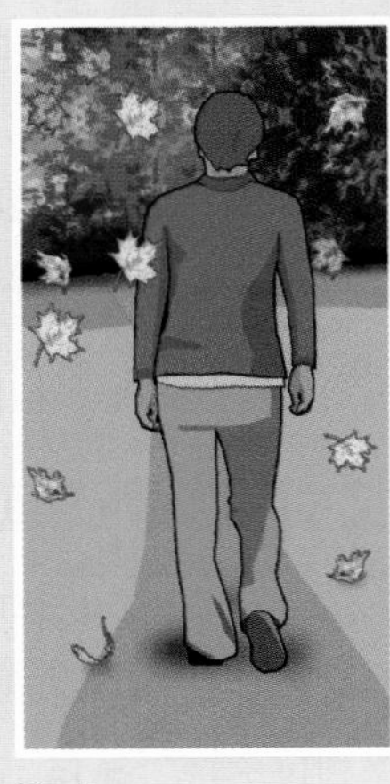
D. tu

1. Give the date, identify the season in each illustration, and describe the weather.
2. Describe what the people are doing in each illustration.
3. Then describe two to three activities that you like to do during each season.

Unité

9 En forme

Rendez-vous à Nice!
Épisode 9:
Au fitness

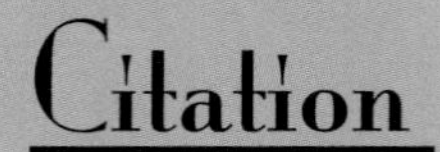

Citation

"Le bien-être est un état agréable résultant de la satisfaction des besoins du corps et du calme de l'esprit."

Well-being is an agreeable condition resulting from meeting the needs of the body and the calmness of the mind.

—Le dictionnaire Larousse

À savoir

Due in part to dietary changes, cases of Type 1 juvenile diabetes have doubled in France in the last 30 years.

Unité 9 En forme

Question centrale

How do people stay healthy and maintain a healthy environment?

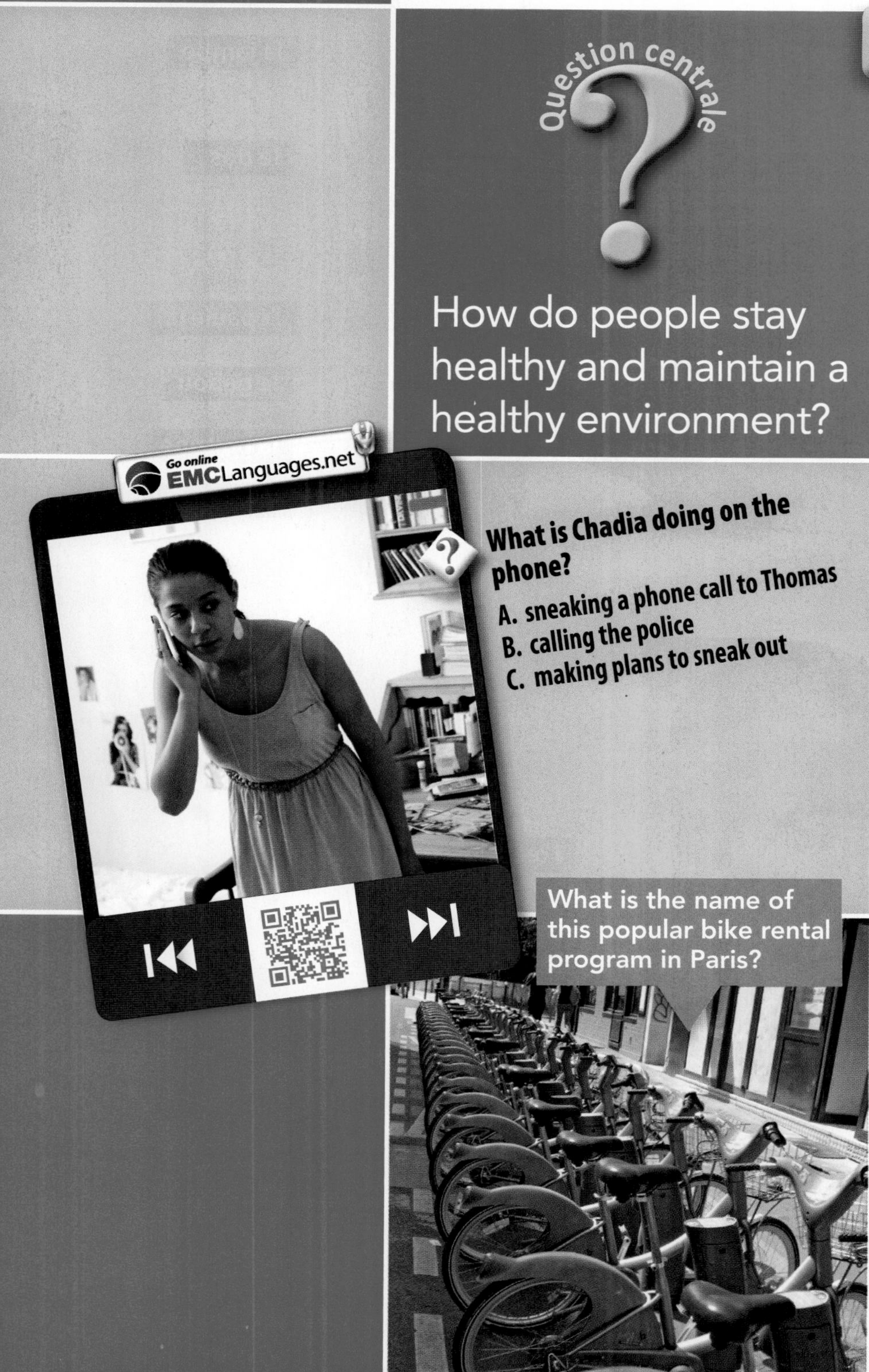

Go online
EMCLanguages.net
What is Chadia doing on the phone?
A. sneaking a phone call to Thomas
B. calling the police
C. making plans to sneak out
What is the name of this popular bike rental program in Paris?

Contrat de l'élève

Leçon A I will be able to:

- express need and necessity.
- talk about France's national medical insurance, a government campaign to get people in shape, and thermal spas.
- use the present tense form of the verb **falloir**.

Leçon B I will be able to:

- ask for and give advice.
- talk about Rwanda, its home health care system, and the people who provide it.
- give commands.

Leçon C I will be able to:

- persuade someone and respond to persuasion.
- talk about the Green movement in France and a popular bike rental program in Paris.
- use infinitives after some conjugated verbs and know when to use **des** or **de** with plural nouns modified by adjectives.

Leçon A

Vocabulaire actif

Le corps et la figure

Le corps

La figure

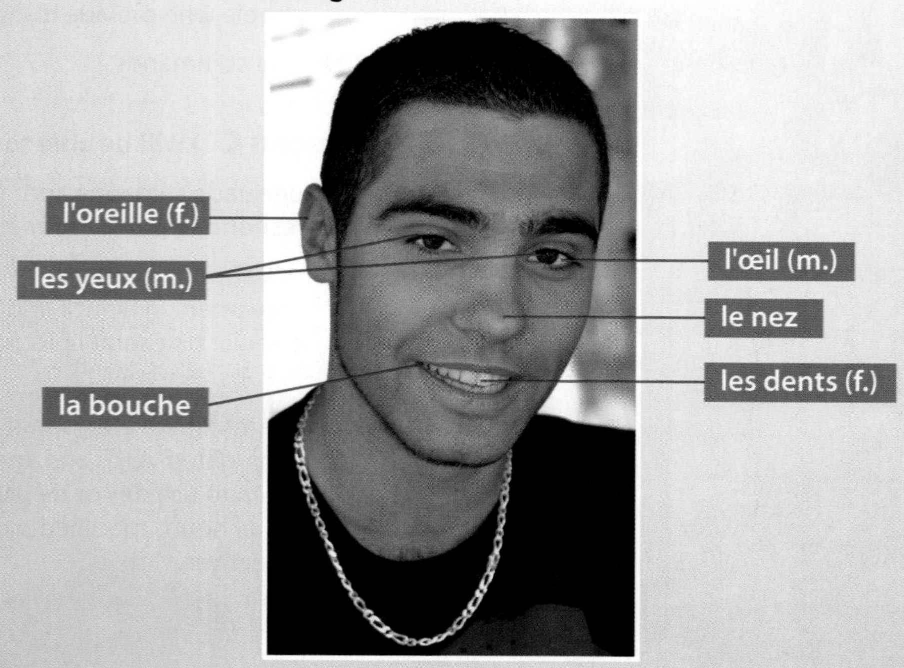

Pour la conversation 

How do I say it is necessary to do, or not do, something?

› Il faut....

It is necessary to...., You must....

› Il ne faut pas....

You must not....

Et si je voulais dire...?

le front	*forehead*
les sourcils (m.)	*eyebrows*
les cils (m.)	*eyelashes*
les paupières (f.)	*eyelids*
les joues (f.)	*cheeks*
la langue	*tongue, language*
les lèvres (m.)	*lips*
le menton	*chin*
les ongles (f.)	*fingernails*

1 Complétez!

Choisissez le mot convenable qui complète chaque phrase.

oreilles yeux bouche jambes pieds dents mains doigts tête

MODÈLE On fait du footing avec les... et les....
On fait du footing avec les jambes et les pieds.

1. On mange avec les....
2. On parle avec la....
3. On regarde la télé avec les....
4. On joue au foot avec les... et la....
5. On fait une promenade avec les... et les....
6. On fait la cuisine avec les....
7. On écoute son lecteur MP3 avec les....

On mange avec la bouche.

2 Portrait d'une famille d'extraterrestres 

Dessinez la famille selon la description.

L'ado a une petite tête avec un grand œil au centre. Il a de longs cheveux violets et des yeux jaunes. Il a un long cou. Il a un bras avec deux mains. Il a trois jambes et trois pieds avec quatre, cinq, et six doigts de pied. Il porte un tee-shirt bleu et un short rouge. Il écoute de la musique sur son lecteur MP3. Il ressemble à son père mais pas à sa mère. Son père porte un short vert et une chemise rouge. Sa mère a deux têtes avec un œil sur chaque tête. Elle n'a pas de cou. Elle a deux bras, deux mains, et une jambe avec un grand pied. Le pied a huit doigts de pied. Elle porte une jupe orange et un tee-shirt jaune.

3 Qu'est-ce que Jacques dit?

Écrivez les numéros 1–10 sur votre papier. Écoutez Jacques et écrivez la lettre qui correspond à la partie du corps mentionnée.

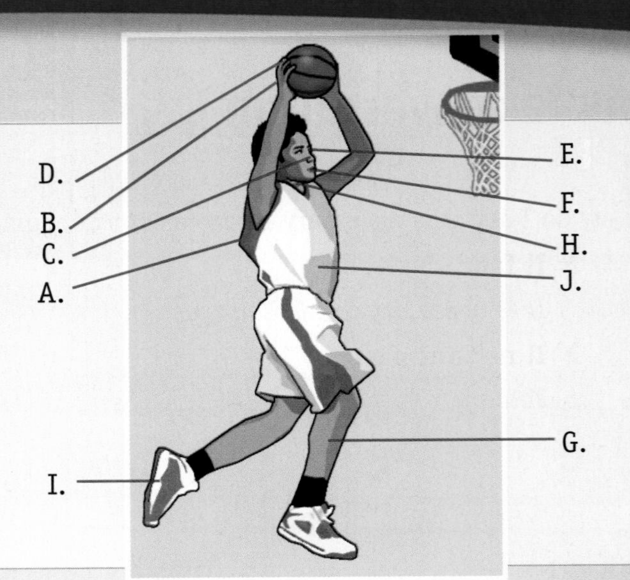

4 Qu'est-ce qu'il faut faire?

Choisissez la lettre qui correspond à ce qu'il faut faire selon la situation.

MODÈLE Mme Delaunay veut faire la cuisine.
B

1. Cédric doit maigrir.
2. Océane a un contrôle d'histoire.
3. Salim veut voir un film.
4. On a faim.
5. Jacqueline veut voir la tour Eiffel.
6. Michel va à une teuf d'anniversaire.
7. Evenye est dans la classe de français.

A. Il faut aller à Paris.
B. Il faut faire les courses.
C. Il faut offrir un cadeau.
D. Il faut faire du sport.
E. Il faut étudier.
F. Il faut faire la cuisine.
G. Il faut parler français.
H. Il faut prendre le métro pour aller au cinéma.

Communiquez!

5 Questions personnelles

Interpersonal Communication

Répondez aux questions.

1. Est-ce que tu manges de la pizza avec une fourchette ou les doigts?
2. Qu'est-ce que tu mets sur ta tête en hiver?
3. En général, es-tu prêt(e) pour les contrôles?
4. Qu'est-ce qu'il faut faire quand on a faim?
5. Qu'est-ce qu'il faut mettre quand on a froid?
6. Qu'est-ce qu'il ne faut pas faire dans la classe de français?

Je mets un chapeau sur ma tête en hiver.
LOS ANGELES

Rencontres culturelles

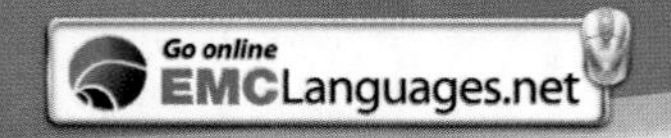

Au fitness

Yasmine et Camille ont quitté le fitness.

Camille: Tu es prête?
Yasmine: Oh là là, j'ai mal partout!
Camille: Qu'est-ce que tu as fait?
Yasmine: De l'aérobic et du step.
Camille: Ce n'est pas trop difficile?
Yasmine: Si, mais qu'est-ce qu'il faut faire? Je veux maigrir! Toi, qu'est-ce que tu as fait?
Camille: Moi? Du yoga.
Yasmine: Ah! C'est sûr, tu ne dois pas être aussi fatiguée que moi.
Camille: Mes bras, mes jambes, et mon dos sont décontractés.
Yasmine: Ouille! Mes pieds... je ne peux pas marcher!
Camille: Tu profiterais d'une cure thermale! Dis, on mange?
Yasmine: Oui, manger-bouger aujourd'hui!

6 Au fitness

Répondez aux questions.

1. Qui a mal partout? Pourquoi?
2. Pourquoi est-ce que Yasmine a fait beaucoup d'exercice?
3. Qu'est-ce que Camille a fait comme exercices?
4. Qui a les bras, les jambes, et le dos décontractés?
5. Où vont les filles après le fitness?

Extension **L'entraînement**

Timéo parle de sport à son professeur.

Timéo: Qu'est-ce qu'on travaille aujourd'hui?
Professeur: D'abord le dos, puis le cou, les épaules, les bras....
Timéo: Bien... et ensuite....
Professeur: Eh bien, les genoux, les pieds. D'abord, déliez le corps.... Vous avez tout compris! On va travailler tous les points... lentement....
Timéo: On y va!
Professeur: Respirez....

Extension Quels sont les conseils du prof pour Timéo?

Points de départ

Go online
EMCLanguages.net

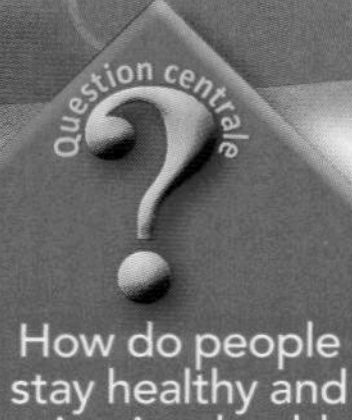
Question centrale
How do people stay healthy and maintain a healthy environment?

Le système de protection de la santé

Les Français sont protégés* par la sécurité sociale (ou "la sécu") quand ils tombent malades*. C'est un système d'assurance* collectif financé par les employés salariés et les compagnies. Chaque Français a un médecin généraliste, mais il peut aussi consulter des spécialistes. Il peut aller dans un hôpital publique ou dans une clinique privée. En conséquence, les Français sont de gros consommateurs de soins*.

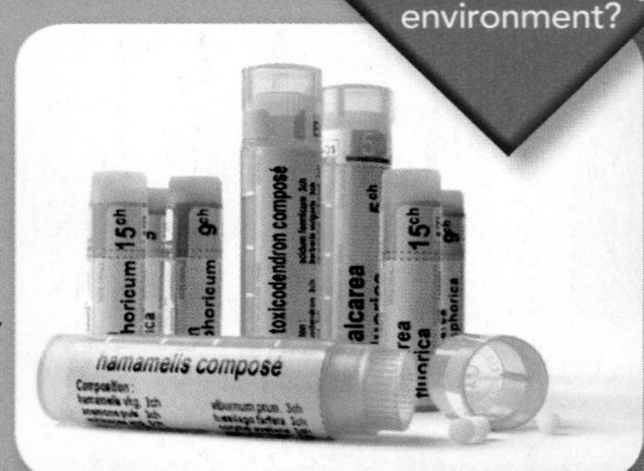
hamamelis composé

La sécurité sociale couvre la plupart des frais de la médecine homéopathique.

Search words: www.securite-sociale.fr
sécurité sociale en france

protégés *protected;* **tombent malades** *get sick;* **assurance** *insurance;* **soins** *care*

Produits

L'homéopathie est très populaire en France. On peut trouver ces médicaments, souvent remboursé (*reimbursed*) par la sécu, dans les pharmacies ou en ligne.

COMPARAISONS

What national medical programs are there in the United States?

Pat à Pain

À Pat à Pain, vous pouvez prendre du yaourt avec le miel (*honey*).

Garder la forme

"Pour rester en forme*, manger-bouger*." C'est le thème d'un programme national en France pour la nutrition et la santé*. Bien manger signifie manger des légumes et des fruits et éviter les produits gras* et trop sucrés. Toute la France fait un effort. De nouvelles chaînes de restaurants rapides se développent. Elles proposent des menus basses calories, des produits naturels, des salades, des soupes, des jus de fruit frais. Dans les cantines des lycées, on développe aussi une information sur l'équilibre alimentaire*.

Search words: www.mangerbouger.com

rester en forme *to stay fit;* **bouger** *to move;* **santé** *health;* **gras** *fatty;* **équilibre alimentaire** *balanced diet*

COMPARAISONS

What opportunities for staying healthy and fit are there in your area?

Le thermalisme

Le thermalisme est l'utilisation des eaux minérales pour des raisons médicales. Il a commencé à se développer après 1850. On a établi* des stations* thermales dans les Vosges (Vittel), l'Auvergne (Vichy), les Alpes (Évian), et les Pyrénées (Amélie les Bains). Aujourd'hui, 500.000 personnes visitent les 100 villes thermales chaque année. La majorité y va pour soigner* les rhumatismes. Une vraie cure thermale dure* trois semaines. Souvent ces cures sont payées par la sécu.

La ville thermale de Contrexéville a donné son nom à la fameuse eau minérale Contrex.

Search words: france thermale, thermalisme

a établi *established*; **stations** *resorts*; **soigner** *to treat*; **dure** *lasts*

7 Questions culturelles

Répondez aux questions ou faites l'activité.

1. Qu'est-ce que c'est "la sécu"?
2. Qu'est-ce que vous pouvez faire pour "manger-bouger"?
3. Qu'est-ce qu'on peut trouver maintenant dans certains restaurants rapides?
4. Choisissez un menu à Flunch qui vous aide à rester en forme.

Search words: flunch menus

5. Qu'est-ce que c'est le thermalisme?
6. Choisissez une station thermale et écrivez les maladies qu'elle traite.

Search words: stations thermales, france thermale

Perspectives

Do the French consider their health care to be socialized medicine as in Canada and the United Kingdom?

Search words: health care lessons from france, french health care

Du côté des médias

Lisez les informations sur ce centre sportif.

Vous allez avoir besoin d'aller sur le site web pour répondre à certaines questions.

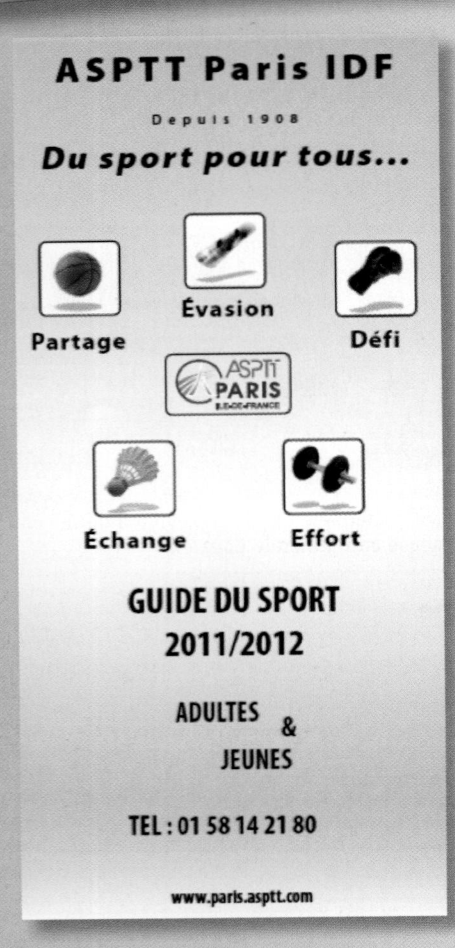

8 ASPTT de Paris et Île de France

Répondez aux questions.

1. C'est quoi l'ASPTT?
2. Depuis quand existe cette association?
3. Allez sur le site web de l'ASPTT. À l'origine, cette association a été créée pour quelles personnes? Aujourd'hui, qui peut utiliser l'ASPTT?

Search words: ASPTT, acronym

4. Selon les images de la brochure, quels genres de sports peut-on pratiquer à l'ASPTT de Paris?
5. Quels sont les bénéfices des activités sportives?
6. Nommez deux sports modernes que vous ne connaissez pas bien, par exemple:
   - **vol à moteur**
   - **capoeira**
   - **krav maga**
   - **qi gong**
7. Finalement, identifiez ces sports.

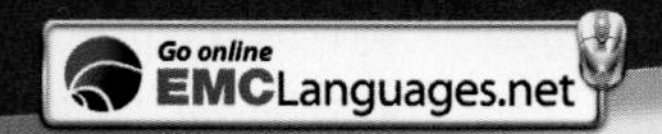

Present Tense of the Irregular Verb *falloir*

Il faut faire du sport pour rester en forme.

COMPARAISONS

What are two ways to express this sentence in English?

Il faut manger des fruits et légumes frais.

The verb **falloir** (*to be necessary, to have to*) has only one present tense form: **il faut. Il faut** means "it is necessary," "one has to/must," or "we/you have to/must." **Il faut** is often followed by an infinitive.

Il faut travailler les épaules et les bras. *You have to work your shoulders and your arms.*

Il ne **faut** pas trop travailler les genoux. *You mustn't work your knees too much.*

9 De bons élèves

Dites s'il faut faire l'activité ou pas pour être un(e) bon(ne) élève.

MODÈLES faire ses devoirs
Il faut faire ses devoirs.

téléphoner en classe
Il ne faut pas téléphoner en classe.

1. parler aux copains en classe
2. arriver en retard
3. réussir aux contrôles
4. finir les devoirs
5. écouter son lecteur MP3 en classe
6. prendre des notes
7. étudier
8. envoyer des textos en classe

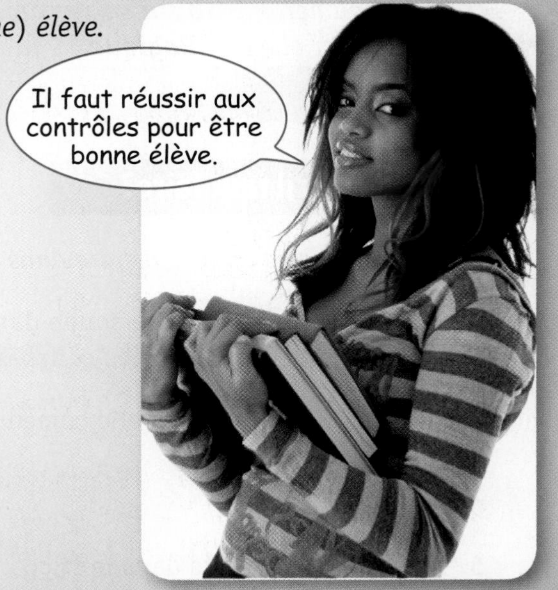

Il faut réussir aux contrôles pour être bonne élève.

COMPARAISONS: "Il faut manger des fruits et légumes frais" can be expressed in two ways: (1) You have to eat fresh fruits and vegetables; and (2) It is necessary to eat fresh fruits and vegetables.

10 On voyage.

Donnez des suggestions de ce qu'il faut faire dans chaque ville quand on est touriste.

MODÈLE manger de la ratatouille
À Marseille il faut manger de la ratatouille.

New York	San Francisco	Londres	Paris	Orlando	Alger	Marseille

1. marcher sur les Champs-Élysées
2. faire un tour en trolley
3. voir la Statue de la Liberté
4. prendre une photo de Big Ben
5. dîner dans un restaurant algérien
6. parler avec Mickey Mouse

11 Qu'est-ce qu'il faut faire pour être en forme?

*Écrivez les numéros 1–10 sur votre papier. Écoutez chaque suggestion et écrivez **L** si elle est **logique** ou **I** si elle est **illogique**.*

12 Qu'est-ce qu'il faut faire?

Dites à vos amis ce qu'il faut faire dans chaque situation.

MODÈLE Il n'y a pas de soupe dans le placard.
Il faut faire les courses au supermarché.

1. Je voudrais voir la nouvelle comédie au Gaumont.
2. J'ai froid.
3. Il fait beau.
4. J'ai soif.
5. Il n'y a pas de fruits dans le frigo.
6. Il neige.
7. Samedi soir il y a une teuf pour l'anniversaire de Gilberte.

À vous la parole

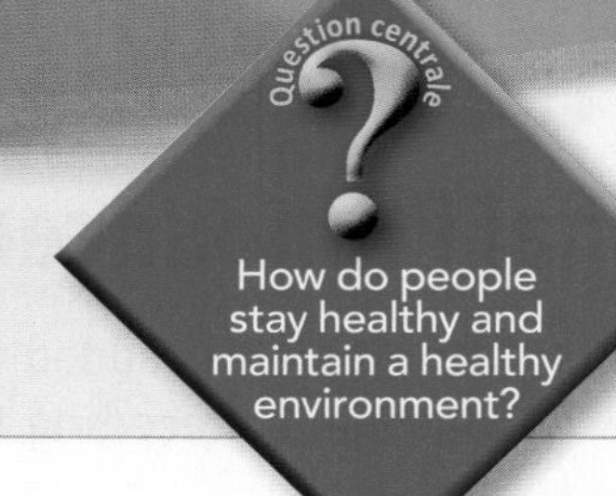

13 Au fitness

Interpersonal Communication

You and a friend run into each other at the gym. In your conversation:

Greet your friend. Ask how he or she is.		Greet your friend. Say that you want to stay in shape.
Say that you do too. Ask what activities your friend likes to do.	→	Respond. Suggest an activity to do together.
Invite your friend to go and eat something when you're done.	→	Accept or refuse the invitation.

14 Un centre de fitness parisien

Interpretive/Presentational Communication

Imagine you live in Paris and would like to get in shape. Find a fitness center in Paris online. Research the classes the center offers, when they are scheduled, and how much each costs. List five classes you would like to take, what areas of the body they work, what time the activities are offered, and how much you will have to spend.

MODÈLE **Je vais faire un cours de yoga le lundi à 18h00. Je vais travailler les épaules, les bras, et les jambes. Ça coûte 10 euros.**

Search words: centre de sports à paris, fitness à paris

Prononciation

Final Pronounced Consonants

- Often an **–e** is added to a noun or adjective to make it feminine. When this occurs the final consonant preceding the **–e** is pronounced.

A Paires masculines et féminines

Repeat the feminine and masculine pairs you hear and see below.

1. Elle est allemande. Il est allemand.
2. Elle est première. Il est premier.
3. Elle est mauvaise. Il est mauvais.
4. Elle est intéressante. Il est intéressant.

B Langues et nationalités

*Ask what each person's nationality is, based on the language she speaks. Be sure to pronounce the final consonant /**z**/. Follow the model.*

MODÈLE You hear: Notre cousine parle portugais.
You say: Elle est portugai**se**?

1. Ma prof parle français.
2. Cette musicienne chante en anglais.
3. La journaliste aime lire le japonais.

C Masculin ou féminin?

*Write **F** if you hear a feminine adjective, or **M** if you hear a masculine adjective.*

MODÈLE You hear: Tu es intelligen**te**.
You write: **F**

End Consonants

- Most final consonants are not pronounced. Many final consonants are only pronounced when **liaison** occurs before a vowel, with the exception of "c," "f," "l," and sometimes "r."

D Un match de foot

Repeat the following sentences, paying attention to the last letter in each number.

1. Il y a huit matchs et hui**t**‿équipes.
2. Il y a six joueurs et si**x**‿entraîneurs (*coaches*).
3. Il y a dix joueuses et di**x**‿arbitres (*referees*).

E Consonnes finales ou pas?

*Write **C** if you hear a final consonant, or **NC** if you do not.*

Leçon B

Vocabulaire actif

On n'est pas en forme.

Où as-tu mal?

J'ai mal à la tête.

J'ai mal aux oreilles.

J'ai mal au dos.

J'ai mal au cœur.

J'ai mal aux dents.

J'ai mal à la gorge.

J'ai mal au ventre.

Qu'est-ce qu'elle a?

Elle a la grippe.

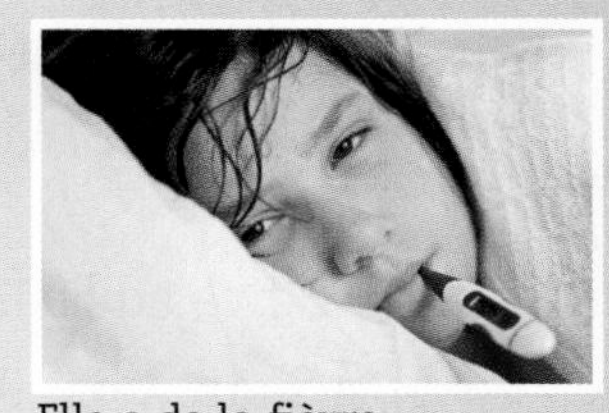
Elle a de la fièvre.

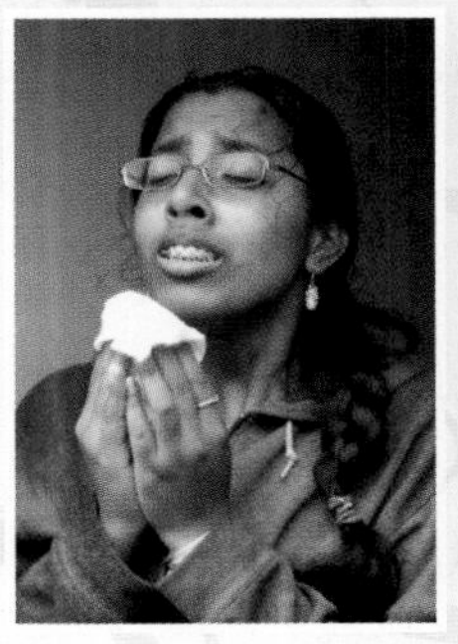
Elle a un rhume.

Elle a des frissons.

Elle a mauvaise mine.

Elle a bonne mine.

Elle est en bonne forme.

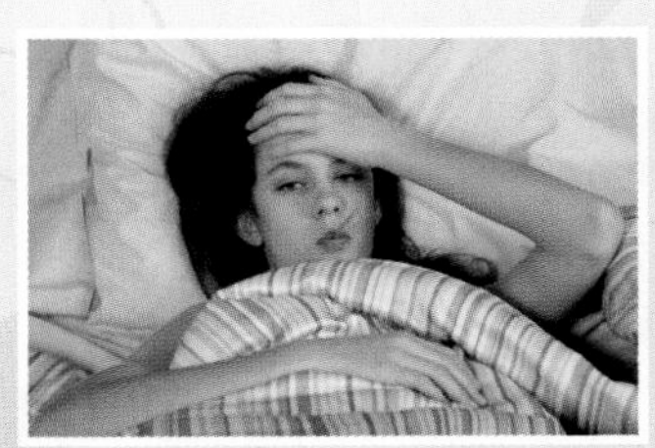
Elle est malade.

Elle n'est pas en forme.

Pour la conversation 

How do I ask for advice?

> **Qu'est-ce que tu me conseilles?**
> *What do you advise me to do?*

How do I give advice?

> **À mon avis,** il faut prendre le thème des accompagnateurs.
> *In my opinion, you should take the topic of home health care workers.*

Et si je voulais dire...?

éternuer	*to sneeze*
être raplapla	*to be wiped out*
tousser	*to cough*
J'ai le nez qui coule.	*I have a runny nose.*
Je me sens bien.	*I feel good.*
Je suis crevé(e).	*I'm exhausted.*

1 Qu'est-ce qu'on prend?

Tous les élèves de la classe de français sont malades. Indiquez ce que chaque élève doit prendre ou utiliser pour sa maladie (illness).

MODÈLE Joseph a des frissons.
C

1. Sandrine a mal à la tête.
2. Bruno a mal au ventre.
3. Charles a mal à la gorge.
4. Delphine a mal au cœur.
5. Patrick a de la fièvre.
6. Assia a un rhume.

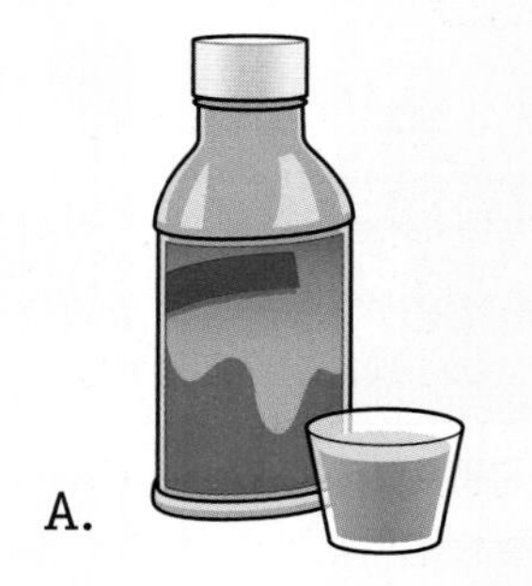
A.

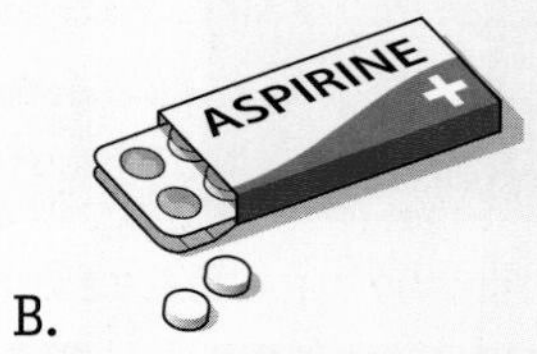

B.

C.

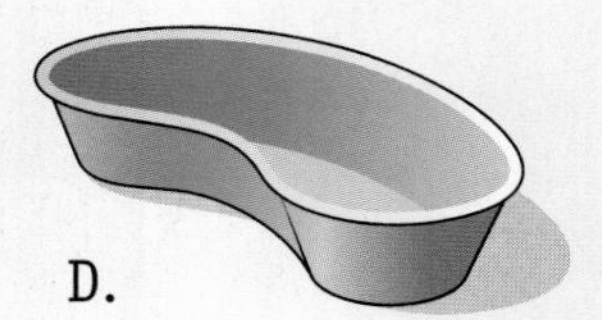
D.

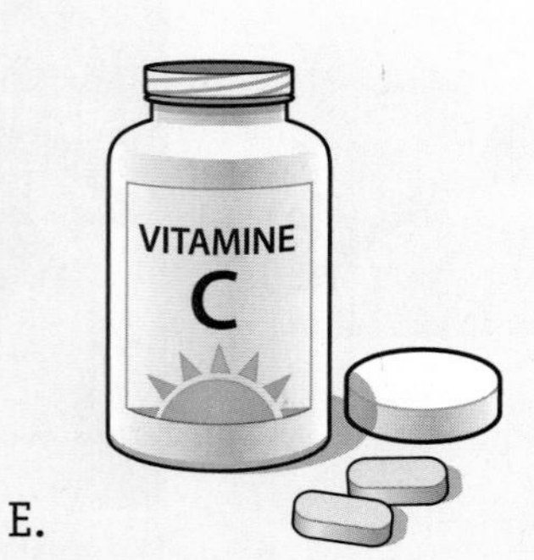

E.

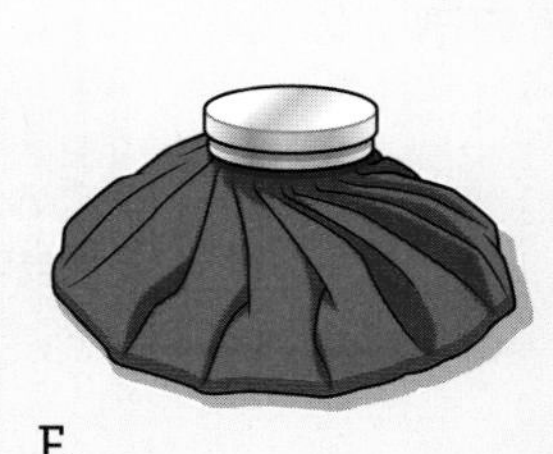
F.

G.

2 Pour rester en forme

Lisez le paragraphe et faites l'activité suivante.

Pour rester en forme, d'abord, il faut dormir au moins huit heures par nuit. Ensuite, il faut bien manger: des fruits et des légumes frais. Il faut prendre souvent du jus d'orange. Il ne faut pas consommer trop de sel ou prendre trop de desserts. Il ne faut pas manger beaucoup de chocolat. Puis, il faut aussi faire du sport ou faire d'autres formes d'exercice, peut-être du footing ou des promenades dans le parc. Enfin, il faut avoir de bons copains avec qui on peut parler, et il faut choisir des passe-temps intéressants. Et n'oubliez pas: il faut voir le médecin une fois par an!

Faites une affiche qui montre un conseil pour rester en bonne forme et écrivez une légende (*caption*).

3 Qu'est-ce qu'ils ont?

Les personnes suivantes vont mal. Dites ce qu'elles ont.

MODÈLE Yasmine a une température de 39°.
Elle a de la fièvre.

1. Monique a mangé trop de chocolat.
2. Le nez de Lamine est très rouge.
3. Olivier a regardé la télé pendant cinq heures.
4. Gaston n'est pas à l'école; il reste au lit.
5. Yves a fini le Tour de France.
6. Chloé ne peut pas parler.
7. Zohra parle au dentiste.
8. André a très froid.

Yves a mal aux jambes.

Communiquez!

4 Qu'est-ce que tu me conseilles?

Interpersonal Communication

À tour de rôle, expliquez votre problème et demandez les conseils de votre partenaire.

MODÈLE J'ai besoin d'un jeu vidéo.
A: **J'ai besoin d'un jeu vidéo. Qu'est-ce que tu me conseilles?**
B: **À mon avis, il faut aller à la FNAC.**

1. J'ai un contrôle de français demain.
2. C'est l'anniversaire de mon copain dimanche.
3. Il y a un match de foot au stade samedi.
4. J'ai besoin de fruits et de légumes frais.
5. J'ai la grippe.
6. Je voudrais prendre une belle photo de Paris.
7. J'ai besoin de jambon et de pâté.
8. Je voudrais voir *la Joconde*.

Je voudrais voyager cet été.
À mon avis, il faut visiter la Martinique.

5 On est malade!

Écrivez les numéros 1–9 sur votre papier. Écoutez chaque description et écrivez la lettre de l'image correspondante.

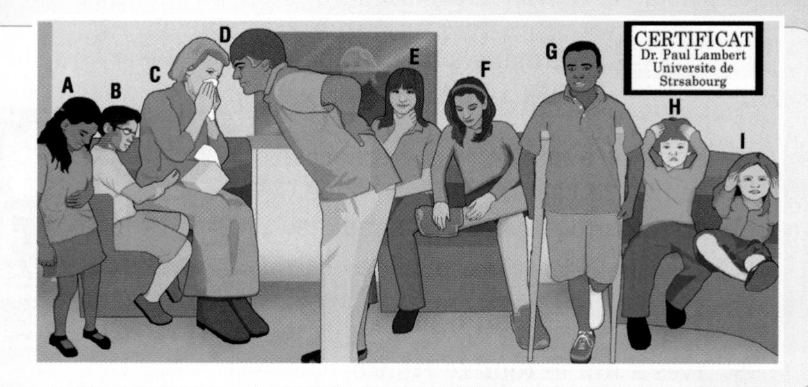

Communiquez!

6 Questions personnelles

Je prends de l'aspirine quand j'ai mal à la tête.

Interpersonal Communication

Répondez aux questions.

1. Es-tu fatigué(e) aujourd'hui?
2. Qu'est-ce que tu fais quand tu es malade?
3. Est-ce que tu as beaucoup de rhumes en hiver?
4. Es-tu en bonne forme en été?
5. Quand est-ce que tu prends de l'aspirine?
6. Qu'est-ce que tu fais quand tu as des frissons?
7. Je voudrais faire du sport. Qu'est-ce que tu me conseilles?

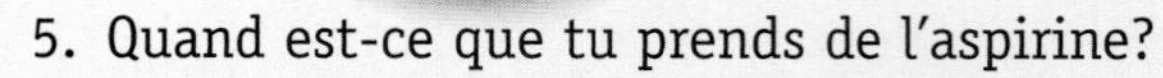

Rencontres culturelles

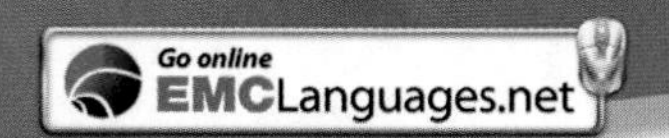

Les malades au Rwanda

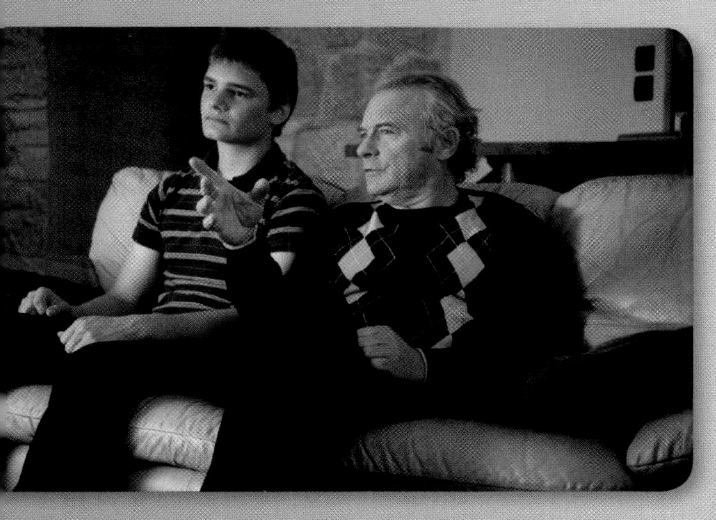

Julien parle à son père dans le salon.

Julien: Qu'est-ce que tu regardes?
Père de Julien: Un reportage sur les accompagnateurs. Tu sais, les gens qui aident les personnes malades au Rwanda.
Julien: Et cette femme-là, qui n'est pas en forme et qui a mauvaise mine?
Père de Julien: Elle est presque morte du SIDA. Mais maintenant, un accompagnateur vient chez elle et, avec les antirétroviraux, elle va survivre.
Julien: Bon, alors je te laisse regarder.
Père de Julien: Pourquoi?
Julien: Non, rien, enfin... si—j'ai un devoir à faire sur l'Afrique et je voudrais ton avis.
Père de Julien: Mon avis? Sur quoi?
Julien: Qu'est-ce que tu me conseilles, comme thème?
Père de Julien: Eh bien, le voilà ton thème. À mon avis, il faut prendre le thème des accompagnateurs! Mets-toi devant l'écran et regarde l'émission avec moi.

7 Les malades au Rwanda

Répondez aux questions.

1. Qu'est-ce que le père de Julien regarde à la télé?
2. Qui sont les "accompagnateurs"?
3. Qui n'est pas en forme et a mauvaise mine?
4. Qu'est-ce que Julien doit faire?
5. Qu'est-ce que le père de Julien suggère comme thème pour le devoir?
6. Qu'est-ce que Julien va faire maintenant?

Extension Un diagnostic

Au cabinet du médecin, un patient parle avec son médecin.

Patient: Non, vraiment, Docteur, ça ne va pas du tout... je ne me sens pas très bien.
Médecin: Oui. On va regarder ça. Vous avez mal où?
Patient: J'ai des frissons, puis j'ai mal à la tête et à la gorge... j'ai très mauvaise mine, n'est-ce pas?
Médecin: Ah bon? Non je ne trouve pas... peut-être un peu de fatigue... du stress, comme tout le monde.... Mais, ce n'est pas grave.

Extension Quel est le diagnostic du patient?

Points de départ

How do people stay healthy and maintain a healthy environment?

La Francophonie

Le Rwanda

Le Rwanda est un assez petit pays dans l'Afrique Centrale avec une population d'environ huit millions d'habitants. La capitale est Kigali. Son climat est tempéré, et il y pleut beaucoup. Ce climat favorise l'agriculture, la base de l'économie rwandaise. Ancienne colonie de la Belgique, le Rwanda a gagné son indépendence en 1962. Mais des conflits entre deux groupes ethniques, les Hutus et les Tutsis, ont terminé en guerre* civile en 1994. Entre 500.000 et 1.000.000 de personnes sont mortes.

guerre *war*

Une ancienne (*former*) colonie belge, le Rwanda insistait sur le français dans ses écoles. Mais plus récemment (*recently*), le pays a décidé que ses élèves doivent apprendre l'anglais comme deuxième langue. Mais le français reste toujours une option dans les écoles.

La lutte* contre le SIDA au Rwanda

Le Rwanda est touché par le SIDA depuis* 1983. Trois pour cent des Rwandais sont infectés par le VIH, surtout* les femmes. Il existe un grand programme de protection de soins* pour les femmes et les enfants atteints de* la maladie et pour éviter* la transmission du VIH de la mère à l'enfant. La proportion d'enfants infectés par le VIH par leur mère a diminué*. Aujourd'hui beaucoup plus de personnes ont accès aussi aux médicaments*.

lutte *fight*; **depuis** *since*; **surtout** *especially*; **soins** *care*; **atteints de** *affected by*; **éviter** *to avoid*; **a diminué** *has lessened*; **medicaments** *medecine*

Les accompagnateurs

Dans les zones rurales du Rwanda, des malades (infectés du SIDA, de la tuberculose, du paludisme*, etc.) prennent leurs médicaments régulièrement grâce anx accompagnateurs. Ce sont des gens qui vont dans les maisons des malades qui n'ont pas accès à un hôpital ou une clinique. Cette initiative donne un job aux gens pauvres, qui gagnent environ $30 par mois, et préserve des milliers de vies humaines.

paludisme *malaria;* **grâce à** *thanks to*

Le groupe international Partners in Health a organisé le système d'accompagnateurs au Rwanda, en Haïti, et autres pays en voie de développement.

COMPARAISONS

Does anyone you know receive home health care? What are the benefits? Disadvantages?

8 Questions culturelles

Faites les activités suivantes.

1. Remplissez la carte d'identité du Rwanda:
   - Population
   - Ethnies
   - Langues
   - Capitale
2. Répondez aux questions suivantes sur la lutte contre le SIDA.
   - Depuis quand existe le SIDA au Rwanda?
   - Quel est l'objectif du grand programme de protection?
   - Il y a plus ou moins de cas d'enfants infectés?
   - Qu'est-ce qui aide aujourd'hui dans la lutte contre le SIDA?
3. Décrivez les avantages du programme qui met un accompagnateur dans les maisons des malades.

Perspectives

Read the lyrics to the song "La ronde des écoliers du monde" by Senegalese singer Youssou N'Dour online. What is his viewpoint on maintaining healthy relationships within and between nations?

Kigali est la capitale du Rwanda.

Du côté des médias

9 Commémoration du génocide rwandais

Répondez à la question ou faites l'activité.

1. Qu'est-ce que les différentes associations qui soutiennent (*support*) cette commémoration ont en commun?
2. Allez sur le site Internet d'Ibuka. Cette association est de quel pays?
3. Faites un collage au sujet de "le mur de la paix (*peace*)" de Paris.
4. Écrivez le message de la paix que vous aimeriez (*would like*) mettre au mur de la paix.

Structure de la langue

The Imperative

Faites une promenade tous les jours!

Use imperative verb forms to give commands and make suggestions. There are three imperative forms, **tu**, **vous**, and **nous**, yet these pronouns are not used with commands. Compare the following present tense forms of the verb **étudier** with their corresponding commands. Note that the **tu** imperative form of **–er** verbs (including **aller)** does **not** end in **-s**.

Present tense	Imperative –er verbs
tu étudies vous étudiez nous étudions	**Étudie!** *Study!* **Étudiez!** *Study!* **Étudions!** *Let's study!*

Present tense	Imperative –ir verbs
tu finis vous finissez nous finissons	**Finis!** *Finish!* **Finissez!** *Finish!* **Finissons!** *Let's finish!*

Present tense	Imperative –re verbs
tu vends vous vendez nous vendons	**Vends!** *Sell!* **Vendez!** *Sell!* **Vendons!** *Let's sell!*

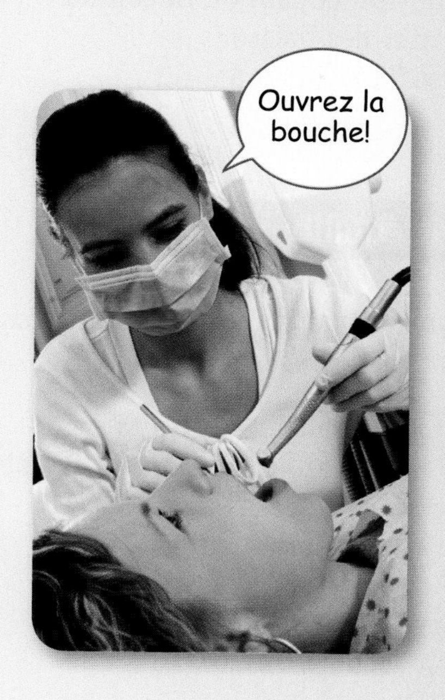

Ouvrez la bouche!

The **nous** form of the imperative is used to make a suggestion and means "Let's + *verb*."

What do these imperatives addressed to a friend mean?

Prends un gâteau! Va à l'école! Fais tes devoirs!
Offre un conseil! Achète un cadeau! Viens au café!

Form the negative imperative by putting **ne** before the verb and **pas** after the verb.

Ne va **pas** au centre commercial! *Don't go to the mall!*

COMPARAISONS

How would you express this sentence in English?

Visitons Paris!

COMPARAISONS: The French command **Visitons Paris!** can be translated as "Let's visit Paris!"

10 Une teuf d'anniversaire

Écrivez des textos à vos amis pour leur dire comment ils peuvent aider avec la teuf d'anniversaire pour Lilou que vous organisez.

MODÈLE préparer des pizzas
Prépare des pizzas!

1. préparer un gâteau
2. acheter un cadeau
3. inviter ton copain ou ta copine
4. apporter des boissons
5. choisir la musique

Apporte un gâteau pour la teuf!

11 Une vie équilibrée

Dites ce que les médecins disent aux ados pour avoir une vie équilibrée.

MODÈLE manger des fruits frais
Mangez des fruits frais!

1. manger des légumes frais
2. choisir des passe-temps
3. faire du sport
4. prendre du jus d'orange
5. aller à l'école en vélo

12 Les bons conseils!

Écrivez les numéros 1–10 sur un papier. Écoutez chaque phrase et indiquez l'image qui correspond à la forme de l'impératif utilisée.

A.

B.

C.

13 Des conseils

Donnez des conseils à ces personnes.

MODÈLES

(à M. Lucas)

manger des desserts, faire une promenade
Ne mangez pas de desserts! Faites une promenade!

(à Bruno)

jouer aux jeux vidéo, étudier
Ne joue pas aux jeux vidéo! Étudie!

(à Mme Montaigne)
1. faire la cuisine, aller au lit

(à Chloé)
2. jouer au foot, rester à la maison

(à Véro)
3. regarder la télé, faire de l'aérobic

(à M. Duval)
4. passer le weekend à la maison, sortir

(à Julie)
5. porter cette vieille robe, acheter une nouvelle robe

(à Guy)
6. manger de la pizza, préparer une ratatouille

14 Qu'est-ce qu'on fait ce weekend?

Interpersonal Communication

À tour de rôle, suggérez à votre partenaire une activité à faire ce weekend. Développez votre projet avec une deuxième suggestion.

MODÈLE A: **Je ne veux pas sortir ce weekend.**
B: **Alors, regardons un DVD!**
A: **D'accord. Choisissons un film d'action!**

1. Je veux faire du sport.
2. Je voudrais sortir vendredi soir.
3. Je veux faire la cuisine.
4. Je voudrais écouter de la musique.
5. Je veux faire du shopping.
6. Je voudrais aller au fitness.
7. Je veux aller à un concert.

À vous la parole

Question centrale

How do people stay healthy and maintain a healthy environment?

Communiquez!

15 Comment vas-tu?

Interpersonal Communication

With a partner, play the roles of a parent and a child who is not feeling well. In your conversation:

Say that you are sick. → Tell your child that he or she doesn't look well and ask what the problem is.

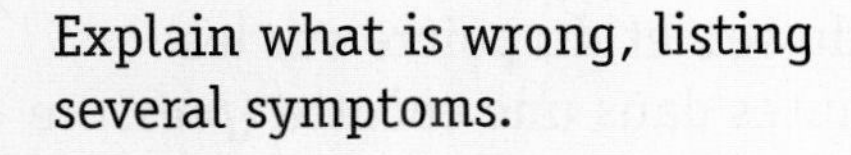

Explain what is wrong, listing several symptoms. → Tell your child he or she has a fever.

Ask your parent for advice. → Tell your child what to do to feel better and whether or not he or she should go to school.

Communiquez!

16 Qu'est-ce que tu as?

Interpersonal Communication

Your teacher will assign partners and an illness or body ache to both of you. Ask questions to find out what is wrong with your partner. Once you have guessed the condition correctly, switch roles.

Stratégie communicative

"How-to" Writing

When you want to give instructions on how to do something, communicate the steps in completing a process, or make suggestions, you can use the imperative, or command forms of verbs. To review the imperative, see page 479.

Follow these tips to write the steps in a process:

1. Make a list of all the steps in the process and put them in order, using the imperative form for the pronoun **vous**.
2. Be brief and concise.
3. To make the order of the steps clear, use words like **d'abord**, **ensuite**, **après**, and **enfin**.
4. Edit your writing and have someone else proofread it.
5. Use pictures or photos to illustrate each step.

17 Une recette française: la ratatouille

Complete the following recipe with the commands from the list.

mélangez coupez remuez lavez mangez mettez ajoutez servez

D'abord, _(1)_ les tomates, poivrons rouges et verts, courgettes, et aubergines. Puis, _(2)_ tout en petits cubes et _(3)_ les cubes dans un bol. Ensuite, _(4)_ les oignons et la gousse d'ail coupés en petits morceaux. _(5)_ un peu d'huile d'olive, du sel, et du poivre sur les légumes, les oignons, et l'ail. Après, faites cuire au four 45 minutes dans une cocotte (*pressure cooker*). _(6)_ de temps en temps. _(7)_ et pour finir, _(8)_ bien! Bon appétit!

18 Des instructions

Use the imperative to give directions on how to prepare your favorite family recipe. Or, you might select an original topic like providing steps to install a DVD, send a photo on your phone, or do an aerobic exercise.

Leçon C

Vocabulaire actif

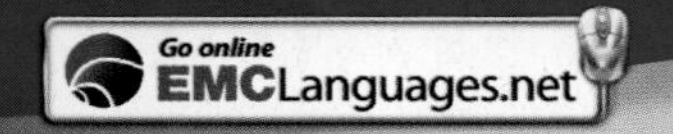

Je m'engage pour sauvegarder la planète!

Quels sont les problèmes de l'environnement?

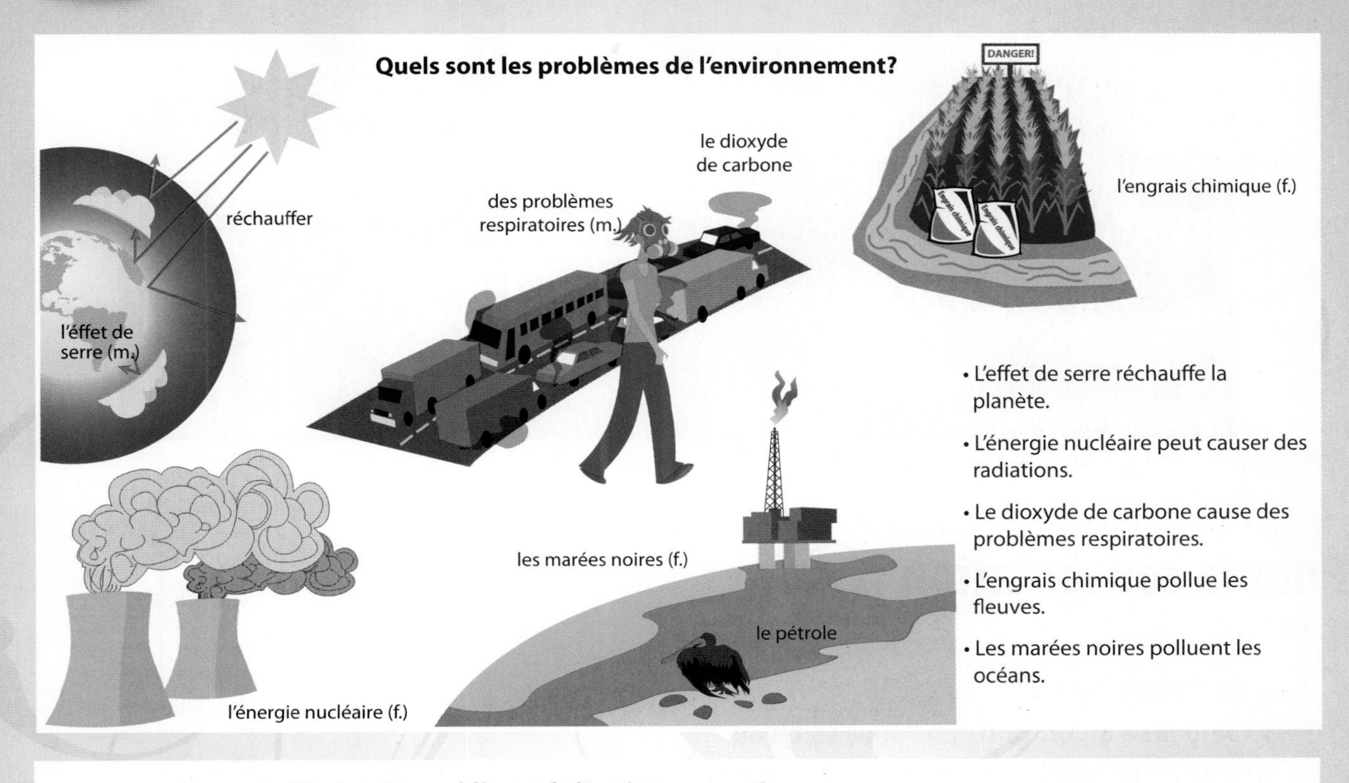

- L'effet de serre réchauffe la planète.
- L'énergie nucléaire peut causer des radiations.
- Le dioxyde de carbone cause des problèmes respiratoires.
- L'engrais chimique pollue les fleuves.
- Les marées noires polluent les océans.

Comment éliminer les problèmes de l'environnement?

- Pour arrêter le dioxyde de carbone, on peut circuler en voiture électrique ou hybride.
- Pour sauvegarder la planète, on peut arrêter la pollution.
- Pour sauvegarder les animaux, on peut protéger les espaces sauvages.
- Pour arrêter la pollution, on peut recycler le papier, les boîtes en aluminium, et les bouteilles en plastique.
- Pour arrêter la pollution, on peut remplacer l'engrais chimique par l'engrais biologique.
- Pour combattre l'effet de serre, on peut installer des panneaux solaires sur les toits.
- Pour combattre l'effet de serre, on peut faire marcher une usine avec des éoliennes.

Les animaux en voie de disparition 

le gorille des montagnes

l'ours polaire (m.)

le panda géant

le tigre de Sumatra

Pour la conversation 

How do I persuade someone?

- **Je pense qu'on doit** faire tout ce qu'on peut pour sauvegarder la planète.
  I think one must do everything one can to save the planet.

How do I respond to persuasion?

- **Je suis prêt(e)** à recycler.
  I'm ready to recycle.
- **Mais, je ne suis pas prêt(e)** à m'engager.
  But I'm not ready to commit.

Et si je voulais dire...? 

covoiturer	*to carpool*
les aérosols (m.)	*aerosols*
les déchets radioactifs (m.)	*radioactive waste*
les emballages (m.)	*packaging*
les transports en commun (m.)	*public transportation*
gaspiller	*to waste*
renoncer à	*to give up*

1 Des choses et des animaux sur la planète

Identifiez chaque chose ou animal.

MODÈLE

C'est un ours polaire.

Ce sont des bouteilles en plastique.

1. 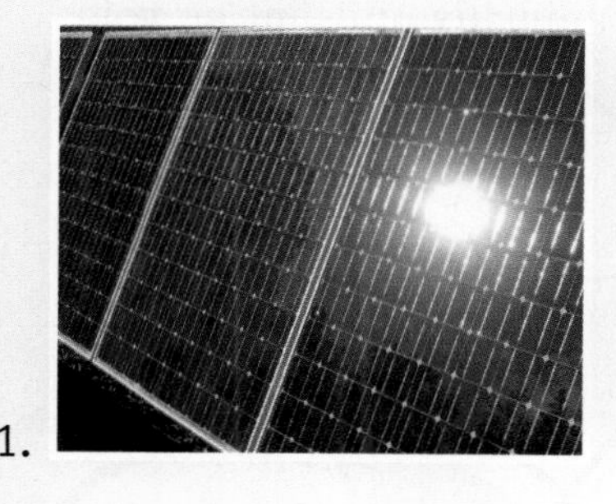

2. 

3. 

4. 

5. 

6. 

7. 

8. 

9. 

10. 

2 Les problèmes de la planète

Lisez le paragraphe, et ensuite répondez à la question.

Il y a de graves problèmes de l'environnement. Beaucoup d'usines polluent l'air. Les marées noires polluent les océans. L'engrais pollue les fleuves. Des gens mettent les boîtes et les bouteilles dans les lacs et les océans. Ils ne recyclent pas leur papier. L'effet de serre réchauffe la planète. Le dioxyde de carbone des voitures et des autobus cause des problèmes respiratoires. L'énergie nucléaire peut causer la radiation. Il y a des animaux qui sont en voie de disparition. Il faut sauvegarder la planète.

Quelles sortes de pollution sont mentionnées?

3 Sauvegardons la planète!

Écrivez une phrase qui explique ce qu'on peut faire pour résoudre (solve) *chaque problème.*

MODÈLE L'effet de serre réchauffe la planète.
On peut installer des panneaux solaires et des éoliennes.

1. L'énergie nucléaire peut causer la radiation.
2. Le dioxyde de carbone cause des problèmes respiratoires.
3. Les marées noires polluent les océans.
4. L'engrais pollue les fleuves et les océans.
5. Les tigres de Sumatra sont en voie de disparition.
6. Les usines polluent l'air.

On peut installer des panneaux solaires dans les usines.

4 Tu es prêt(e)?

Dites que chaque personne est prêt(e) à faire les activités suivantes pour être en bonne forme.

MODÈLE **Sophie est prête à dormir huit heures.**

Sophie

prendre du jus d'orange | dormir huit heures | voir son médecin | faire du sport | acheter des fruits et des légumes frais | faire une promenade au parc | parler avec un camarade de classe

1. Bernard

2. Brigitte

3. Khaled

4. Rahina

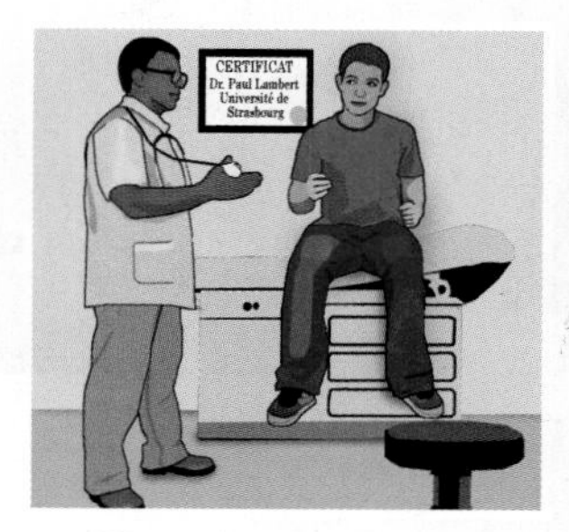

5. Hervé

6. Charlotte

Communiquez!

5 Questions personnelles

À mon avis, on doit faire marcher les usines à l'énergie solaire.

Interpersonal Communication

Répondez aux questions.

1. Qu'est-ce que tu recycles?
2. Comment est-ce que tu viens à l'école?
3. Est-ce que ta famille et toi, vous circulez en voiture électrique ou hybride?
4. À ton avis, pourquoi est-ce qu'il faut protéger les espaces sauvages?
5. À ton avis, comment est-ce qu'on doit faire marcher les usines?
6. Es-tu prêt(e) à t'engager pour sauvegarder l'environnement?

6 Sauvons la planète!

Faites correspondre l'image avec la description pour indiquer ce que les Morin font pour sauvegarder l'environnement.

A. 

B. 

C. 

D. 

E. 

F. 

La poubelle bleue est pour le recyclage du papier.

Rencontres culturelles

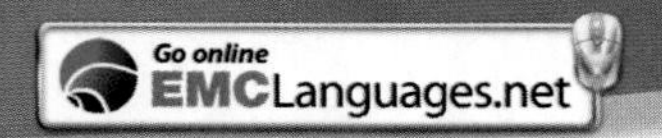

Maxime n'est pas persuadé.

Camille et Maxime sont devant le lycée après les cours.

Camille: Tu es paresseux.
Maxime: Qui? Moi, paresseux? Pourquoi?
Camille: Tous les jours... en voiture... avec ma-man!
Maxime: Je ne veux pas venir à pied.
Camille: Non, mais tu pourrais venir à vélo!
Maxime: Pourquoi?
Camille: C'est moins polluant! La planète... tu n'es peut-être pas au courant?
Maxime: Si, si, l'effet de serre... l'ours polaire....
Camille: Je pense qu'on doit faire tout ce qu'on peut pour sauvegarder la planète. Moi, j'ai de nouvelles résolutions; je vais recycler les papiers, les boîtes, les bouteilles en plastique. Cette semaine je suis venue à l'école à vélo, et je vais continuer!
Maxime: Mais je ne suis pas prêt à m'engager. Je suis plutôt jaune, pas "vert."
Camille: Tiens, offre-moi un coca au café!
Maxime: C'est ça: pollueur, payeur! Pour l'instant, je préfère payer.

7 Maxime n'est pas persuadé.

Complétez les phrases.

1. À l'avis de Camille, ... est paresseux.
2. Maxime vient à l'école....
3. Camille dit qu'il est moins polluant de venir à l'école....
4. Camille fait tout ce qu'elle peut pour....
5. Camille va recycler....
6. Maxime n'est pas....

Extension **En direct: Des gestes pour sauvegarder la planète**

Un journaliste fait une enquête sur les gestes pour sauvegarder la planète.

Journaliste: Sauvegarder l'environnement, mieux utiliser l'énergie solaire, protéger les espaces vierges....
Jeune homme: Je suis breton, et en Bretagne, il y a beaucoup de vent. Dans mon village, on a décidé d'installer des éoliennes.
Adolescent: Nous, à la cantine au lycée, on fait très attention au tri des déchets et notre professeur de SVT est très vigilant!

Extension Quels gestes pour sauvegarder la planète sont mentionnés?

Points de départ

Question centrale

How do people stay healthy and maintain a healthy environment?

Les Verts en France

Daniel Cohn Bendit parle aux assises nationales (conférences nationales) du rassemblement des Verts à Lyon.

Le mouvement écologiste des Verts est né* au début des années 1970. Aujourd'hui ils représentent une population jeune, urbaine, et intellectuelle. Cette population est soucieuse du* cadre de vie*, du respect écologique, de la transparence démocratique. Elle est aussi progressiste sur les questions de société. Les Verts sont une vraie force politique. Ils présentent des candidats à chaque élection présidentielle et participent dans les gouvernements régionaux et municipaux. Mais les Verts ne sont pas les seuls* à donner de l'importance aux thèmes écologistes de protection: sauvegarde de la nature (animaux en voie de disparition), lutte contre la pollution urbaine (dioxyde de carbone), lutte contre la pollution agricole (engrais), lutte contre la pollution des côtes (marées noires). Tous les partis politiques le font. Les Verts se distinguent* par des propositions radicales sur les transports (développement des transports en commun, de la voiture électrique) ou sur les choix énergétiques (contre le nucléaire, pour les énergies renouvelables*).

Search words: les verts france

---

est né *was born;* **soucieuse du** *concerned about;* **cadre de vie** *living environment;* **les seuls** *the only ones;* **se distinguent** *distinguish themselves;* **renouvelables** *renewable*

La souris verte est un magazine en ligne écrit par *les Jeunes Verts* en France. C'est un groupe qui voudrait préserver l'environnement. Trouvez leur slogan en ligne.

Search words: les jeunes verts
la souris verte

Vélib' Paris

Vélib' est un mot qui combine les mots "vélo" et "liberté." Ce système de location* de bicyclettes existe à Paris depuis juillet 2007. On loue un vélo dans une station et on laisse le vélo dans une autre. Aujourd'hui on compte 20.000 vélos de location dans 1.200 stations. C'est un moyen de transport* public utilisé par beaucoup de Parisiens et de touristes.

Search words: velib paris

location *rental;* **moyen de transport** *means of transportation*

Les stations Vélib' Paris sont bien situées.

COMPARAISONS

Does your area offer a bike rental program? On what forms of transportation do you depend? What form of public transportation would you like to see in your region?

8 Questions culturelles

Faites les activités suivantes.

1. Faites des recherches sur les Verts en ligne et nommez un de leurs buts (*goals*) récents.
2. Faites un profil de Vélib' Paris:
   - Ce que c'est
   - Comment on l'utilise
   - Nombre de vélos
   - Nombre de stations
3. Faites des recherches en ligne pour trouver une autre ville française où un programme Vélib' existe.

Il y a environ 17 millions d'utilisateurs du Vélib' à Paris.

À discuter

What actions can you and your classmates take to create a healthier planet?

Du côté des médias

Lisez cette page qui décrit une application pour Vélib'.

MAIRIE DE PARIS
L'application Vélib' est arrivée ...
Plan et disponibilités des stations
Vos stations favorites
Programme écoliberté
Playlist de vidéos Vélib'
Bons plans Vélib' et actu parisienne
Informations sur Vélib' et votre compte
Challenge Facebook®
Prévisions météorologiques
Map
Mes stations
Écoliberté
Vidéos
Blog
Service
Amis
Vélib'
Téléchargez dès maintenant l'application gratuite pour iPhone®
ou rendez-vous sur : www.nouveauvelib.fr
MAIRIE DE PARIS
© 2010 Vélib' / Mairie de Paris. Tous droits réservés.

9 Vélib' Paris

Répondez à la question ou faites l'activité.

1. Que voit-on sur les petits ballons verts et sur le fond d'écran (*background*)?
2. "Vélib'" combine deux mots: ... et ....
3. Qu'est-ce qui indique l'idée de la liberté?
4. Avec l'application Vélib', dites si on peut trouver ces choses (**oui**) ou pas (**non**).
   - la météo
   - des chansons
   - des vidéos
   - des livres
   - les stations de Vélib'
   - les informations

La culture sur place

Le diabète chez les jeunes en Occident

Introduction

Le diabète chez les jeunes est un problème sérieux dans l'Ouest, par exemple, les Etats-Unis, le Canada, la Belgique, le Luxembourg, la Suisse, et la France. Dans cette **Culture sur place**, vous allez faire des recherches et réfléchir (*to think about*) à ce problème global qui a besoin de l'engagement de jeunes de votre âge.

10 Première étape: Les sites web

Trouvez les sites français ci-dessous. Cherchez les renseignements (information) *suivants sur le diabète. Marquez à quel site vous trouvez les renseignements.*

Search words: Site #1 – **journée mondiale du diabète**
Site #2 – **fédération internationale du diabète**

	Site #1	Site #2
Les posters multilingues avec les signes précurseurs de diabètes		
Les pourcentages des décès attribuables au diabète		
Une liste de facteurs de risque pour le diabète		
Les posters pour la Journée Mondiale du Diabète		
Une définition du diabète		
Les estimations du nombre de cas de diabète chez les jeunes		

11 Une affiche du diabète

Faites une affiche sur laquelle vous mettez les informations les plus importantes sur le diabète que vous avez apprises en lisant les sites web.

12 Deuxième étape: Faites une comparaison

Choisissez un autre pays francophone en Occident (le Canada, la Belgique, le Luxembourg, la Suisse) et trouvez un site sur le diabète dans ce pays. Faites une recherche pour voir si les mêmes informations de l'organigramme sont disponibles (available) *dans ce pays.*

Search words: le diabète en suisse (exemple)

Structure de la langue

Verbs + Infinitives

Many French verbs may be directly followed by an infinitive.

aimer	**Aimez**-vous **voyager**?
aller	Je **vais faire** du yoga.
désirer	Est-ce que vous **désirez prendre** un dessert?
devoir	Nous **devons mettre** le couvert.
falloir	Il ne **faut** pas **étudier** ce soir.
pouvoir	Est-ce que vous **pouvez venir** demain?
préférer	Je **préfère faire** du ski.
venir	Mes grands-parents **viennent dîner**.
vouloir	Qu'est-ce que tu **veux faire** maintenant?

COMPARAISONS

Some verbs in English are also followed by an infinitive, but the form the infinitive takes may vary. How would you express these sentences in English?

Nous devons être en forme pour le match.

J'aime faire des promenades en ville.

COMPARAISONS: In the first sentence, the infinitive does not include the word "to": We must *be* in shape for the game. In the second sentence, the infinitive uses the word "to": I like *to take* walks in town.

Communiquez!

13 Une interview

Interpersonal Communication

Choisissez un partenaire que vous ne connaissez pas (don't know) *bien. À tour de rôle, posez des questions à votre partenaire. Après l'interview, écrivez un paragraphe sur ce que vous savez maintenant de votre partenaire.*

MODÈLE aimer/lire "Les copains d'abord"
A: **Est-ce que tu aimes lire "Les copains d'abord?"**
B: **Oui, j'aime lire "Les copains d'abord."**
ou
Non, je n'aime pas lire "Les copains d'abord."

1. aimer/faire du sport
2. désirer/faire du patinage
3. aller/faire du shopping cette semaine
4. préférer/écouter la world ou le hip-hop
5. vouloir/voyager en France un jour
6. préférer/jouer au basket ou jouer au foot
7. aimer/voir les comédies ou les films de science-fiction

Est-ce que tu aimes regarder les comédies?

Qui, j'aime bien regarder les comédies.

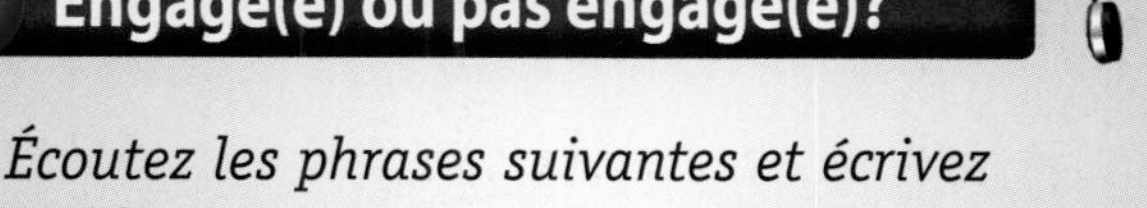

14 Engagé(e) ou pas engagé(e)?

Écoutez les phrases suivantes et écrivez ***E*** *si la personne est engagée et* ***NE*** *si la personne n'est pas engagée pour sauvegarder la planète.*

15 Une enquête

Interpersonal Communication

Faites une grille comme celle de dessous. Dans la grille, écrivez quatre activités que vous pensez que vos amis aiment faire pendant le weekend. Ensuite, demandez à dix camarades quelle activité ils préfèrent faire et notez leurs réponses dans la grille. Ensuite, faites un rapport à votre groupe. Dites-leur combien de personnes préfèrent faire chaque activité.

Qu'est-ce que tu préfères faire le weekend?										
	1	2	3	4	5	6	7	8	9	10
aller à un concert										
voir un film										
faire du shopping										
aller à une teuf										

MODÈLE Vous: **Qu'est-ce que tu préfères faire le weekend—aller à un concert, faire du shopping, voir un film, ou aller à une teuf?**

Élève 1: **Je préfère voir un film.**

Cinq personnes préfèrent aller à une teuf, trois personnes préfèrent voir un film, et deux personnes préfèrent aller à un concert.

De + Plural Adjectives

Il y a *de grands* gorilles au zoo.

You already know to use **des** before a plural noun when the adjective follows the noun.

Il vend **des** voitures électriques. *He sells electric cars.*

When the adjective precedes a plural noun, however, **des** often becomes **de** or **d'**. Remember, adjectives that usually come before the noun include **beau**, **joli**, **nouveau**, **vieux**, **bon**, **mauvais**, **grand**, and **petit.**

Tu portes **de** nouvelles chaussures? *Are you wearing new shoes?*

However, when an adjective preceding a noun is a part of that noun, **des** does not become **de** or **d'**.

Je voudrais **des** petits pois. *I would like (some) peas.*

16 La rentrée

Dites que les élèves de Mme Gaillot achètent de nouvelles choses pour l'année scolaire.

MODÈLE **Les élèves achètent de nouveaux stylos.**

1. 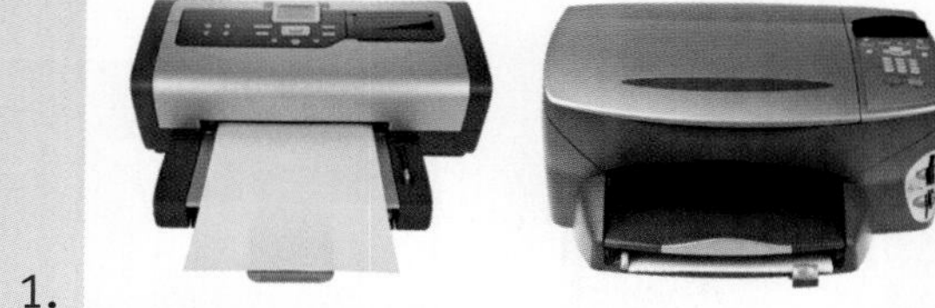

2. 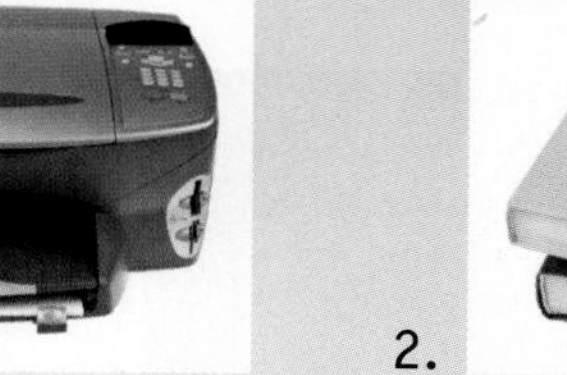

3. 

4. 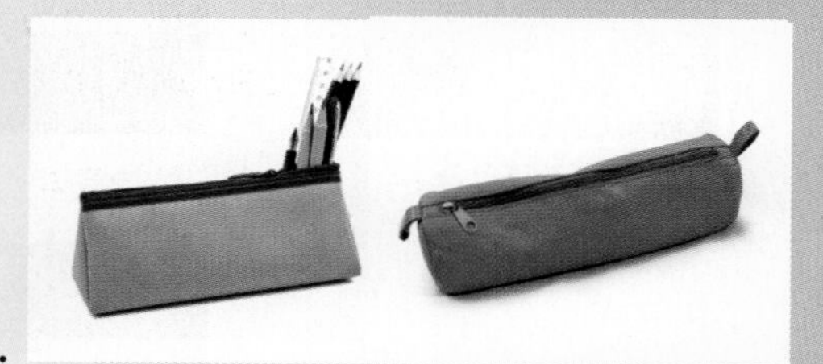

5. 

6. 

7. 

8. 

17 À Paris

Dites si les édifices à Paris sont nouveaux ou vieux.

MODÈLE **Ce sont de nouveaux restaurants à Paris.**

1.

2.

3.

4.

5.

6.

18 Une ville verte

*Utilisez les adjectifs **grand**, **petit**, **nouveau**, et **vieux** pour décrire les animaux et les choses dans cette ville verte.*

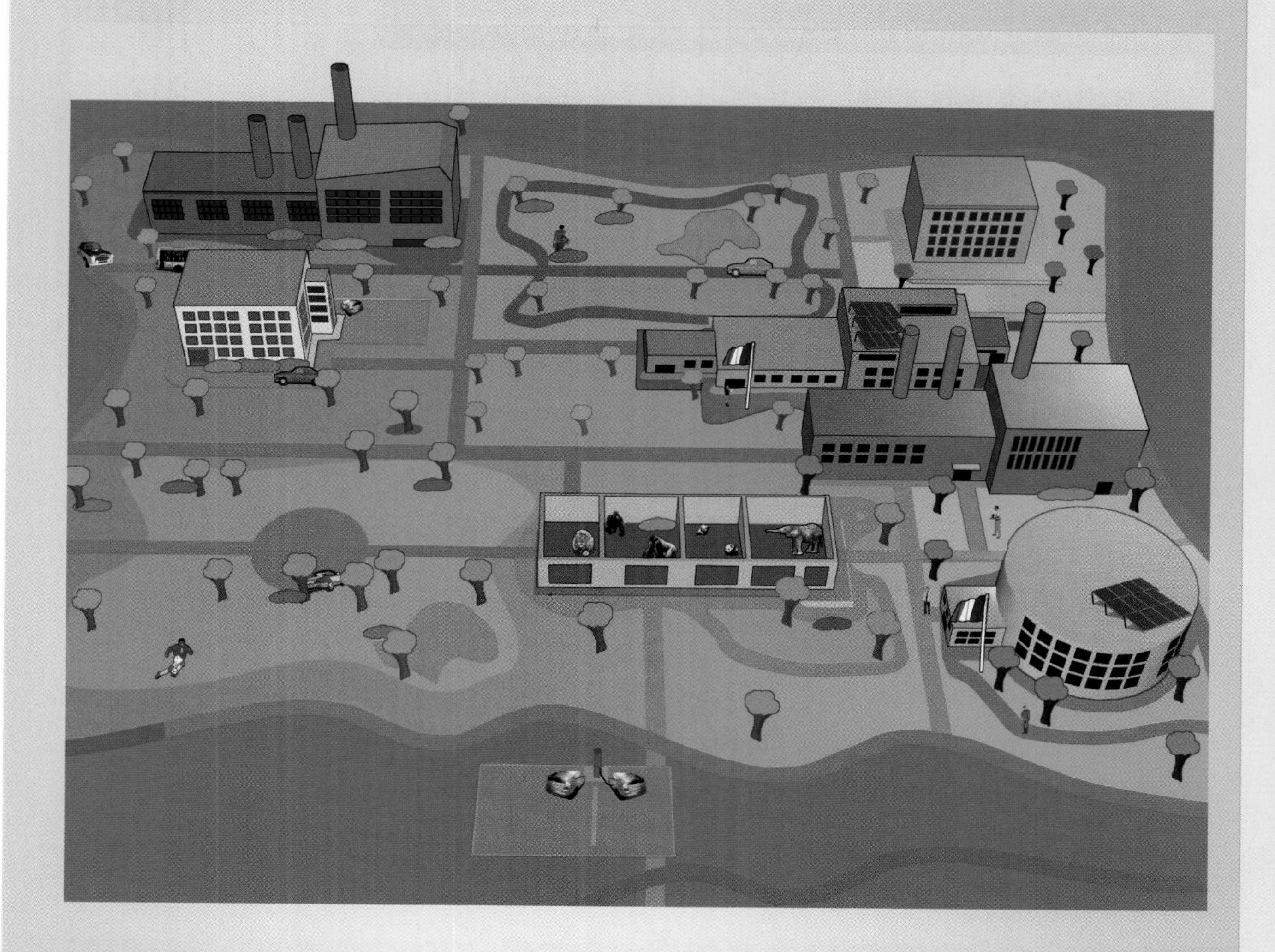

MODÈLE les écoles
Il y a de grands panneaux solaires sur les écoles.

1. les usines
2. les pandas
3. les voitures électriques
4. les gorilles
5. les espaces sauvages
6. les immeubles

vieux
nouveau
grand
petit

À vous la parole

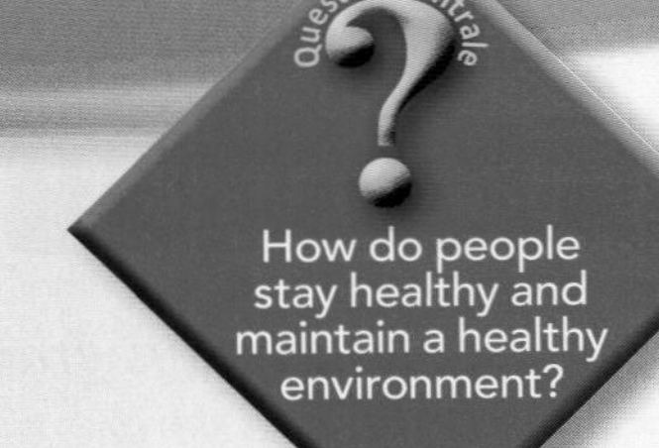
Question centrale
How do people stay healthy and maintain a healthy environment?

Communiquez!

19 Calculez votre empreinte écologique (*carbon footprint*).

Interpretive Communication

Complete the quiz below about your family's carbon footprint. Then assess your family's rating.

	oui	non
1. Nous recyclons les boîtes, les bouteilles, et le papier.		
2. Nous circulons dans une voiture hybride ou électrique.		
3. Nous utilisons les transports en commun.		
4. Nous travaillons pour sauver les animaux en voie de disparition.		
5. Nous travaillons pour sauvegarder les espaces sauvages.		
6. Nous utilisons des ampoules (*light bulbs*) CFL.		
7. Nous ne voyageons pas en avion ou nous prenons l'avion une fois par an.		
8. Nous avons des panneaux solaires sur le toit.		
9. Nous mangeons beaucoup de fruits et de légumes.		
10. Nous ne mangeons pas beaucoup de bœuf.		

Les résultats:

Des réponses oui de 7/10 à 10/10: **Bravo! Vous êtes une famille écolo!**

Des réponses oui de 4/10 à 6/10: **Bien! Vous êtes sur le chemin écolo!**

Des réponses oui de 0/10 à 3/10: **Attention! Vous avez du progrès à faire pour devenir une famille écolo!**

Communiquez!

20 Des affiches écologiques

Presentational Communication

Working in small groups, make a poster for other French classes, telling them what they can do to preserve the environment and be better stewards of the Earth. Your poster could be part of an Earth Day celebration with songs, dances, poems, etc.

21 Une brochure écolo

Presentational Communication

Design a three-fold brochure about any aspect of environmental protection that interests you. You might state some facts about your topic to raise people's awareness or write a list of steps to become more **écolo**. If you choose the latter, you might also find it useful to review the **Stratégie communicative** in **Leçon B** before you begin writing.

Search words: paris vélib'

22 Protégez les tigres!

Interpretive Communication

Read the information about tigers and answer these questions.

1. What does the number 6.000 refer to in this passage?
   A. There are currently 6,000 tigers left in the world.
   B. Ten years ago there were 6,000 tigers.
   C. 95% of 6,000 tigers still exist.
2. How many tigers currently exist, according to this article?
   A. 25
   B. 3,200
   C. 95
3. How many species of tiger are extinct?
   A. 4–5
   B. 2–3
   C. 3–4

Le nombre de tigres a diminué de 95% depuis cinquante-cinq ans. Aujourd'hui, il ne reste que 3.200 tigres sauvages sur 6.000 il y a dix ans. C'est une population très faible qui tient en compte la disparition de trois à quatre espèces de tigres.

Lecture thématique

L'homme rompu

Rencontre avec l'auteur

Écrivain et poète franco-marocain, **Tahar Ben Jelloun** (1944–) est né à Fez, au Maroc. Il a étudié la philosophie et la psychologie. En 1985, il a publié *L'enfant de sable* et en 1987, *La nuit sacrée*—deux grands succès. Dans ses livres, il parle de la dignité humaine et du racisme. Vous allez lire un extrait de *L'homme rompu* (*The Broken Man*). Dans cet extrait, Mourad, un fonctionnaire (*civil servant*) honnête fait de nouvelles résolutions. Quelle sorte d'homme est-ce qu'il veut devenir?

Pré-lecture

Si vous pouviez changer une chose dans votre vie, qu'est-ce que vous changeriez? (*If you could change one thing in your life, what would it be?*)

Stratégie de lecture

Characterization and Inference

Characterization is the act of creating or describing a character. **Inference** is reading between the lines to draw conclusions based on evidence. As you go through the text, draw conclusions about the narrator's character based on what you read. In the left-hand column, write what you infer about how he is now. In the right-hand column, note how he would like to be. An example has been done for you.

How the narrator is now	How the narrator would like to be
1. He walks with his head down, hunched over, and his hands don't move.	He wants to be more confident and energetic, which indicates that he does not currently see himself as a powerful man of action.
2.	
3.	
4.	
5.	
6.	
7.	

Outils de lecture

Using Text Organization and Making a Prediction

Writers may organize events or information in their text chronologically, using words like **d'abord, ensuite**, and **enfin**; writers may also put events in random order, or, they may use detail to show the importance of an event. How does Ben Jelloun organize this selection? Notice the structure of the text. Where is there more detail? Where is there less? How does the organization help you read the selection? How successful do you think the narrator will be in changing his life? Do you think he will change everything on his list?

Je prends un bloc-notes* tout neuf et inscris* sur la première page quelques décisions:

> À partir de ce jour, je décide de changer. Je m'arrête* et me pose la question: "Comment un homme de quarante ans peut-il encore changer? Tu sais bien que c'est impossible. On change quand on est jeune, quand on se cherche*, on ne change pas à cet âge-là." (...) Mais changer quoi? Avant toute chose ma manière de marcher. Il faut absolument que je marche la tête haute, le dos droit et les mains en mouvement. (...)
>
> Je décide aussi de cesser de fumer*. J'attends le Ramadan* pour cesser de m'empoisonner les poumons*.
>
> Je ne regarderai plus la télévision. À la place je lirai*, j'écouterai de la musique. (...)
>
> Je ne passerai plus le week-end à la maison. J'emmènerai* ma famille à la mer* ou à la montagne. Il faut vivre*. (...)
>
> Manger lentement*. (Ne plus* manger entre les repas.)
>
> Faire du sport (de la gymnastique ou du vélo).
>
> Tenir* un journal.

Pendant la lecture
1. Le narrateur veut marcher comment?

Pendant la lecture
2. Pourquoi veut-il cesser de fumer pendant Ramadan?

Pendant la lecture
3. Il veut changer aussi les vies de quelles autres personnes?

---

un bloc-notes cahier; **inscris** *write;* **m'arrête** *stop;* **se cherche** *is finding oneself;* **cesser de fumer** *to stop smoking;* **le Ramadan** *ninth month of the Islamic calendar when faithful Muslims fast;* **poumons** *lungs;* **lirai** *will read;* **emmènerai** *will take;* **la mer** *sea;* **vivre** *to live;* **lentement** *slowly;* **Ne plus** *No longer;* **tenir** *to keep*

Post-lecture

Quel changement le narrateur a-t-il déjà commencé?

L'homme assis ou ***L'architecte***, 1914. Roger de La Fresnaye. Musée National d'Art Moderne, Centre Pompidou, Paris, France.

Le monde visuel

Roger de La Fresnaye (1885–1925) peint (*paints*) dans le style cubiste. Le Cubisme est un mouvement artistique où les personnes et les objets deviennent fragmentés. Fresnaye utilise les formes géométriques pour former l'homme et l'arrière-plan (*background*) dans ce tableau. Quelles formes géométriques est-ce que vous observez? L'artiste utilise-t-il les couleurs sombres (*dark*) ou brillantes? Qu'est-ce qu'on sait de cet homme assis (*seated*)?

23 Activités d'expansion

1. Écrivez un paragraphe qui décrit le narrateur aujourd'hui et comment il voudrait changer dans l'avenir (*future*). Servez-vous (*use*) des informations dans votre grille.
2. Faites une grille avec deux colonnes, une pour les bonnes activités et l'autre pour les mauvaises. Écrivez les expressions ci-dessous dans la colonne appropriée.

   marcher droit / tenir un journal / fumer / lire / manger entre les repas
   manger lentement / faire du sport / quitter la ville le weekend

3. Dites si chaque phrase est un fait (*fact*) ou une opinion.
   A. On change quand on est jeune.
   B. Il vaut mieux lire que regarder la télévision.
   C. Faire du sport est bon pour la santé.
   D. Il vaut mieux aller à la mer que rester à la maison.
   E. Fumer empoisonne les poumons.
4. Faites une résolution pour votre vie (*life*). Nommez une chose que vous pouvez faire aujourd'hui, une chose que vous pouvez faire ce mois, et plusieurs choses que vous pouvez faire cette année.

Les copains d'abord: Le bonheur c'est la santé !

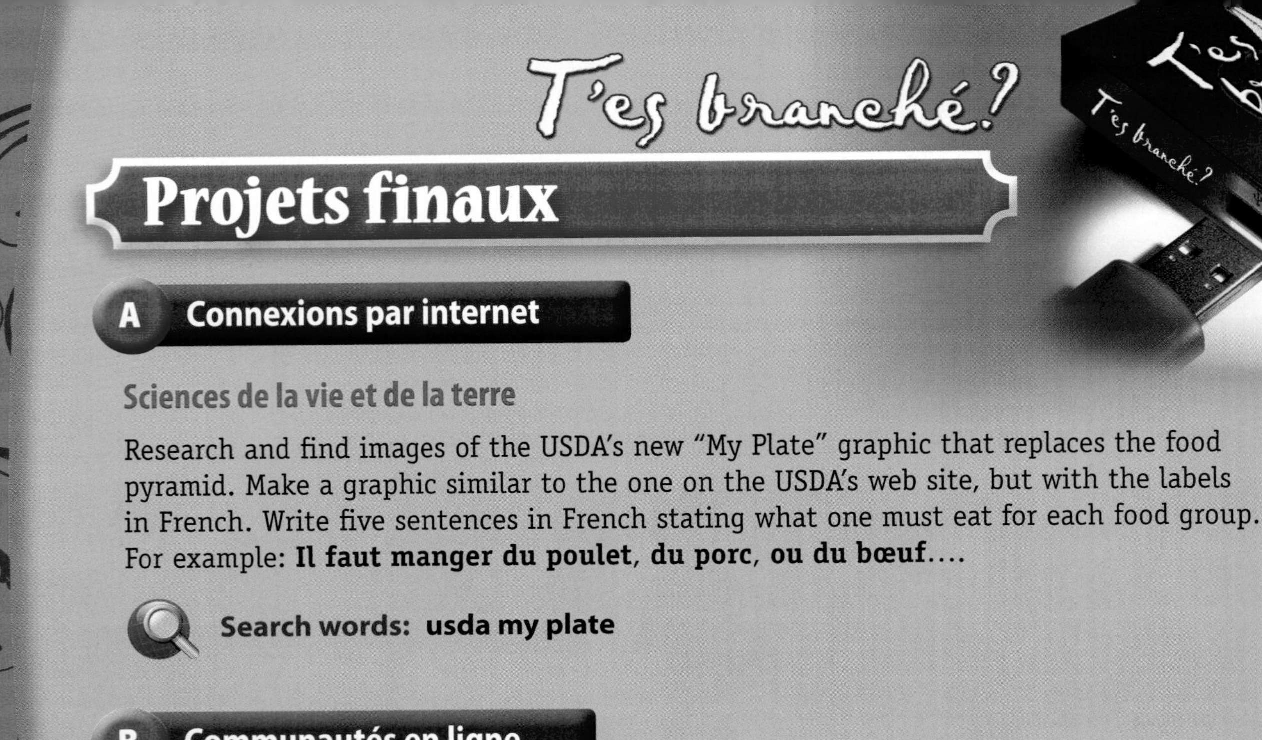

Projets finaux

A Connexions par internet

Sciences de la vie et de la terre

Research and find images of the USDA's new "My Plate" graphic that replaces the food pyramid. Make a graphic similar to the one on the USDA's web site, but with the labels in French. Write five sentences in French stating what one must eat for each food group. For example: **Il faut manger du poulet, du porc, ou du bœuf....**

Search words: usda my plate

B Communautés en ligne

Les habitudes alimentaires

Working in groups, design a survey with five questions in French to find out about the eating habits of ten Francophone teens. (A few examples follow for you.) Give your survey to students at a school in a Francophone country that your teacher will help you find. After the survey is returned to you, report the results to your class. Be sure to state what the students can do to keep in better shape.

Sample questions:

1. Vous prenez combien de repas par jour?
2. Est-ce que vous mangez rapidement?
3. Est-ce que vous mangez entre les repas?
4. Combien de fois par jour est-ce que vous prenez un coca ou une limonade?
5. Combien de fruits est-ce que vous mangez par jour?
6. Combien de portions de légumes est-ce que vous prenez?
7. Est-ce que vous faites des promenades?
8. Est-ce que vous faites du sport?

Possible report:
Six élèves canadiens sur dix prennent deux repas par jour, quatre sur dix prennent un repas. Ces élèves peuvent être en forme s'ils prennent trois repas par jour....

C Passez à l'action!

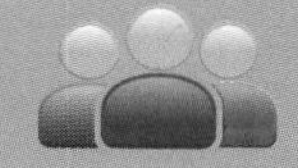

Un plan pour la classe

Join one of two groups in class: one that wants to brainstorm ways to keep physically healthy, and one that wants to brainstorm things you can do to preserve the environment. Develop a statement about your group's beliefs and/or actions you want to take and put them on a poster, in a PowerPoint™ presentation, or on a web page.

D Faisons le point!

Question centrale

How do people stay healthy and maintain a healthy environment?

Make a diagram like the one that follows and fill it in to demonstrate your understanding of how other cultures maintain a healthy lifestyle and environment. An example has been done for you.

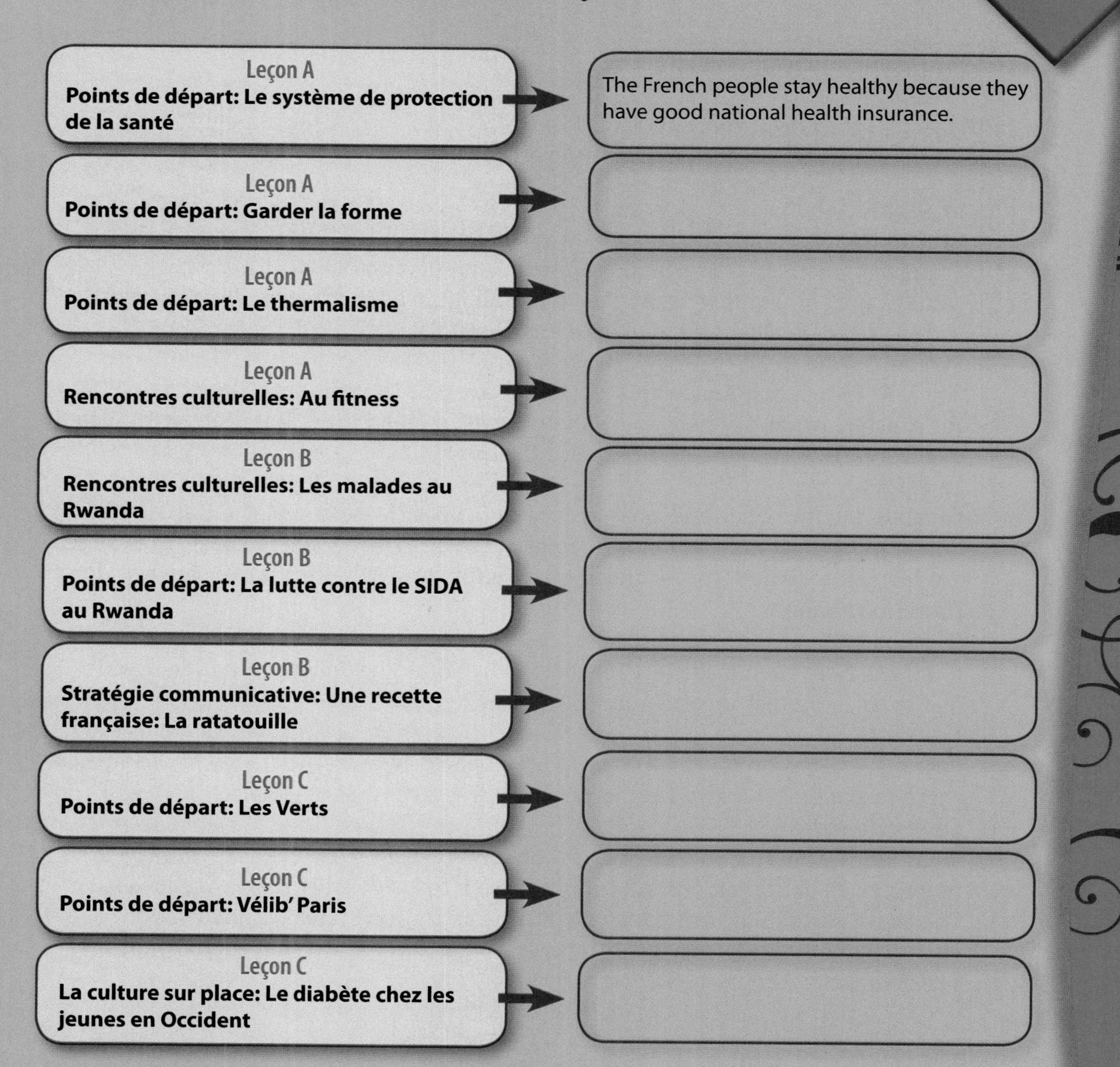

Leçon A
Points de départ: Le système de protection de la santé
The French people stay healthy because they have good national health insurance.
Leçon A
Points de départ: Garder la forme
Leçon A
Points de départ: Le thermalisme
Leçon A
Rencontres culturelles: Au fitness
Leçon B
Rencontres culturelles: Les malades au Rwanda
Leçon B
Points de départ: La lutte contre le SIDA au Rwanda
Leçon B
Stratégie communicative: Une recette française: La ratatouille
Leçon C
Points de départ: Les Verts
Leçon C
Points de départ: Vélib' Paris
Leçon C
La culture sur place: Le diabète chez les jeunes en Occident

Évaluation

A Évaluation de compréhension auditive

Number from 1–12 on your paper. Then listen to the conversation between Anissa and Michel. Finally, indicate if each statement you hear is **vrai** (**V**) or **faux** (**F**).

B Évaluation orale

With a partner, play the roles of a teen with a problem and his or her friend. The teen with a problem describes what's wrong. Then the friend offers a solution to the problem, saying what it is necessary to do.

C Évaluation culturelle

In this activity, you will compare Francophone cultures with American culture. You may need to do some additional research on American culture.

1. **La sécu**
   Explain the differences between French national health insurance and medical insurance programs in the United States. Begin by discussing with a parent, grandparent, or guardian what they know about health insurance in the United States, Medicare, Medicaid, and Veterans hospitals.
2. **Être en forme**
   Compare French and American attitudes about how to maintain a healthy lifestyle. For example, what differences are there between French and Americans with regard to their eating, exercise, and relaxation habits?
3. **Le SIDA**
   Compare the incidence and treatment of **le SIDA** in Rwanda and the United States. How many people have the disease in each country? What treatment programs are available in each country for those with the disease? What initiatives are working?
4. **L'environnement**
   Describe some of the efforts the French have made to protect the planet. What kinds of efforts have been made in your region? By your government? What does your family do to protect the environment? What have you done personally?
5. **Les Verts**
   Research the history of the American green party and what it stands for. Compare these to the French party **Les Verts**. Share five facts that you learn.
6. **La souris verte**
   What kind of background do you have in environmental studies? Do you have a way to make your opinions known like French teens do with the online magazine **La souris verte**? How can young people in the United States get involved in environmental causes? What is a forum for French teens who are interested in preserving the environment?

D Évaluation écrite

Write a letter to your cousin Ryan, who is studying in Montreal. Respond to his letter below, giving him advice on how to live a healthier lifestyle.

Bonjour de Montréal!

Je ne vais pas bien. Je suis toujours fatigué. Je ne prends pas le petit déjeuner parce que mon premier cours est à 9h00. Le weekend je vais à beaucoup de fêtes. J'étudie de minuit à 4h00. Je peux dormir cinq heures par nuit. Je prends toujours le métro. Je ne vais pas au fitness. Je ne fais pas de sport. Maintenant je suis fatigué, j'ai mal à la gorge, et j'ai de la fièvre. Qu'est-ce que tu me conseilles? Et toi, tu vas bien?

Ton cousin,
Ryan

E Évaluation visuelle

With a partner, role-play a conversation between the teens in the illustrations. Talk about how you are feeling and your symptoms. Give advice to your partner about what he or she should or should not do to feel better.

Élève 1

Élève 2

F Évaluation compréhensive

You work for a health care organization. Create a storyboard with six frames. Write captions for each frame that present advice on how to stay healthy. Include what to do in the case of certain symptoms and the environmental problems that can contribute to health issues. Share your storyboard with a group of classmates.

ocabulaire de l'Unité 9

à: **à mon avis** in my opinion *B*; **à pied** on foot *C*; **à vélo** by bike *C*
un **accompagnateur, une accompagnatrice** home health worker *B*
l' **aérobic (m.)** aerobics *A*
les **antirétroviraux (m.)** antiretroviral drugs *B*
arrêter to stop *C*
avoir: avoir bonne mine to look healthy *B*; **avoir mauvaise mine** to look sick *B*
biologique organic *C*
bouger to move *A*
causer to cause *C*
ce: ce que what *C*
chimique chemical *C*
circuler to drive, to get around *C*
combattre to fight *C*
conseiller to advise *B*
continuer to continue *C*
le **corps** body *A*
une **cure** spa treatment *A*
décontracté(e) relaxed *A*
un **devoir** assignment *B*
le **dioxyde de carbone** carbon dioxide *C*
l' **effet (m.)** effect *C*; **l'effet de serre** greenhouse effect *C*
électrique electric *C*
éliminer to eliminate *C*
l' **émission (f.)** television program *B*
en **en aluminium, plastique** made of aluminium, plastic *C*
l' **énergie (f.)** energy *C*; **l'énergie nucléaire** nuclear energy *C*; **l'énergie solaire** solar energy *C*
s' **engager** to commit to *C*
l' **engrais (m.)** fertilizer *C*
l' **environnement (m.)** environment *C*
une **éolienne** wind turbine *C*
un **espace** area *C*
être: être au courant to be informed, to know *C*; **être en (bonne, mauvaise) forme** to be in (good, bad) shape *B*; **être vert** to be environmentally friendly *C*
faire: faire marcher to make (something) work *C*
falloir to be necessary, to have to *A*
la **figure** face *A*
le **fitness** health club, gym *A*
géant(e) giant *C*
installer to install *C*
l' **instant (m.)** moment *C*; **pour l'instant** for the moment *C*
laisser to leave, to let *B*
un(e) **malade** sick person *B*
une **maladie** illness *B*
marcher to walk *A*
la **marée** tide *C*; **marée noire** oil slick *C*
se **mettre: mets-toi** set yourself down *B*
la **montagne** mountain *C*
mort(e) dead *B*
nucléaire nuclear *C*
un **océan** ocean *C*
oh là là oh dear, oh no, wow *A*
ouille ouch *A*
un **panneau: panneau solaire** solar panel *C*
partout everywhere *A*
payer to pay *C*
un **payeur, une payeuse** someone who pays *C*
une **personne** person *B*
persuadé(e) persuaded *C*
le pétrole petroleum *C*
la **planète** planet *C*
polluant(e) polluting *C*
polluer to pollute *C*
un **pollueur, une pollueuse** polluter *C*
la **pollution** pollution *C*
pourrais: tu pourrais you could *C*
presque nearly *B*
profiter de to benefit from *A*; **tu profiterais de** you would benefit from *A*
protéger to protect *C*
quitter to leave *A*
la **radiation** radiation *C*
réchauffer to heat up *C*
recycler to recycle *C*
remplacer to replace *C*
un **reportage** news report *B*
une **résolution** resolution *C*
respiratoire respiratory *C*
le **Rwanda** Rwanda *B*
sais: tu sais you know *B*
sauvage wild *C*
sauvegarder to protect *C*
le **SIDA** AIDS *B*
le **step** step aerobics *A*
survivre to survive *B*
le **thème** topic *B*
thermal(e) hydrotherapeutic *A*
le **toit** roof *C*
une **usine** factory *C*
une **voie** path *C*; **les animaux (m.) en voie de disparition** endangered species *C*
une **voiture** car *C*; **voiture électrique** electric car *C*; **voiture hybride** hybrid car *C*
le **yoga** yoga *A*

Avoir mal + (body part) see p. 471
Endangered species… see p. 486
Illnesses… see p. 471
Parts of the body… see p. 460
Parts of the face… see p. 460

Unité

10 Les grandes vacances

Rendez-vous à Nice!

Épisode 10:

La grande fête

Citation

"Il n'y a d'homme plus complet que celui qui a beaucoup voyagé, qui a changé vingt fois la forme de sa pensée et de sa vie."

There is no man more complete than the one who has traveled a lot, who has changed his thinking and his lifestyle twenty times.

—Alphonse de Lamartine, poète romantique français

À savoir

The people of France and visitors to the country take 80 million train trips a year.

Unité 10

Les grandes vacances

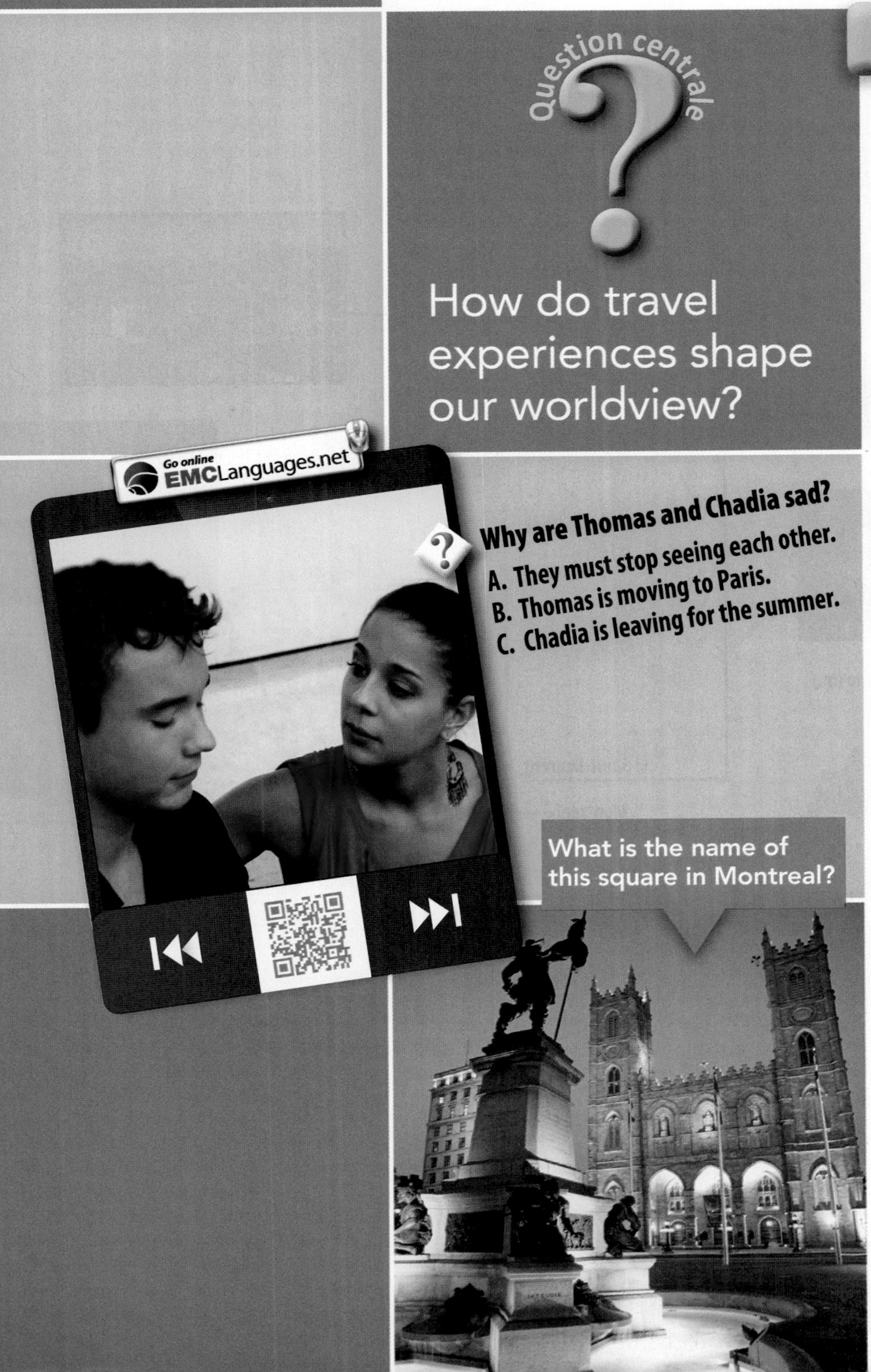

Question centrale
How do travel experiences shape our worldview?
Go online EMCLanguages.net
Why are Thomas and Chadia sad?
A. They must stop seeing each other.
B. Thomas is moving to Paris.
C. Chadia is leaving for the summer.
What is the name of this square in Montreal?

Contrat de l'élève

Leçon A **I will be able to:**

- say where places are located.
- talk about Quebec and Montreal.
- use prepositions before cities, countries, and continents.

Leçon B **I will be able to:**

- remind people and wish them a good trip.
- talk about French departments and regions, and French castles.
- use more negative expressions.

Leçon C **I will be able to:**

- give directions.
- talk about Switzerland, Geneva, and the Red Cross.
- say that people and things are the best, prettiest, oldest, etc.

Leçon A

Vocabulaire actif

Le Québec

La capitale: la ville de Québec.

Le drapeau du Québec.

Les habitants: les Québécois, les Francanadiens.

La devise du Québec: Je me souviens.

Pour la conversation 

How do I tell someone where a place is located?

› **Québec est situé** au nord-est de Montréal.
Quebec is located northeast of Montreal.

Et si je voulais dire...? 

à l'étranger	*abroad*
un circuit	*organized tour*
la frontière	*border*
un séjour linguistique	*language study program*
un(e) touriste	*tourist*
un(e) vacancier(ière)	*vacationer*

1 La plus grande province du Canada

Lisez les paragraphes. Ensuite écrivez des légendes (captions) *pour la carte que votre prof va vous donner.*

Quelle est la plus grande province du Canada? C'est le Québec. Au nord du Québec est la Terre-Neuve-et-Labrador. À l'est est le Nouveau-Brunswick. Au sud-est sont des états américains: le Maine, le New Hampshire, et le Vermont. À l'ouest est la province d'Ontario.

Dû à sa situation géographique, il fait très froid au Québec en hiver. On aime jouer au hockey sur glace, faire du patinage, et faire du ski.

La capitale de cette belle province s'appelle aussi Québec. On appelle ses habitants des Québécois ou des Francanadiens. Sa devise est "Je me souviens" (*I remember*).

2 Le Québec

Complétez chaque phrase avec un mot de la liste.

sud drapeau ouest province Nouveau-Brunswick
Francanadiens devise capitale nord

1. Le Québec est une... canadienne.
2. Sa... est la ville de Québec.
3. Les personnes qui habitent au Québec s'appellent des....
4. Le... québécois est bleu et blanc.
5. "Je me souviens" est la... du Québec.
6. La province d'Ontario est à l'... du Québec.
7. La Terre-Neuve-et-Labrador est au... du Québec.
8. Le... est à l'est du Québec.
9. Les États-Unis sont le pays au... du Québec.

3 Ils viennent d'où au Québec?

Écrivez les numéros 1–6 sur votre papier. Ensuite, écoutez les descriptions et choisissez la lettre de la ville qui correspond à chaque description.

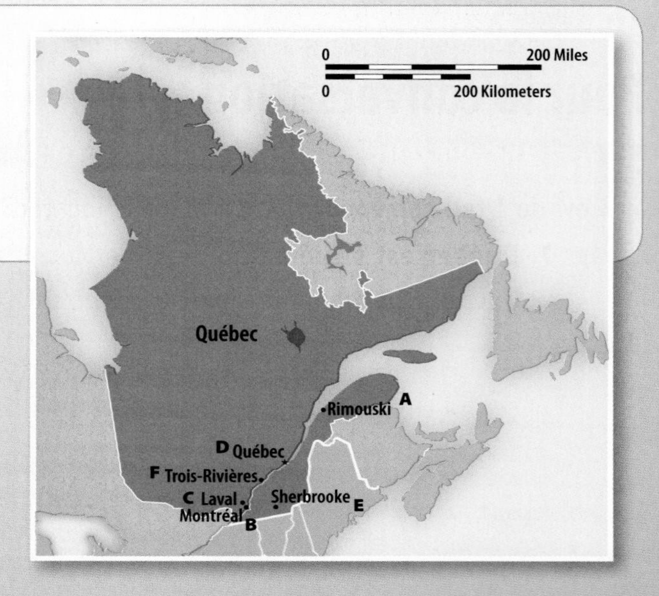

Communiquez!

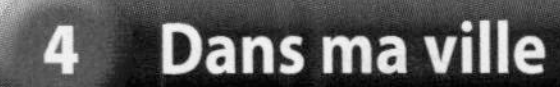

4 Dans ma ville

Interpersonal Communication

À tour de rôle, demandez à votre partenaire si les endroits suivants sont près de chez toi.

MODÈLE A: **Est-ce qu'il y a une poste près de chez toi?**
B: **Oui, il y a une poste au nord-est de chez moi.**

1. une école
2. un centre commercial
3. un cinéma
4. l'hôtel de ville
5. un restaurant
6. un hôtel
7. une banque
8. un supermarché

Communiquez!

5 Questions personnelles

Interpersonal Communication

Répondez aux questions.

1. Est-ce que ton école est au nord, au sud, à l'est, ou à l'ouest de ta maison?
2. Es-tu allé(e) au Canada? au Québec? à Montréal? à Québec?
3. Est-ce qu'il y a des drapeaux dans ta salle de classe? De quel pays?
4. Est-ce que tu te souviens de l'été dernier? De ton anniversaire? Du dernier film que tu as vu?
5. Les habitants de Montréal s'appellent des Montréalais. Comment s'appellent les habitants de ta ville? de ton état?

Les habitants de ma ville s'appellent les New-Yorkais.

Rencontres culturelles

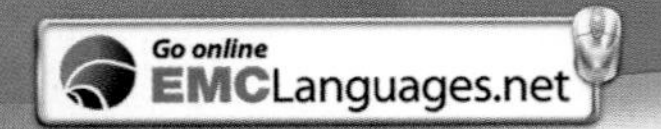

Une visite à Montréal

À Montréal, Yasmine fait la connaissance de Robert, un copain québécois de sa cousine, Fatima. Elle réalise que le français au Québec est différent que le français en France.

Fatima: C'est ma cousine, Yasmine, qui vit en France. Elle est en visite chez nous autres cet été.
Robert: Allô, c'est un plaisir!
Yasmine: Moi aussi. Qu'est-ce qu'il y a à faire à Montréal en été?
Robert: Ta visite est bien cédulée. Il reste encore un couple de jours des FrancoFolies. Je peux vous offrir des billets parce que je vas avec ma famille à Québec.
Yasmine: Mais tu es déjà à Québec?
Robert: Chu-t *au* Québec, la province, mais je vas *à* Québec, la ville, qui est située au nord-est de Montréal.
Yasmine: Une question de prépositions!
Robert: C'est correct. Pis, vous voulez les billets?
Fatima: Sais-tu pour quel concert c'est?
Robert: Andrea Lindsay.
Fatima: Wô! Merci gros!

Les expressions 

Au Québec	En France
vit	habite
chez nous autres	chez nous
allô	bonjour
c'est un plaisir	enchanté(e)
Ta visite est bien cédulée.	Ta visite tombe bien.
un couple de jours	quelques jours
je vas	je vais
chu	je suis
c'est correct	c'est ça
wô	ouah
merci gros	merci beaucoup

6 Une visite à Montréal 

Identifiez la personne décrite.

1. ... est la cousine de Yasmine.
2. ... est un copain de Fatima.
3. ... offre des billets pour les FrancoFolies à Montréal.
4. ... va chanter aux FrancoFolies.
5. ... accepte le cadeau.

Extension Table ronde 

Les participants d'une table ronde se présentent.

Animatrice: Je me présente, Apolline, de Paris. Merci d'être venus. C'est une réunion importante sur la francophonie. Vous voulez bien vous présenter aux spectateurs?
Abdoulaye: Je commence.... Bonjour, je m'appelle Abdoulaye. Je viens de Dakar, au Sénégal.
Claire: Moi, c'est Claire et j'habite à Genève, en Suisse.
Emmanuelle: Je suis Emmanuelle, et j'habite à Monaco.
Jean: Bonjour, Jean. J'habite à Luxembourg, au Luxembourg.
Gilberte: Je m'appelle Gilberte. J'habite à Montréal, au Québec.
Rosalie: C'est moi la dernière? Alors moi, c'est Rosalie et j'habite à Bruxelles, en Belgique.

Extension De quels continents, pays, et villes est-ce que les participants viennent?

Points de départ

Question centrale

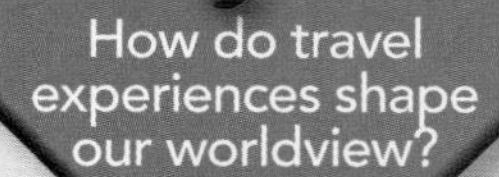

How do travel experiences shape our worldview?

La Francophonie

Le Québec

Le Québec est souvent appelé "La belle province." C'est la plus grande province du Canada (2 millions de km²) et avec le plus de personnes (7,8 millions d'habitants). Elle est traversée* par le fleuve Saint-Laurent. Sa capitale est Québec (500.000 habitants), mais la plus grande ville est Montréal. Le drapeau du Québec est bleu et blanc à quatre fleurs de lys, le symbole des rois* de France, et la devise du Québec est "Je me souviens," qui montre la conviction des Québécois de préserver leur héritage francophone dans cette province où le français est la langue officielle.

Search words: bonjour québec

traversée *crossed*; **rois** *kings*

COMPARAISONS

French is Canada's second language. What do you consider to be the second language of the United States?

La province de Québec est responsable pour 75% **du sirop d'érable** (*maple syrup*) du monde. Les premiers Européens en Amérique ont appris à le faire des Américains autochtones.

Mon dico québécois

un dépanneur: *convenience store*
Étatsunien(ne): *américain(e)*
magasiner: *faire du shopping*
une piasse: *un dollar canadien ou américain*
la poutine: *frites avec cheese curds et sauce*
C'est le fun!: *C'est amusant!*

Montréal

Montréal est la deuxième ville du Canada après Toronto et la deuxième ville francophone du monde après Paris. (Elle a 2 millions d'habitants, 4 millions d'habitants pour la métropole.) La ville est dominée par le Mont Royal: cet immense espace vert donne son nom à la ville. La vieille ville est constituée par* le Vieux Port, la place Jacques Cartier, l'Hôtel de ville, la Place d'Armes, et la basilique Notre-Dame. La vie culturelle est particulièrement intense avec de nombreux festivals: le Festival International de Jazz, les FrancoFolies, le Festival Juste pour Rire, et le Festival des Films du Monde.

Search words: montréal guide touristique
tourisme montréal

constituée par *made up of*

La place d'Armes honore Paul Chomedey de Maisonneuve, qui a fondé Montréal en 1642.

Les FrancoFolies

Les FrancoFolies sont un festival de musique qui a lieu* tous les étés à Montréal. Il y a plus de 1.000 chanteurs de rock, de hip-hop, de rai, de punk, et d'autres genres de musique, venus du monde entier*. Certains concerts sont gratuits* pour le public. Andrea Lindsay, une canadienne anglophone d'Ontario, a chanté aux FrancoFolies récemment. Elle est tombée amoureuse du français lors* d'un voyage à Paris. Elle a étudié la traduction* et a commencé à chanter des chansons et à faire des tournées* en français.

Search words: francofolies montréal andrea lindsay vidéo

a lieu *takes place;* **entier** *whole;* **gratuits** *free;* **lors** *during;* **traduction** *translation;* **faire des tournées** *to go on tour*

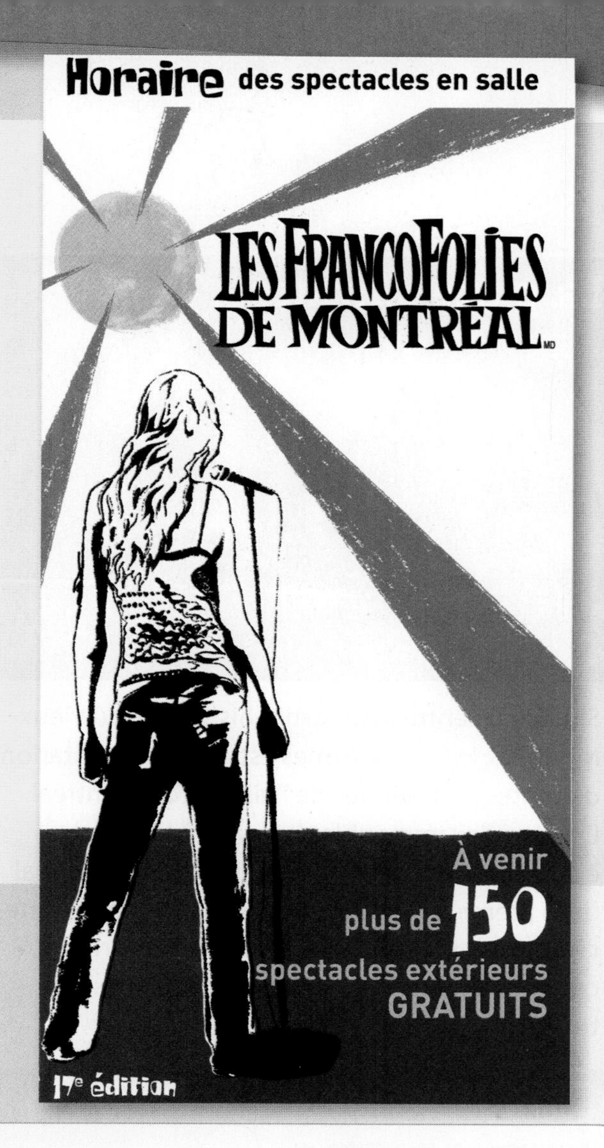

7 Questions culturelles

Faites les activités suivantes.

1. Remplissez la carte d'identité du Québec:
   Population:
   Capitale:
   Principale ville:
   Langue officielle:
2. Situez sur un plan du centre historique de Montréal le Mont Royal, le Vieux Port, la place Jacques Cartier, l'Hôtel de ville, la Place d'Armes, et la basilique Notre-Dame.
3. Faites des recherches sur Internet et trouvez le sens de ces mots québécois:
   • mon best • ma blonde • char • chum • déjeuner

Perspectives

What do you think it would be like to live in a French-speaking province in a country of mostly English speakers? What do you think it is like for people who have just moved to the United States and don't know how to speak English yet?

Du côté des médias 

Lisez le paragraphe sur le Vieux-Montréal.

La place d'Armes

Située au centre du quartier historique du Vieux-Montréal, la Place d'Armes est une représentation de toutes les périodes de l'histoire de Montréal. Du plus vieil immeuble de la ville à la grande église modernisée avec le temps, du siège social de la première banque du pays au premier gratte-ciel de huit étages du Canada, le New York Life, construit en 1888, la place a gardé son histoire tout en se modernisant!

8 Vrai ou faux? 

*Écrivez **V** si les phrases suivantes sont vraies, et **F** si elles sont fausses.*

1. La place d'Armes est un immeuble à Montréal.
2. Le Vieux-Montréal est un quartier historique.
3. Il y a de vieux immeubles sur la place d'Armes.
4. Le New York Life est un monument ancien.
5. Le gratte-ciel (*skyscraper*) moderne a huit étages.
6. La place d'Armes représente l'histoire ancienne et moderne de Montréal.

9 Vieux Montréal

Faites des recherches et répondez aux questions.

1. Quel est ce monument?
   - Ce lieu public a une statue de l'amiral Nelson.
   - Ce lieu municipal a eu la visite du Général de Gaulle.
   - Ce lieu public a eu beaucoup de batailles (*battles*).
   - Ce lieu public montre toutes les périodes historiques de Montréal.
2. Choisissez un monument, un édifice, ou un lieu dans le Vieux-Montréal. Ensuite, recherchez des informations sur Internet et faites une présentation à la classe.

Structure de la langue

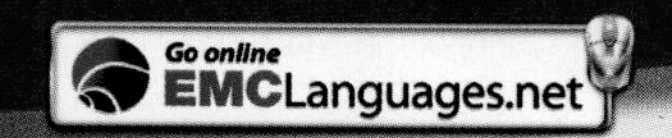

Prepositions before Cities, Countries, and Continents

You have already learned that countries have gender and are singular or plural. You also know how to use a form of **de** with a place to say where you come from or are arriving from. Now you are going to learn how to say "to" or "in" a country or place. Use **au** if the country's name is masculine and singular and **aux** if it is masculine and plural.

Tu vas **au** Canada? — *Are you going to Canada?*
Non, je vais **aux** États-Unis. — *No, I'm going to the United States.*

Use **en** before countries or continents with feminine names.

Nous allons **en** Côte-d'Ivoire, **en** Afrique. — *We're going to the Ivory Coast, in Africa.*

Use **à** before the names of cities.

On est allé **à** Dakar, au Sénégal. — *We went to Dakar, in Senegal.*

10 Deux voyages à destinations différentes

Sabrina et son ami Théo vont voyager pour les vacances, mais ils ne vont pas voyager ensemble. Dites où ils vont.

Sabrina voyage....

Théo voyage....

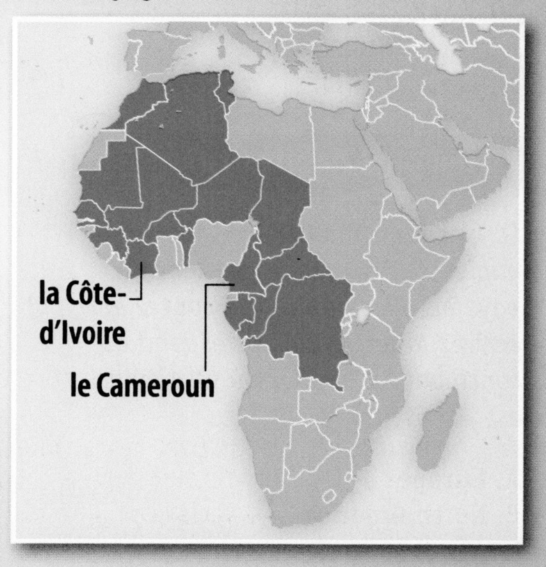

11 Où est-ce qu'ils habitent?

Dites dans quelle capitale et dans quel pays chaque personne habite.

1. Abdoulaye habite... Dakar, ... Sénégal.
2. Pierre habite... Paris, ... France.
3. Mohamed habite... Bamako, ... Mali.
4. Awa habite... Yaoundé, ... Cameroun.
5. Evenye habite... Yamoussoukro, ... Côte-d'Ivoire.
6. Robert habite... Ottawa, ... Canada.
7. Julian habite... Washington, ... États-Unis.
8. Djamel habite... Libreville, ... Gabon.

Abdoulaye habite en Afrique.

12 Le lycée international

*Éric, un élève à une école internationale en Europe, écrit à sa mère à propos des voyages de ses amis pour les grandes vacances. Complétez son e-mail avec les bonnes prépositions (**à, au, aux, en**).*

Salut, Maman!
Tout le monde va voyager bientôt. Ma copine Delphine rentre __1__ Marseille, et mon copain Philippe __2__ Lyon. Lance va __3__ Boise, dans l'Idaho, __4__ États-Unis. Rahina voyage __5__ Burkina Faso, et Amidou __6__ Togo. Naya va __7__ Côte-d'Ivoire. Comme tu le sais bien, j'arrive __8__ France demain!

Bisous,
Éric

13 Quel pays habites-tu?

Écrivez les numéros 1–8 sur votre papier. Ces personnes parlent du pays où elles habitent. Écoutez et écrivez la lettre qui correspond au continent où le pays ou la province est situé.

A. Europe
B. North America
C. Africa

14 Mes voyages

Nommez cinq villes et pays où vous voudriez voyager.

MODÈLE

Je voudrais voyager à Paris, en France.

Je voudrais voyager à la Nouvelle-Orléans, en Louisiane, aux États-Unis.

À vous la parole

Question centrale

How do travel experiences shape our worldview?

15 Visitons Montréal!

Interpersonal Communication

With a partner, play the role of a tourist and an employee at the Montreal tourist office. In your conversation:

Greet the tourist office employee.	Greet the tourist and ask where he or she is from.
Say where you are from and that you would like to visit Montreal.	Say that Quebec is called the “beautiful province” and he or she will like Montreal. Suggest a few places in the old part of the city for the tourist to visit.
Ask what else you can do in the city.	Give the name of a festival the tourist can go to.
Say thank you.	Say good-bye.

Communiquez!

16 Les musiciens aux FrancoFolies

Presentational Communication

Research and create a profile of a Francophone musician or group who will play or who has played at the Montreal music festival **les FrancoFolies**. Tell your classmates where the musicians are from, the type of music they play, and the names of some of their songs. Include an audio sample in your profile if possible.

Search words: francofolies, vidéo francofolies montréal

17 Une leçon de géographie

Presentational Communication

Pick a Francophone location and give a geography lesson to a small group of your classmates. Begin by making or finding a map that is large enough for everyone to see. In your presentation:

- point out the names of the countries or provinces that surround the location (**La France est située à l'ouest de....**)
- show where the capital city is (**Voilà la capitale, Paris.**)
- point out four other important cities and where they are located in relationship to the capital (**au nord-est**, etc.)

Communiquez!

18 Les spécialités québécoises!

Interpretive/Presentational Communication

Research online the history and ingredients of a traditional or popular dish from Quebec. Then prepare a presentation with visual aids about the dish and how to make it. (There are a lot of dishes that are made with maple syrup.) Use the imperative.

Search words: plats québécois
recette sirop d'érable

La poutine est composée de frites, avec cheese curds et sauce.

19 Chu-t au Québec!

Interpersonal Communication

With a partner, create a dictionary of ten vocabulary words and expressions from Québec. Then, write a dialogue with a partner using some of the expressions you found and some of the ones presented in this lesson. Present the dialogue to the class. Ask your classmates to guess the meaning of the expressions given their context in the dialogue.

Search words: expressions québécoises

Prononciation

Descending Intonation in Questions

- In general, intonation rises for questions that can be answered with "yes" or "no," and falls in questions that ask for information.

A L'intonation interrogative descendante

Listen to questions 1-2, paying attention to the type of intonation at the end of the sentence. Then repeat questions 3-4 after the speaker.

1. Tu as beaucoup voyagé?
2. Où es-tu allé(e)?
3. Tu as visité beaucoup de pays?
4. Tu as visité quels pays?

B Une interview

*Write **up** if the intonation you hear at the end of the question rises, or **down** if the intonation falls.*

MODÈLE Tu as quel âge?

down

C Prononcez les questions!

Read the questions that follow out loud, then listen to the speaker to see if your intonation was correct.

1. Tu aimes le basket?
2. Tes parents vont au Sénégal en été?
3. Quelle est ta nationalité?
4. Où voudrais-tu passer les vacances?
5. Comment s'appelle ton top chum?

The Semi-consonants /ɥ/ and /j/

- The sounds /ɥ/ and /j/ are semi-consonants.

D Le son /ɥ/

Listen to the following words that contain the sound /ɥ/. Then, the speaker will say them a second time, when you can repeat them.

1. huit
2. la nuit
3. ensuite

E Le son /j/

Listen to the following words that contain the sound /j/. Then, the speaker will say them a second time, when you can repeat them.

1. le billet
2. le maillot
3. la famille

F J'entends une semi-consonne?

*Write **S** if you hear a sentence with a semi-consonant, or **O** if the sentence does not contain a semi-consonant.*

Leçon B

Vocabulaire actif

Un voyage en train à la campagne

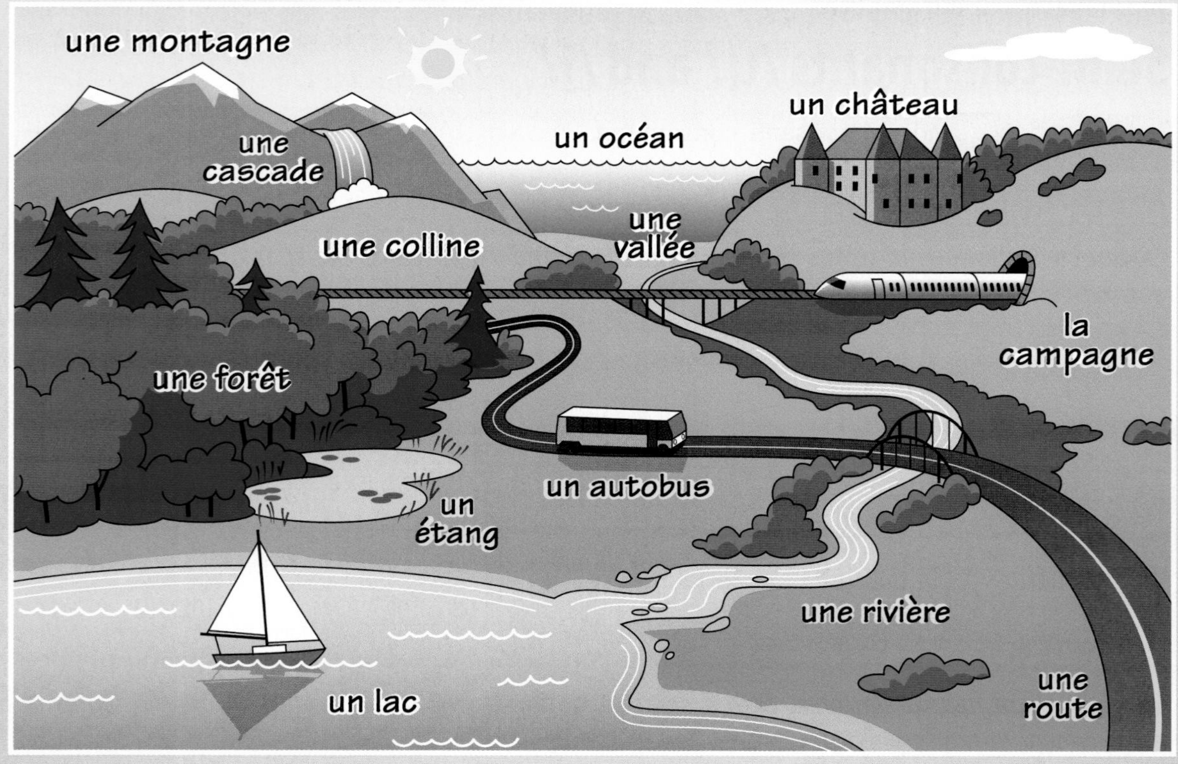

Pour la conversation 

How do I remind someone to do something?

> **N'oublie pas de** composter ton billet.
>
> *Don't forget to validate your ticket.*

How do I wish someone a good trip?

> **Bon voyage!**
>
> *Have a good trip!*

Et si je voulais dire...?

un appareil-photo	*camera*
les champs (m.)	*fields*
un guide Michelin	*Michelin tourist guidebook*
piqueniquer	*to picnic*

1 Un voyage en train

Djamel fait un voyage en train. Lisez le paragraphe. Ensuite, mettez les phrases en ordre chronologique.

Djamel a acheté son billet en ligne. Le 20 juin, il est allé à la gare en avance. Il a regardé le tableau des arrivées et des départs. Il a vu que son train était à l'heure. Il a composté son billet dans le composteur orange. Puis, il a trouvé la voie numéro 5. Il est monté dans le train et a trouvé son siège à côté de la fenêtre. À midi, il est parti trouver le wagon-restaurant où il a pris un sandwich au jambon et une limonade. Il a parlé à une voyageuse canadienne. Pendant son voyage, il a vu une rivière, une vallée, et un château. Il a pris des photos par la fenêtre. Quand il est arrivé à Tours, il a trouvé son hôtel près de l'hôtel de ville. Demain, il va visiter les châteaux de la Loire en vélo.

1. Djamel a composté son billet.
2. Djamel a mangé dans le wagon-restaurant.
3. Djamel a regardé le tableau des arrivées et des départs.
4. Djamel a trouvé son hôtel.
5. Djamel est monté dans le train.
6. Djamel a visité les châteaux de la Loire.
7. Djamel a acheté un billet de train.

2 Caro voyage. 

*Mettez les phrases en ordre chronologique. Utilisez les mots **d'abord** et **ensuite**.*

MODÈLE Caro a cherché son hôtel.
Elle est descendue du train.
D'abord, Caro est descendue du train.
Ensuite, elle a cherché son hôtel.

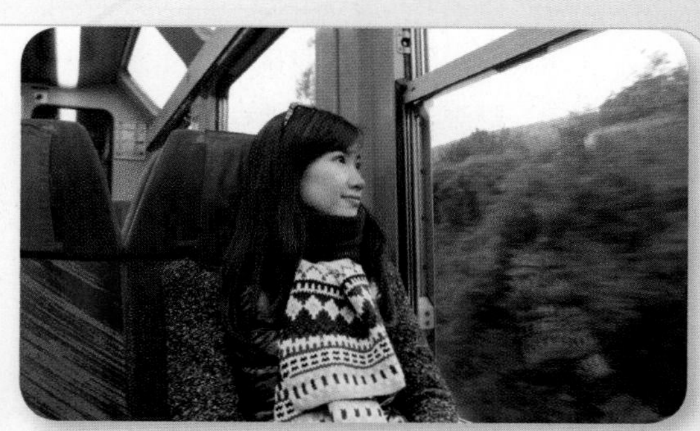

D'abord, Caro a regardé la campagne par la fenêtre.

1. Caro est entrée dans la gare.
   Elle a regardé le tableau des arrivées et des départs.
2. Caro est allée sur la voie numéro 2.
   Elle a acheté son billet au guichet.
3. Caro a composté son billet. Elle est montée dans le train.
4. Caro est allée au wagon-restaurant.
   Elle a trouvé son siège.
5. Caro a regardé la campagne par la fenêtre.
   Elle est arrivée à Tours.

3 Les vacances à Québec!

Annie parle de son voyage en train de Vancouver à Québec. Faites correspondre la phrase avec l'illustration.

A.

B.

C.

départs arrivées
16:33 18:47
17:20 20:33
17:40 19:50
16:33 22:14
17:47 22:00

D.

E.

F.

4 Bonne route!

Dites ce que ces familles francanadiennes ont vu en route à leurs destinations.

MODÈLE les Tremblay
Les Tremblay ont vu un lac et une cascade.

1. les Charbonneau

2. les Mercier

3. les Vaillancourt

4. les Bouchard

5. les Michaud

Communiquez!

5 Questions personnelles

Interpersonal Communication

Répondez aux questions.

1. Préfères-tu faire des promenades à la campagne ou en ville?
2. Est-ce que tu préfères nager dans un lac ou dans l'océan?
3. As-tu voyagé en train? Si oui, où es-tu allé(e)?
4. As-tu jamais visité un château? Si oui, comment s'appelle le château que tu as visité?
5. As-tu jamais oublié tes devoirs de français?

J'ai voyagé en train à Marseille.

Rencontres culturelles

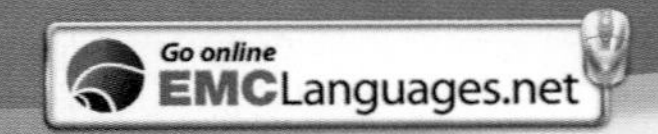

Un voyage en train à la vallée de la Loire

Maxime et Julien parlent du voyage de Julien en train.

Julien: Tu es sûr… tu ne veux pas m'accompagner?
Maxime: C'est que… Yasmine et moi, on a des projets pour la semaine. Tu as ton billet?
Julien: Dans mon sac à dos. Départ: Paris. Destination: Tours, dans le département d'Indre-et-Loire....
Maxime: Tu voudrais voir quels châteaux de la Loire cette semaine?
Julien: Chambord, Chenonceau.... Je vais louer un vélo.
Maxime: Où peux-tu louer un vélo?
Julien: Pas loin de l'hôtel.
Maxime: Tu as apporté quelque chose à manger dans le train?
Julien: Non, je n'ai rien apporté, mais il y a un wagon-restaurant.
Maxime: Tu es sûr d'avoir tout—ton argent, ton guide, ta carte, ton portable?
Julien: Bien sûr. Donc, je vais monter dans le train.
Maxime: N'oublie pas de composter ton billet! Bon voyage!

6 Un voyage en train à la vallée de la Loire

Complétez les phrases.

1. Maxime parle à....
2. ... voyage à Tours.
3. Julien va... un vélo pour voir les châteaux de la Loire.
4. Il va manger dans... du train.
5. D'abord, il faut... son billet.
6. Ensuite, il... dans le train.

Extension **Décision: un weekend, mais où?**

Léa et Christophe font des projets pour un long weekend.

Léa: Bon, on va où pour le pont de l'Ascension? Quatre jours.... On reste à Paris?
Christophe: Mais c'est dans quatre mois!
Léa: Eh bien, justement, c'est le moment de décider. Alors, la vallée ou la montagne? Lac ou océan?
Christophe: Le plan c'est de ne voir personne et de ne rien faire? Toi, tu as des idées derrière la tête.
Léa: Toutes petites....
Christophe: Bréhat, en Bretagne?
Léa: Oui, j'achète des billets?
Christophe: D'accord!

Extension Quelle sorte de vacances désirent Léa et Christophe?

Points de départ

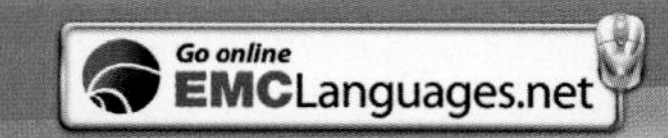

Question centrale
How do travel experiences shape our worldview?

Les départements et les régions

La France est composée de 101 départements. Un département est une division administrative du territoire français créé* sous la Révolution française. Les départements sont responsables de l'entretien* des routes départementales, des écoles primaires, et des affaires culturelles. La France est aussi composée de 22 régions. Les régions ont commencé à avoir de vrais pouvoirs en 1982. La conséquence? Un véritable développement régional. Certaines villes ou régions sont maintenant identifiées avec leur spécialités, par exemple, Toulouse avec l'Airbus et l'aérospatiale et Strasbourg avec la génétique.

Search words: carte des départements de France

créé *created;* **l'entretien** *maintenance*

COMPARAISONS

What is the oldest historical building in your city or region?

Les châteaux de la Loire

Les châteaux de la Loire ont été construits* pendant la Renaissance, et particulièrement sous le règne* de François Ier (1497–1550). Chambord est le plus grand château avec 440 pièces. Chenonceau a une galerie qui traverse* une rivière qui s'appelle le Cher. Il est connu comme "le château des six femmes" parce que des femmes en ont été les propriétaires*. D'autres châteaux qui sont populaires à visiter sont Amboise, Blois, Cheverny, et Azay-le-Rideau. Quarante-deux châteaux peuvent être aujourd'hui appelés châteaux de la Loire.

le château de Chambord

Search words: carte châteaux de la loire
domaine national de chambord
château de chenonceau

construits *built;* **le règne** *the reign;* **traverse** *crosses;* **en ont été propriétaires** *were owners of it*

le château de Chenonceau

Tours

Tours est une ville de 300.000 habitants. Elle est située au centre de la vallée de la Loire. Beaucoup de touristes restent à Tours quand ils visitent les châteaux de la région. Fameuse pour son architecture et histoire, Tours est classée Ville d'Art et d'Histoire. Elle est aussi inscrite au Patrimoine mondiale de l'Humanité de l'UNESCO. Les écrivains Rabelais et Balzac sont originaires de Tours, aussi le compositeur Francis Poulenc, le réalisateur Patrice Leconte, et les acteurs Jean Carmet, Jean-Hugues Anglade, et Jacques Villeret.

Search words: site de la ville de tours
tours office de tourisme
au pays des châteaux de la loire

7 Questions culturelles

Faites les activités suivantes.

1. Retrouvez ces informations.
   - le nombre de départements en France
   - le nombre de régions
2. Associez une spécialité à chaque ville.
   - Toulouse
   - Strasbourg
3. Situez sur une carte ces châteaux: Chambord, Chenonceau, Amboise, Blois, Cheverny, Azay-le-Rideau.
4. Choisissez une personnalité originaire de Tours et faites son portrait.

Les Airbus viennent de Toulouse, en France.

À discuter

Do you primarily think of France as having old or new buildings and monuments? Which ones would you most want to see on a trip there? Explain your response.

Du côté des médias

Lisez les informations dans la brochure.

COMITÉ DÉPARTEMENTAL
DU TOURISME DE LOIR-ET-CHER
5 rue de la Voûte du Château
BP 149 – 41005 BLOIS Cedex
Tél. 02 54 57 00 41
Fax 02 54 57 00 47
www.coeur-val-de-loire.com
www.sejour-en-val-de-loire.com
www.randonnee-en-val-de-loire.com
infos@cdt41.com
Londres
Amsterdam
Berlin
Bruxelles
Paris
Blois
Clermont-Ferrand
Bordeaux
Marseille
Milan
Rome
Barcelone
Madrid
Coeur Val de Loire
LOIR-ET-CHER ◆ LOIRE VALLEY
LOIR-ET-CHER
COMITE DEPARTEMENTAL DU TOURISME

8 Dans la vallée de la Loire

Répondez aux questions 1 et 2 et faites les activités qui suivent.

1. Les touristes arrivent dans quelle ville?
2. Dans quel département se situe cette ville?
3. Faites une recherche et cherchez quel château on peut voir dans cette ville.
4. Faites des recherches sur un château de la Loire que vous aimeriez visiter et dites pourquoi.
5. Allez sur le site Internet mentionné dans la brochure et faites une liste des visites suggérées.

Structure de la langue

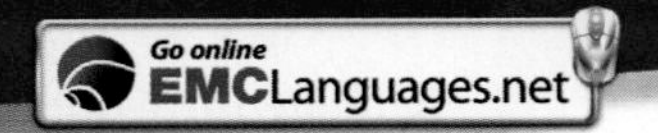

Negative Expressions

Mme Roseau aime toujours la Suisse,
mais elle ne voyage plus.

There are other negative expressions that follow the same pattern as **ne (n')... pas** to make a verb negative. Compare the following expressions.

Affirmative	Negative
souvent *often* **toujours** *always*	**ne (n')... jamais** *never*
toujours *still*	**ne (n')... plus** *no longer, not anymore*
quelqu'un *someone, somebody*	**ne (n')... personne** *no one, nobody, not anyone*
quelque chose *something*	**ne (n')... rien** *nothing, not anything*

Tu voyages **souvent** en train? — *Do you often travel by train?*
Non, je **ne** voyage **jamais** en train. — *No, I never travel by train.*

Vous avez **toujours** des vélos à louer? — *Do you still have bicycles to rent?*
Non, nous **n'**avons **plus** de vélos à louer. — *No, we don't have any more bicycles to rent.*

Il y a **quelqu'un** à la porte? — *Is there someone at the door?*
Non, il **n'**y a **personne** à la porte. — *No, there's no one at the door.*

Tu prends **quelque chose**? — *Are you having something (to eat)?*
Non, je **ne** prends **rien**. — *No, I'm not having anything (to eat).*

Note that in each of these negative expressions, **ne (n')** comes before the verb and **jamais**, **plus**, **personne**, or **rien** follows the verb. Remember that indefinite articles (**un**, **une**, **des**) and partitive articles (**du**, **de la**, **de l'**) become **de** or **d'** in a negative sentence.

Tu veux **des** cerises? — *Do you want some cherries?*
Non, je **ne** veux **plus de** cerises. — *No, I don't want any more cherries.*

Personne may also be used after a preposition.

Je **ne** parle **à personne**. *I'm not talking to anyone.*

In the **passé composé, ne (n')** precedes the helping verb and **pas, plus, jamais**, or **rien** follows it. **Personne**, however, follows the past participle.

Je **n'**ai **rien** apporté. *I brought nothing. /I didn't bring anyhthing.*
Il **n'**a vu **personne**. *He saw no one. /He didn't see anybody.*

COMPARAISONS

Where are negative expressions in English placed?

I never travel to the mountains.
I no longer ski.
I spend nothing on vacation at home.
There is no one to travel with.

9 Les phrases négatives

Mettez les phrases au négatif. Utilisez ***ne (n')... pas, ne (n')... jamais, ne (n')... plus, ne (n')... personne****, ou* ***ne (n')... rien****.*

MODÈLE Jean-Luc a quelque chose à lire.
Jean-Luc n'a rien à lire.

1. Heather parle à quelqu'un en français.
2. Jean va souvent au stade du PSG.
3. Caro a un dictionnaire français-allemand.
4. J'ai toujours un chat blanc.
5. Tu apportes quelque chose à la fête.
6. Martin a un portable américain.
7. Nous faisons toujours du sport.
8. Jacqueline fait toujours ses devoirs.

Mlle Mercier n'aime plus les chiens?

COMPARAISONS: In English, negative expressions come before or after the verb.

10 Le voyage de Julien

*Écrivez les numéros 1–8 sur votre papier. Ensuite, écoutez l'histoire de Julien et indiquez si les phrases sont vraies (**V**) ou fausses (**F**).*

1. Julien n'a jamais pris le train.
2. Il prend souvent sa voiture.
3. Il n'a rien mangé dans le train.
4. Il ne fait plus de vélo.
5. Il n'a rien vu par la fenêtre.
6. Il ne marche pas à Chenonceau.
7. Il n'a jamais visité de châteaux avant sa visite à Chenonceau.
8. Il n'a vu personne pendant son voyage.

11 Alain est en forme ou pas?

*Le graphique suivant montre quand Alain a fait certaines choses cette semaine. Pour chaque activité, écrivez une phrase qui utilise **toujours**, **souvent**, **ne (n')... pas souvent**, ou **ne (n')... jamais**. Enfin, répondez à la question dans le titre de cette activité.*

- prendre un jus d'orange le matin (100%)
- manger du fast-food (85%)
- faire du sport (10%)
- manger des fruits frais (75%)
- manger des légumes frais (0%)
- faire des promenades (10%)
- dormir huit heures par nuit (0%)

Communiquez!

12 Nos activités

Interpersonal Communication

*À tour de rôle, demandez si votre partenaire fait les activités suivantes. Répondez avec **ne (n')... jamais**, **ne (n')... plus**, ou **toujours**.*

MODÈLE

A: **Tu joues au foot?**
B: **Je joue toujours au foot.**
ou
Je ne joue jamais au foot.
ou
Je ne joue plus au foot.

1. écouter de la musique alternative
2. manger du pâté
3. étudier pour les contrôles d'histoire
4. faire du ski alpin
5. voyager au Québec
6. visiter un château
7. attendre tes amis à la cantine
8. faire du vélo
9. prendre un hamburger après les cours
10. marcher pour aller à l'école

À vous la parole

Communiquez!

Question centrale
How do travel experiences shape our worldview?

13 À la gare

Interpersonal Communication

With a partner, play the roles of a traveler and the ticket agent at the train station. In your conversation:

Traveler	Ticket agent
Greet the ticket agent and say that you would like to buy a train ticket from Paris to another destination in France.	Ask the traveler if he or she would like to leave in the morning, afternoon, or evening.
Select a departure time and ask the price of the ticket.	Provide the price of the ticket and departure and arrival times.
Purchase the ticket and ask where you can find the train.	Tell the traveler which train track to go to.
Ask if the train is on time.	Remind the traveler to look at the arrivals and departures board.
Thank the ticket agent.	Wish him or her a good trip.

Communiquez!

14 Voyage en TGV!

Interpretive/Presentational Communication

With a partner, explore the website for the national French railway (**SNCF: Société nationale des chemins de fer français**) and plan a trip on the high speed French train, the TGV (**train à grande vitesse**) from Paris to another city in France. Then, tell your classmates where you are going, the departure and arrival times of your train, the cost of the ticket, what you can eat on the train, and what geographical features you might see from the train window on the trip. (Note: ticket prices will vary based on the age of the traveler and the class in which you wish to travel.)

Search words: sncf, tgv, idtgv, idzen, idzap, idnight

15 Itinéraire au "jardin de la France"

Interpretive/Presentational Communication

Research the Loire Valley region of France and prepare a travel poster or PowerPoint™ presentation to share what you learn. Include the following:

- three castles to visit
- the location of each castle in relation to Tours (**à l'est de Tours**, etc.)
- the entrance fee, opening hours, and dates when the castle is closed
- one special feature of each castle
- where you can stay while visiting **les châteaux de la Loire**
- three additional activities you can do in the region

Search words: châteaux de la loire, vallée de la loire, tours

Communiquez!

16 Une enquête

Interpersonal Communication

Poll ten of your classmates to find out if they have traveled to three francophone cities or countries of your choosing. Record their answers in a grid like the one below by checking the box next to each place the person has traveled. After polling your classmates, report the percentage of people who have traveled to each place.

As-tu jamais voyagé à/au/aux/en...?

	1	2	3	4	5	6	7	8	9	10
Montréal			✔		✔				✔	
Paris		✔				✔				
Québec (ville)										

MODÈLE

A: **As-tu jamais voyagé à Montréal?**
B: **Oui, j'ai voyagé à Montréal.**
ou
Non, je n'ai jamais voyagé à Montréal.

Report: Vingt pourcent des élèves ont voyagé à Paris; trente pourcent ont voyagé à Montréal, mais il n'y a personne qui a voyagé à Québec.

Stratégie communicative

Writing a Postcard

1. When writing someone a postcard, always begin with the date, for example, **le 18 mai.** Remember that in French the day comes before the month.
2. Next, use a French salutation, or greeting, such as:
   - **Salut, Coralie!**
   - **Cher Patrick** (*Dear Patrick*)
   - **Chère Catherine** (*Dear Catherine*)
   - **Mes chers grands-parents** (*My dear grandparents*)
   - **Mes chères cousines** (*My dear cousins*)

When addressing someone you don't know well, use **Monsieur**, **Madame**, or **Mademoiselle**, followed by the person's last name.

3. After writing the content of your postcard, always finish with an appropriate closing. The following are some possibilities when writing to your family or friends or adults you don't know very well.

Informal	Formal
Gros bisous (*Big kisses*)	**Cordialement** (*Cordially*)
Je pense à toi. (*Thinking about you.*)	**Amitiés** (*Best regards*)
Je t'embrasse très fort. (*Big kisses.*)	**Bien à vous** (*Sincerely*)

17 Une Américaine à Paris

What did Jennifer write about her first day in Paris to her pen pal in Morocco? Put the expressions and sentences in logical order on the postcard that your teacher will give you.

1. Je suis arrivée à l'aéroport Roissy—Charles de Gaulle.
2. Ma chère Yasmine,
3. Enfin, j'ai mangé une crêpe au chocolat sur les bords de la Seine.
4. D'abord, je suis allée au Louvre pour admirer la Joconde.
5. Je t'embrasse très fort, Jennifer
6. Puis, je suis montée dans un bâteau-mouche sur la rive gauche.
7. Comment vas-tu?
8. J'ai pris le métro direction la tour Eiffel.
9. Ensuite, je suis montée tout en haut de la tour Eiffel où j'ai pris des photos de tout Paris.
10. le 25 juillet

18 Mon voyage en train

Send a virtual postcard to a friend, relative, or another adult in your life from Montreal or the Loire Valley. Describe your stay, using the **passé composé**, time expressions (**hier matin, mercredi soir, etc.**), and linking words (**d'abord, ensuite, après, enfin**).

Search words: carte virtuelle montréal, carte virtuelle châteaux de la loire

Leçon C

Vocabulaire actif

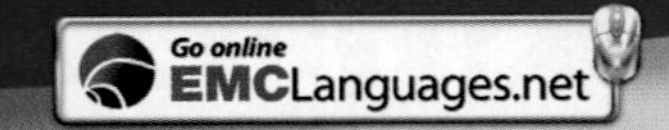

L'Europe et les directions

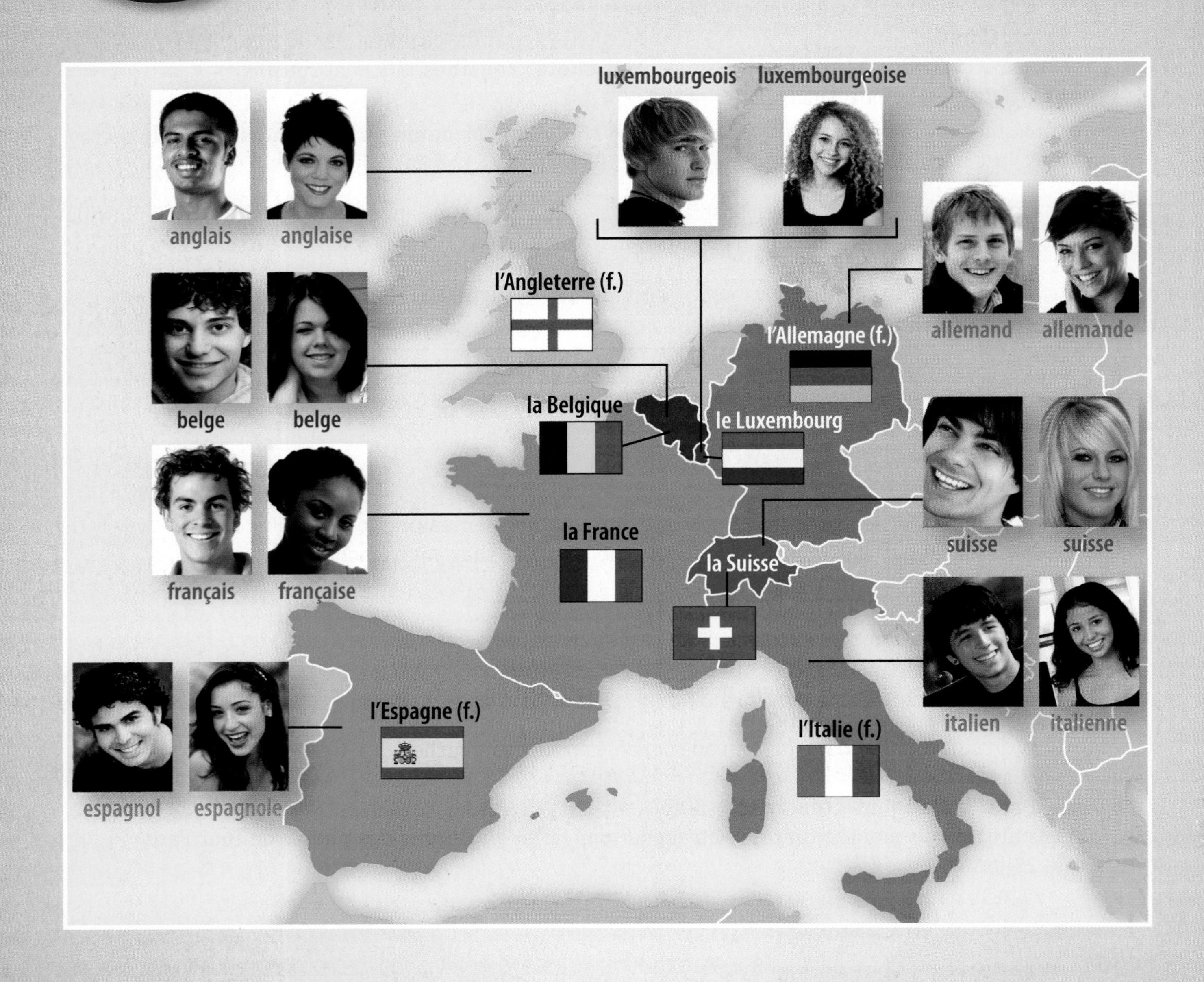

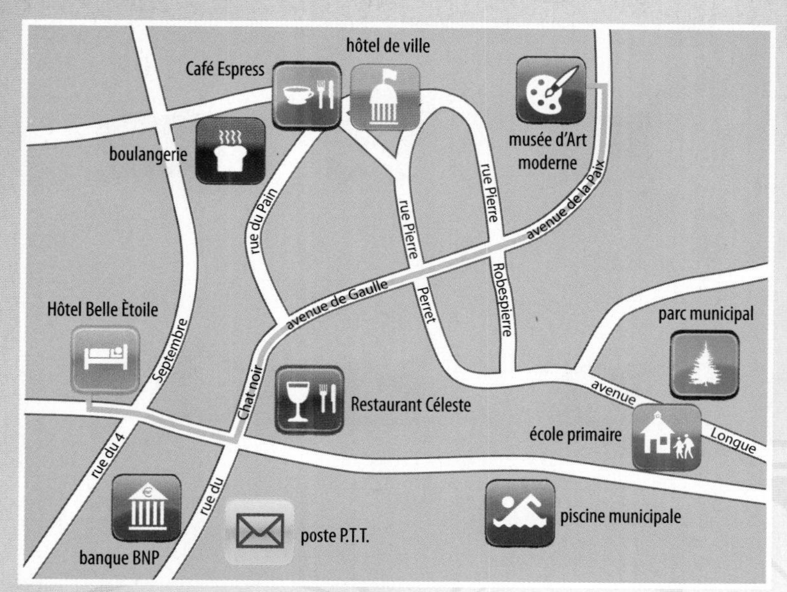

Traversez la rue du 4 septembre.
Tournez à gauche quand vous arrivez au restaurant.
Prenez l'avenue de Gaulle jusqu'à l'avenue de la Paix.
Allez tout droit.
Le musée est sur votre gauche.

La banque est **en face de** la poste.
Le café est **à côté de** l'hôtel de ville.
L'école est **entre** le parc et la piscine.

Pour la conversation 

How do I ask for directions?

> **Pardon, où se trouve** le Musée international de la Croix-Rouge?
Excuse me, where is the International Red Cross Museum located?

How do I give directions?

> **Va/Allez vers** l'est.
Go towards the east.

> **Continue/Continuez tout droit.**
Continue straight ahead.

> **Tourne/Tournez à** droite.
Turn right.

> **Prends/Prenez** la plus grande avenue.
Take the biggest avenue.

Et si je voulais dire...? 

l'Autriche (f.)	*Austria*
autrichien(ne)	*Austrian*
la Chine	*China*
chinois(e)	*Chinese*
le Japon	*Japan*
japonais(e)	*Japanese*
le Madagascar	*Madagascar*
malgache	*from Madagascar*
le Maroc	*Morocco*
marocain(e)	*Moroccan*
le Mexique	*Mexico*
mexicain(e)	*Mexican*
le Portugal	*Portugal*
portugais(e)	*Portuguese*
la Tunisie	*Tunisia*
tunisien(ne)	*Tunisian*

1 Les drapeaux européens

Identifiez le drapeau.

MODÈLE **C'est le drapeau français.**
Il est bleu, blanc, et rouge.

1. 

2. 

3. 

4. 

5. 

6. 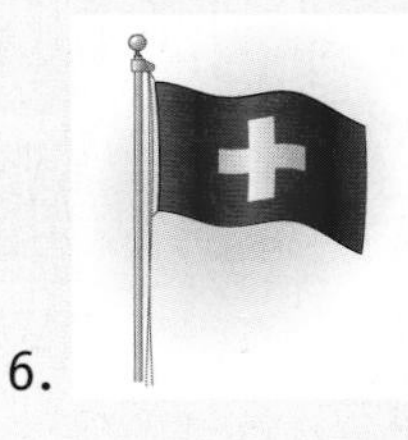

7. 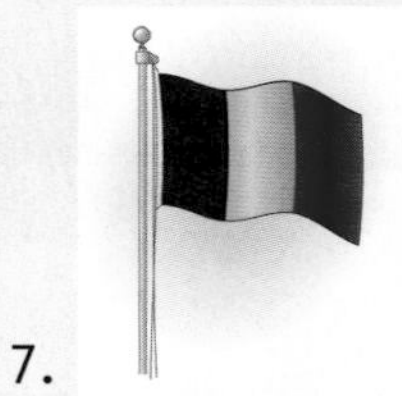

2 Ils sont européens.

Les personnes suivantes font des activités dans leurs pays ce weekend. Complétez la phrase avec un adjectif qui réflète leur pays d'origine.

MODÈLE Angèle est luxembourgeoise.
Elle regarde un match....
luxembourgeois

1. Marie-Alix est française. Elle dîne dans un restaurant....
2. Gunther est allemand. Il circule dans une voiture....
3. Carlos est espagnol. Il invite une amie....
4. Gemma est anglaise. Elle regarde un match....
5. Jean-Luc est suisse. Il achète une imprimante....
6. Louis-Jacques est belge. Il va à une gare....
7. Luigi est italien. Il fait les courses dans une boutique....

Marie-Alix dîne sur la terrace d'un café français.

3 En vacances où?

Écrivez les numéros 1–5 sur votre papier. Écoutez chaque description de vacances et choisissez la lettre du pays correspondant.

A. l'Espagne B. la France C. la Suisse D. la Belgique E. l'Angleterre

4 Où est-ce qu'ils vont?

*Lisez les indications que chaque personne reçoit de l'Office de Tourisme. Lisez les phrases pour trouver la destination sur le plan (*on the map*).*

MODÈLE M. Simon
Prenez l'avenue du 14 juillet au nord et tournez à droite sur la rue Frédéric Chopin. C'est en face de la cathédrale.
le musée

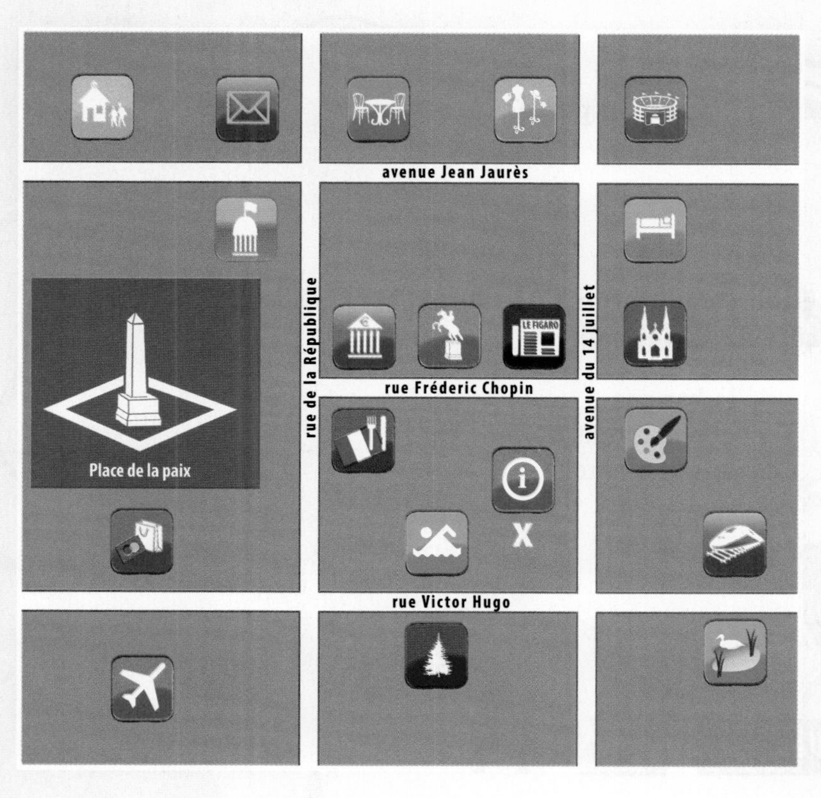

1. Mme Collins
Tournez à droite sur l'avenue du 14 juillet. Prenez la rue Victor Hugo vers l'ouest. C'est sur votre droite en face du parc.
2. M. Martinelli
Prenez l'avenue du 14 juillet vers le nord et traversez la rue Frédéric Chopin. Tournez à gauche sur l'avenue Jean Jaurès. C'est à côté d'une boutique.
3. Mlle Clément
Prenez l'avenue du 14 juillet à gauche et allez tout droit à la rue Frédéric Chopin. Tournez à gauche et allez jusqu'à la rue de la République. Tournez à droite et allez tout droit à l'avenue Jean Jaurès. Tournez à gauche. C'est sur votre gauche.
4. Mme Kraft
Prenez l'avenue du 14 juillet à gauche. Tournez à gauche sur la rue Frédéric Chopin. C'est entre le kiosque à journaux et la banque.
5. M. Redgrave
Tournez à gauche sur l'avenue du 14 juillet. Allez jusqu'à la rue Frédéric Chopin. Tournez à gauche. C'est en face du restaurant italien.
6. Mlle Olsen
Prenez l'avenue du 14 juillet à droite. Allez jusqu'à la rue Victor Hugo. Tournez à droite. Prenez la rue de la République. Allez tout droit. À l'avenue Jean Jaurès tournez à gauche. C'est sur votre droite à côté de l'école.

Communiquez!

5 Dans ma ville

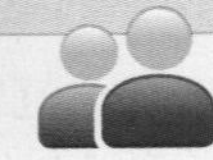

Interpersonal Communication

À tour de rôle, jouez les rôles d'un élève francophone qui visite votre école et d'un élève qui l'aide avec des directions.

MODÈLE

A: **Pardon, où se trouve la poste?**

B: **Prenez High Street jusqu'à Oak Road. Tournez à droite. C'est à côté de la banque.**

1. la piscine
2. le centre commercial
3. l'hôtel de ville
4. la banque
5. le restaurant italien
6. le supermarché

Communiquez!

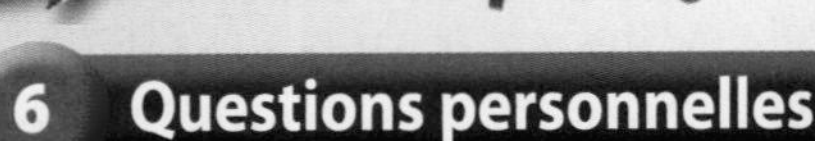

6 Questions personnelles

Interpersonal Communication

Répondez aux questions.

1. Dans ta ville, est-ce qu'il y a un centre commercial au nord de ton école?
2. Où se trouve la poste dans ta ville?
3. Comment est-ce que tu vas au cinéma?
4. As-tu voyagé en Europe? Si oui, où es-tu allé(e)?
5. Veux-tu faire du ski alpin dans les montagnes suisses?
6. Ta famille a-t-elle une voiture allemande?

Rencontres culturelles

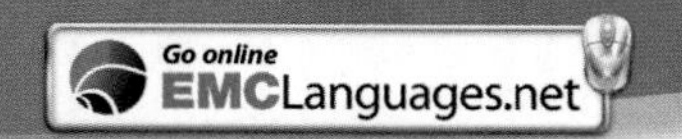

Julien et ses parents à Genève

Julien et ses parents cherchent le Musée international de la Croix-Rouge, à Genève, en Suisse.

Julien: Qu'est-ce qu'on fait cet après-midi? Pas un autre musée!

Mère de Julien: On est à Genève, on visite le Musée international de la Croix-Rouge! C'est le musée le plus intéressant pour moi!

Père de Julien: Ta passion pour les causes humanitaires, c'est fini?

Julien: Non, pas du tout!

(Le père de Julien regarde son plan de Genève.)

Père de Julien: Bon alors... je suis perdu.

Mère de Julien: Julien, demande le chemin à ce monsieur.

Julien: Pardon, monsieur. Où se trouve le Musée international de la Croix-Rouge?

Monsieur: C'est simple. Continuez tout droit. Au bout de la rue, tournez à droite. Puis allez tout droit, ensuite le pont, le lac. Prenez la plus grande avenue et vous y êtes.

Julien: Merci, monsieur.

7 Julien et ses parents à Genève

Répondez aux questions.

1. Qui insiste d'aller au Musée international de la Croix-Rouge?
2. Julien aime-t-il cette idée?
3. Qui regarde le plan de Genève?
4. Les parents de Julien ont trouvé le musée?
5. Qui demande le chemin?
6. Qu'est-ce qu'il faut faire pour arriver au musée?

Extension Tourisme à deux

Léo et Ludivine passent un weekend à Paris. Ils sont à pied.

Léo: On aurait pu prendre le métro.

Ludivine: Pour ne rien voir... merci. Je préfère la lumière, la couleur de la pierre, les gens qui bougent. Regarde les gens, c'est ça la vie!

Léo: Alors, on est venu à Paris pour voir la lumière et les gens? Moi, j'aurais préféré voir les monuments.

Extension Comment les idées de tourisme de Léo et Ludivine sont-elles différentes?

Points de départ

Question centrale

How do travel experiences shape our worldview?

La Francophonie

La Suisse

La Suisse est un pays formé de 26 cantons. Un canton est une division administrative du territoire. Sa capitale est Berne. Il y a quatre langues nationales: le français, l'allemand, l'italien, et le romanche. La Suisse a une longue tradition de neutralité politique et militaire. Elle est connue aussi pour la fabrication de montres*, ses chocolats délicieux, ses banques, et ses stations de ski.

Search words: myswitzerland.com

La capitale de Berne est dans le canton de Berne.

fabrication de montres *manufacturing of watches*

En Suisse on fabrique (*make*) beaucoup de **montres**. Une marque de luxe est Rolex, connu au monde entier (*entire*) pour sa beauté et précision. Rolex produit environ 2.000 montres, avec 20 modèles, chaque année. Une autre marque de montre suisse est Swatch, qui est bon marché.

COMPARAISONS

For what products is your state or region known?

Genève

Genève est située sur les bords du Lac Léman et du Rhône*. C'est la deuxième ville de Suisse après Zurich et la première ville francophone en Suisse. Elle est le centre d'une agglomération de 1,2 millions d'habitants. Genève est une capitale financière et le siège* de 250 institutions internationales dont* l'Office de Nations Unies à Genève (ONUG) et le Comité international de la Croix-Rouge (CICR). Avec son jet d'eau*, haut de 140 mètres, et d'autres attraits* comme sa Vieille Ville, Genève est aussi une ville très touristique.

Search words: genève tourisme

Il y a près de 200.000 habitants à Genève.

Rhône *Rhone River*; **siège** *headquarters*; **dont** *including*; **jet d'eau** *fountain*; **attraits** *attractions*

Musée international de la Croix-Rouge* et du Croissant-Rouge

Genève, berceau* de la Croix-Rouge*, a inauguré en 1988 un musée consacré à l'œuvre* d'Henry Dunant, fondateur de la Croix-Rouge en 1863. Le musée évoque l'aventure d'hommes et de femmes dans leur mission au service de l'humanité depuis presque 150 ans. Son objectif est de faire connaître* les principes*, l'histoire, et les interventions de la Croix-Rouge et du Croissant-Rouge. Le rôle de la Croix-Rouge est d'assurer une assistance aux blessés*, aux prisonniers, et aux civiles victimes des conflits. Aujourd'hui la Croix-Rouge c'est 12.000 personnes à travers* le monde et des interventions dans 80 pays.

Search words: musée international de la croix-rouge

berceau *cradle;* **Croix-Rouge** *Red Cross;* **consacré à l'œuvre** *dedicated to the work;* **faire connaître** *to make known;* **principes** *principles;* **blessés** *wounded;* **à travers** *throughout*

À discuter

How could a visit to Geneva lead to an interest in humanitarian work? What kind of studies do you think you would need to undertake to pursue these types of jobs?

Musées
Museums

MUSEE INTERNATIONAL DE LA CROIX-ROUGE ET DU CROISSANT-ROUGE

AVENUE DE LA PAIX 17 • 1202 GENEVE
Tél. 022 748 95 25 FX 022 748 95 28
www.micr.org
: Me au lu: 10h-17h - Fermé: Ma

: Accès: CHF 10.- /
Gratuit pour les moins de 12 ans /

: Sur rendez-vous / *by appointment*
tél. 022 748 95 06
: n° 8, 28, F, V, Z
P: Nations
: Accessible
, Médiathèque: sur rendez-vous
: Restaurant
: Cadeaux, souvenirs

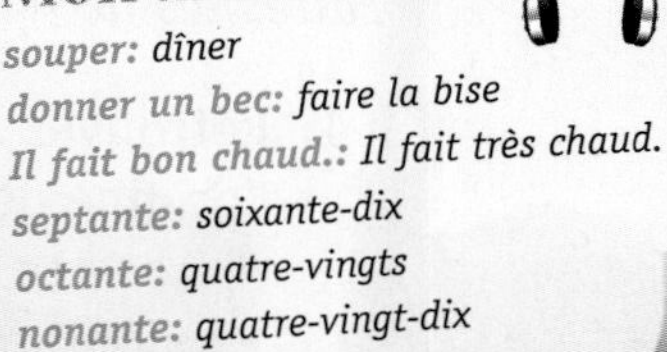

Mon dico suisse

souper: dîner
donner un bec: faire la bise
Il fait bon chaud.: Il fait très chaud.
septante: soixante-dix
octante: quatre-vingts
nonante: quatre-vingt-dix

COMPARAISONS

What has the Red Cross done for residents of your city or region last year or this year?

8 Questions culturelles

Faites les activités suivantes.

1. Faites un profil de la Suisse:
   - Langues officielles
   - Capitale
   - Produits
2. Retrouvez les informations suivantes sur Genève:
   - Situation
   - Nombre d'habitants
   - Nombre d'institutions internationales
3. Situez sur un plan de Genève:
   - Le jet d'eau
   - Le Palais des Nations
   - La Vieille Ville
4. Citez des évènements où la Croix-Rouge est intervenue:
   - Conflit militaire
   - Catastrophe naturelle
   - Catastrophe sanitaire

Le jet d'eau de Genève est haut de 140 m. (*459 feet*).

Du côté des médias

Lisez la carte suisse.

Restaurant La Raclette

ENTRÉES
Raclette nature ou au poivre
Salade composée, asperges et parmesan, vinaigrette à l'érable
Carpaccio de bœuf, tapenade d'olives, et persil
Antipasto misto
(esturgeon fumé, œufs de cailles, rosette de Lyon, olives, câpres, anchois)

PLATS PRINCIPAUX
Raclette traditionnelle garnie de jambon, et de bœuf des Grisons
Émincé de veau à la zurichoise
Pavé de truite, salsa de concombre, aneth, yogourt, et saumon fumé
Escalope de saumon à la moutarde de Meaux
Fondue au fromage suisse
Fondue au fromage suisse aux cèpes et au thym
Poulet grillé aux olives, raisins, et citron
Foie de veau, sauce à l'ail rôti et pleurotes grillés
Bavette de bœuf marinée, vinaigrette aux herbes fraîches

DESSERTS
Poire Belle-Hélène
Vermicelles de marrons glacés
Clafoutis aux cerises noires
Torte au chocolat
Nougat glacé aux fruits séchés et aux noix

À LA CARTE
Portion de rösti
Viandes des Grisons
100G Fromage Raclette

9 Restaurant La Raclette

Faites les activités suivantes.

1. Retrouvez sur la carte l'origine de ces produits:
   - rosette de....
   - moutarde....
   - veau à la....
   - bœuf des....
2. Trouvez sur la carte trois plats typiquement suisses:
   - un plat de fromage:
   - un plat de viande:
   - un plat de légumes:
3. Citez dans la carte deux plats qui viennent de la gastronomie...
   - italienne:
   - française:
4. Choisissez votre menu (une entrée, un plat, un dessert).

La culture sur place

Interview avec un voyageur/une voyageuse

Introduction

Est-ce que vous connaissez (*know*) quelqu'un qui a voyagé à une destination où l'on parle français? Ça peut être un ami, un membre de votre famille, un camarade de classe, ou une connaissance sur votre réseau social (*social network*). Pour ce projet vous allez interviewer cette personne.

10 Investigation: Les questions

Faites des recherches en ligne sur la destination de la personne que vous interviewez. Préparez une liste de questions. Si la personne parle français, posez les questions en français. Sinon, posez les questions en anglais. Commencez avec des questions comme les suivantes.

1. Où est-ce que vous êtes allé(e)?
2. Qu'est-ce que vous avez vu?
3. Qu'est-ce que vous avez fait?
4. Qu'est-ce que vous avez aimé?
5. Qu'est-ce que vous n'avez pas aimé?

Posez encore trois ou quatre questions plus précises sur le voyage, basées sur votre recherche. Évitez (Avoid) *les questions avec les réponses "oui" et "non."*

11 Présentation et discussion

Préparez un résumé (summary) *de votre interview. Vous devez parler du pays ou de la région francophone où la personne est allée, de ses expériences, et de ses souvenirs. Ensuite, présentez votre résumé à un groupe de trois ou quatre camarades de classe.*

MODÈLE **Mon sujet est allé à/au/en.... Il/Elle a vu.... Il/Elle a fait, a visité, a pris, etc. Il/Elle a aimé.... Il/Elle n'a pas aimé....**

12 Faisons l'inventaire!

Discutez ces questions avec vos camarades de classe.

1. What patterns or trends do you see in the experiences of the people who were interviewed by those in your group? Was it an obstacle for them to not speak French?
2. Do you feel like you can make any general statements about what it might be like to travel to a country or a region where French is the primary language spoken?

Structure de la langue

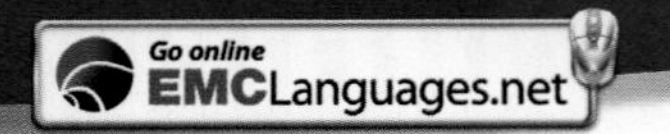

Superlative of Adjectives

Quelle fille est la plus chic? Quelle est la plus grande fille?

To say that a person or thing has the most of a certain quality compared to all others, use the superlative construction.

le/la/les + plus + adjectif

Solange est l'athlète **la plus fatiguée.**	*Solange is the most tired athlete.*
La tour Eiffel est **le plus beau** monument.	*The Eiffel Tower is the most beautiful monument.*

If an adjective usually precedes a noun, its superlative form also precedes a noun. If an adjective usually follows a noun, so does its superlative form. Both the definite article and the adjective agree in gender and in number with the noun they describe.

Sometimes the superlative is followed by a form of **de**.

Québec est la ville la plus charmante **du** Québec.	*Quebec is the most charming city in Quebec.*

The superlative of **bon(s)** is **le/la/les meilleur(s)**.

Ce sont **les meilleurs** footballeurs.	*They are the best soccer players.*

COMPARAISONS

How do you form the superlative in English?

New York is the biggest American city.

Daniel is one of its most elegant restaurants.

What is the superlative of "good" in English?

COMPARAISONS: In English superlatives are made by adding **–est** to the adjective or **most** before the adjective. The superlative of "good" is "best," and, like in French, is irregular.

Communiquez!

13 Ma ville

Quel est le musée le plus intéressant?
Le musée d'art.

Interpersonal Communication

À tour de rôle, demandez l'opinion de votre partenaire des endroits et personnes dans votre ville ou région.

MODÈLE le parc/splendide
A: **Quel est le parc le plus splendide?**
B: **Regions est le parc le plus splendide.**

1. l'équipe de basket/paresseux
2. l'école/strict
3. le musée/intéressant
4. le restaurant/chic
5. la boutique/cher
6. l'homme ou la femme d'affaires/généreux

14 Qui est l'élève le plus...?

Écoutez chaque description des personnes suivantes au superlatif et écrivez la lettre qui correspond à l'image la plus logique.

A.
B.
C.
D.
E.
F.
4

15 Notre école 

Vous êtes le guide pour des visiteurs à votre école. Utilisez le superlatif pour décrire ces choses et personnes.

MODÈLES nouveau/l'école
C'est la plus nouvelle école.

profs/énergique
Ce sont les profs les plus énergiques.

1. élèves/diligent
2. profs/intelligent
3. joli/cantine
4. cours/intéressant
5. nouveau/piscine
6. médiathèque/moderne
7. bon/labo
8. bon/équipe de foot
9. grand/salle de classe
10. bon/école

Ce sont les élèves les plus diligents.

16 Mes amis

Utilisez le superlatif d'un adjectif de la liste pour écrire des phrases qui décrivent vos amis.

MODÈLES énergique
Mon ami le plus énergique, c'est Serge.
petit
Ma plus petite amie, c'est Anne.

1. bavard
2. grand
3. généreux
4. égoïste
5. chic
6. joli
7. beau

À vous la parole

Question centrale

How do travel experiences shape our worldview?

17 La Suisse

Interpretive/Presentational Communication

Plan a vacation in Switzerland that centers around its natural landscape. Tell your classmates what you will visit and what you will do and see there.

MODÈLE **Je vais visiter.... Je vais voir.... Je vais (faire)....**

Search words: myswitzerland.com: une histoire d'eau
swissworld: saisons
swissworld: paysages

Communiquez!

18 De l'humanitaire avec La Croix-Rouge

Interpretive/Presentational Communication

You and a friend are organizing volunteers for the Red Cross in various Francophone countries. Do online research about current projects and volunteer activities and create a survey listing five of them. Distribute the survey to your classmates and ask them to rank the projects and activities in order of their preferences. Tally the results and present the top volunteer opportunity to the class.

Search words: croix rouge suisse: jeunesse

Communiquez!

19 Venez chez moi!

Presentational Communication

You are throwing a birthday party for a friend. Give your friends detailed directions from school to your house. Include buildings and landmarks they will see on their way.

Lecture thématique

Je me souviens

Rencontre avec l'auteur 

Louis Aragon (1897–1982) était écrivain et poète français. Très jeune, il faisait partie du mouvement surréaliste. Pendant la Seconde Guerre mondiale (*WWII*), il est devenu l'un des poètes de la Résistance contre les nazis. Son roman (*novel*) le plus célèbre est **Aurélien** (1945), un roman d'amour autobiographique. Poète majeur de la deuxième partie du XXème siècle, beaucoup de ses textes ont été popularisés par des compositeurs et chanteurs. Vous allez lire le poème "Je me souviens." Yves Montand a chanté ce poème dans lequel un homme regarde des cartes postales de ses amis dans un album. De quoi se souvient-il quand il regarde ces photos?

Stratégie de lecture

Imagery is descriptive language used to create word pictures, or **images**. As you read, fill in a graphic organizer like the one below with images from the song lyrics.

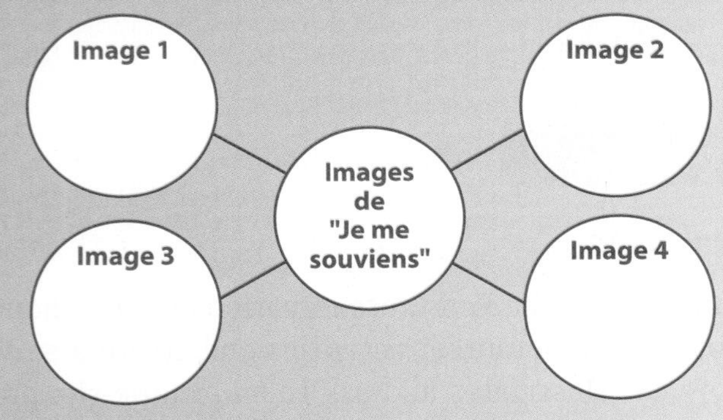

Outils de lecture

Stanzas

A stanza, or **strophe**, is a grouping of lines in a poem or song. This song poem has quintains, or five-line stanzas. In French, such a poem is called **un cinquain**. Note that the rhyme scheme in "**Je me souviens**" is A-A-B-B-A in each stanza. These stanzas progress in meaning. In the first stanza, the speaker feels nostalgia (a longing) for trips he and his friends have taken. In the second stanza, he is looking at a postcard album and rereading how his friends signed their postcards. The third stanza is about whose memories?

Le cerf-volant, 1925. Achille Varin. Château-musée municipal de Nemours, France.

Pre-lecture

De quel voyage est-ce que tu te souviens? La nostalgie évoque quelles images de ce voyage?

Ô la nostalgie à retrouver de vieilles cartes postales
Où le ciel* est toujours bleu, l'arbre* toujours vert, la mer étale*
Sans doute on ne les met dans l'album que pour les photographies
Je suis seul à savoir* ce que l'écriture* au dos signifie
Les diminutifs*, les phrases banales

Au-dessus de ce monde mort on voit traîner des cerfs-volants*
Poignées de main* de Castelnaudary, bons baisers* du Mont-Blanc,
Un bonjour de Saint-Jean-de-Luz, salutations de la Baule,
Je suis depuis* trois jours ici, c'est plein de* Parisiens très drôles,
Nous avons fait un voyage excellent

Je me souviens de nuits qui n'ont été rien d'autre que des nuits
Je me souviens de jours où rien d'important ne s'était produit
Un café dans le bois* près de la gare Saint Nom La Bretèche
Le bonheur* extraordinaire en été d'un verre d'eau fraîche
Les Champs-Élysées un soir sous la pluie*

Pendant la lecture

1. Les cartes postales sont-elles réalistes ou idéalistes?
2. Qui a la clé de la signification des "diminutifs" et "phrases banales"?

Pendant la lecture

3. Quels endroits les amis du narrateur ont-ils visités?

Pendant la lecture

4. Le narrateur se souvient-il de moments simples ou compliqués?

le ciel *sky*; **l'arbre** *tree*; **étale** *spreads out*; **ne... que** *only*; **avoir** *to know*; **l'écriture** *writing*; **diminutifs** *nicknames*; **traîner des cerfs-volants** *kites floating*; **poignées de main** *handshakes*; **baisers** *kisses*; **depuis** *since*; **plein de** *full of*; **le bois** *woods*; **le bonheur** *happiness*; **la pluie** *rain*

Post-lecture

De quelles façons cette chanson est-elle nostalgique?

Le monde visuel

Le cerf-volant *(The Kite)* d'Achille Varin (1863–1942) montre l'utilisation artistique de la perspective. La perspective est une technique utilisée pour montrer la relation spaciale entre objets, donnant une illusion de distance et de profondeur (*depth*). La ligne qui divise la terre et l'herbe (*grass*), la ligne verticale des arbres, et la ligne horizontale de l'horizon attirent l'œil dans la dimension de cette scène en plein air. Comment la perspective utilisée avec le cerf-volant donne-t-elle une vue plongeante (*diving*) dans la peinture?

20 Activités d'expansion

Faites les activités suivantes.

1. Écrivez un paragraphe dans lequel (*in which*) vous expliquez l'organisation de la chanson et la sélection d'images. Servez-vous de votre organigramme.
2. Écrivez une carte postale à un copain qui décrit un voyage réel ou imaginaire. Commencez votre carte postale avec **Cher** (pour un copain) ou **Chère** (pour une copine) et terminez avec une expression de la deuxième strophe du poème. Dessinez ou imprimez une image pour votre carte postale.
3. Écrivez un cinquain avec des images d'un voyage réel ou imaginaire.

Les copains d'abord: Ce n'est qu'un au revoir mes frères....

T'es branché?

Projets finaux

A Connexions par Internet: L'architecture

Research online the characteristics of the following architectural styles of French castles: **féodal ou médiéval**, **gothique**, **gothique flamboyant**, **renaissance**, **classique**. Find a French castle that you like that illustrates one of these styles and present it to the class. Include its name, location, style, and the time period of that style. Also include one other interesting piece of information that would make your classmates want to visit the castle.

MODÈLE

C'est le château de Cheverny. Il se trouve à l'est de Tours et entre Chenonceau au sud et Chambord au nord. C'est dans le style classique. Le classicisme est un style du XVIIème siècle. Cheverny est le château de la Loire le plus meublé.

B Communautés en ligne

Les 22 régions de France

Learn about one of France's 22 regions by writing to the French tourist office or consulate in your area. Begin by finding a map of the regions. Then, select one that looks interesting to you based on preliminary research. Create a list of questions and, using what you learned about writing correspondence in this unit's **Stratégie communicative** section, write an e-mail asking the French consulate or tourist office to send you information and/or web links for each of the following categories: history; regional traditions, festivals, and celebrations; art and architecture; tourist sites; and, food specialties. Create a PowerPoint™ or other visual presentation about your region for the class.

Search words: régions de france, office de tourisme de *(name of region)*

C Passez à l'action!

Le programme de notre voyage

Plan a class trip to several French-speaking cities in Europe or Africa. Create an itinerary and draw a map to show where you will go. Include information about the cities (population, history, important sites). Also find places where you will stay and eat (hotels and restaurants) and how you will travel (**en train, en bus, en avion, en voiture**—or a combination of these).

Search words: (*place name*) tourisme
voyager à/au/aux/en (*place name*)

Question centrale
How do travel experiences shape our worldview?

D Faisons le point!

Your teacher will give you a chart like the one below. Fill it in with what you've learned about how travel in other countries shapes one's worldview.

Je comprends	Je ne comprends pas encore	Mes connexions

What did I do well to learn and use the content of this unit?	What should I do to better learn and use the content of this unit?
How can I effectively communicate to others what I have learned?	What was the most important information I learned in this unit?

Évaluation

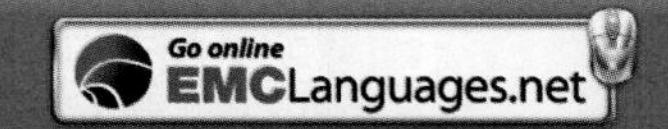

A Évaluation de compréhension auditive

Écoutez Sandrine et Lucas décrire leur journée aux châteaux de la Loire. Choisissez la réponse appropriée.

1. Quelle heure est-il?
   A. Il est huit heures.
   B. Il est neuf heures.
   C. Il est dix heures.
2. Sandrine et Lucas vont visiter combien de châteaux?
   A. Ils vont visiter cinq châteaux.
   B. Ils vont visiter un ou deux châteaux.
   C. Ils vont visiter deux ou trois châteaux.
3. Comment est-ce qu'ils vont y aller?
   A. Ils vont y aller en bus.
   B. Ils vont y aller à vélo.
   C. Ils vont y aller en voiture.
4. Quel château vont-ils visiter d'abord?
   A. D'abord ils vont visiter Chambord.
   B. D'abord ils vont visiter Cheverny.
   C. D'abord ils vont visiter Chenonceau.
5. Comment peut-on trouver le château?
   A. Le château est à droite sur la route d'Orléans.
   B. Le château est à gauche sur la route d'Orléans.
   C. Le château est à droite sur la route de Cheverny.
6. Qu'est-ce qu'il y a dans le village?
   A. Il y a un centre commercial près du château.
   B. Il y a des cafés et un bureau de poste au village.
   C. Il n'y a rien dans le village.
7. Comment Sandrine et Lucas vont-ils revenir?
   A. Lucas et Sandrine vont revenir à pied.
   B. Lucas et Sandrine vont revenir à vélo.
   C. Lucas et Sandrine vont revenir en train.

B Évaluation orale

With a partner, role-play a conversation between a traveler who's going somewhere in Quebec, France, or Switzerland by train and a friend who's come to the station to say good-bye. The friend asks if the traveler has bought a ticket, looked at the departures board to see if the train is on time, and brought something to eat. The traveler responds, and then tells the friend what he or she is going to see while on the train. The friend asks what the traveler is going to see and do at his or her destination. After the traveler responds, the friend wishes the traveler a good trip.

C Évaluation culturelle

In this activity, you will compare Francophone cultures with American culture. You may need to do some additional research on American culture.

1. **La province de Québec**
   Compare the province of Quebec to your state. Compare their languages, flags, populations, largest cities, capitals, and popular sports.
2. **Les destinations touristiques**
   Compare tourist attractions in Montreal or Geneva with those in the area where you live.
3. **Les spectacles**
   Compare les FrancoFolies with a music festival you've heard about, followed online, or attended.
4. **La géographie et l'histoire politique**
   Compare geopolitical political subdivisions (regions, provinces, states, counties, etc.) in France, Switzerland, and Canada with those in the United States.
5. **Les monuments historiques**
   Compare the castles of the Loire Valley with old buildings or homes that people visit in your region or other parts of the United States (i.e., the plantations of the South or the mansions of Newport, R.I.).
6. **Les personnes célèbres**
   Compare one of the famous people of Tours with a famous person from your area. Why are/were these people famous? In what field do/did they work? Do you think they will be remembered 100 years from now? Why, or why not?
7. **Les produits**
   For what products is Switzerland known, and how do these products compare with those produced in your state or region?
8. **Une institution internationale**
   Name the international institution with offices in Geneva and in New York City. What is the goal of this organization?
9. **La Croix-Rouge**
   What is the role of the Red Cross, and what has it done for residents in your city, state, or region?

D Évaluation écrite

A French family friend has arrived at your local or regional airport or other transportation station, and has rented a car. She has texted you that she needs directions to your house. Tell her the most efficient way to get there.

E Évaluation visuelle

Compare the illustrations of a train station at two different times of the day. Then, answer the questions below to describe each illustration. The questions below will help you organize your paragraph.

MODÈLE Il y a une voyageuse au composteur?
À 14h00 il y a une voyageuse qui composte son billet.
À 23h00, il n'y a personne qui composte son billet.

1. Il y a un train sur la voie numéro 3?
2. Il y a des voyageurs qui montent dans le train?
3. Il y a un adolescent qui écoute de la musique?
4. Le conducteur travaille?
5. Les voyageurs prennent quelque chose?

F Évaluation compréhensive

Create a storyboard with six frames. Write captions for each frame, telling about what happened (**passé composé**) on a train trip to Quebec, France, or Switzerland. Begin at the train station, continue with what you saw from the train window and did on the train, and conclude with what happened after you arrived at your destination.
Share your storyboard with a group of classmates.

Vocabulaire de l'Unité 10

	accompagner to accompany *B*
l'	**Allemagne (f.)** Germany *C*
l'	**Angleterre (f.)** England *C*
l'	**arrivée (f.)** arrival *B*
un	**autobus** bus *B*
	belge Belgian *C*
la	**Belgique** Belgium *C*
un	**billet** ticket *A*
	bon: Bon voyage! Have a good trip! *B*
le	**bout** end *C*; **au bout de** at the end of *C*
la	**campagne** country(side) *B*
la	**capitale** capital *A*
une	**cascade** waterfall *B*
une	**cause** cause *C*
un	**château** castle *B*
le	**chemin** way, path *C*; **demander le chemin** ask for directions *C*
une	**colline** hill *B*
	composter to validate a ticket *B*
un	**composteur** ticket-stamping machine *B*
un	**contrôleur, une contrôleuse** ticket collector *B*
le	**départ** departure *B*
un	**département** department *B*
une	**destination** destination *B*
une	**devise** motto *A*
une	**direction** direction *C*
un	**drapeau** flag *A*
	droit: tout droit straight ahead *C*
	en: en face (de) across (from) *C*
	entre between *C*
l'	**Espagne (f.)** Spain *C*
l'	**est (m.)** east *A*
un	**étang** pond *B*
l'	**Europe (f.)** Europe *C*
	faire: faire la connaissance (de) to meet *A*
une	**forêt** forest *B*
un(e)	**Francanadien(ne)** from French-speaking Canada *A*
un	**guide** guidebook *B*
un(e)	**habitant(e)** inhabitant, resident *A*
	humanitaire humanitarian *C*
	international(e) international *C*
l'	**Italie (f.)** Italy *C*
	italien(ne) Italian *C*
	jusqu'à until *C*
un	**lac** lake *B*
	loin (de) far (from) *B*
	louer to rent *B*
le	**Luxembourg** Luxembourg *C*
	luxembourgeois(e) from, of Luxembourg *C*
	ne (n')... jamais never *B*
	ne (n')... personne no one, nobody, not anyone *B*
	ne (n')... plus no longer, not anymore *B*
	ne (n')... rien nothing, not anything *B*
le	**nord** north *A*
l'	**ouest (m.)** west *A*
	pas: pas du tout not at all *C*
la	**passion** passion *C*
	perdu(e) lost *C*
un	**plaisir** pleasure *A*
un	**plan** city map *C*
	plus: le/la/les plus (+ adjective) the most (+ adjective) *C*
une	**préposition** preposition *A*
le	**profil** profile *A*
la	**province** province *A*
le	**quai** platform *B*
le	**Québec** Quebec *A*
	québécois(e) from, of Quebec *A*
	quelqu'un someone, somebody *B*
	quelque chose something *B*
	réaliser to realize *A*
une	**rivière** river *B*
une	**route** road, highway, route *B*
un	**siège** seat *B*
	simple simple *C*
	situé(e) located *A*
	souvent often *B*
	souviens: je me souviens I remember *A*
le	**sud** south *A*
	suisse Swiss *C*
la	**Suisse** Switzerland *C*
le	**tableau des arrivées et départs** arrival and departure timetable *B*
	toujours always *B*
	tourner to turn *C*
le	**train** train *B*
	traverser to cross *C*
se	**trouver** to be located *C*
les	**vacances (f.)** vacation *A*
une	**valise** suitcase *B*
une	**vallée** valley *B*
	vers towards *C*
une	**visite** visit *A*
une	**voie** train track *B*
un	**voyageur, une voyageuse** traveler *B*
	vrai(e) true *A*
un	**wagon-restaurant** dining car *B*

Unité 10 Bilan cumulatif

Listening

I. You will hear a short conversation. Select the reply that would come next. You will hear the conversation twice.

1. A. Il ne faut jamais sortir.
   B. Faisons une fête entre amis!
   C. Bon voyage!
   D. Je pense que tu dois rester à la maison ce soir et ne rien faire!

II. Listen to the conversation. Select the best completion to each statement that follows.

2. Comment va Madame Sanchez? Mme Sanchez....
   A. a froid
   B. va bien; elle est avec son ami, Monsieur Duris
   C. a mal à la tête et à la gorge
   D. va à la maison

3. Madame Sanchez veut....
   A. demander le chemin
   B. aller chez le médecin
   C. rester à la campagne
   D. rencontrer un médecin

Reading

III. Read Elisa Guttierez' journal of her family vacation in Quebec, Canada. Then select the best completion to each statement.

Nous sommes partis en vacances de Los Angeles dans notre nouvelle voiture hybride mercredi soir. Pour arriver le plus vite, nous avons pris la route qui va tout droit au nord jusqu'au Canada et ensuite, nous sommes allés à l'est en direction de Montréal. Après cinq jours de route, nous sommes enfin arrivés à notre destination. D'abord, nous avons visité Montréal, la ville la plus internationale du Canada. Ensuite, nous sommes allés à la ville de Québec où nous sommes restés trois jours. C'est aussi une très jolie ville qui se trouve au bord du fleuve St. Laurent. Les Québécois sont très sympas! En plus, protéger l'environnement est très important au Canada où l'on fait tout pour arrêter la pollution. J'adore le Canada!

4. Elisa et sa famille sont arrivées au Canada....
   A. à une école internationale
   B. après cinq jours
   C. lundi
   D. pour apprendre le français et l'anglais
5. Les Guttierez ont....
   A. voyagé en train
   B. pris l'avion
   C. circulé en voiture
   D. pris un bateau

6. Elisa pense que....
   A. la ville de Montréal est la capitale du Québec
   B. protéger l'environnement est important pour les Canadiens
   C. Montréal est la plus belle ville du Canada
   D. les Québécois sont généreux

Writing

IV. Complete the dialogue between Julien and Sophie with appropriate words or expressions.

Julien: Qu'est-ce que tu vas faire __1__ été?

Sophie: Pendant le __2__ de juillet, je vais accompagner ma famille __3__ Espagne. On y va avec notre nouvelle voiture __4__. En août, je vais travailler avec des amis pour protéger __5__ à Paris. Il faut __6__ la pollution. Et toi? Est-ce que tu as des __7__ pour les vacances?

Julien: Je __8__ ai __9__ encore fait des projets avec des copains, mais avec __10__ mère, mon père, et ma sœur, on part pour la Suisse bientôt. On prend le __11__. Un __12__ en train coûte seulement 15 euros. J'adore manger dans le __13__ du train aussi. En plus, on peut beaucoup voir pendant le voyage. La __14__, avec ses belles __15__ et montagnes, est vraiment géniale.

V. Complete the paragraph with the correct form of the verbs. Note: there will be verbs in the **passé composé** and others that require the infinitive.

Janvier dernier, Sarah et sa sœur Marie __16__ au Canada pour le Carnaval de Québec. Avant d'y aller, elles __17__ un guide et elles __18__ l'histoire de cette région et ville splendides et francophones. En général, en hiver il __19__ très froid au Québec, mais les deux sœurs ont porté les vêtements nécessaires. Elles __20__ tout au Carnaval. Après cette visite, elles veulent maintenant y __21__ en été. Elles veulent __22__ Montréal pour aller au festival des FrancoFolies. Le Québec, c'est le fun!

16. (aller)
17. (acheter)
18. (apprendre)
19. (faire)
20. (voir)
21. (retourner)
22. (visiter)

Composition

VI. Write a postcard about an imaginary trip to Quebec in which you:

- write the date.
- write a salutation and say hello from Montreal in Quebec.
- tell your friends that you went to **les FrancoFolies** and the music genre you liked the best.
- describe the weather.
- name a tourist attraction that you visited and what you saw or did there.
- sign your postcard at the bottom, using an appropriate closing.

Québec

Speaking

VII. Play the roles of an American tourist who speaks French and a **Francanadienne** who meet at the FrancoFolies festival in Montreal. The **Francanadienne** asks the American tourist's name and age, where he or she is from, the classes he or she has, what he or she likes to do, what he or she did last summer, and what he or she plans to do after the concert. The American tourist responds.

Grammar Summary

The Grammar Summary is in alphabetical order.

Adjectives

Agreement of Regular Adjectives

Masculine	Masculine Plural	Feminine	Feminine Plural
grand	+ s grands	**masculine adjective + e** grande	**masculine adjective + es** grandes

Exceptions

Masculine	Masculine Plural	Feminine	Feminine Plural
Adjectives ending in **e** bête	**+ s** bêtes	no change bête	**+ s** bêtes
Adjectives ending in **n, l** bon intellectuel	**+ s** bons intellectuels	**double consonant + e** bonne intellectuelle	**double consonant + es** bonnes intellectuelles
Adjectives ending in **s** gros	no change gros	**double consonant + e** grosse	**double consonant + es** grosses
Adjectives ending in **eux** généreux	no change généreux	**-euse** généreuse	**-euses** généreuses

Irregular Adjectives

Masculine	Masculine Before a Vowel	Masculine Plural	Feminine	Feminine Plural
beau	bel	beaux	belle	**+ s**
nouveau	nouvel	nouveaux	nouvelle	
vieux	vieil	vieux	vieille	
frais		} **+ s**	fraîche	
cher		} **+ s**	chère	
blanc		} **+ s**	blanche	
long		} **+ s**	longue	

Position of Adjectives

Article + Noun	+ Adjective
des stylos **bleus**	

Exceptions

beau, joli, nouveau, vieux, bon, mauvais, grand, petit, gros *(BAGS: beauty, age, goodness, size)*

Article + Adjective	+ Noun
une **belle** voiture	

Comparative of Adjectives

plus	*(more)*	**+ adj**	**+ que**	*(than)*
moins	*(less)*	**+ adj**	**+ que**	*(than)*
aussi	*(as)*	**+ adj**	**+ que**	*(as)*

Superlative of Adjectives

For regular adjectives, placed after the noun

le/la/les + noun + **le/la/les** + **plus** + adjective

For adjectives placed before the noun

le/la/les + **plus** + adjective + noun
Exception: bon = le/la/les **meilleur**(e)(s)

Interrogative Adjective *quel*

Masculine	Masculine Plural	Feminine	Feminine Plural
quel	quels	quelle	quelles

Possessive Adjectives

Masculine	Feminine	Plural
mon	ma	mes
ton	ta	tes
son	sa	ses
notre	notre	nos
votre	votre	vos
leur	leur	leurs

Adverbs

assez	mal
beaucoup	peu
bien	un peu
déjà	trop
enfin	vite

Expressions of Quantity

assez de	une boîte de	une bouteille de
beaucoup de	un paquet de	un pot de
peu de	un morceau de	une tranche de
un peu de	un gramme de	un kilo de
trop de	un litre de	

Articles

Indefinite Articles

Singular		Plural
Masculine	Feminine	des
un	une	

Definite Articles

Singular			Plural
Before a Consonant Sound		Before a Vowel Sound	les
Masculine	Feminine		
le	la	l’	

À + Definite Articles

Singular			Plural
Before a Consonant Sound		Before a Vowel Sound	aux
Masculine	Feminine		
au	à la	à l’	

De + Definite Articles

Singular			Plural
Before a Consonant Sound		Before a Vowel Sound	des
Masculine	Feminine		
du	de la	de l’	

Partitive Articles

Before a Consonant Sound		Before a Vowel Sound	In the Negative
Masculine	Feminine	de l’	**pas de** coca **pas de** viande **pas d’**eau minérale
du	de la		

C'est vs. il/elle est

c'est	vs.	ce n'est pas
C'est un ballon de foot.		Ce n'est pas un gâteau.
c'est	**vs.**	**il/elle est**
C'est un garçon. C'est une fille.		Il s'appelle Karim. Elle s'appelle Amélie.
ce sont	**vs.**	**ils/elles sont**
Ce sont des étudiants. Ce sont des étudiantes.		Ils sont sportifs. Elles sont sympa.

Negation

ne (n')… pas	Il **ne** joue **pas**. Il **n'**a **pas** joué.
ne (n')… plus	Elle **n'**aime **plus** les frites.
ne (n')… jamais	Nous **ne** dansons **jamais**.
ne (n')… personne	Vous **n'**invitez **personne**?
ne (n')… rien	Ma grand-mère **ne** comprend **rien**.

Numbers

Cardinal Numbers	Ordinal Numbers
un	premier, premiēre
deux	deuxième
trois	troisième
quatre	quatrième
cinq	cinquième
six	sixième
sept	septième
huit	huitième
neuf	neuvième
dix, etc.	dixième, etc.

Prepositions

Prepositions before Cities, Countries, Continents

City (no article)	Masculine (le Japon)	Feminine (la France)	Plural (les États-Unis)
à	au	en	aux

Pronouns

Subject Pronouns

Singular	Plural
je tu il/elle/on	nous vous ils/elles

Questions

Forming Questions

using **n'est-ce-pas**	Il fait chaud, **n'est-ce pas**? Ils regardent un DVD, **n'est-ce pas**?
using **est-ce que**	**Est-ce qu'**il fait chaud? **Est-ce qu'**ils regardent un DVD?
using **inversion:** Verb-Subject	**Fait-il** chaud? **Regardent-ils** un DVD?

Telling Time

Il est une **heure** Il est midi. Il est minuit.	…et quart.	…et demie.	…moins le quart.

Verbs

Regular Verbs—Present Tense

-er aimer			
j'	aim**e**	nous	aim**ons**
tu	aim**es**	vous	aim**ez**
il/elle/on	aim**e**	ils/elles	aim**ent**

-ir finir			
je	fin**is**	nous	fin**issons**
tu	fin**is**	vous	fin**issez**
il/elle/on	fin**it**	ils/elles	fin**issent**

-re vendre			
je	vend**s**	nous	vend**ons**
tu	vend**s**	vous	vend**ez**
il/elle/on	vend	ils/elles	vend**ent**

Irregular Verbs—Present Tense

acheter			
j'	ach**è**te	nous	achetons
tu	ach**è**tes	vous	achetez
il/elle/on	ach**è**te	ils/elles	ach**è**tent

aller			
je	vais	nous	allons
tu	vas	vous	allez
il/elle/on	va	ils/elles	vont

avoir (avoir besoin de/avoir chaud/avoir faim/avoir froid/avoir soif)			
j'	ai	nous	avons
tu	as	vous	avez
il/elle/on	a	ils/elles	ont

devoir			
je	dois	nous	devons
tu	dois	vous	devez
il/elle/on	doit	ils/elles	doivent

être			
je	suis	nous	sommes
tu	es	vous	êtes
il/elle/on	est	ils/elles	sont

faire			
je	fais	nous	faisons
tu	fais	vous	faites
il/elle/on	fait	ils/elles	font

falloir
il faut

mettre			
je	mets	nous	mettons
tu	mets	vous	mettez
il/elle/on	met	ils/elles	mettent

offrir			
j'	offre	nous	offrons
tu	offres	vous	offrez
il/elle/on	offre	ils/elles	offrent

pouvoir			
je	peux	nous	pouvons
tu	peux	vous	pouvez
il/elle/on	peut	ils/elles	peuvent

préférer			
je	préf**è**re	nous	préférons
tu	préf**è**res	vous	préférez
il/elle/on	préf**è**re	ils/elles	préf**è**rent

prendre			
je	prends	nous	prenons
tu	prends	vous	prenez
il/elle/on	prend	ils/elles	prennent

Irregular Verbs—Present Tense *continued*

venir			
je	viens	nous	venons
tu	viens	vous	venez
il/elle/on	vient	ils/elles	viennent

voir			
je	vois	nous	voyons
tu	vois	vous	voyez
il/elle/on	voit	ils/elles	voient

vouloir			
je	veux	nous	voulons
tu	veux	vous	voulez
il/elle/on	veut	ils/elles	veulent

Regular Imperatives

-er **chanter**	**-ir** **choisir**	**-re** **pendre**
Chante!	Choisis!	Prends!
Chantons!	Choisissons!	Prenons!
Chantez!	Choisissez!	Prenez!

Expressing the Near Future

aller + Infinitive
Nous allons dîner.

Passé composé with *avoir*

avoir + past participle

-er verbs → é	**-ir verbs → i**	**-re verbs → u**
Nous avons gagné.	Tu as fini.	On a attendu.

Irregular Past Participles					
avoir	→ **eu**	devoir	→ **dû**	être	→ **été**
faire	→ **fait**	mettre	→ **mis**	offrir	→ **offert**
pouvoir	→ **pu**	prendre	→ **pris**	vendre	→ **vendu**
venir	→ **venu**	voir	→ **vu**	vouloir	→ **voulu**

Passé composé with *être*

être + past participle (+ **agreement** in gender and number)					
je	suis	arrivé(e)	nous	sommes	arrivé(e)s
tu	es	arrivé(e)	vous	êtes	arrivé(e)s
il	est	arrivé	ils	sont	arrivés
elle	est	arrivée	elles	sont	arrivées

Some of the verbs that use *être* as the helping verb in the **passé composé** are:

Infinitive	Past Participle
aller	**allé**
arriver	**arrivé**
entrer	**entré**
monter	**monté**
rentrer	**rentré**
rester	**resté**
retourner	**retourné**
partir	**parti**
sortir	**sorti**
descendre	**descendu**
vendre	**vendu**
venir	**venu**

Verbs + Infinitives

aimer	aller	désirer
devoir	falloir	pouvoir
préférer	venir	vouloir
Nous préférons faire du ski.		

Vocabulaire

Français–Anglais

A

à to 1; at 2; on 4; in 5; by 9; À *bientôt.* See you soon. 1; à *bord* on board 7; à *côté (de)* beside, next to 7; À *demain.* See you tomorrow. 1; à droite on the right 7; à gauche on the left 7; à *l'heure* on time 4; à mon avis in my opinion 9; à pied on foot 9; à vélo by bike 9

un **accompagnateur, une accompagnatrice** home health worker 9
accompagner to accompany 10
les **accras de morue (m.)** cod fritters 5
un **achat** purchase 6
acheter to buy 3
un **acteur, une actrice** actor 4
l' **action (f.)** action 4
une **activité** activity 2
l' **addition (f.)** bill 4
l' **aérobic (m.)** aerobics 9
un **aéroport** airport 8
une **affiche** poster 3
l' **Afrique (f.)** Africa 5
l' **âge (m.)** age 5; *Tu as quel âge?* How old are you? 5
un **agent de police** police officer 5
l' **agriculture (f.)** agriculture 9
ah oh 1
aider to help 1
aimer to like, love 2
l' **air (m.)** air 6
algérien(ne) Algerian 1
l' **Allemagne (f.)** Germany 10
l' **allemand (m.)** German (language) 3
allemand(e) German 10
aller to go 1; *Tu trouves que... me va bien?* Does this... look good on me? 6; *Vas-y!* Go for it! 6
allô hello (on telephone) 1
alors so, then 3
l' **aluminium (m.)** aluminum 9; *en aluminium* made of aluminum 9
américain(e) American 1
un(e) **ami(e)** friend 2
un **an** year 5
un **ananas** pineapple 6
l' **anglais (m.)** English (language) 3
anglais(e) English 10
l' **Angleterre (f.)** England 10
un **animal** animal 8; *animaux en voie de disparition* endangered species 9
une **année** year 5
un **anniversaire** birthday 5
les **antirétroviraux (m.)** antiretroviral drugs 9
août August 5
un **appartement** apartment 7
s' **appeler: je m'appelle** my name is 1; *On s'appelle.* We'll call each other. 1; *tu t'appelles* your name is 1
apporter to bring 5
apprendre to learn 4
après after 2
l' **après-midi (m.)** afternoon 3
l' **argent (m.)** money 8
une **armoire** wardrobe 7
arrêter to stop 9
s' **arrêter** to stop 8
une **arrivée** arrival 10
arriver to arrive 4
les **arts plastiques (m.)** visual arts 3
assez (de) enough (of) 6
une **assiette** plate 7
un(e) **athlète** athlete 5
attendre to wait (for) 4
Attention! Watch out!, Be careful! 7
au to (the) 1; in (the), on (the) 8; *au bout (de)* at the end (of) 10; *au-dessus de* above 7; *au fond (de)* at the end (of) 7; *Au revoir.* Good-bye. 1
une **aubergine** eggplant 6
aujourd'hui today 4
aussi also, too 2; as 7
un **autobus** bus 10
l' **automne (m.)** autumn 8
autre other 7
autrement otherwise 6
aux at (the), in (the), to (the) 3
avance: en avance early 4
avec with 1
une **aventure** adventure 4
une **avenue** avenue 8
un **avion** airplane 8
un **avis** opinion 9; *à mon avis* in my opinion 9
un(e) **avocat(e)** lawyer 5
avoir to have 3; *avoir... an(s)* to be... year(s) old 5; *avoir besoin de* to need 3; *avoir bonne mine* to look healthy 9; *avoir chaud* to be hot 8; *avoir envie de* to want, to feel like 8; *avoir faim* to be hungry 4; *avoir froid* to be cold 8; *avoir mal (à...)* to be hurt, to have a/an... ache 9; *avoir mal au cœur* to feel nauseous 9; *avoir mauvaise mine* to look awful 9; *avoir quel âge* to be how old 5; *avoir soif* to be thirsty 4; *avoir un petit air du pays* to look like (something from) my country 7
avril April 5

B

une **baguette** long thin loaf of bread 6
une **baignoire** bathtub 7
un **ballon (de foot)** (soccer) ball 4
banal(e) banal 8
une **banane** banana 6

un **banc** bench 7
une **banque** bank 8
le **bas** bottom 8
le **basket (basketball)** basketball 2
un **bateau** boat 8
bavard(e) talkative 5
beau, bel, belle beautiful, handsome 7
beaucoup a lot, very much 2; *beaucoup de* a lot of 6
un **beau-frère** stepbrother 5
un **beau-père** stepfather 5
beige beige 6
belge Belgian 10
la **Belgique** Belgium 10
une **belle-mère** stepmother 5
une **belle-sœur** stepsister 5
ben well 7
le **Bénin** Benin 5
béninois(e) Beninese 5
berbère Berber 7
bête unintelligent 5
le **beurre** butter 6
bien well 1; really 2
bientôt soon 1; *à bientôt* see you soon 1
bienvenue welcome 4
un **billet** bill (money) 6; ticket 10
la **biologie** biology 3
biologique organic 9
blanc, blanche white 6
un **blason** team logo 4
bleu(e) blue 5; *la bleue* the blue one 3
un **blogue** blog 2
blond(e) blond 5
un **blouson** jacket 4
le **bœuf** beef 6
une **boisson** drink 4
une **boîte (de)** can (of) 6
un **bol** bowl 7
bon(ne) good 1; *Bon Appétit!* Enjoy your meal! 4; *bon marché* cheap 6; *Bon voyage!* Have a good trip! 10
bonjour hello 1
les **bottes (f.)** boots 6
la **bouche** mouth 9; *bouche du métro* subway entrance 4
une **boucherie** butcher shop 6
bouger to move 9
une **boulangerie** bakery 6
le **bout** end 10; *au bout (de)* at the end (of) 10
une **bouteille (de)** bottle (of) 6
une **boutique** shop 6
le **bras** arm 9
brun(e) brown, dark (hair) 5
un **bureau** desk, office 3; *bureau du proviseur* principal's office 3
le **Burkina Faso** Burkina Faso 5
burkinabè from, of Burkina Faso 5
un **but** goal 4

C

c'est this is, that is, it is 1; *C'est ça.* That's right. 1; *C'est le (+ date)* It's the (+ date) 5; *C'est le top!* That's awesome! 1
ça it, this 1; that 2; *Ça fait combien?* How much is it? 6; *Ça va?* How are things going? 1
une **cabine: cabine d'essayage** dressing room 6
un **cadeau** gift 5
un **café** café 1; coffee 4
un **cahier** notebook 3
un **calendrier** calendar 2
un(e) **camarade de classe** classmate 1
le **camembert** camembert cheese 6
le **Cameroun** Cameroon 5
camerounais(e) Cameroonian 5
la **campagne** country(side) 10
le **Canada** Canada 5
canadien(ne) Canadian 1
un **canapé** sofa 7
une **cantine** school cafeteria 3
une **capitale** capital 10
une **carotte** carrot 6
un **carré** square 7; *en carrés* in squares 7
une **carte** map 3; menu 4; map 5; *carte cadeau* gift card 5
une **cascade** waterfall 10
une **casquette** cap 4
une **cathédrale** cathedral 8
une **cause** cause 10
causer to cause 9
un **CD** CD 2
ce it 1; this 3; *ce, cet, cette, ces* this, that, these, those 6; *ce que* what 9
un **cédérom** CD 3
cent (one) hundred 3
un **centre** center 1; *centre commercial* mall, shopping center 1
une **cerise** cherry 6
une **chaise** chair 3
une **chambre** bedroom 7
un **champignon** mushroom 6
une **chanson** song 7
chanter to sing 5
un **chanteur, une chanteuse** singer 5
un **chapeau** hat 6
une **charcuterie** delicatessen 6
charmant(e) charming 7
un **chat** cat 8
un **château** castle 10
chaud(e) hot 8; *avoir chaud* to be hot 8; *il fait chaud* it's hot 8; *j'ai chaud* I am hot 8
une **chaussette** sock 4
une **chaussure** shoe 4
un **chemin** way, path 10
une **chemise** shirt 6
cher, chère expensive 3
chercher to look for 6
un **cheval** horse 8
les **cheveux (m.)** hair 5
chez to, at the house (home) of 3; *chez moi* at/to my house 3
chic chic 6
un **chien** dog 8
la **chimie** chemistry 3
chimique chemical 9
le **chocolat** chocolate 4
choisir to choose 5
chouette great 8
un **ciné (cinéma)** movie theatre 1; *le cinéma* movies 2
cinq five 2
cinquante fifty 3
cinquième fifth 7
circuler to drive, to get around 9
une **classe** class 1
un **clavier** keyboard 7
une **clé USB** USB key 7
cliquer to click 7

un **coca** cola 4
le **cœur** heart 9; *avoir mal au cœur* to feel nauseous 9
le **coin** corner 8; *du coin* on the corner 8
une **colline** hill 10
combattre to fight 9
combien how much 3; *Ça fait combien?* How much is it? 6; *C'est combien le kilo?* How much per kilo? 6; *Il coûte combien?* How much does it cost? 3
une **comédie** comedy 4; *comédie romantique* romantic comedy 4
comme for 4; like 5; *comme ci, comme ça* so-so 1
commencer to begin 7
comment how, what 1; *Comment allez-vous? [form.]* How are you? 1; *Comment est...?* What is... like? 5
commerçant(e) shopping, business 6
un **compositeur, une compositrice** composer, songwriter 5
composter to validate (a ticket) 10
un **composteur** ticket-stamping machine 10
comprendre to understand 4
un **concert** concert 2; *concert R'n'B* R&B concert 2
un **concombre** cucumber 6
la **confiture** jam 4
connais: je connais I know 5
conseiller to advise 9
consommer to consume 8
continuer to continue 9
contre versus, against 4
un **contrôle** test 1
un **contrôleur, une contrôleuse** ticket collector 10
un **copain, une copine** (boy/girl) friend 1
le **corps** body 9
côté: à côté (de) beside, next to 7
la **Côte-d'Ivoire** Ivory Coast 5
le **cou** neck 9
une **couleur** color 6; *De quelle(s) couleur(s)?* In what color(s)? 6
un **couloir** hallway 7
couper to cut 7
une **courgette** zucchini 6
un **cours** course, class 2
le **couscous** couscous 6
un(e) **cousin(e)** cousin 5
un **coussin** pillow 7
un **couteau** knife 7
coûter to cost 3
le **couvert** table setting 7; *mettre le couvert* to set the table 7
un **crayon** pencil 3
une **crémerie** dairy store 6
une **crêpe** crêpe 4
un **croissant** croissant 6
un **croque-monsieur** grilled ham and cheese sandwich 4
une **cuiller** spoon 7
la **cuisine** cooking 2; kitchen 7
un **cuisinier, une cuisinière** cook, chef 5
une **cuisinière** stove 7
culturel, culturelle cultural 5
une **cure** spa treatment 9

D

d'abord first of all 6
d'accord OK 1
dans in 3
de/d' of, from 1; some, any 2; *De quelle(s) couleur(s)?* In what color(s)? 6
décembre December 5
décontracté(e) relaxed 9
un **degré** degree 8
déjà already 8
le **déjeuner** lunch 3
délicieux, délicieuse delicious 3
demain tomorrow 1; *À demain.* See you tomorrow. 1
demander to ask (for) 7; *demander le chemin* to ask for directions 10
démarrer to start 7
demi(e) half 3; *et demie* half past 3
un **demi-frère** half-brother 5
une **demi-sœur** half-sister 5
une **dent** tooth 9
un(e) **dentiste** dentist 5
un **départ** departure 10
un **département** department 10
dernier, dernière last 8
derrière behind 3
des some 2; from (the), of (the) 5
désagréable unpleasant 8
descendre to go down, to get off 8
désirer to want 4
désolé(e) sorry 8
un **dessert** dessert 4
dessus: au-dessus de above 7
une **destination** destination 10
deux two 2
deuxième second 7
devant in front of 3
devenir to become 5
une **devise** motto 10
devoir to have to 7
un **devoir** assignment 9; *les devoirs (m.)* homework 1
un **dictionnaire** dictionary 3
difficile difficult 3
diligent(e) diligent 5
dimanche Sunday 2
dîner to have dinner 7
le **dîner** dinner 7
le **dioxyde de carbone** carbon dioxide 9
une **direction** direction 10
dis say 1; *disons* let's say 4
une **discussion** discussion 5
disponible free 8
divorcé(e)(s) divorced 5
dix ten 2
dix-huit eighteen 2
dix-neuf nineteen 2
dix-sept seventeen 2
dixième tenth 7
un **documentaire** documentary 4
le **doigt** finger 9; *doigt de pied* toe 9
dois (see **devoir**) 1
donc so, therefore 4
donner to give 4; *donnez-moi* give me 4
dormir to sleep 2
le **dos** back 9

une **douche** shower 7

douze twelve 2

un **drame** drama 4

un **drapeau** flag 10

droite: à droite to the right 7; *à droite de* to (on) the right of 7; *tout droit* straight ahead 10

drôle funny 3

du some 2; of (the) 4; from (the) 5; about (the) 8; *du coin* on the corner 8

un **DVD** DVD 3

E

l' **eau (f.)** water; *eau minérale* mineral water 4

une **écharpe** scarf 4

un **éclair** eclair 8

une **école** school 3

écouter to listen (to) 2; *écouter de la musique* to listen to music 2; *écouter mon lecteur MP3* to listen to my MP3 player 3

un **écran** monitor, screen 7

écrire to write 3

un **écrivain** writer 5

l' **éducation physique et sportive (EPS) (f.)** gym class 3

un **effet** effect 9; *l'effet de serre* greenhouse effect 9

égoïste selfish 5

eh: eh bien well 1

électrique electric 9

un(e) **élève** student 3

éliminer to eliminate 9

elle she 1; it 3

elles they 2

embrasser to kiss 8

une **émission** television program 9

en in 3; on 4; of (pronoun) 8; by 9; *en aluminium, plastique* made of alumnum, plastic 9; *en avance* early 4; *en face de* across from 10; *en ligne* online 6; *en retard* late 4; *en solde* on sale 4; *en ville* downtown 3; *en voiture électrique* by electric car 9; *en voiture hydride* by hybrid car 9

enchanté(e) delighted 1

un **endroit** place 3

l' **énergie (f.)** energy; *énergie nucléaire* nuclear energy 9; *énergie solaire* solar energy 9

énergique energetic 3

un **enfant** child 5

enfin finally 4

s' **engager** to commit to, to be committed to 9

l' **engrais (m.)** fertilizer 9

une **enquête** survey 2

ensemble together 4

un **ensemble** outfit 6

ensuite next 6

entre between 10

entrer to enter, to come in 8

l' **environnement (m.)** environment 9

envoyer to send 2; *envoyer des textos* to send text messages 2

une **éolienne** wind turbine 9

l' **épaule (f.)** shoulder 9

une **épicerie** grocery store 6

l' **EPS (f.)** gym class 3

une **équipe** team 4

un **espace** area 9

l' **Espagne (f.)** Spain 10

l' **espagnol (m.)** Spanish (language) 3

espagnol(e) Spanish 10

essayer to try (on) 6

est (see **être**) 1

l' **est (m.)** east 10

est-ce que (phrase introducing a question) 3

l' **estomac (m.)** stomach 9

et and 1; *et demie* half past 3; *et quart* quarter past 3

un **étage** floor, story 7; *le premier étage* the second floor 7

un **étang** pond 10

les **États-Unis (m.)** United States 5

l' **été (m.)** summer 2

être to be 3; *être au courant* to know, to be informed 9; *être d'accord* to agree 7; *être libre* to be free 8; *être en (bonne, mauvaise) forme* to be in (good, bad) shape 9; *être en train de (+ infinitive)* to be (busy) doing something 7; *être occupé(e)* to be busy 8; *être situé(e)* to be located 10; *être vert* to be environmentally friendly 9; *Nous sommes le (+ date).* It's the (+ date). 5

étudier to study 2

euh um 3

un **euro** euro 3

l' **Europe (f.)** Europe 10

un **évier** sink 7

exactement exactly 8

F

face: en face de across from 10

facile easy 3

faim: avoir faim to be hungry 4

faire to do, to make 1; *faire de la gym (gymnastique)* to do gymnastics 2; *faire du footing* to go running 2; *faire du patinage (artistique)* to (figure) skate 2; *faire du roller* to in-line skate 2; *faire du shopping* to go shopping 2; *faire du ski (alpin)* to (downhill) ski 2; *faire du sport* to play sports 2; *faire du vélo* to bike 2; *faire la connaissance (de)* to meet 10; *faire la cuisine* to cook 2; *faire les courses* to go grocery shopping 6; *faire marcher* to run, make (something) work 9; *faire mes devoirs* to do my homework 1; *faire une promenade* to go for a walk 8

fais: je fais (see **faire**) 2

fait: *Ça fait combien?* How much is it? 6; *il fait beau* it's beautiful out 2; *il fait chaud* it's hot 8; *il fait du soleil* it's sunny 8; *il fait du vent* it's windy 8; *il fait frais* it's cool 8; *il fait froid* it's cold 8; *il fait mauvais* the weather's bad 2; *Quel temps fait-il?* What's the weather like? 8

falloir to be necessary, to have to 9; *il faut* it is necessary, one has to/must, we/you have to/must 9

une	**famille** family 5
	fatigué(e) tired 8
	faut (see **falloir**) 9
un	**fauteuil** armchair 7
une	**femme** wife 5; *femme d'affaires* businesswoman 5
une	**fenêtre** window 3
	fermer to close 7
une	**fête** party 1
une	**feuille de papier** sheet of paper 3
	février February 5
la	**fièvre** fever 9
la	**figure** face 9
une	**fille** girl 1; daughter 5
un	**film** film 4; *film d'action* action movie 4; *film d'aventures* adventure movie 4; *film d'horreur* horror movie 4; *film de science-fiction* science fiction movie 4; *film musical* musical 4; *film policier* detective movie 4
un	**fils** son 5
	fin(e) fine 7
	finir to finish 5
un	**fitness** health club, gym 9
un	**fleuve** river 8
	fond: au fond (de) at the end (of) 7
le	**foot** soccer 2
un	**footballeur, une footballeuse** soccer player 4
le	**footing** running 2
une	**forêt** forest 10
	forme: être en (bonne, mauvaise) forme to be in (good, bad) shape 9
	fort(e) strong 7
un	**foulard** scarf 6
un	**four** oven 7
une	**fourchette** fork 7
	frais, fraîche fresh 6; cool 8; *il fait frais* it's cool 8
une	**fraise** strawberry 6
le	**français** French (language) 3
	français(e) French 1
	francanadien(ne) from, of French-speaking Canada 10
la	**France** France 3
	francophone French-speaking 5
un	**frère** brother 5; *beau-frère* stepbrother 5; *demi-frère* half-brother 5
un	**frigo** refrigerator 7
les	**frissons (m.)** chills 9
les	**frites (f.)** French fries 2
	froid(e) cold 8; *avoir froid* to be cold 8; *il fait froid* it's cold 8; *j'ai froid* I am cold 8
le	**fromage** cheese 4
un	**fruit** fruit 6; *une tarte aux fruits* fruit tart 6

G

le	**Gabon** Gabon 5
	gabonais(e) Gabonese 5
	gagner to win 4
un	**garçon** boy 1
une	**gare** train station 8
un	**gâteau** cake 5
	gauche: à gauche on the left 7; *à gauche de* to (on) the left of 7
	géant(e) giant 9
	généreux, généreuse generous 5
	génial(e) fantastic, great, terrific 2
le	**genou** knee 9
un	**genre** type 4
les	**gens (m.)** people 5
une	**glace** ice cream 4; *glace à la vanille* vanilla ice cream 4; *glace au chocolat* chocolate ice cream 4
la	**gorge** throat 9
un	**gorille** gorilla 9; *gorille des montagnes* mountain gorilla 9
	gourmand(e) fond of food 8
le	**goûter** snack 7
un	**gramme (de)** gram (of) 6
	grand(e) big, large, tall 5
une	**grand-mère** grandmother 5
les	**grands-parents (m.)** grandparents 5
un	**grand-père** grandfather 5
	grandir to grow 5
un(e)	**graphiste** graphic designer 5
	grave serious 8
la	**grippe** flu 9
	gris grey 5
	gros, grosse big, fat, large 6
	grossir to gain weight 5
un	**guichet** ticket booth 4
un	**guide** guidebook 10; *guide touristique* tourist guide 8
la	**gym (gymnastique)** gymnastics 2; *faire de la gym (gymnastique)* to do gymnastics 2

H

un(e)	**habitant(e)** inhabitant, resident 10
	habiter to live 7
un	**hamburger** hamburger 2
les	**haricots verts (m.)** green beans 6
le	**haut** top 8
l'	**heure (f.)** hour, o'clock, time 3; *à l'heure* on time 4; *Quelle heure est-il?* What time is it? 3
	hier yesterday 8
le	**hip-hop** hip-hop 2
l'	**histoire (f.)** history 3
l'	**hiver (m.)** winter 2
un	**homme** man 5; *homme d'affaires* businessman 5
l'	**horreur (f.)** horror 4
un	**hôtel** hotel 8; *hôtel de ville* city hall 8
	huit eight 2
	huitième eighth 7
	humanitaire humanitarian 10
	hybride hybrid 9

I

	ici here 7
une	**idée: Bonne idée!** Good idea! 8
	il he 1; it 3
	il y a there is/are 3
	ils they 2
un	**immeuble** apartment building 7
	impossible impossible 7
une	**imprimante** printer 7
	imprimer to print 7
l'	**informatique (f.)** computer science 3
un	**ingénieur** engineer 5
	installer to install 9
un	**instant** moment 9; *pour l'instant* for the moment 9

	intelligent(e) intelligent 3
	intéressant(e) interesting 3
	international(e) international 10
(l')	**Internet (m.)** Internet 2
un(e)	**invité(e)** guest 7
	inviter to invite 2
l'	**Italie (f.)** Italy 10
	italien(ne) Italian 10
	ivoirien(ne) from, of the Ivory Coast 5

J

la	**jambe** leg 9
le	**jambon** ham 4
	janvier January 5
un	**jardin** garden, park 8
le	**jasmin** jasmine 7
	jaune yellow 6
	je (j') I 1
un	**jean** jeans 6
	jeudi Thursday 2
les	**Jeux Olympiques (m.)** Olympic Games 2
des	**jeux vidéo (m.)** video games 2
	joli(e) pretty 6
	jouer to play 2; *jouer au basket (basketball)* to play basketball 2; *jouer au foot (football)* to play soccer 2; *jouer au hockey sur glace* to play ice hockey 2; *jouer aux jeux vidéo* to play video games 2; *jouer un rôle* to play a role 4
un	**jour** day 2; one day, someday 5
une	**journée** day 8
	juillet July 5
	juin June 5
une	**jupe** skirt 6
un	**jus** juice 4; *jus d'orange* orange juice 4
	jusqu'à until 10

K

le	**ketchup** ketchup 6
un	**kilo (de)** kilogram (of) 6
un	**kilomètre** kilometer 5
un	**kiosque à journaux** newstand 4

L

	là there 1
	là-bas over there 5
un	**labo (laboratoire)** science lab 3
un	**lac** lake 10
	laisser to leave, to let 9; *Laisse-moi finir!* Let me finish! 8
le	**lait** milk 6
une	**lampe** lamp 7
une	**langue** language 3
	le, la, l' the 1; it (object pronoun) 4
un	**lecteur de DVD** DVD player 3; *lecteur de MP3* MP3 player 3
un	**légume** vegetable 6
	les the 2
	leur, leurs their 5
un	**lien** link 7
la	**ligne** figure 8; *en ligne* online 6
une	**limonade** lemon-lime soda 4
	lire to read 2
un	**lit** bed 7
un	**litre (de)** liter (of) 6
un	**livre** book 3
une	**livre** pound 6
un	**logiciel** software 7
	loin (de) far (from) 10
	long, longue long 7
	louer to rent 10
	lui to him/her 5
	lundi Monday 2
le	**Luxembourg** Luxembourg 10
	luxembourgeois(e) from, of Luxembourg 10
un	**lycée** high school 9

M

	m'appelle: je m'appelle my name is 1
	madame (Mme) Ma'am, Mrs., Ms. 1
	mademoiselle (Mlle) Miss, Ms. 1
un	**magasin** store 3
	mai May 5
	maigrir to lose weight 5
un	**maillot** jersey 4; *maillot de bain* bathing suit 6
la	**main** hand 8; *la main dans la main* hand in hand 8
	maintenant now 3
	mais but 3
une	**maison** house, home 1
	mal badly 1; *Ça va mal.* Things are going badly. 1; *avoir mal (à...)* to be hurt, to have a/an... ache 9
	malade sick 9
un(e)	**malade** sick person 9
une	**maladie** illness 9
le	**Mali** Mali 5
	malien(ne) Malian 5
	manger to eat 2
un	**mannequin** model 6
un	**manteau** coat 6
un(e)	**marchand(e)** merchant 6
un	**marché** outdoor market 6; *marché aux puces* flea market 6
	marcher to walk 9; *faire marcher* to make (something) work 9
	mardi Tuesday 2
une	**marée** tide 9; *marée noire* oil slick 9
un	**mari** husband 5
	marquer to score 4
	marron brown 5
	mars March 5
la	**Martinique** Martinique 5
un	**match** game 4
les	**maths (f.)** math 1
la	**matière** class subject 3
le	**matin** morning 3
	mauvais bad 8; *il fait mauvais* the weather is bad 2
la	**mayonnaise** mayo 6
	me (m') me 4
	méchant(e) mean 5
un	**médecin** doctor 5
une	**médiathèque** media center 3
les	**meilleurs (m.)** the best 4
un	**melon** melon 6
	même same 6
un	**menu fixe** fixed menu 4
	merci thank you 4
	mercredi Wednesday 2
une	**mère** mother 1; *belle-mère* stepmother 5
	mesdemoiselles (f.) plural of *mademoiselle* 4
un	**métier** job 5
le	**métro** subway 4

un **metteur en scène** director 4
mettre to put (on), to set 7; *mettre le couvert* to set the table 7
se **mettre: mets-toi devant l'écran** place yourself in front of the TV 9
un **meuble** piece of furniture 7
un **micro-onde** microwave 7
midi noon 3
mieux better 1
mille thousand 4
un **millefeuille** layered custard pastry 8
un **million** million 5
une **mine** appearance, expression 9
une **minute** minute 7
minuit midnight 3
moche ugly 6
moi me 1
moins less 7; *moins le quart* quarter to 3
un **mois** month 5
mon, ma, mes my 1
le **monde** everyone, world 1
un **moniteur** monitor 7
monsieur (M.) Mr., sir 1
une **montagne** mountain 9
monter to go up, to get in/on 8
montrer to show 8
un **monument** monument 8
un **morceau (de)** piece (of) 6
mort(e) dead 9
morue: accras de morue (m.) cod fritters 5
une **mosquée** mosque 7
la **moutarde** mustard 6
moyen(ne) medium 5
mûr(e) ripe 6
un **musée** museum 8
la **musique** music 2; *musique alternative* alternative music 2

N

n'est-ce pas? isn't that so? 2
nager to swim 2
une **nappe** tablecloth 7
naviguer to browse 7
ne (n')... jamais never 10
ne (n')... pas not 1
ne (n')... personne no one, nobody, not anyone 10
ne (n')... plus no longer, not anymore 10
ne (n')... rien nothing 3
neige: il neige it's snowing 8
neuf nine 2
neuvième ninth 7
le **nez** nose 9
niçoise: une salade niçoise tuna salad 6
noir(e) black 5
un **nombre** number 2
non no 1
le **nord** north 10
une **note** grade 3
notre, nos our 5
nous we 2; us 5
nouveau new 2; *nouvel, nouvelle* new 8
le **Nouveau-Brunswick** New Brunswick 7
novembre November 5
nucléaire nuclear 9
la **nuit** night 3
un **numéro** number 2; *numéro de téléphone* phone number 2

O

obligatoire mandatory 8
occupé(e) busy 8; *être occupé(e)* to be busy 8
un **océan** ocean 9
octobre October 2
l' **œil (m.)** eye 9
un **œuf** egg 6
offrir to offer, to give 5
oh oh 1
oh là là oh dear, oh no, wow 9
un **oignon** onion 6
un **oiseau** bird 8
une **olive** olive 6
une **omelette** omelette 4
on they, we, one 1; *On s'appelle.* We'll call each other. 1
un **oncle** uncle 5
onze eleven 2
orange orange 6
une **orange** orange 4
un **ordinateur** computer 3; *ordinateur portable* laptop computer 3
l' **oreille (f.)** ear 9
ou or 2
où where 3; when 8
oublier to forget 8
l' **ouest (m.)** west 10
oui yes 1
ouille ouch 9
un **ours** bear 9; *ours polaire* polar bear 9
ouvre: elle ouvre she opens 7

P

paie (see **payer**) 7
le **pain** bread 6
un **pamplemousse** grapefruit 6
un **panda** panda 9; *panda géant* giant panda 9
un **panneau** panel 9
un **pantalon** pants 6
le **papier** paper 3; *une feuille de papier* sheet of paper 3
un **paquet (de)** packet (of) 6
par with 7
un **parc** park 7
parce que because 3
pardi (régional) of course 7
pardon pardon me 8
les **parents (m.)** parents 5
paresseux, paresseuse lazy 5
parler to speak, to talk 5
se **parler** to talk to each other/ one another 8
les **paroles (f.)** lyrics 7
partir to leave 8
partout everywhere 9
pas not 1; *pas du tout* not at all 10; *pas mal* not bad 1; *pas très bien* not very well 1
passer to spend (time) 7
un **passe-temps** pastime 2
une **passion** passion 10
passionné(e) (de) passionate (about) 5
une **pastèque** watermelon **6**
le **pâté** pâté 6
les **pâtes (f.)** pasta 2
le **patinage (artistique)** (figure) skating 2

une **pâtisserie** bakery, pastry shop 6
payer to pay 9
un **payeur, une payeuse** someone who pays 9
un **pays** country 7
une **pêche** peach 6
pendant during 2; for 8
une **pendule** clock 3
penser to think 7
perdre to lose 4
perdu(e) lost 10
un **père** father 1; *beau-père* stepfather 5
une **personne** person 9; *ne (n')... personne* no one, nobody, not anyone 10
persuadé(e) persuaded 9
petit(e) little, short, small 5
le **petit déjeuner** breakfast 7
les **petits pois (m.)** peas 6
(un) **peu** (a) little 2; *un peu de* a little of 6
peut (see **pouvoir**) 3
peut-être maybe 4
peux (see **pouvoir**) 1; *Je peux vous aider?* May I help you? 6
une **photo** photo 7; *re-photo* another photo 8
la **physique** physics 3
une **pièce** room 7
le **pied** foot 9; *à pied* on foot 9
une **piscine** swimming pool 3
une **pizza** pizza 2
un **placard** closet 7
une **place** square 8
un **plaisir** pleasure 10
un **plan** city map 10
une **planète** planet 9
le **plastique** plastic 9; *en plastique* made of plastic 9
pleurer to cry 4
pleuvoir to rain 8; *il pleut* it's raining 8
plonger to dive 2
plus more 7; *le/la/les plus (+adjectif)* the most (+ adjective) 10
une **poire** pear 6
un **poisson (rouge)** (gold)fish 8
la **poitrine** chest 9
le **poivre** pepper 7
un **poivron** bell pepper 6
polluant polluting 9
polluer to pollute 9
un **pollueur, une pollueuse** polluter 9
la **pollution** pollution 9
une **pomme** apple 6; *une tarte aux pommes* apple pie 6
une **pomme de terre** potato 6
un **pont** bridge 8
le **porc** pork 6
un **portable** cell phone 7
une **porte** door 3
porter to wear 4
possible possible 1
une **poste** post office 8
un **pot (de)** jar (of) 6
le **poulet** chicken 6
pour for 3
pourquoi why 2
pourrais: tu pourrais you could 9
pouvoir can, to be able (to) 7
préféré(e) favorite 2
préférer to prefer 2
premier, première first 5
prendre to take, to have (food or drink) 4; *je prends* I'll take 3
un **prénom** first name 1
préparer to prepare 5
une **préposition** preposition 10
près de near 7
présenter to introduce 1; *Je te/vous présente...* I'd like to introduce you to... 1
presque nearly 9
prêt(e) ready 6
le **printemps** spring 8
un **problème** problem 7
un(e) **prof** teacher 1
une **profession** profession 5; *Quelle est votre profession?* What is your profession? 5
un **profil** profile 10
profiter to take advantage of 8; *profiter de* to benefit from 9; *tu profiterais de* you would benefit from 9
un **projet** project 5
une **promenade** walk 8
protéger to protect 9
provençal(e) from, of Provence 7
une **province** province 10
un **proviseur** principal 3
puis then 3
un **pull** sweater 6

Q

qu'est-ce que what 2; *Qu'est-ce qu'elle a?* What's wrong with her? 9; *Qu'est-ce que tu aimes faire?* What do you like to do? 2; *Qu'est-ce que tu fais?* What are you doing? 2
un **quai** platform 10
quand when 2
quarante forty 3
un **quart** quarter 3; *et quart* quarter past 3; *moins le quart* a quarter to 3
quatorze fourteen 2
quatre four 2
quatre-vingt-dix ninety 3
quatre-vingts eighty 3
quatrième fourth 7
que that 5; than, as 7
le **Québec** Quebec 10
québécois(e) from, of Quebec 10
quel, quelle what, which 2
quelqu'un somebody, someone 10
quelque chose something 10
une **question** question 2
qui that, who 3
une **quiche** quiche 4
quinze fifteen 2
quitter to leave 9
quoi what 3

R

la **radiation** radiation 9
un **raisin** grape 6
la **ratatouille** ratatouille 7
réaliser to realize 10
une **recette** recipe 7
réchauffer to heat up 9
recycler to recycle 9
réfléchir (à) to think over, consider 5
regarder to watch 2
une **religieuse** cream puff pastry 8

rembourser to reimburse 4
remplacer to replace 9
un **rendez-vous** meeting 4
rentrer to come back, to come home, to return 8
un **repas** meal 7
re-photo another photo 8
un **reportage** news report 9
une **résolution** resolution 9
respiratoire respiratory 9
ressembler (à) to resemble 5
un **restaurant** restaurant 8
rester to remain, to stay 8
retourner to return 8
se **retrouver** to meet 4; *on se retrouve....* we'll meet.... 3
réussir (à) to pass (a test), to succeed 5
revenir to come back 5; to return 8
le **rez-de-chaussée** the ground floor 7
un **rhume** cold 9
une **riad** riad 7
rien: ne (n')... rien nothing 3
rigoler to laugh 8
rire to laugh 4
une **rivière** river 10
une **robe** dress 6
le **rock** rock (music) 2
un **rôle** role 5
le **roller** in-line skating 2
une **rondelle** circular piece of food 7; *en rondelles* in circles 7
rose pink 6
rouge red 6
rougir to blush 5
une **route** highway, road, route 10
roux, rousse red (hair) 5
une **rue** street 6
le **Rwanda** Rwanda 9

S

s'appeler: On s'appelle. We'll call each other. 1
s'il vous plaît please 4
un **sac à dos** backpack 3
sais: je sais I know 4; *tu sais* you know 9
une **salade** salad 2; lettuce 6; *salade niçoise* tuna salad 6
une **salle** room 3; *salle à manger* dining room 7; *salle de bains* bathroom 7; *salle de classe* classroom 3; *salle d'informatique* computer lab 3
un **salon** living room 7
salut hi, good-bye 1
samedi Saturday 2
un **sandwich** sandwich 4; *sandwich au fromage* cheese sandwich 4; *sandwich au jambon* ham sandwich 4
le **saucisson** salami 6
sauvage wild 9
sauvegarder to protect 9; to save 7
la **science-fiction** science fiction 4
les **sciences (f.)** science 3
une **séance** film showing 4
seize sixteen 2
un **séjour** living room 7
le **sel** salt 7
une **semaine** week 2
le **Sénégal** Senegal 5
sénégalais(e) Senegalese 5
sentir to smell 7; *Ça sent quoi?* What does it smell like? 7
sept seven 2
septembre September 5
septième seventh 7
une **série** series 4
un **serveur, une serveuse** server 4
une **serviette** napkin 7
le **shopping** shopping 2
un **short** shorts 4
si yes (on the contrary) 2; if 4
le **SIDA** AIDS 9
un **siège** seat 10
simple simple 10
un **site web** website 7
situé(e) located 10
six six 2
sixième sixth 7
le **ski (alpin)** (downhill) skiing 2
une **sœur** sister 5; *belle-sœur* stepsister 5; *demi-sœur* half-sister 5
soif: avoir soif to be thirsty 4
le **soir** evening 2
soixante sixty 3
soixante-dix seventy 3
solaire solar 9; *l'énergie (f.)* solaire solar energy 9
solde: en solde on sale 4
soleil: il fait du soleil it's sunny 8
son, sa, ses his, her, one's, its 5
sortir to go out 2; to come out 6
la **soupe** soup 6
une **souris** mouse 7
sous under 3
soutenir to support 4; *je soutiens* I support 4
un **souvenir** memory 8
souvent often 10
souviens: je me souviens I remember 10
une **spécialité: spécialité du jour** daily special 4
un **sport** sport 2
un **stade** stadium 4
une **statue** statue 8
un **steak-frites** steak with fries 4
le **step** step aerobics 9
une **stéréo** stereo 3
strict(e) strict 1
un **stylo** pen 3
le **sucre** sugar 7
le **sud** south 10
suis (see **être**) 1
suisse Swiss 10
la **Suisse** Switzerland 10
super awesome 5
un **supermarché** supermarket 6
sur on 2; of 8
sûr(e) sure 7
surfer to surf 2; *surfer sur Internet* to surf the Web 2
surprend: ça ne me surprend pas it doesn't surprise me 4
surtout especially 4
survivre to survive 9
sympa nice 5
synchroniser to synchronize 7

T

t'appelles: tu t'appelles your name is 1; *Tu t'appelles comment?* What's your name? 1
une **table** table 3

un **tableau** chalkboard 3; painting 8; *tableau des arrivées et des départs* arrival and departure timetable 10
une **tablette** tablet 7
un **taf** work 7
tahitien(ne) Tahitian 3
une **taille** size 5; *de taille moyenne* of average height 5; *Quelle taille faites-vous?* What size are you? 6
un **taille-crayon** pencil sharpener 3
tant pis too bad 6
une **tante** aunt 5
un **tapis** rug 7
une **tarte** pie 6; *tarte aux fruits* fruit tart 6; *tarte aux pommes* apple pie 6
une **tasse** cup 7
te (t') you, to you 1
un **tee-shirt** T-shirt 6
une **télé (télévision)** TV, television 2
télécharger to download 7
téléphoner to phone (someone), to make a call 2
la **température** temperature 8
le **temps** weather 8; *Quel temps fait-il?* What's the weather like? How's the weather? 8
des **tennis (m.)** sneakers 6
une **terrasse** terrace 8
un **testeur de jeux vidéo** video game tester 5
la **tête** head 9
une **teuf** party 1
un **texto** text message 2
un **thème** topic 9
thermal(e) hydrotherapeutic 9
le **thon** tuna 6
un **thriller** thriller 4
un **ticket** ticket 4
tiens hey 6
un **tigre** tiger 9; *tigre de Sumatra* Sumatran tiger 9
timide shy 5
un **tissu** fabric 7
le **Togo** Togo 5
togolais(e) Togolese 5
toi you 1
les **toilettes (f.)** toilet 7
un **toit** roof 9
une **tomate** tomato 6
ton, ta your 1; *tes* your 5
top awesome 1; *C'est le top!* That's awesome! 1
total(e): Total vintage! It has a totally vintage look! 3
une **touche** key (on keyboard) 7
toujours always 10; still 4
un **tour** tour 8
tourner to turn 10
tout(e), tous, toutes all 1; *Tout ça!* All that! 4
un **train** train 10
une **tranche (de)** slice (of) 6
travailler to work 5
traverser to cross 10
treize thirteen 2
trente thirty 3
très very 1; *Très bien, et toi/vous?* Very well, and you? 1
trois three 2
troisième third 7
trop too 1; *trop de* too much of 6
une **trousse** pencil case 3
trouver to find 6
se **trouver** to be located 10
tu you 1

U

un a, an 1; one 2
une a, an, one 3
une **usine** factory 9

V

va (see **aller**) 1
les **vacances (f.)** vacation 10
une **valise** suitcase 10
une **vallée** valley 10
vas (see **aller**) 1; *Tu vas bien?* Are things going well? 2
un **vélo** bike 2; *à vélo* by bike 9
un **vendeur, une vendeuse** salesperson 6
vendre to sell 6
vendredi Friday 2
venir to come 1
vent: il fait du vent it's windy 8
le **ventre** stomach 9
un **verre** glass 7
vers towards 10
vert(e) green 5
une **veste** jacket 6
des **vêtements (m.)** clothes 4
veux: je veux bien I'd like that 1
vieux, vieil, vieille old 8
une **ville** city 3; *en ville* downtown 3
vingt twenty 2
violet, violette purple 6
une **visite** visit 10
visiter to visit 8
vite fast, quickly 8
une **voie** path 9; train track 10; *animaux en voie de disparition* endangered species 9
voilà here is/are 4
voir to see 3
se **voir** to see each other/one another 8
une **voiture** car 9; *voiture électrique* electric car 9; *voiture hybride* hybrid car 9
votre, vos your 5
voudrais: je voudrais I would like 5; *tu voudrais* you would like 1
vouloir to want 6
vous you 1, to you 5; *Vous voulez...?* Would you like...? 4
un **voyage** trip 8
voyager to travel 5
un **voyageur, une voyageuse** traveller 10
vrai(e) true 10
vraiment really 5
une **vue** view 7; *Quelle belle vue!* What a beautiful view! 7

W

les **W.C. (m.)** toilet 7
un **wagon-restaurant** dining car 10
le **weekend** weekend 2
la **world** world music 2

Y

y: On y va? Are we going (there)? 3
un **yaourt** yogurt 6
les **yeux (m.)** eyes 5
le **yoga** yoga 9

Z

zéro zero 2

Vocabulary

English–French

A

a, an un 1; une 3; *(a) little* (un) peu 2; *a little of* un peu de 6; *a lot* beaucoup 2; *a lot of* beaucoup de 6

to be **able (to)** pouvoir 7
about (the) du 8
above au-dessus de 7
to **accompany** accompagner 10
ache: to have a/an... ache avoir mal (à)... 9
across from en face de 10
action l'action (f.) 4
activity une activité 2
actor un acteur, une actrice 4
adventure une aventure 4
to **advise** conseiller 9
aerobics l'aérobic (m.) 9; *step aerobics* le step 9
Africa l'Afrique (f.) 5
after après 2
afternoon l'après-midi (m.) 3
against contre 4
age l'âge (m.) 5
to **agree** être d'accord 7
agriculture l'agriculture (f.) 9
AIDS le SIDA 9
air l'air (m.) 6
airplane un avion 8
airport un aéroport 8
Algerian algérien(ne) 1
all tout(e), toutes, tous 1; *All that!* Tout ça! 4
already déjà 8
also aussi 2
aluminum l'aluminium (m.) 9; *made of aluminum* en aluminium 9
always toujours 10
American américain(e) 1
and et 1
animal un animal 8
another: another photo re-photo 8
antiretroviral drugs les antirétroviraux (m.) 9
any d', de 2
apartment un appartement 7; *apartment building* un immeuble 7
appearance une mine 9
apple une pomme 6; *apple pie* une tarte aux pommes 6
April avril 5
area un espace 9
arm le bras 9
armchair un fauteuil 7
arrival une arrivée 10; *arrival and departure timetable* un tableau des arrivées et des départs 10
to **arrive** arriver 4
as aussi, que 7
to **ask (for)** demander 7; *to ask for directions* demander le chemin 10
assignment un devoir 9
at à 2; *at (the)* au, aux 3; *at my house* chez moi 3; *at the end (of)* au fond (de) 7; au bout (de) 10; *at the house (home) of* chez 3
athlete un(e) athlète 5
August août 5
aunt une tante 5
autumn l'automne (m.) 8
avenue une avenue 8
awesome top 1; super 8; *That's awesome!* C'est le top! 1

B

back le dos 9
backpack un sac à dos 3
bad mal 1; mauvais 8; *the weather is bad* il fait mauvais 2
badly mal 1; *Things are going badly.* Ça va mal. 1
bakery une boulangerie, une pâtisserie 6
banal banal(e) 8
banana une banane 6
bank une banque 8
basketball le basket (basketball) 2
bathing suit un maillot de bain 6
bathroom une salle de bains 7
bathtub une baignoire 7
to **be** être 3; *to be able (to)* pouvoir 7; *to be busy* être occupé 8; *to be (busy) doing something* être en train de (+ infinitive) 7; *to be cold* avoir froid 8; *to be committed to* s'engager 9; *to be environmentally friendly* être vert 9; *to be free* être libre 8; *to be hot* avoir chaud 8; *to be how old* avoir quel âge 5; *to be hungry* avoir faim 4; *to be hurt* avoir mal (à...) 9; *to be informed* être au courant 9; *to be in (good, bad) shape* être en (bonne, mauvaise) forme 9; *to be located* être situé(e), se trouver 10; *to be necessary* falloir 8; *to be thirsty* avoir soif 4; *to be... year(s) old* avoir... an(s) 5
bear un ours 9; *polar bear* un ours polaire 9
beautiful beau, bel, belle 7; *It's beautiful out.* Il fait beau. 2
because parce que 3
to **become** devenir 5
bed un lit 7
bedroom une chambre 7
beef le bœuf 6
to **begin** commencer 7
behind derrière 3
beige beige 6
Belgian belge 10
Belgium la Belgique 10
bench un banc 7

to **benefit from** profiter de 9; *you would benefit from* tu profiterais de 9

Benin le Bénin 5

Beninese béninois(e) 5

Berber berbère 7

beside à côté de 7

best: the best les meilleurs (m.) 4

better mieux 1

between entre 10

big grand(e) 5; gros, grosse 6

bike un vélo 2

to **bike** faire du vélo 2; *by bike* à vélo 9

bill l'addition (f.) 4; *bill (money)* un billet 6

biology la biologie 3

bird un oiseau 8

birthday un anniversaire 5

black noir(e) 5

blog un blogue 2

blond blond(e) 5

blue bleu(e) 5; *the blue one* la bleue 3

to **blush** rougir 5

boat un bateau 8

body le corps 9

book un livre 3

boots les bottes (f.) 6

bottle (of) une bouteille (de) 6

bottom le bas 8

bowl un bol 7

boy un garçon 5

bread le pain 6; *long thin loaf of bread* une baguette 6

breakfast le petit déjeuner 7

bridge un pont 8

to **bring** apporter 5

brother un frère 5; *half-brother* un demi-frère 5; *stepbrother* un beau-frère 5

brown marron 6; *brown (hair)* brun(e) 5

to **browse** naviguer 7

building: apartment building un immeuble 7

Burkina Faso le Burkina Faso 5; *from, of Burkina Faso* burkinabè 5

bus un autobus 10

business commerçant(e) 6

businessman un homme d'affaires 5

businesswoman une femme d'affaires 5

busy occupé(e) 8

to be **busy** être occupé(e) 8; *to be (busy) doing something* être en train de (+ infinitive) 7

but mais 3

butcher shop une boucherie 6

butter le beurre 6

to **buy** acheter 3

by à 9; en 9; *by bike* à vélo 9; by electric car en voiture électrique 9; *by hybrid car* en voiture hybride 9

C

café un café 1

cafeteria: school cafeteria une cantine 3

cake un gâteau 5

camembert cheese le camembert 6

Cameroon le Cameroun 5

Cameroonian camerounais(e) 5

can (of) une boîte (de) 6

Canada le Canada 5

Canadian canadien(ne) 1

cap une casquette 4

capital une capitale 8

car une voiture 9; *dining car* un wagon-restaurant 10; *electric car* une voiture électrique 9; *hybrid car* une voiture hybride 9

carbon dioxyde le dioxyde de carbone 9

card une carte 5

careful: Be careful! Attention! 7

carrot une carotte 6

castle un château 10

cat un chat 8

cathedral une cathédrale 8

cause une cause 10

to **cause** causer 9

CD un CD 2; un cédérom 3

cell phone un portable 7

center un centre 1; *shopping center* un centre commercial 1

chair une chaise 3

chalkboard un tableau 3

charming charmant(e) 7

cheap bon marché 6

cheese le fromage 4; *camembert cheese* le camembert 6; *cheese sandwich* un sandwich au fromage 4

chef un cuisinier, une cuisinière 5

chemical chimique 9

chemistry la chimie 3

cherry une cerise 6

chest la poitrine 9

chic chic 6

chicken le poulet 6

child un enfant 5

chills les frissons (m.) 9

chocolate le chocolat 4

to **choose** choisir 5

circular: circular object or piece of food une rondelle 7

city ville 3

city hall un hôtel de ville 8

class une classe 1; un cours 2; *class subject* la matière 3; *gym class* l'éducation physique et sportive (EPS) (f.) 3

classmate un(e) camarade de classe 1

classroom la salle de classe 3

to **click** cliquer 7

clock une pendule 3

to **close** fermer 7

closet un placard 7

clothes des vêtements (m.) 4

coat un manteau 6

cod fritters les accras de morue (m.) 5

coffee un café 4

cola un coca 4

cold froid 8; *I am cold* j'ai froid 8; *it's cold* il fait froid 8; *to be cold* avoir froid 8

cold un rhume 9

color une couleur 6; *In what color(s)?* De quelle(s) couleur(s) 7

to **come** venir 1; *to come back* revenir 5; rentrer 8; *to come home* rentrer 8; *to come in* entrer 8; *to come out* sortir 6

comedy une comédie 4; *romantic comedy* une comédie romantique 4

to **commit to** s'engager 9

composer un compositeur 5

computer un ordinateur 3; *computer lab* une salle d'informatique 3; *computer science* l'informatique (f.) 3; *laptop computer* un ordinateur portable 3

concert un concert 2

to **consider** réfléchir (à) 5

to **consume** consommer 8

to **continue** continuer 9

cool frais, fraîche 8; *it's cool* il fait frais 8

cook un cuisinier, une cuisinière 5

to **cook** faire la cuisine 2

cooking la cuisine 2

corner le coin 8; *on the corner* du coin 8

to **cost** coûter 3

could: you could tu pourrais 9

country un pays 7

country(side) la campagne 10

course un cours 2

couscous le couscous 6

cousin un(e) cousin(e) 5

cream puff pastry une religieuse 8

crêpe une crêpe 4

croissant un croissant 6

to **cross** traverser 10

to **cry** pleurer 4

cucumber un concombre 6

cultural culturel, culturelle 5

cup une tasse 7

to cut couper 7

D

daily special une spécialité du jour 4

dairy store une crémerie 6

dark (hair) brun(e) 5

daughter une fille 5

day un jour 2; une journée 8; *one day, some day* un jour 5

dead mort(e) 9

December décembre 5

degree un degré 8

delicatessen une charcuterie 6

delicious délicieux, délicieuse 3

delighted enchanté(e) 1

dentist un(e) dentiste 5

department un département 10

departure un départ 10

desk un bureau 3

dessert un dessert 4

destination une destination 10

dictionary un dictionnaire 3

difficult difficile 3

diligent diligent(e) 5

dining: dining car un wagon-restaurant 10; *dining room* la salle à manger 7

dinner le dîner 7

to have **dinner** dîner 7

direction une direction 10

director un metteur en scène 5

discussion une discussion 5

to **dive** plonger 2

divorced divorcé(e)(s) 5

to **do** faire 1; *to do gymnastics* faire de la gym (gymnastique) 2; *to do my homework* faire mes devoirs 1

doctor un médecin 5

documentary un documentaire 4

dog un chien 8

door une porte 3

to **download** télécharger 7

downtown en ville 3

drama un drame 4

dress une robe 6

dressing room une cabine d'essayage 6

drink une boisson 4

to **drive** circuler 9

during pendant 2

DVD un DVD 3; *DVD player* un lecteur de DVD 3

E

ear l'oreille (f.) 9

early en avance 4

east l'est (m.) 10

easy facile 3

to **eat** manger 2

eclair un éclair 8

effect un effet 9; *greenhouse effect* l'effet de serre 9

egg un œuf 6

eggplant une aubergine 6

eight huit 2

eighteen dix-huit 2

eighth huitième 7

eighty quatre-vingts 3

electric électrique 9

eleven onze 2

to **eliminate** éliminer 9

end le bout 10; *at the end (of)* au fond (de) 7; au bout (de) 10

endangered species les animaux en voie de disparition 9

energetic énergique 3

energy l'énergie (f.) 9; *nuclear energy* l'énergie nucléaire 9; *solar energy* l'énergie solaire 9

engineer un ingénieur 5

England l'Angleterre (f.) 10

English anglais(e) 10; *(language)* l'anglais (m.) 3

enjoy: Enjoy your meal! Bon Appétit! 4

enough (of) assez (de) 6

to **enter** entrer 8

environment l'environnement (m.) 9

especially surtout 4

euro un euro 3

Europe l'Europe (f.) 10

evening le soir 2

everyone le monde 1

everywhere partout 9

exactly exactement 8

expensive cher, chère 3

expression une mine 9

eye l'œil (m.) 9; *eyes* les yeux (m.) 5

F

fabric un tissu 7

face la figure 9

factory une usine 9

family une famille 5

fantastic génial(e) 2

far (from) loin (de) 10

fast vite 8

fat gros, grosse 6

father un père 1; *stepfather*

un beau-père 5
favorite préféré(e) 2
February février 5
to **feel: to feel like** avoir envie de 8; *to feel nauseous* avoir mal au cœur 9
fertilizer l'engrais (m.) 9
fever la fièvre 9
fifteen quinze 2
fifth cinquième 7
fifty cinquante 3
to **fight** combattre 9
figure la ligne 8; *your figure* ta ligne 8
film un film 4; *film showing* une séance 4
finally enfin 4
to **find** trouver 6
fine fin(e) 7
to **finish** finir 5
finger le doigt 9
first premier, première 5; *first of all* d'abord 6; *first name* un prénom 1
fish: (gold)fish un poisson (rouge) 8
five cinq 2
fixed menu un menu fixe 4
flag un drapeau 10
floor un étage 7; *ground floor* le rez-de-chaussée 7; *second floor* le premier étage 7
flu la grippe 9
fond of food gourmand(e) 8
foot le pied 9; *on foot* à pied 9
for comme 1; pour 3; pendant 8
forest une forêt 10
to **forget** oublier 8
fork une fourchette 7
forty quarante 3
four quatre 2
fourteen quatorze 2
fourth quatrième 7
France la France 3
free disponible 8
French français(e) 1; *(language)* le français 3; *French fries* les frites (f.) 2; *French-speaking* francophone 5; *from, of French-speaking Canada* francanadien(ne) 10
fresh frais, fraîche 6
Friday vendredi 2
friend un(e) ami(e) 2; *(boy/ girl) friend* un copain, une copine 1
fritters: cod fritters les accras de morue (m.) 5
from d', de 1; *from (the)* du, des 5
front: in front of devant 3
fruit un fruit 6; *fruit tart* une tarte aux fruits 6
funny drôle 3
furniture: piece of furniture un meuble 7

G

Gabon le Gabon 5
Gabonese gabonais(e) 5
to **gain weight** grossir 5
game un match 4
garden un jardin 8
generous généreux, généreuse 5
German allemand(e) 10; *(language)* l'allemand (m.) 3
Germany l'Allemagne (f.) 10
to **get: to get around** circuler 9; *to get in/on* monter 8; *to get off* descendre 8
giant géant(e) 9
gift un cadeau 5; *gift card* une carte cadeau 5
girl une fille 2
to **give** donner 4; offrir 5; *give me* donnez-moi 4
glass un verre 7
to **go** aller 1; *Go for it!* Vas-y! 6; *to go down* descendre 8; *to go for a walk* faire une promenade 8; *to go grocery shopping* faire les courses 6; *to go out* sortir 2; *to go running* faire du footing 2; *to go shopping* faire du shopping 2; *to go up* monter 8
goal un but 4
(gold)fish un poisson (rouge) 8
good bon(ne) 1; *Good-bye.* Au revoir., Salut. 1; *Good idea!* Bonne idée! 8; *Have a good trip!* Bon voyage! 10
gorilla un gorille 9; *mountain gorilla* un gorille des montagnes 9
grade une note 3
gram (of) un gramme (de) 6
grandfather un grand-père 5
grandmother une grand-mère 5
grandparents les grands-parents (m.) 5
grape un raisin 6
grapefruit un pamplemousse 6
graphic designer un(e) graphiste 5
great génial(e) 2; chouette 8
green vert(e) 5; *green beans* des haricots verts (m.) 6
grey gris 5
grocery store une épicerie 6
ground floor le rez-de-chaussée 7
to **grow** grandir 5
guest un(e) invité(e) 7
guidebook un guide 10
gym un fitness 9; *gym class* l'éducation physique et sportive (l'EPS) (f.) 3
gymnastics la gym (gymnastique) 2

H

hair les cheveux (m.) 5
half demi(e) 3; *half-brother* un demi-frère 5; *half past* et demie 3; *half-sister* une demi-sœur 5
hallway un couloir 7
ham le jambon 4; *ham sandwich* un sandwich au jambon 4
hamburger un hamburger 2
hand la main 8; *hand in hand* la main dans la main 8
handsome beau, bel, belle 7
hat un chapeau 6
to **have** avoir 3; *(food or drink)* prendre 4; *one/we/you have to* il faut 8; *to have a/an... ache* avoir mal (à...) 9; *to have dinner* dîner 7; *to have to* devoir 7; falloir 9
he il 1
head la tête 9

health club un fitness 9
heart le cœur 9
to **heat up** réchauffer 9
hello bonjour 1; *(on the telephone)* allô 1
to **help** aider 1
her son, sa, ses 5
here ici 7; *here is/are* voilà 4
hey tiens 6
hi salut 1
high school un lycée 9
highway une route 10
hill une colline 10
hip-hop le hip-hop 2
his son, sa, ses 5
history l'histoire (f.) 3
home une maison 1; *home health worker* un accompagnateur, une accompagnatrice 9
homework les devoirs (m.) 1
horror l'horreur (f.) 4
horse un cheval 8
hot chaud(e); *to be hot* avoir chaud 8; *it's hot* il fait chaud 8; *I am hot* j'ai chaud 8
hotel un hôtel 8
hour l'heure (f.) 3
house une maison 1
how comment 1; *How are things going?* Ça va? 1; *How are you?* Comment allez-vous? *[form.]* 1; *how much* combien 3; *How much is it?* Ça fait combien? 6; *How much per kilo?* C'est combien le kilo? 6; *How old are you?* Tu as quel âge? 5; *How's the weather?* Quel temps fait-il? 8
humanitarian humanitaire 10
hundred: (one) hundred cent 3
hungry: to be hungry avoir faim 4
hurt: to be hurt avoir mal (à...) 9
husband un mari 5
hybrid hybride 9
hydrotherapeutic thermal(e) 9

I

I je/ j' 1
ice cream une glace 4; *chocolate ice cream* une glace au chocolat 4; *vanilla ice cream* une glace à la vanille 4
ice-skating (figure skating) le patinage (artistique) 2
if si 4
illness une maladie 9
impossible impossible 7
in dans, en 3; à 5; *in circles* en rondelles 7; *in-line skating* le roller 2; *in front of* devant 3; *in my opinion* à mon avis 9; *in the* au, aux 3; *In what color(s)?* De quelle(s) couleur(s)? 6
inhabitant un(e) habitant(e) 10
to **install** installer 9
intelligent intelligent(e) 3
interesting intéressant(e) 3
international international(e) 10
Internet (l')Internet (m.) 2
to **introduce** présenter 1; *I'd like to introduce you to...* Je te/vous présente... 1
to **invite** inviter 2
is (see **to be**) 1; *Isn't that so?* N'est-ce pas? 2
it ça, ce 1; elle, il 3; le, la, l' (object pronoun) 4; *it doesn't surprise me* ça ne me surprend pas 4; *It has a totally vintage look!* Total vintage! 3; *it is* c'est 1; *it is necessary* il faut 8; *it's beautiful out* il fait beau 2; *it's cold* il fait froid 8; *it's cool* il fait frais 8; *it's hot* il fait chaud 8; *it's raining* il pleut 8; *it's snowing* il neige 8; *it's sunny* il fait du soleil 8; *It's the (+ date).* C'est le (+ date). Nous sommes le (+ date). 5; *it's windy* il fait du vent 8
its son, sa, ses 5
Italian italien(ne) 10
Italy l'Italie (f.) 10
Ivory Coast la Côte-d'Ivoire 5; *from, of the Ivory Coast* ivorien(ne) 5

J

jacket un blouson 4; une veste 6
jam la confiture 4
January janvier 5
jar (of) un pot (de) 6
jasmine le jasmin 7
jeans un jean 6
jersey un maillot 4
job un métier 5
juice un jus 4; *orange juice* un jus d'orange 4
July juillet 5
June juin 5

K

ketchup le ketchup 6
key (on keyboard) une touche 7
keyboard un clavier 7
kilogram (of) un kilo (de) 6
kilometer un kilomètre 5
to **kiss** embrasser 8
kitchen la cuisine 7
knee le genou 9
knife un couteau 7
know être au courant 9; *I know* je connais 5; je sais 4; *you know* tu sais 9

L

lab: computer lab une salle d'informatique 3; *science lab* un labo (laboratoire) 3
lake un lac 10
lamp une lampe 7
language une langue 3
large grand(e) 5; gros, grosse 6
last dernier, dernière 8
late en retard 4
to **laugh** rire 4; rigoler 8
lawyer un(e) avocat(e) 5
lazy paresseux, paresseuse 5
to **learn** apprendre 4
to **leave** partir 8; laisser, quitter 9
left: on the left à gauche 7; *to(on) the left of* à gauche de 7
leg la jambe 9
less moins 7

to **let** laisser 9; *Let me finish!* Laisse-moi finir! 8

lettuce une salade 6

like comme 5

to **like** aimer 2

link un lien 7

to **listen (to)** écouter 2; *to listen to music* écouter de la musique 2; *to listen to my MP3 player* écouter mon lecteur MP3 2

liter (of) un litre (de) 6

little petit(e) 5; *(a) little* (un) peu 2; *a little of* un peu de 6

to **live** habiter 7

living room un salon, un séjour 7

located situé(e) 10; *to be located* être situé(e) 10

logo: team logo un blason 4

long long, longue 7

to **look for** chercher 6; *to look awful* avoir mauvaise mine 9; *to look healthy* avoir bonne mine 9; *to look like (something from) my country* avoir un petit air du pays 7; *Does this… look good on me?* Tu trouves que… me va bien? 6

to **lose** perdre 4; *to lose weight* maigrir 5

lost perdu(e) 10

lot: a lot beaucoup 2; *a lot of* beaucoup de 6

to **love** aimer 2

lunch le déjeuner 3

Luxembourg le Luxembourg 10; *from, of Luxembourg* luxembourgeois(e)

lyrics les paroles (f.) 7

M

Ma'am madame (Mme) 1

made: made of aluminum en aluminium 9; *made of plastic* en plastique 9

to **make** faire 1; *to make a call* téléphoner 2; *to make (something) work* faire marcher 9

Mali le Mali 5

Malian malien(ne) 5

mall un centre commercial 1

man un homme 5

mandatory obligatoire 8

map une carte 3; *city map* un plan 10

March mars 5

market: flea market un marché aux puces 6; *outdoor market* un marché 6

Martinique la Martinique 5

math les maths (f.) 1

May mai 5

may: May I help you? Je peux vous aider? 6

maybe peut-être 4

mayo la mayonnaise 6

me m', moi 1; me 4

meal un repas 7

mean méchant(e) 5

media center une médiathèque 3

medium moyen(ne) 5

to **meet** faire la connaissance (de) 10; se retrouver 4; *we'll meet* on se retrouve 3

meeting un rendez-vous 4

melon un melon 6

memory un souvenir 8

menu une carte 4

merchant un(e) marchand(e) 6

microwave un micro-onde 7

midnight minuit 3

milk le lait 6

million un million 5

mineral water une eau minérale 4

minute une minute 7

Miss mademoiselle (Mlle) 1

model un mannequin 6

moment un instant 9; *for the moment* pour l'instant 9

Monday lundi 2

money l'argent (m.) 8

monitor un écran 7; un moniteur 7

month un mois 5

monument un monument 8

more plus 7

morning le matin 3

mosque une mosquée 7

most: the most (+ adjective) le/la/les plus (+ adjectif) 10

mother une mère 1; *stepmother* une belle-mère 5

motto une devise 10

mountain une montagne 9

mouse une souris 7

mouth la bouche 9

to **move** bouger 9

movies le cinéma 2; *action movie* un film d'action 4; *adventure movie* un film d'aventure 4; *detective movie* un film policier 4; *horror movie* un film d'horreur 4; *movie theatre* un ciné (cinéma) 1; *science fiction movie* un film de science-fiction 4

MP3 player un lecteur de MP3 3

Mr. monsieur (M.) 1

Mrs. madame (Mme) 1

Ms. madame (Mme), mademoiselle (Mlle) 1

much: very much beaucoup 2; *How much is it?* Ça fait combien? 6

museum un musée 8

mushroom un champignon 6

music la musique 2; *alternative music* la musique alternative 2

musical un film musical 4

must (see **to have to**) 1; *one/we/you must* il faut 8

mustard la moutarde 6

my mon, ma, mes 1

N

name: first name un prénom 1; *my name is* je m'appelle 1; *your name is* tu t'appelles 1

napkin une serviette 7

nauseous: to feel nauseous avoir mal au cœur 9

near près de 7

nearly presque 9

neck le cou 9

to **need** avoir besoin de 3

never ne (n')… jamais 10

new nouvelle 2; nouveau, nouvel 8

New Brunswick le Nouveau-Brunswick 10

news report un reportage 9

newstand un kiosque à journaux 4
next prochain(e) 4; ensuite 6; *next to* à côté (de) 7
nice sympa 5
night la nuit 3
nine neuf 2
nineteen dix-neuf 2
ninety quatre-vingt-dix 3
ninth neuvième 7
no non 1; *no longer* ne (n')... plus 10; *no one* ne (n')... personne 10
nobody ne (n')... personne 10
noon midi 3
north le nord 10
nose le nez 9
not ne (n')... pas, pas 1; *not anymore* ne (n')... plus 10; *not anyone* ne (n')... personne 10; *not at all* pas du tout 10; *not bad* pas mal 1; *not well* pas très bien 1
notebook un cahier 3
nothing ne (n')... rien 3
November novembre 5
now maintenant 3
nuclear nucléaire 9
number un nombre, un numéro 2; *phone number* un numéro de téléphone 2

O

ocean un océan 9
o'clock l'heure (f.) 3
October octobre 5
of de/d' 1; en (pronoun), sur 8; *of (the)* des 5; du 4; *of average height* de taille moyenne 5; *of course* pardi (regional) 7
often souvent 10
to **offer** offrir 5
office un bureau 3; *principal's office* le bureau du proviseur 3
oh ah, oh 1; *oh dear* oh là là 9; *oh no* oh là là 9
oil slick une marée noire 9
OK d'accord 1
old vieil, vielle, vieux 8
olive une olive 6
Olympic Games les Jeux Olympiques (m.) 2
omelette une omelette 4
on sur 2; à, en 4; *on board* à bord 7; *on foot* à pied 9; *on sale* en solde 4; *on the* au, du 8; *on the corner* du coin 8; *on the left* à gauche 7; *on the right* à droite 7; *on time* à l'heure 4
one on 1; un 2; une 3; *one's* son, sa, ses 5
onion un oignon 6
online en ligne 6
open: she opens elle ouvre 7
opinion un avis 9; *in my opinion* à mon avis 9
or ou 2
orange une orange 4; orange 6; *orange juice* un jus d'orange 4
organic biologique 9
other autre 7
otherwise autrement 6
ouch ouille 9
our notre, nos 5
outfit un ensemble 6
oven un four 7
over there là-bas 6

P

packet (of) un paquet (de) 6
painting un tableau 8
panda un panda 9; *giant panda* un panda géant 9
panel un panneau 9
pants un pantalon 6
paper le papier 3; *sheet of paper* une feuille de papier 3
pardon: pardon me pardon 8
parents les parents (m.) 5
park un jardin 8; un parc 7
party une fête, une teuf 1
to **pass (a test)** réussir (à) 5
passion une passion 10
passionate (about) passionné(e) (de) 5
pasta les pâtes (f.) 2
past: half past et demie 3
pastime un passe-temps 2
pastry: cream puff pastry une religieuse 8; *layered custard pastry* un millefeuille 8; *pastry shop* une patisserie 6
pâté le pâté 6
path un chemin 10; une voie 9
to **pay** payer 9; *someone who pays* un payeur, une payeuse 9
peach une pêche 6
pear une poire 10
peas les petits-pois (m.) 6
pen un stylo 3
pencil un crayon 3; *pencil case* une trousse 3; *pencil sharpener* un taille-crayon 3
people les gens (m.) 9
pepper le poivre 7; *bell pepper* un poivron 6
person une personne 1
persuaded persuadé(e) 9
to **phone (someone)** téléphoner 2
photo une photo 7; *another photo* re-photo 8
physics la physique 3
pie une tarte 6; *apple pie* une tarte aux pommes 6
piece (of) un morceau (de) 6; *piece of furniture* un meuble 7
pillow un coussin 7
pineapple un ananas 6
pink rose 6
pizza une pizza 2
place un endroit 3; *place yourself in front of the TV* mets-toi devant l'écran 9
planet une planète 9
plastic le plastique 9; *made of plastic* en plastique 9
plate une assiette 7
platform un quai 10
to **play** jouer 2; *to play a role* jouer un rôle 4; *to play basketball* jouer au basket (basketball) 2; *to play ice hockey* jouer au hockey sur glace 2; *to play soccer* jouer au foot (football) 2; *to play sports* faire du sport 2; *to play video games* jouer aux jeux vidéo 2

to **please** s'il vous plaît 4
pleasure un plaisir 10
police officer un agent de police 5
to **pollute** polluer 9
polluter un pollueur, une pollueuse 9
polluting polluant 9
pollution la pollution 9
pond un étang 10
pork le porc 6
potato une pomme de terre 6
pound une livre 6
possible possible 1
post office une poste 8
poster une affiche 3
to **prefer** préférer 2
to **prepare** préparer 5
preposition une préposition 10
pretty joli(e) 6
principal un proviseur 3
to **print** imprimer 7
printer une imprimante 7
problem un problème 7
profession la profession 5; *What is your profession?* Quelle est votre profession? 5
profile un profil 10
program: television program une émission 9
project un projet 5
to **protect** protéger, sauvegarder 9
Provence: from, of Provence provençal(e) 7
province une province 10
purchase un achat 6
purple violet, violette 6
to **put (on)** mettre 7

Q

quarter un quart 3; *quarter past* et quart 3; *quarter to* moins le quart 3
Quebec le Québec 10; *from, of Quebec* québécois(e) 10
question une question 7
quiche une quiche 4
quickly vite 8

R

radiation la radiation 9
to **rain** pleuvoir 8; *it's raining* il pleut 8
ratatouille la ratatouille 10
to **read** lire 2
ready prêt(e) 6
to **realize** réaliser 10
really bien 2; vraiment 5
recipe une recette 7
to **recycle** recycler 9
red rouge 6; *red (hair)* roux, rousse 5
refrigerator un frigo 7
to **reimburse** rembourser 4
relaxed décontracté(e) 9
to **remain** rester 8
to **remember: I remember** je me souviens 10
to **rent** louer 10
to **replace** remplacer 9
report: news report un reportage 9
to **resemble** ressembler (à) 5
resident un(e) habitant(e) 10
resolution une résolution 9
respiratory respiratoire 9
restaurant un restaurant 8
to **return** rentrer, retourner, revenir 8
riad une riad 7
right: That's right. C'est ça. 1; *to the right* à droite 7; *to (on) the right of* à droite de 7
ripe mûr(e) 6
river un fleuve 8; une rivière 10
R&B: R&B concert un concert R'n'B 2
road une route 10
rock (music) le rock 2
role un rôle 5
roof un toit 9
room une salle 3; une pièce 7; *bathroom* une salle de bains 7; *classroom* une salle de classe 3; *dining room* une salle à manger 7; *living room* un salon 7
route une route 10
rug un tapis 7
running le footing 2
Rwanda le Rwanda 9

S

salad une salade 2; *tuna salad* une salade niçoise 6
salami le saucisson 6
sale: on sale en solde 4
salesperson un vendeur, une vendeuse 6
salt le sel 7
same même 6
sandwich un sandwich 4; *cheese sandwich* un sandwich au fromage 4; *ham sandwich* un sandwich au jambon 4; *grilled ham and cheese sandwich* un croque-monsieur 4
Saturday samedi 2
to **save** sauvegarder 7
say dis 1; *let's say* disons 4
scarf une écharpe 4; un foulard 6
school une école 3; *school cafeteria* une cantine 3
science les sciences (f.) 3; *science fiction* la science-fiction 4; *science lab* un labo (laboratoire) 3
to **score** marquer 4
screen un écran 7
seat un siège 10
second deuxième 7
to **see** voir 3; *to see each other/one another* se voir 8; *See you soon.* À bientôt. 1; *See you tomorrow.* À demain. 1
selfish égoïste 5
to **sell** vendre 6
to **send** envoyer 2; *to send text messages* envoyer des textos 2
Senegal le Sénégal 5
Senegalese sénégalais(e) 5
September septembre 5
series une série 4
serious grave 8
server un serveur, une serveuse 4
to **set** mettre 7; *to set the table* mettre le couvert 7
seven sept 2
seventeen dix-sept 2
seventh septième 7
seventy soixante-dix 3

she elle 1
sheet of paper une feuille de papier 3
shirt une chemise 6
shoe une chaussure 4; **tennis shoe** tennis 6
shop une boutique 6; *butcher shop* une boucherie 6
shopping le shopping 2; commerçant(e) 6; *shopping center* un centre commercial 1
short petit(e) 5
shorts un short 4
shoulder l'épaule (f.) 9
to **show** montrer 8
shower une douche 7
shy timide 5
sick malade 9; *sick person* un(e) malade 9
simple simple 10
to **sing** chanter 5
singer un chanteur, une chanteuse 5
sink un évier 7
sir monsieur (M.) 1
sister une sœur 5; *half-sister* une demi-sœur 5; *stepsister* une belle-sœur 5
six six 2
sixteen seize 2
sixth sixième 7
sixty soixante 3
size une taille 5
to **skate: to (figure) skate** faire du patinage (artistique) 2; *to in-line skate* faire du roller 2
skating: (figure) skating le patinage (artistique) 2
to **ski: to (downhill) ski** faire du ski (alpin) 2
skiing (downhill) le ski (alpin) 2
skirt une jupe 6
to **sleep** dormir 2
slice (of) une tranche (de) 6
small petit(e) 5
to **smell** sentir 7; *What does it smell like?* Ça sent quoi? 7
snack le goûter 7
sneakers des tennis (f.) 6
snow: it's snowing il neige 8
so alors 3; donc 4; *so-so* comme ci, comme ça 1
soccer le foot 2; *soccer ball* un ballon de foot 4; *soccer player* un footballeur, une footballeuse 4
sock une chaussette 4
soda: lemon-lime soda une limonade 4
sofa un canapé 7
software un logiciel 7
solar solaire 9; *solar energy* l'énergie (f.) solaire 9
some d', de, des, du 2
somebody quelqu'un 10
someday un jour 5
someone quelqu'un 10
something quelque chose 10
son un fils 5
song une chanson 7
songwriter un compositeur 5
soon bientôt 1
sorry désolé(e) 8
soup la soupe 6
south le sud 10
spa treatment une cure 9
Spain l'Espagne (f.) 10
Spanish espagnol(e) 10; *(language)* l'espagnol (m.) 3
to **speak** parler 3
species: endangered species les animaux (m.) en voie de disparition 9
to **spend (time)** passer 7
spoon une cuiller 7
sport un sport 2
spring le printemps 8
square un carré 7; une place 8; *in squares* en carrés 7
stadium un stade 4
to **start** démarrer 7
statue une statue 8
to **stay** rester 8
steak: steak with fries un steak-frites 4
step: step aerobics le step 9; *stepbrother* un beau-frère 5; *stepfather* un beau-père 5; *stepmother* une belle-mère 5; *stepsister* une belle-sœur 5
stereo une stéréo 3
still toujours 4
stomach l'estomac (m.), le ventre 9
to **stop** s'arrêter 8; arrêter 9
store un magasin 3; *dairy store* une crémerie 6; *grocery store* une épicerie 6
story un étage 7
stove une cuisinière 7
straight ahead tout droit 10
strawberry une fraise 10
street une rue 6
strict strict(e) 1
strong fort(e) 7
student un(e) élève 3
to **study** étudier 2
subway le métro 4; *subway entrance* une bouche du métro 4
to **succeed** réussir (à) 5
sugar le sucre 7
suitcase une valise 10
summer l'été (m.) 2
Sunday dimanche 2
sunny: it's sunny il fait du soleil 8
supermarket un supermarché 6
to **support** soutenir; *I support* je soutiens 2
sure sûr(e) 7
to **surf** surfer 2; *to surf the Web* surfer sur Internet 2
survey une enquête 2
to **survive** survivre 9
sweater un pull 6
to **swim** nager 2
swimming pool une piscine 3
Swiss suisse 10
Switzerland la Suisse 10
to **synchronize** synchroniser 7

T

table une table 3; *table setting* le couvert 7
tablecloth une nappe 7
Tahitian tahitien(ne) 3
to **take** prendre 4; *I'll take* je prends 3; *to take advantage of* profiter 8
to **talk** parler 3; *to talk to each*

other/one another se parler 8

talkative bavard(e) 5

tall grand(e) 5

tart: fruit tart une tarte aux fruits 6

teacher un(e) prof 1

team une équipe 4; *team logo* un blason 4

television une télé (télévision) 2; *television program* une émission 9

temperature la température 8

ten dix 2

tenth dixième 7

terrace une terrasse 8

terrific génial(e) 2

test un contrôle 1

text message un texto 2

thank you merci 4

than que 7

that ça 2; qui 3; que 5; ce, cet, cette, ces 6; *that is* c'est 1; *That's* awesome! C'est le top! 1; *That's right.* C'est ça. 1

the le, la, l' 1; les 2; *the most (+ adjectif)* le/la/les plus (+ adjective) 10

their leur, leurs 5

then alors, puis 3

there là 1; *there is/are* il y a 3; *Are we going (there)?* On y va? 3; *over there* là-bas 6

therefore donc 4

these ce, cet, cette, ces 6

they *they (f.)* elles 2; *they (m.)* on 1; ils 2

to **think** penser 7; *to think over* réfléchir (à) 5

third troisième 7

thirsty: to be thirsty avoir soif 4

thirteen treize 2

thirty trente 3

this ce, cet, cette, ces 6; *this is* c'est 1

those ce, cet, cette, ces 6

thousand mille 4

three trois 2

thriller un thriller 4

throat la gorge 9

Thursday jeudi 2

ticket un billet 10; un ticket 4; *ticket booth* un guichet 4; *ticket collector* un contrôleur, une contrôleuse 10; *ticket-stamping machine* un composteur 10

tide une marée 9

tiger un tigre; *Sumatran tiger* un tigre de Sumatra 9

time l'heure (f.) 3; *on time* à l'heure 4; *What time is it?* Quelle heure est-il? 3

tired fatigué(e) 8

to à 1; chez 3; *to my house* chez moi 3; *to the* au 1; aux 3; *to him* lui 5; *to her* lui 5; *to me* moi 4; *to you* te 1; vous 5

today aujourd'hui 4

toe le doigt de pied 9

together ensemble 3

Togo le Togo 5

Togolese togolais(e) 5

toilet les toilettes (f.), les W.C. (m.) 7

tomato une tomate 6

tomorrow demain 1; *See you tomorrow.* À demain. 1

too trop 1; aussi 2; *too bad* tant pis 6; *too much of* trop de 6

tooth une dent 9

top le haut 8

topic un thème 9

tour un tour 8

tourist guide un guide touristique 8

towards vers 10

train un train 10; *train station* une gare 8; *train track* une voie 10

to **travel** voyager 5

traveller un voyageur, une voyageuse 10

trip un voyage 8

true vrai(e) 10

to **try (on)** essayer 6

T-shirt un tee-shirt 6

Tuesday mardi 2

tuna le thon 6; *tuna salad* une salade niçoise 6

to **turn** tourner 10

TV une télé (télévision) 2

twelve douze 2

twenty vingt 2

two deux 2

type un genre 4

U

ugly moche 6

um euh 3

uncle un oncle 5

under sous 3

to **understand** comprendre 10

unintelligent bête 5

United States les États-Unis (m.) 5

unpleasant désagréable 8

until jusqu'à 10

us nous 5

USB key une clé USB 7

V

vacation les vacances (f.) 10

to **validate (a ticket)** composter 10

valley une vallée 10

vegetable un légume 6

versus contre 4

very très 1; *Very well, and you?* Très bien, et toi/vous? 1

video: video games les jeux vidéo (m.) 2; *video game tester* un testeur de jeux vidéo 5

view une vue 7; *What a beautiful view!* Quelle belle vue! 7

visit une visite 10

to **visit** visiter 8

visual arts les arts plastiques (m.) 3

W

to **wait (for)** attendre 4

walk une promenade 8

to **walk** marcher 9

to **want** désirer 4; avoir envie de 8; vouloir 6

wardrobe une armoire 7

to **watch** regarder 2; *Watch out!* Attention! 7

water l'eau (f.) 4

waterfall une cascade 10
watermelon une pastèque 6
way un chemin 10
we on 1; nous 2; *We'll call each other.* On s'appelle. 1
to **wear** porter 4
weather le temps 8; *the weather's bad* il fait mauvais 2
website un site web 7
Wednesday mercredi 2
week une semaine 2
weekend le weekend 2
welcome bienvenue 4
well bien, eh bien 1; ben 7; *Are things going well?* Tu vas bien? 2
west l'ouest (m.) 10
what comment 1; qu'est-ce que, quel, quelle 2; quoi 3; ce que 9; *What a beautiful view!* Quelle belle vue! 7; *What are you doing?* Qu'est-ce que tu fais? 2; *What do you like to do?* Qu'est- ce que tu aimes faire? 2; *What does it smell like?* Ça sent quoi? 7; *What is... like?* Comment est...? 5; *What is your profession?* Quelle est votre profession? 5; *What size are you?* Quelle taille faites-vous? 6; *What's the weather like?* Quel temps fait-il? 8; *What's wrong with her?* Qu'est-ce qu'elle a? 9; *What's your name?* Tu t'appelles comment? 1
when où 8; quand 2
where où 3
which quel, quelle 2
white blanc, blanche 6
who qui 3
why pourquoi 2
wife une femme 5
wild sauvage 9
to **win** gagner 4
wind turbine une éolienne 9
window une fenêtre 3
windy: it's windy il fait du vent 8
winter l'hiver (m.) 8
with avec 1; par 7
work un taf 7
to **work** travailler 5
world le monde 1
world music la world 2
would: I would like je voudrais 5; *you would like* tu voudrais 1; *Would you like...?* Vous voulez...? 4
wow oh là là 9
to **write** écrire 3
writer un écrivain 5

Y

year un an, une année 5
yellow jaune 6
yes oui 1; *yes (on the contrary)* si 2
yesterday hier 8
yoga le yoga 9
yogurt le yaourt 6
you te/t', toi, tu, vous 1
your ton, ta 1; tes, votre, vos 5; *your name is* tu t'appelles 1

Z

zero zéro 2
zucchini une courgette 6

Grammar Index

Credits

Abbreviations: top (t), bottom (b), right (r), center (c), left (l)

Photo Credits

3alexd/iStockphoto: 487 (#3)
4x6/iStockphoto: 220 (l'oncle)
A & M Photography/iStockphoto: 486 (tiger), 487 (#5)
Acilo Photography/iStockphoto: 111 (l)
AGMIT//iStockphoto: 89
Aguilarphoto/iStockphoto: 536 (t)
Ahturner/iStockphoto: 276 (tr)
Alberto Pomares Photography/iStockphoto: 76
AlcelVision/Fotolia.com: 360 (tl)
Aldomurillo/iStockphoto: 6 (3. #5), 69 (dormir)
Alex/iStockphoto: 276 (une veste), 277 (tc)
Alex Nikada | Photography/iStockphoto: 52 (sortir avec mes amis), 413 (A)
Alfieri, Michele/iStockphoto: x (bl)
Almeida, Helder/Istock: 240
Alvarez, Luis/Fotolia.com: 4 (algérien)
Alxpin/iStockphoto: 371 (b: software)
Amoceptum/iStockphoto: 310 (les petits-pois)
Amysuem/iStockphoto: 169 (t)
Andersen, ULF/SIPA Press: 41
Anderson, Leslie: 16 (t), 78 (le hip-hop, le rock, la musique alternative, la world), 86 (#1), 118 (#2, #5, #6), 164 (un ticket), 197 (Amélie poster), 292 (mayonnaise, soupe), 294 (spaghetti, soup), 300 (Orangina), 324 (metro ticket), 351 (Mississippi Market), 487 (#7), 541 (r)
Andykazie/iStockphoto: 310 (les pêches)
AngiePhotos/iStockphoto: 123 (intelligent(e))
Anmarie98121/iStockphoto: 27 (tr)
Apomares/iStockphoto: 99 (t)
Arcurs, Yuri/Fotolia.com: 31 (#3)
Arianespace/SIPA Press: 35
Arnau Design/iStockphoto: 348 (#3)
Arpad, Benedek/iStockphoto: 426 (#4), 516 (Ontario)
Artemis Gordon/iStockphoto: 244
Asiseeit/Istock: 6 (2: #2)
Ataman, Stefan/iStockphoto: 382 (MP3 player), 411 (un pont)
Atlasphoto/Fotolia.com: 373 (#7)
Auremar/Fotolia.com: vi (t), 205 (b), 384 (r), 556
Auris/Istock: 137, 148 (#5)
AustralianDream/Fotolia.com: 410 (une cathédrale)
Avava/Fotolia.com: 108 (un prof), 262 (#5)
Avid Creative, Inc./iStockphoto: 108 (un élève), 249 (une athlète)
Badami, Khoj/iStockphoto: 544 (anglais)
Baltel/SIPA Press: 504
Barbara HelgasonPhotography/iStockphoto: 291 (le bœuf), 297 (Modèle), 303 (#2)
Barbier, Bruno/Photononstop: 157
Barsik/iStockphoto: 53 (faire de la gym), 71, 136 (b)
Barskaya, Galina/ Fotolia.com: viii (t)
Bassouls, Sophie/Sygma/CORBIS: 327 (t)
Bebert, Bruno/SIPA Press: 33
Beboy/Fotolia.com: 111 (c)
Bedridin Avedyli/Fotolia.com: 88 (b)
Bellanger, Stéphanie: 292 (ketchup)
Benamalice/Fotolia.com: 292 (le pâté), 303 (#4)
Benard, Guillaume/Fotolia.com: 561
Benpowell2007/iStockphoto: 341 (2.)
Bergman, Hal/iStockphoto: 250 (tl)
Bidouze, Stéphane/iStockphoto: 251 (#3)
Blackwaterimages/iStockphoto: 318 (l)
Blanc, Jessica/Fotolia.com: 31 (#1)
Blaze Kure/Fotolia.com: 108 (une fenêtre), 109 (1. #1)
Blend_Images/iStockphoto: 412
Blowback Photography/iStockphoto: 4 (tr)
Blue Cutler/iStockphoto: 545
Bluestocking/iStockphoto: 108 (un lecteur de DVD), 109 (1. #7), 245 (Modèle)
Bo1982/iStockphoto: 399 (br)
Bobbieo/iStockphoto: 27, 227, 396 (Pierre a froid)
Bognar/Megapress: 524
Bognar, Tibor/Photononstop: 515, 522
Boone/iStockphoto: 7 (t)
Boratti, Silvia/iStockphoto: 422 (b)
Boston, Frank/Fotolia.com: 533 (#2)
Bowdenimages/iStockphoto: 352 (c)
Brandenburg, Dan/iStockphoto: 248 (béninois)
Brian, Zach/SIPA Press: 93
Broeb/iStockphoto: 374 (G)
Brown, Katrina: 4 (français)
Bulent Ince/iStockphoto: 399 (#5)
Bumann, Uwe/Fotolia.com: 544 (allemande)
Buzbuzzer/iStockphoto: 516 (Quebec city), 517 (capital), 520
Campbell, William/CORBIS: 477(t)
Capeloto, Louis/Fotolia.com: 352 (t)
Caracterdesign/iStockphoto: 52 (tl, tr)
Case, Justine/Author's Image/Photononstop: xi (Bora-Bora)
Cassini, Isabella: 371 (t), 377
Caziopeia/iStockphoto: 53 (une salade), 66 (Modèle), 181 (B. salad)
CEFutcher/iStockphoto: 221 (br), 432 (t)

Cervo, Diego/iStockphoto: 251 (#4), 383 (l)
Chandlerphoto/iStockphoto: 370 (b)
Charles Knox Photography/iStockphoto: 64
Chibane, Baziz/SIPA Press: 196
Chic type/iStockphoto: 52 (faire du footing), 54 (Suzanne/mardi), 78 (le footing), 284 (#2. orange)
Chine Nouvelle/SIPA Press: 50, 59
Chistoprudov, Dmitriy/Fotolia.com: 499 (#7)
Chlorophylle/Fotolia.com: 37
Chris Hepburn Photography/iStockphoto: 310 (les poivrons)
Chris Pecoraro Photography/iStockphoto: 533 (b)
Christelle NC/Fotolia.com: 533 (Modèle)
Claireliz/Fotolia.com: 361(oil and vinegar)
Clinton, Patrick/Photononstop: IN*Haiti, Port au Prince, bus: 402 (c)
Clochard, Céleste/Fotolia.com: 533 (#4)
Coburn, Stephen/Fotolia.com: 137, (à la salle d'informatique), 138 (E), 148 (#6)
Collection/Ribière/SIPA Press: 58 (t)
Collection Yli/SIPA Press: 385
Combo Design/iStockphoto: 562
Consu1961/iStockphoto: 434 (t)
Contrastwerkstatt/Fotolia.com: 6 (2. #1)
Coquilleau, Claude/Fotolia.com: 411 (un hôtel de ville)
Corbis/Fotolia.com: 519, 526 (b)
Corot Classical Images/iStockphoto: 348 (#1)
Couillaud, Alain/iStockphoto: 9
Craftvision/iStockphoto: 115 (#7), 262 (#2)
Creative Shot/iStockphoto: 382 (USB key)
Crosseyedphoto/iStockphoto: 477 (b)
Cummin, Anthia/iStockphoto: 108 (un cédérom), 110 (2. #8), 115 (#6), 245 (#2)
Dahu/ Fotolia.com: ix (t)
Dalmas/SIPA Press: 94, 152
Damjanac, Svetlana /Istockphoto: vii (c)
Dancurko/iStockphoto: 86 (#7)
Dangers, Steve/iStockphoto: 53 (nager), 54 (Suzanne/samedi), 66 (#2)
Darklord_71/iStockphoto: 52 (faire du roller)
Davaine, Laurent/Fotolia.com: 536 (b)
Dbrimages/Fotolia.com: 16 (Pas très bien.), 123 (drôle)
Dbufoo/iStockphoto: 206, 220 (le frère)
Degas, Jean-Pierre/Hemis: 106
Designs of Integrity/iStockphoto: 14, 69 (téléphoner), 396 (Chloé a chaud)
Diane39/iStockphoto: 79 (t)
Digital Planet Design/iStockphoto: 108 (une prof), 249 (un médecin)
Digitalskillet/iStockphoto: 221 (tc)
Dizeloid/iStockphoto: 342 (#10)
DN/Fotolia.com: 6 (2. #5)
Dogist/Fotolia.com: 539
DonNichols/iStockphoto: 115 (#2)
Dononeg/iStockphoto: 382 (mouse)
Doucet, Martine/iStockphoto: 517 (people)
DRB Images/Istockphoto: iv (bl)
Driving South/Fotolia.com: 544 (français)
Drxy/iStockphoto: 99 (b)
DSGpro/iStockphoto: 66 (#5)
Dunouau, Franck/Photononstop: 435
Duris, Guillaume/Fotolia.com: 17, 156 (b)
Edward ONeil Photography Inc./iStockphoto: 374 (E)
Egal/iStockphoto: 323
Elasesinodifuso/Fotolia.com: 550 (t)
Elenathewise/iStockphoto: 364, 500 (#3 l)
Elke, Dennis/Fotolia.com: 544 (italienne)
Elnur/iStockphoto: 277 (tl)
Email2ying/Stockphoto: 191
EMC Publishing, LLC: 29, 53 (de la pizza), 54 (Karim/samedi), 66 (#7), 180 (un coca), 181 (C. coke), 182 (#4 coke), 189 (#3), 210, 211
Encrier/Istockphoto: vii (tr)
Erel photography/iStockphoto: 479
Eremm/iStockphoto: 374 (Modèle)
Erikson Photography/iStockphoto: 182 (Modèle)
Erikwkolstad/iStockphoto: 51, 74 (t)
Eurobanks/iStockphoto: 220 (Théo), 544 (belge, boy)
Evrigen/iStockphoto: 110 (2. #1)
Fabien/Fotolia.com: 108 (un ordinateur portable), 110 (2. #7)
Fabien R. C./Fotolia.com: ix (b)
Fabio Boari Fotografo/iStockphoto: 303 (#1), 322, 405 (#5)
Falataya/iStockphoto: 255 (b)
Falcatraz/iStockphoto: 220 (le père)
Fanfan/Fotolia.com: 410 (un monument)
Fayole, Pascal/SIPA Press: 492
Fei, Wong Sze/Fotolia.com: iv (bc)16 (Pas mal.), 233 (tr)
Felinda/iStockphoto: 276 (un foulard), 324 (scarf)
Ffolas/iStockphoto: 78 (le roller)
Flavyx197/Fotolia.com: 535 (t)
Floris70/Fotolia.com: 78 (le cinéma)
FocalHelicopter/iStockphoto: 242 (t)
Foster, Caleb/Fotolia.com: 552
FotoliaXIV/Fotolia.com: 218
Franco Deriu Photographer/iStockphoto: 310 (les oignons)
Franklin, David/iStockphoto: 393 (b)
Freephoto/Fotolia.com: 127 (b)
French Embassy to the US/Press Office: 44
Freyermuth, Sylvain/Théâtre des Zonzons: 74 (c)
Fried, Robert/robertfriedphotography.com: 4 (tc), 10 (b), 20 (t), 21 (t), 34, 60, 128 (t), 142 (b), 219, 220 (le grand-père, la grand-mère), 225, 238, 245 (#8), 249 (un cuisinier), 262 (#7), 291 (la tarte aux pommes, le gâteau), 296 (#2), 310 (t, les raisins), 316 (b), 324

(crêpe), 332, 344, 348 (t), 357, 375 (b), 394, 397 (horse), 399 (#4), 405 (#3), 410 (une statue), 413 (B), 420 (Modèle, #1, #2, #3), 422 (t), 423, 476, 500 (#4)

Frischhut, Thomas/Tellus Vision Production AB, Lund, Sweden: 8, 19, 32 (tlc), 56, 72 (t), 81, 111 (t), 126, 140, 168, 184, 199, 224, 236, 253, 280, 298, 314, 345, 358, 376, 400, 415, 433, 463, 475, 491, 520, 534, 549

Frincu, Edith/Shutterstock: 307 (b)

Fstop123/iStockphoto: 176

Fuzephoto/iStockphoto: 250 (tr), 251 (#5)

Gaillot, Bernard: 39 (b)

Gchutka/iStockphoto: 404

Ghiea, Vlad/Shutterstock.com: xi (Quebec)

Ghispoppins/Fotolia.com: 517 (plate)

Gillow, Mark/iStockphoto: 180 (une quiche), 181 (B.quiche), 182 (#5 quiche), 189 (#4), 291 (les œufs), 297 (#7)

Ginies/SIPA Press: 265

Glade Christine/iStockphoto: 234 (b), 471 (flu)

Godong/Photononstop: 141

Goldberg, Beryl: 17 (c), 108 (un DVD, une pendule), 109 (1. #2, #3), 115 (Modèle, #4), 121 (t), 129, 136, 137 (à la piscine), 139 (C,D), 148 (t, #7), 181, 179 (t), 198, 205 (#1), 212 (t), 222 (br), 248 (sénégalaise), 254 (b), 282 (b), 291 (la boucherie)

Golden Pixels, LLC/iStockphoto: 26

Gordon's Life Photo/iStockphoto: 4 (américain)

Gorilla/Fotolia.com: 407 (t)

Gough, Laurence/Fotolia.com: 108 (une élève)

Gould, Phillip/CORBIS: 10 (t)

Govin-Sorel/Photononstop: 165

Gray, Michael C/Shutterstock: 180 (une glace au chocolat), 182 (#6. ice-cream), 189 (#3)

Green Machine/iStockphoto: 108 (une stéréo), 115 (#5)

Greg/Fotolia.com: 310 (les ananas)

Gretener Ivo/iStockphoto: 229

Guillet, Frédéric/Fotolia.com: 535 (b)

Hadj/Jobard/SIPA Press: 57

Hähnel, Christoph/Fotolia.com: 544 (anglaise, allemande)

Hart Creations/iStockphoto: 6 (2. #3), 303 (b), 424, 432 (b)

HayesPhotos/iStockphoto (New Brunswick)

Hoa-Qui/Wolf Alfred/Fête foraine auxTuileries, Paris 1/ Gamma Rapho: 266

Iconogenic/iStockphoto: 221 (tr)

Idambies/iStockphoto: 52 (Il fait beau.), 54 (météo/lundi, météo/mardi, météo/samedi, météo/dimanche), 90 (Modèle 1, #2, #3, #6)

Ika PrikhodkoPhotography/iStockphoto: 78 (le basketball)

Ileximage/iStockphoto: 52 (faire du vélo), 54 (Suzanne/ lundi), 374 (F)

Imagery Majestic/Fotolia.com: 467

Images by Barbara/Fotolia.com: 16 (Comme-ci, comme-ça.)

Imagine/Fotolia.com: 151, 499 (#4, r)

Inkcapture/iStockphoto: 352 (c)

Iophoto/iStockphoto: 137(chez moi), 138 (B)

Iserg/iStockphoto: 371 (b: USB key)

Isik, Sinan/iStockphoto: 249 (un testeur de jeux vidéo)

Istock János, Gehring/iStockphoto: 381

Istock photos/iStockphoto: 28 (C'est mon père. C'est ma mère.)

Izusek/iStockphoto: 150, 442

J & E Reelworks, LLC/iStockphoto: 293

Jackin/Fotolia.com: 490

Jakkez/iStockphoto: 73

JamieCarroll, LLC/iStockphoto: 6 (3. #4)

Jani Bryson Studios, Inc./iStockphoto: 544 (luxembourgeois)

Janvier, Steeve/Fotolia.com: 137 (à la médiathèque, 138 (F)

Jarenwicklund/iStockphoto: 439

JazzIRT/iStockphoto: 342 (#1)

Jeff Hathaway Photography/iStockphoto: 411 (un hôtel)

Jgareri/iStockphoto: 53 (jouer au hockey sur glace)

JK/Fotolia.com: 292 (le saucisson), 297 (#6)

Jmalov/iStockphoto: 52 (faire du roller), 54 (Karim/ mercredi)

João/iStockphoto: 487 (#1)

JoeLena/iStockphoto: 52 (faire du shopping), 54 (Karim/ lundi)

Jordanchez/iStockphoto: 220 (la demi-soeur)

Jose, Nicholas/SIPA Press: 21 (b)

Joshua Hudge Photography/iStockphoto: 133

Juanmonino/iStockphoto: 220 (la mère, la belle-mère), 544 (espagnole)

Justice Images/iStockphoto: 474

Kali9/iStockphoto: 444 (b)

Karmierski, Andrew/Fotolia.com: 533 (#5)

Kasiam/iStockphoto: 310 (les concombres)

Kertlis/iStockphoto: 294 (#8), 296 (Modèle)

Khoon, Tan Kian/Fotolia.com: 503

Kislota/iStockphoto: 499 (#6, t)

KK Tan Photography/iStockphoto: 249 (un homme d'affaires)

Kokopopsdave/iStockphoto: 27 (tcl)

Kolundzija, Aleksandar/iStockphoto: 396 (Paris in autumn)

Kozlov, Oleg/Fotolia.com: 533 (#3)

Krajewski, John/iStockphoto: 5 (Alexandre)

Kranendonk, Jan/iStockphoto: 500 (#6 r)

Krinke, Michael/iStockphoto: 544 (italien)

Kryczka/iStockphoto: 249 (un graphiste)

Kubrak78/iStockphoto: 276 (un maillot de bain)

Kuhran/Fotolia.com: 544 (suisse, boy)

Labriet, Gérard/Photononstop: 274

Laing, Nick/Warburton-Lee, John/Photononstop: vii (bl)

Largeformat 4x5/iStockphoto: 86 (#8)

Lau, Karin/Fotolia.com: 86 (#6), 200, 262 (#4)

Laughingmango/iStockphoto: 516 (Quebec)
Lazar, Mihai-Bogdan/Fotolia.com: 550 (b)
Lefèvre, Sylvain/SIPA Press: 98 (c)
Lejeune, Jean-Paul/iStockphoto: 516 (St Lawrence)
Lemaire, Gérard/Fotolia.com: 465
Le Roy-Férau, Jérémie/Fotolia.com: xi (Alger)
Life on White/iStockphoto: 397 (fish), 399 (Modèle, #2)
Lighthouse Bay Photography/iStockphoto: 235
Lightpoet/Fotolia.com: 6 (2. #2)
Lindquist, Mary: 49 (b), 65 (b), 161 (b), 273 (tl, b), 337 (tl, b), 457 (b), 513 (tl, b)
LisaFX Photographic Designs/iStockphoto: 6 (3. #3), 480 (c)
LiseGagne/iStockphoto: 399 (#3)
Living images/iStockphoto: 4 (canadienne), 86 (#2)
Ljupco Smokovski/iStockphoto: 373 (#4)
LM/iStockphoto: 371 (t: tablet)
LordRunar/iStockphoto: 533 (#1)
Lovleah/iStockphoto: 251 (#6)
Lulu Berlu/Fotolia.com: 128 (b)
Lydie/SIPA Press: 255 (t)
Lypnyk2/iStockphoto: 277 (tr)
M&H Sheppard/iStockphoto: 248 (sénégalais, togolaise, gabonais, ivoirienne,béninoise,gabonais, gabonaise)
M-X-K/iStockphoto: 342 (#8)
Maica/iStockphoto: 69 (lire), 248 (malien)
Maiestas/iStockphoto: 245 (#3)
Maillet, Jean-Marie/Fotolia.com: 175
Manley, Andrew/iStockphoto: 499 (#1, R)
ManoAfrica/iStockphoto: 5 (Moussa)
Maridav/Fotolia.com: viii (c), 123 (énergique)
Mark Herreid Photography/iStockphoto: 52 (jouer au basket), 54 (Karim/vendredi, Suzanne/dimanche), 66 (#3), 86 (#5)
Mashabuba/iStockphoto: 148 (#3)
Masseglia, Rémy/ Fotolia.com: viii (b)
Maszlen, Peter/Fotolia.com: 488
Matejay/iStockphoto: 67
Mayonaise/Fotolia.com: 171
Mbbirdy/iStockphoto: 369
MBPhoto, INC./iStockphoto: 234 (t)
Mcmullan Co/SIPA Press: 197
Megapress: 527
Meghan Orud Photography: 230 (b)
Merton, Tom/Ojo Images/Photononstop: 458
Mesmerizer/iStockphoto: 342 (#6)
Mevans/iStockphoto: 85 (tl)
Michaeljung/iStockphoto: 4 (algérienne), 16 (br)
Milphoto/Fotolia.com: 170
Mimon/Fotolia.com: 226
Minnis, Phillip/iStockphoto: 348 (#4)
Mitya/iStockphoto: 276 (des bottes)
Monkey Business Images/iStockphoto: 63, 137 (à la cantine), 148 (#4), 360 (b), 483
Monkey Business Images/Shutterstock.com: v (bl)
Monu, Nicholas/iStockphoto: 4 (canadien)
Moodboard/Fotolia.com: iv (t), 6 (2. #1), 251 (#2)
Moran, Ellen/iStockphoto: 516 (United States)
Mysty/SIPA Press: 164 (cl), 169 (b)
Naphtalina/ iStockphoto: 401
Nathalie P/Fotolia.com: 85 (tr)
NDS/iStockphoto: 382 (printer)
Neustock/iStockphoto: 4 (classmates)
Newphotoservice/iStockphoto: 511 (l)
NfrPictures/Fotolia.com: 426 (#1)
Nicholas/iStockphoto: 373 (#5)
NickS/Fotolia.com: 110 (2. #6)
Nicolesey, Inc/Nicole S. Young/iStockphoto: 526 (t)
Niko/Lorenvu/Nivière/SIPA Press: 201
NLShop/Fotolia.com: 58 (b)
Nojman/iStockphoto: 342 (#5)
Norman Pognson Photography/iStockphoto: 75
Numérik/Fotolia.com: 114
Oberhauser/Caro Fotos/SIPA Press: 20 (b)
Obscura99/iStockphoto: 31 (#2), 54 (Suzanne/vendredi), 138 (A)
ODonnell Photograf/iStockphoto: 276 (un jean)
Okea/iStockphoto: 382 (laptop)
Olegg66/iStockphoto: 135 (t)
Olga-artfly/iStockphoto: 397 (dog)
Oliver Childs Photography/iStockphoto: 53 (faire du patinage artistique), 54 (Karim/mardi)
Olly/Fotolia.com: 90 (t)
Overprint/iStockphoto: 276 (des tennis)
OxfordSquare/iStockphoto: 287
Ozkok/SIPA Press: 446, 558
Ozmen, Unal M./Shutterstock: 284 (#2)
P.M. Augustavo Photography/iStockphoto: 548 (tr)
Pagadesign/iStockphoto: 373 (#2)
Paha_L/iStockphoto: 469
ParisPhoto/Fotolia.com: 410 (une place)
PattieS/iStockphoto: 3
Paul Johnson Photography/iStockphoto: 53 (des pâtes), 66 (#1)
Pawlowska, Edyta/Fotolia.com: 304
Pears2295/iStockphoto: 471 (fever)
Peepo/iStockphoto: 249 (un écrivain person)
Pengpeng/iStockphoto: 123 (intéressant(e))
Pepin, Denis/Fotolia.com: 16 (Très bien.)
Perets/iStockphoto: 251 (#3 suitcase)
Petit, Joël/Fotolia.com: 165 (hat on top of girl)

Pétrie, Gretchen: 459, 493 (t)
Pgiam/iStockphoto: 487 (bottles)
Phil Date Photography/iStockphoto 330, 482 (b)
Philipus/Fotolia.com: 128 (t)
PhotoL/iStockphoto: 249 (un écrivain: books)
Photo studio FD/iStockphoto: 251 (Modèle)
PhotoTalk/iStockphoto: 396 (au printemps), 531
Phototrolley/iStockphoto: 53 (plonger), 66 (#4)
Pics721/Fotolia.com: 341 (1.)
Piebinga management bv/iStockphoto: 39 (t)
Piksel/iStockphoto: 4 (greeting kiss), 434 (b)
Pink_cotton_candy/iStockphoto: 220 (le beau-père)
Pitcher, John/iStockphoto: 486 (bear), 487 Modèle)
PixAchi/Fotolia.com: 162
Pixalion/Fotolia.com: 361 (garlic)
Pixel300/Fotolia.com: 411 (l'argent)
Planche, Thierry/Fotolia: 499 (#8)
Plett, Randy Photographs/iStockphoto: 220 (la tante)
Plougmann/iStockphoto: 471 (unhealthy)
Poco_bw/Fotolia.com: 379
Pokrovsky, Ekaterina/Fotolia.com: 396 (Arc de Triomphe in fall)
Pol, Émile/SIPA Press: 82
Porschelegend/Fotolia.com: xi (Belgium)
Portraits Unlimited/iStockphoto: 69 (étudier), 145
Pp76/Fotolia.com: 110 (2. #4), 115 (#1), 245 (#4)
Prashant ZI/iStockphoto: 382 (keyboard)
PressFoto/iStockphoto: 28 (à la teuf), 54 (Suzanne/jeudi), 289
Prikhodko, Oleg/iStockphoto: 373 (#1)
Prochasson, Frédéric/Fotolia.com: 249 (une avocate, background)
Prosto Agency/iStockphoto: 517 (flag)
Pshenichka/iStockphoto: 499 (#2)
Quavondo Photographer/iStockphoto: 276 (tl)
Ramirez, Rafael/Fotolia.com: 205 (#3), 262 (#6)
Randy Plett Photographs/iStockphoto: 382 (cell phone)
Rave/iStockphoto: 5 (Khaled)
Reau, Alexis/SIPA Press: 271
Renault, Francois/Photononstop: 338
Renphoto/iStockphoto: 221 (cl)
Rich Vintage Photography/iStockphoto: 31 (br), 86 (#4), 548 (tl, bl)
Rigaud, Marc/Fotolia.com: 426 (#6)
Robert A. Levy Photography, LL/iStockphoto: 471 (healthy)
Rocketegg/iStockphoto: 222 (bl)
Rodriguez, Andres/Fotolia.com: 544 (espagnol)
RoJo Images/iStockphoto: 355 (le déjeuner)
Roland, Yves/Fotolia.com: 322
Ronald N Hohenhaus/iStockphoto: 221 (les cheveux noirs)
RonTech2000/iStockphoto: 221 (tl)
Rosa, Jean-Marie/Fotolia.com: 426 (#3)
Roussel, Adrien/Fotolia.com: x (tr)
Ruffraido/iStockphoto: 5 (Evenye), 248 (malienne, togolais)
Rusm/iStockphoto: 395, 417, 420 (#5)
Russ, Kevin/iStockphoto: 544 (allemand)
Ryall, Bill: vii (br), 393 (tr)
Sablamek/iStockphoto: 249 (une dentiste)
Sadaka, Edmond/SIPA Press: 47
Sagliet, Véronique/Fotolia.com: 500 (#1 l)
Salcher, Doreen/Fotolia.com: 16 (Ça va mal.)
Sanders, Gina/Fotolia.com: 306
Santa Maria Studio/iStockphoto: 78 (le foot), 262 (#1)
Sarikaya, Özger: 108 (une affiche), 109 (1.#4), 115 (#3)
Serhiy/iStockphoto: 291 (le poulet), 297 (#1), 303 (Modèle)
S. Greg Panosian/iStockphoto: 426 (#2), 500 (#1 r)
Shantell photographe/iStockphoto: 471 (sick)
Sharon Dominick Photography/iStockphoto: 249 (une avocate person), 313
Shestakoff/iStockphoto: 113 (t)
Shutrbugg/iStockphoto: 486 (panda), 487 (#2)
Sielemann, Søren/iStockphoto: 220 (le beau-frère)
Silva, Daniele/Fotolia.com: 341 (3.)
Simon-TV/NRJ/OH/SIPA Press: 378 (t)
Simsek, Baris/iStockphoto: 342 (#9), 373 (#6), 382 (tablet)
Simson, David/images by "David SimsonB-6940 SEPTON (dasphoto@hotmail.com)": v (t), vi (bl, br), 4 (tl), (française), 5 (Sandrine, Saniyya), 6 (2. #4; 3. #6), 7 (b), 11, 16 (bl), 18, 28 (au café, au cinéma), 31 (Modèle, #4), 32, 37 (t), 52 (sortire ave c mes amis), 53 (des frites (f.)), 54 (Karim/dimanche), 54 (Suzanne/mercredi), 86 (#3), 88, 92, 108 (t), 113 (b), 117, 121 (b), 134, 137 (au bureau du proviseur, au magasin, en ville), 138 (t), 138 (2. D), 139, 142 (t), 146, 148 (#1, #2), 163, 164 (t, cr), 167, 179 (b), 180 (un sandwich au jambon, une omelette, un steak-frites, une crêpe), 181 (A, C (water and clear soda), D,E), 182 (#1, #2 omelet, #3, #4 sandwich, #5; #6 water, #7 steak and fries, water), 183, 185 (b), 186, 189 (#1, #2, #5, #6), 190, 203, 205 (Modèle, #2, #4, #5, #6), 212 (b), 220 (le demi-frère, la cousine, le cousin, la sœur), 225 (t), 233 (tl), 245 (#7, br), 246, 248 (boy burkinabè, ivoirien, camerounais, camerounaise), 249 (un agent de police, un ingénieur, une chanteuse), 252, 257, 261, 262 (Modèle, #3), 270, 275, 279, 281, 283, 284 (Modèle (ice cream), #1, #3, #4), 285, 286, 288, 291 (la boulangerie, la baguette, le croissant, la pâtisserie, la crémerie, le beurre, le lait, le fromage, le yaourt, le camembert, le porc), 292 (l'épicerie, la moutarde, la confiture, la charcuterie, cl, cr, bl, br), 294 (#1, #2, #3, #4, #5), 295, 296 (#1, #3, #4, #5, #6, #7, #8), 297 (#2, #3, #5, b), 299, 300, 301, 303 (#3, #6, #7), 310 (les fruits), 315, 316 (t), 317, 325(r), 333, 342 (#7, #11), 343, 346 (b), 352 (b), 355 (t, le petit déjeuner, le goûter, le dîner), 363, 367, 370 (b), 371 (b), 372, 399 (#1), 403, 405 (#4, #6), 407 (b), 410 (une gare, une avenue, un aéroport, un fleuve), 411 (un musée, un

bateau, un restaurant, une poste), 413 (C, D, E, F, G), 414, 420 (#4), 426 (Modèle, #5, #7), 431, 444 (t), 452, 460 (b), 461, 462, 464, 471 (all but flu, fever, healthy, unhealthy, sick), 473, 474, 482 (t), 487 (#4, 9, 10), 489, 493 (b), 499 (#3), 500 (Modèle t, #2, #5, #6 l), 511 (r), 546, 563

Skup, Lukas/Fotolia.com: 360 (tr)

SoopySue/iStockphoto: 516 (Terre-Neuve)

Sorrentino Angela/iStockphoto: 291 (le pain), 303 (#5)

Spiderbox Photography Inc./iStockphoto: 342 (#3), 373 (#3), 374 (C, D)

SSilver/Fotolia.com: 74 (b)

Stanislaff/iStockphoto: 292 (le jambon)

Stefanphoto/iStockphoto: 127 (t)

Steve__/iStockphoto: 486 (gorilla), 487 (#7, #8)

Steve Debenport Imagery/iStockphoto Photos: 2 (2:#2), 91, 251 (#1), 496,

Stitt, Jason/Fotolia.com: 384 (l)

Struthers, Karen/Fotolia.com: 544 (française)

Studio41/iStockphoto: 221 (les cheveux bruns)

StudioDer/Fotolia.com: 302

Super Sport Photography/iStockphoto: 307 (t)

Susaro/iStockphoto: 78 (le cinéma: *image on screen*)

SV/Fotolia.com: 541 (l)

Syagci/iStockphoto: 397 (bird)

T.M.C/iStockphoto: 487 (#5)

Take A pix Media/iStockphoto: 52 (jouer au foot), 66 (#6), 164 (soccer ball in top photo)

Tangney, Denis Jr./iStockphoto: 516 (Montreal)

Targovcom/iStockphoto: 241

Techno/iStockphoto: 53 (faire du ski)

Terex/Istock: 276 (une robe)

Terraxplorer/iStockphoto: 69 (regarder la télé)

Teun van den Dries Fotografie/iStockphoto: 371 (t: wardrobe)

Texas Media Imaging/iStockphoto: 4 (Allô?)

Tilio & Paolo/Fotolia.com: v (br)

Timchen/iStockphoto: 28 (au centre commercial)

TMAX/Fotolia.com: 411 (une banque), 500 (#3 r)

Tom Fullum Photography/iStockphoto: 52 (Il fait mauvais.), 54 (météo/mercredi, météo/jeudi, météo/vendredi), 90 (Modèle b, #1, #4, #5)

TomS/Fotolia.com: 318 (c)

The Desktop Studio/iStockphoto: 251 (t)

The New Dawn Singers Inc./iStockphoto: 249 (un metteur en scène), 318 (r)

Track5/iStockphoto: 156 (t), 242 (b), 555

Tracy WhitesidePhotography/iStockphoto: 383 (r)

Trigger Photo: 4 (américaine), 86 (#9)

Tulcarion/iStockphoto: 342 (#2)

Tupungato/iStockphoto: 310 (les pamplemousses)

Turay, Lisa/iStockphoto: 544 (belge, girl)

Turtle Pond Photography/iStockphoto: 348 (#2)

Unclesam/Fotolia.com: 110 (2.#2,#3), 499 (#5)

Uolir/Fotolia.com: 105 (b), 108 (une salle de classe), 109 (1.#8), 346 (t)

Urman, Lionel/SIPA Press: 282 (t)

U Star Pix/Istockphoto: x (br)

ValentynVolkov/iStockphoto: 310 (les aubergines)

VanHart/Fotolia.com: x (tl)

Varela Filipe B./iStockphoto: 66 (t)

Varley/SIPA Press: 378 (b)

Vasiliki/iStockphoto: 69 (jouer aux jeux vidéo)

Vasko Miokovic Photography/iStockphoto: 405 (#2)

Viisimaa Peeter/Istock: 248 (girl burkinabè), 254 (t), 339, 359 (t)

Villalon, Richard/Fotolia.com: 108 (un taille-crayon), 109 (1. #5, 2. #5), 402 (t)

Villard/SIPA Press: 195, 259

Vivet, Julien/Fotolia.com: 411 (une rue)

Vkovalcik/iStockphoto: 396 (Versailles in summer)

Vladone/iStockphoto: 514

Vorobyev, Kirill/iStockphoto: 397 (cat)

W A Britten/iStockphoto: 6 (2. #6)

Wagner, Martine/Fotolia.com: 405 (#1)

Wan Bin/Chine Nouvelle/SIPA Press: 98 (b)

Wariatka, Matka/iStockphoto: 499 (#4, L)

Weberfoto/iStockphoto: 28 (à la maison)

Webkojak/iStockphoto: 100

Webphotographeer/iStockphoto: 79 (b)

Webphotographer/iStockphoto: 527

Weihrauch, Michael/Tellus Vision Production AB, Lund, Sweden: 1, 3(b), 49 (tl, tr), 51 (c), 105 (tl, tr), 107 (c), 161 (tl, tr), 163 (c), 217, 219 (c), 273 (tr), 275 (c), 337 (b, tr), 339 (c), 393 (tl), 395 (c), 457 (tl, tr), 459 (c), 513 (tl), 515 (c)

Weiss, Sabine/Rapho/Enfant à la sortie de la boulangerie. Paris, 1960: 327 (b)

Westacoot, Elliot/Fotolia.com: 544 (luxembourgeoise)

Wey, Peter/Fotolia.com: x (br)

Wierink, Ivonne/ Fotolia.com: 480 (t)

Wisbauer, Camilla/iStockphoto: 245 (#6)

Wooster, Ignatius/Fotolia.com: 349

Wragg, Mark/iStockphoto: 245 (#1)

XtravaganT/Fotolia.com: 416

Xxmmxx/iStockphoto: 86 (Modèle), 499 (#6, b)

Yakovlev, Alexander/iStockphoto: 460 (t)

YangYin/iStockphoto: 342 (#4)

Yefimov, Artyom/Fotolia.com: 185 (t)

Yolanda, Linda/iStockphoto: 220 (la belle-sœur)

Zaihan/Fotolia.com: 325 (l)

Zilli/iStockphoto: 245 (#5)

Zoomstudio/iStockphoto: 276 (un tee-shirt)

ZTS/iStockphoto: 499 (#1, L)

Reading Credits

Apollinaire, Guillaume, "Le chat," *Le Bestiaire*, Deplanche, 1911 (poem): 386

Aragon, Louis, "Je me souviens," Album Montand 7, (paroles), 1967 (poem/song): 558

Ben Jelloun, Tahar, *L'Homme rompu*, Seuil, Paris 1994, pp. 74-75 (novel): 504

Chédid, Andrée, *L'Enfant multiple*, J'ai Lu, Flammarion, 1989 (novel): 266

Cohen, Albert, *Belle du Seigneur*, Folio Gallimard, 1998 (novel): 41

Goscinny, René, *Le Petit Nicolas*. Gallimard, Folio n° 423 (story): 153

Perec, Georges, *Penser/Classer*, Hachette, 1985 (essay): 95

Pons, Maurice, "Le fils du Boulanger," *Douce-amère*, Denoël, 1985 (short story): 328

Prévert, Jacques, "Chanson de la Seine (III)" ("Aubervilliers"), *Spectacle*, © Éditions GALLIMARD, Paris (poem): 446

Art Credits

The Bridgeman Art Library International: *The Private Conversation*, 1904 (oil on canvas), Beraud, Jean (1849-1935)/J. Kugel Collection, Paris, France/© DACS/ Giraudon: 42; *Saint Germain-Des-Pres* (oil on canvas), Boissegur, Beatrice (Contemporary Artist)/Private Collection): 95; *Nafea Faaipoipo* (When are you Getting Married?), 1892 (oil on canvas), Gauguin, Paul (1848-1903)/Rudolph Staechelin Family Foundation, Basel, Switzerland: 106, 129; *Ball at the Moulin de la Galette*, 1876 (oil on canvas), Renoir, Pierre Auguste(1841-1919)/ Private Collection, *Self Portrait,* 1889 (oil on canvas): 223; Gogh, Vincent van (1853-90)/Private Collection, Zurich, Switzerland, *Ginger Jar,* c.1895 (oil on canvas): 223; Cezanne, Paul (1839-1906)/©The Barnes Foundation, Merion, Pennsylvania, USA: 223; *The Lily Pond* (oil on canvas), Monet, Claude (1840-1926)/Private Collection/Photo © Christie's Images: 223; *Ms 65/1284 f.7v July: harvesting and sheep shearing* by the Limbourg brothers, from the 'Tres Riches Heures du Duc de Berry' (vellum)(for facsimile copy see 65830) by Pol deLimbourg (d.c.1416) Musee Conde, Chantilly, France/Giraudon: 269, 359 (b); *Landscape near Arles*, 1888 (oil on canvas), Gauguin, Paul (1848-1903)/Indianapolis Museum of Art, USA/Gift in memory of William Ray Adams/The Bridgeman Art Library International: 260; *The Starry Night*, June 1889 (oil on canvas), Gogh, Vincent van (1853-90)/Museum of Modern Art, New York, USA: 359; *In the Oise Valley* (oil on canvas), Cezanne, Paul (1839-1906)/Private Collection/Photo © Christie's Images/The Bridgeman Art Library International: 386; *The Pont de l'Europe*, Gare Saint-Lazare, 1877 (oil on canvas), Monet, Claude (1840-1926)/Musee Marmottan, Paris, France/ Giraudon: 449; *The Seated Man*, or *The Architect* (oil on canvas), La Fresnaye, Roger de (1885-1925)/Musee National d'Art Moderne, Centre Pompidou, Paris, France/ Giraudon: 506

Christie's Images/CORBIS: *The Pont Neuf* (*Notre Dame in Paris, View of the Pont Neuf*) by Paul Signac©: 447

Doisneau, Robert/Gamma-Rapho: 153 (Information scolaire, 1956)

Varin, Achille/*Le cerf-volant*, 1925. Château-musée municipal de Nemours, France: 558

Realia Credits

Anderson, Leslie: 230

ASPTT de Paris: 466

Association Québec-France: 13

Atraveo GmbH: 353

Beach Volley/Défi des îles: 226

Carrefour/Groupe Carrefour: 112, 240 (logo), 301, 326, 363

Comité Départemental du Tourisme, Loir-et-Cher: 537

Commémoration du Génocide du Rwanda: 478

Crêperie "Chez Suzette" Inc. Montréal, Québec: 187

Dots United GmbH: 324 (PSG logo)

Eurosport: 171

Famille Chabert-4 restaurants, Lyon, France: 73

Fédération Nationale des Cinémas Français, la Fête du cinéma: 206

Festival Waga Hip Hop/ Ali DIALLO: 262

Fête de la musique/Strasbourg.eu: 83

Fête des Lumières, Lyon, France: 74

Fête du cinéma: 206

Francofolies de Montréal: 523

Francoscopie: 379

Genève Tourisme & Congrès: 551

Goldenpass.ch: 24

Musée Grévin: 418

Pariscope, France: 201

Pathé Production, ©2008—PATHE Production—Bethsabée Mucho—TF1 Films Production—M6 Films: 207, 373, 374 (poster of movie LOL)

Plan de Paris: © parisholidays.fr (Find an apartment in Paris.): 403

Pureshopping: 324 (gift card)

RATP: 436

Redoute, la: 283

Résidence des Bateliers: 349

Top-Office.com: 22, 25, 112, 114 (school supplies), 499 (Modèle)

Vélib' Paris: © 2011 Vélib'/Marie de Paris: 494